12 REGRAS PARA A VIDA
Um antídoto para o caos

Jordan B. Peterson

Prefácio de Norman Doidge
Ilustrações de Ethan Van Scriver

ALTA BOOKS
EDITORA
Rio de Janeiro, 2018

12 Regras Para a Vida — Um antídoto para o caos
Copyright © 2018 da Starlin Alta Editora e Consultoria Eireli. ISBN: 978-85-508-0275-6

Translated from original 12 Rules for Life: an antidote to chaos. Copyright © 2018 Luminate Psychological Services Ltd, by arragement with CookeMcDermid Agency, The Cooke Agency International and Agência Riff. Originally published in English by Random Houce Canada. PORTUGUESE language edition published by Starlin Alta Editora e Consultoria Eireli, Copyright © 2018 by Starlin Alta Editora e Consultoria Eireli.

Todos os direitos estão reservados e protegidos por Lei. Nenhuma parte deste livro, sem autorização prévia por escrito da editora, poderá ser reproduzida ou transmitida. A violação dos Direitos Autorais é crime estabelecido na Lei nº 9.610/98 e com punição de acordo com o artigo 184 do Código Penal.

A editora não se responsabiliza pelo conteúdo da obra, formulada exclusivamente pelo(s) autor(es).

Marcas Registradas: Todos os termos mencionados e reconhecidos como Marca Registrada e/ou Comercial são de responsabilidade de seus proprietários. A editora informa não estar associada a nenhum produto e/ou fornecedor apresentado no livro.

Impresso no Brasil — 2018 — Edição revisada conforme o Acordo Ortográfico da Língua Portuguesa de 2009.

Publique seu livro com a Alta Books. Para mais informações envie um e-mail para autoria@altabooks.com.br

Obra disponível para venda corporativa e/ou personalizada. Para mais informações, fale com projetos@altabooks.com.br

Produção Editorial Editora Alta Books	Produtor Editorial Thiê Alves	Marketing Editorial Silas Amaro marketing@altabooks.com.br	Gerência de Captação e Contratação de Obras autoria@altabooks.com.br	Vendas Atacado e Varejo Daniele Fonseca Viviane Paiva comercial@altabooks.com.br
Gerência Editorial Anderson Vieira	Produtor Editorial (Design) Aurélio Corrêa	Editor de Aquisição José Rugeri j.rugeri@altabooks.com.br	Ouvidoria ouvidoria@altabooks.com.br	
Equipe Editorial	Adriano Barros Bianca Teodoro Ian Verçosa	Illysabelle Trajano Juliana de Oliveira Kelry Oliveira	Renan Castro Viviane Rodrigues Wallace Escobar	
Tradução Alberto G. Streicher Wendy Campos	Copidesque Roberto Rezende	Revisão Gramatical Carolina Gaio	Diagramação Daniel Vargas	

Erratas e arquivos de apoio: No site da editora relatamos, com a devida correção, qualquer erro encontrado em nossos livros, bem como disponibilizamos arquivos de apoio se aplicáveis à obra em questão.
Acesse o site www.altabooks.com.br e procure pelo título do livro desejado para ter acesso às erratas, aos arquivos de apoio e/ou a outros conteúdos aplicáveis à obra.

Suporte Técnico: A obra é comercializada na forma em que está, sem direito a suporte técnico ou orientação pessoal/exclusiva ao leitor.

A editora não se responsabiliza pela manutenção, atualização e idioma dos sites referidos pelos autores nesta obra.

Dados Internacionais de Catalogação na Publicação (CIP) de acordo com ISBD

P485d	Peterson, Jordan B. 12 regras para a vida: um antídoto para o caos / Jordan B. Peterson ; traduzido por Wendy Campos, Alberto G. Streicher.- Rio de Janeiro : Alta Books, 2018. 448 p. ; il. ; 17cm x 24cm. Tradução de: 12 rules for life: an antidote to chaos Inclui índice. ISBN: 978-85-508-0275-6 1. Autoajuda. 2. Vida. 3. Regras. 4. Caos. I. Campos, Wendy. II. Gassul, Alberto. III. Título.
2018-396	CDD 158.1 CDU 159.947

Elaborado por Vagner Rodolfo da Silva - CRB-8/9410

Rua Viúva Cláudio, 291 — Bairro Industrial do Jacaré
CEP: 20.970-031 — Rio de Janeiro (RJ)
Tels.: (21) 3278-8069 / 3278-8419
www.altabooks.com.br — altabooks@altabooks.com.br
www.facebook.com/altabooks — www.instagram.com/altabooks

SUMÁRIO

Prefácio de Norman Doidge **v**

Introdução **xxv**

REGRA 1 / Costas eretas, ombros para trás **1**

REGRA 2 / Cuide de si mesmo como cuidaria de alguém sob sua responsabilidade **31**

REGRA 3 / Seja amigo de pessoas que queiram o melhor para você **67**

REGRA 4 / Compare a si mesmo com quem você foi ontem, não com quem outra pessoa é hoje **87**

REGRA 5 / Não deixe que seus filhos façam algo que faça você deixar de gostar deles **117**

REGRA 6 / Deixe sua casa em perfeita ordem antes de criticar o mundo **153**

REGRA 7 / Busque o que é significativo, não o que é conveniente **169**

REGRA 8 / Diga a verdade. Ou, pelo menos, não minta **213**

REGRA 9 / Presuma que a pessoa com quem está conversando possa saber algo que você não sabe **243**

REGRA 10 / Seja preciso no que diz **269**

REGRA 11 / Não incomode as crianças quando estão andando de skate **295**

REGRA 12 / Acaricie um gato ao encontrar um na rua **345**

Encerramento **365**

Agradecimentos **379** / Notas **381** / Índice **405**

PREFÁCIO

REGRAS? MAIS REGRAS? SÉRIO? A vida já não é complicada e restritiva o suficiente sem regras abstratas que não levam em conta nossa situação única e individual? E uma vez que nosso cérebro é moldável e se desenvolve de forma diferente com base nas experiências da vida, por que, então, esperar que algumas regras possam ser úteis para todos nós?

As pessoas não clamam por regras, nem mesmo na Bíblia... como quando Moisés desce a montanha, após uma longa ausência, carregando as tábuas inscritas com os Dez Mandamentos e encontra os Filhos de Israel na folia. Eles haviam sido escravos do Faraó e submetidos às suas regras tirânicas por 400 anos e, após isso, Moisés os sujeitou ao deserto inclemente por outros 40 anos para purificá-los de sua servidão. Agora, finalmente libertos, estão desenfreados e perderam o controle dançando loucamente em frente a um ídolo, um bezerro de ouro, exibindo todas as formas de corrupção corpórea.

"Tenho boas... e más notícias", brada o legislador para eles. "Quais vocês querem primeiro?"

"As boas notícias!", respondem os hedonistas.

"Consegui convencê-Lo a reduzir de 15 para 10 Mandamentos!"

"Aleluia!", exclama a multidão desenfreada. "E as más?"

"Adultério ainda está na lista."

Então, regras hão de existir — mas, por favor, não muitas. Somos ambivalentes em relação às regras, mesmo quando sabemos que são boas para nós. Se somos almas espirituosas, se temos personalidade, as regras parecem restritivas, uma afronta ao nosso livre-arbítrio e ao nosso orgulho de determinar nossa própria vida. Por que deveríamos ser julgados de acordo com a regra dos outros?

E julgados nós somos. Afinal, Deus não deu "As Dez Sugestões" para Moisés, deu Mandamentos, e se sou um agente livre, minha primeira reação perante um Mandamento pode ser a de que ninguém, nem mesmo Deus, diz o que devo fazer, mesmo que seja bom para mim. Mas a história do bezerro de ouro nos lembra de que sem regras rapidamente nos tornamos escravos das nossas paixões — e não há nada de libertador nisso.

E a história sugere algo a mais: desacompanhados e deixados por conta de nosso próprio julgamento, sem supervisão, seremos rápidos em almejar pouco e louvar qualidades que estão abaixo de nós — nesse caso, um animal artificial que traz à tona os próprios instintos de forma totalmente descontrolada. A antiga história dos hebreus deixa claro como os antigos se sentiam sobre nossas perspectivas de um comportamento civilizado na ausência de regras que buscassem elevar nosso olhar e padrões.

Uma coisa interessante nessa história da Bíblia é que ela não apenas lista as regras, como juristas, legisladores e administradores geralmente fazem; ela inclui uma história dramática que ilustra por que precisamos delas, tornando-as, desse modo, mais fáceis de serem compreendidas. Da mesma forma, neste livro, o Professor Peterson não apenas propõe suas 12 regras, mas conta histórias também, aplicando seu conhecimento de várias áreas ao ilustrar e explicar por que as melhores regras, basicamente, não nos restringem; pelo contrário, facilitam nossos objetivos e nos ajudam a ter uma vida mais plena e livre.

Conheci Jordan Peterson em 12 de setembro de 2004, na casa de dois amigos em comum, o produtor de TV Wodek Szemberg e a clínica geral Estera Bekier. Era a festa de aniversário de Wodek. Ele e Estera são imigrantes poloneses que cresceram durante o império soviético, quando era de conhecimento comum que vários assuntos eram proibidos e que questionar, mesmo que casualmente, arranjos sociais e ideias filosóficas (sem mencionar o regime em si) poderia significar um grande problema.

Mas, agora, os anfitriões deleitam-se em conversas despreocupadas, honestas, dando festas elegantes devotadas ao prazer de poder dizer o que você realmente pensa e ouvir os outros da mesma forma, em um toma lá dá cá desinibido. A regra se tornou "diga o que pensa". Se a conversa mudasse para política, pessoas com convicções políticas diferentes falavam entre si — de fato, ansiavam por isso — de uma forma que é cada vez mais rara. Algumas vezes as próprias opiniões, ou verdades, de Wodek explodiam para fora dele, assim como sua risada. Então, ele abraçaria quem quer que fosse que o tivesse feito rir, ou o provocado para dizer o que pensava, com maior intensidade do que ele mesmo havia pretendido. Essa era a melhor parte das festas, e sua franqueza e seus abraços calorosos faziam com que valesse a pena provocá-lo. Enquanto isso, a voz da Estera cadenciava do outro lado da sala por um caminho muito preciso até atingir o ouvinte desejado. As explosões de verdades não tornavam a atmosfera menos descontraída para a turma, mas incentivavam mais explosões de verdades — o que nos libertava e provocava mais risadas, tornando a noite inteira mais agradável, pois com europeus orientais não mais reprimidos, tais como os Szemberg-Bekiers, você sempre sabia com o que e com quem estava lidando e essa franqueza era energizante. Honoré de Balzac, o romancista, uma vez descreveu os bailes e festas na França, onde nasceu, observando que o que aparentava ser uma festa eram, na realidade, duas. Nas primeiras horas, a festa se enchia com pessoas chatas cheias de poses e trejeitos, com frequentadores que iam encontrar, talvez, uma pessoa especial que endossaria sua beleza e status. Depois, bem tarde, após a maioria dos convidados ter ido embora, a segunda festa, a verdadeira, começaria. Ali, a conversa era compartilhada por todos os presentes e as risadas sinceras substituíam a atmosfera empolada. Nas festas de Estera e de

PREFÁCIO

Wodek, esse tipo de exposição e intimidade das altas horas da madrugada frequentemente acontecia assim que entrávamos na sala.

Wodek tem cabelo grisalho e volumoso, um caçador sempre em busca de intelectuais públicos em potencial, alguém que sabe identificar as pessoas que realmente conseguem falar na frente de uma câmera e aparentam ser autênticas, pois de fato o são (a câmera capta isso). Ele frequentemente convida essas pessoas para as festas. Um dia, Wodek levou um professor de psicologia da Universidade de Toronto, em que eu trabalho, que tinha o que era preciso: intelecto e emoção combinados. Wodek foi o primeiro a colocar Jordan Peterson na frente de uma câmera e pensou nele como um professor em busca de alunos — pois estava sempre pronto para explicar. E o fato de ele ter gostado da câmera e a câmera dele ajudou.

Naquela tarde, havia uma mesa grande no jardim dos Szemberg-Bekier. Ao redor dela, estava a coleção habitual de bocas, ouvidos e gênios eloquentes. Parecia, no entanto, que estávamos sendo atacados por um gigantesco enxame de abelhas barulhentas, e ali estava esse novo colega à mesa, com um sotaque da província de Alberta e botas de cowboy, ignorando o zumbido e continuando a falar. Enquanto falava, todos movimentávamos as cadeiras para nos desvencilhar das abelhas, tentando ao mesmo tempo não nos distanciar da mesa, pois a conversa do novato era muito interessante.

Ele tinha uma mania estranha de falar sobre questões mais profundas com quem estivesse à mesa — quase todos recém-conhecidos — como se conversasse sobre trivialidades. Ou, se falasse sobre trivialidades, o intervalo entre "Como você conheceu Wodek e Estera?" ou "Já fui apicultor, estou acostumado com abelhas" e tópicos mais sérios era de nanossegundos.

Alguém pode ouvir esses tipos de questões sendo debatidos em festas frequentadas por professores e profissionais, mas geralmente a conversa permaneceria restrita a um canto, entre dois especialistas no assunto, e se fosse estendida para o grupo todo sempre haveria alguém se gabando. Mas esse Peterson, embora erudito, não pareceu ser pedante. Ele tinha o entusiasmo de uma criança que acabou de aprender algo novo e queria compartilhá-lo. Parecia que ele acreditava, assim como uma criança — antes de saber como os adultos podem ser chatos —, que se ele achasse que alguma coisa era interessante os outros também achariam. Havia uma certa inocência naquele cowboy ao discorrer sobre os assuntos como se todos tivéssemos crescido juntos na mesma cidade ou família e pensado nos mesmos problemas sobre a existência humana.

Peterson não era um "excêntrico" na realidade, tinha habilidades tradicionais suficientes, fora professor de Harvard e era um cavalheiro (como os cowboys conseguem ser), embora dissesse alguns pequenos xingamentos bem ao estilo rural dos anos 1950. Mas todos ouviam com fascinação, pois ele falava sobre assuntos que interessavam a todos na mesa.

Havia algo de libertador em estar com uma pessoa tão estudada e que, contudo, falava de forma tão espontânea. O pensamento dele era cadenciado. Parecia que tinha a necessidade de pensar *em voz alta*, de usar seu córtex motor para pensar, ao mesmo tempo que esse motor tinha que rodar rapidamente para funcionar bem. Para conseguir decolar. Não de forma descontrolada, mas mesmo no neutro o giro do seu motor era alto. Pensamentos espirituosos simplesmente transbordavam. Mas, diferentemente de muitos acadêmicos que assumem o controle e não abrem mão disso, quando alguém o desafiava ou corrigia ele parecia *gostar*. Não assumia a defensiva. Ele simplesmente dizia um "sim" amigável e baixava sua cabeça involuntariamente, balançando-a se tivesse se esquecido de algo, rindo de si mesmo por ter supergeneralizado. Ele gostava que outras pessoas mostrassem o outro lado de uma questão e ficava claro que pensar sobre um problema, para ele, era um processo dialógico.

Outro fato diferente sobre ele choca qualquer um: para um nerd, Peterson era extremamente prático. Seus exemplos eram cheios de aplicações cotidianas: gestão empresarial, como construir móveis (ele construiu a maioria dos seus), fazer o design de uma casa simples, deixar seu quarto bonito (o que virou um meme na internet) ou, como em um caso relacionado à educação, criar um projeto online de escrita que evitou que alunos das minorias abandonassem a escola ao realizar um tipo de exercício psicanalítico sobre eles mesmos, em que fizeram associações livres com seu passado, presente e futuro (agora conhecido como Self-Authoring Program — Programa de Autoria Própria).

Sempre tive um afeto especial por pessoas do Meio-oeste, da região das Pradarias Canadenses, que vêm da fazenda (onde aprenderam tudo sobre a natureza) ou de uma cidadezinha, e que construíram seus utensílios com as próprias mãos, passaram longos períodos ao ar livre sob as intempéries e, geralmente, são autodidatas e frequentam a universidade desafiando todas as possibilidades. Eu as considero bem diferentes de seus colegas urbanos e sofisticados, mas de certa forma desnaturados, para os quais a educação superior era mera predestinação e, por esse motivo, muitas vezes não valorizada ou não considerada como um fim em si, mas simplesmente uma fase da vida a serviço do avanço da carreira. Esses interioranos são diferentes: vencem por mérito próprio, são prestativos, hospitaleiros e menos presunçosos do que vários dos seus colegas da cidade grande, que passam a maior parte de suas vidas dentro de casa manipulando símbolos em computadores. Esse psicólogo cowboy parecia se importar com algum pensamento apenas se, de alguma forma, fosse útil para alguém.

Ficamos amigos. Como psiquiatra e psicanalista que ama literatura, fui atraído para ele, pois ali estava um clínico que também se permitira aprender com os grandes livros e que não apenas amava os romances russos comoventes, a filosofia e a mitologia antigas, mas que parecia tratá-los como sua herança mais valiosa. Porém, ele também fez pesquisas estatísticas brilhantes sobre a personalidade e o temperamento e havia estudado as neurociências. Embora fosse treinado como um behaviorista, era fortemente fascinado pela psicanálise, com sua ênfase em sonhos, arquétipos, persistência dos conflitos da infância na vida adulta e no papel de defesas e racionalizações do cotidiano. Ele era igualmente diferente por ser o único a manter uma prática clínica e também ser membro do Departamento de Psicologia da Universidade de Toronto, direcionado para pesquisas.

Durante minhas visitas, nossa conversa se iniciava com brincadeiras e risadas — esse era o Peterson da cidadezinha do interior de Alberta, sua adolescência como no filme *FUBAR* —, dando as boas-vindas ao seu lar. Ele e sua esposa, Tammy, haviam destruído a casa para construí-la novamente, transformando-a naquilo que provavelmente era a casa de classe média mais fascinante e impactante que eu já vira. Eles tinham obras de arte, máscaras esculpidas e quadros abstratos, mas o que se sobressaía era uma coleção enorme de quadros realistas originais sobre socialismo retratando Lenin e os primeiros comunistas, comissionados pela URSS. Não muito tempo depois da queda da União Soviética, quando a maior parte do mundo respirou aliviada, Peterson começou a comprar essa propaganda política a preço de banana. Os quadros idolatrando o espírito soviético revolucionário preenchiam completamente todas as paredes, o teto e até os banheiros. Os quadros não estavam lá por Jordan ter qualquer simpatia pelo totalitarismo, mas porque queria lembrar a si mesmo de algo que ele e todo mundo gostariam de esquecer: que centenas de milhões foram mortos em nome de uma utopia.

Demorou para eu me acostumar a essa casa semiassombrada, "decorada" por um delírio que praticamente havia destruído a humanidade. Mas isso era amenizado por sua esposa singular e fantástica, Tammy, que se doava integralmente, que abraçava e encorajava essa necessidade incomum de se expressar! Esses quadros ofereciam ao visitante uma primeira janela para toda a amplitude da preocupação de Jordan com a capacidade humana de praticar o mal em nome do bem e o mistério psicológico do autoengano (como alguém pode enganar a si mesmo e sair impune?) — um interesse que temos em comum. Então, havia ainda as horas que passávamos debatendo o que considero um problema menor (por ser mais raro), a capacidade humana para o mal em nome do mal, a alegria que algumas pessoas têm em destruir outras, com sucesso captada pelo poeta inglês do século XVII John Milton em *Paraíso Perdido*.

Assim, conversávamos tomando chá em sua cozinha, rodeada por sua estranha coleção de arte, um marcador visual da sua busca sincera por ir além da ideologia simplista, de direita ou esquerda, e não repetir os erros do passado. Após um tempo, não havia nada de peculiar em tomar chá nessa cozinha falando sobre assuntos familiares ou nossas últimas leituras com aqueles quadros ameaçadores à espreita. Era apenas viver no mundo como ele era ou, em alguns lugares, é.

PREFÁCIO

No primeiro e único livro de Jordan antes deste, *Maps of Meaning* ["Mapas do Sentido", em tradução livre], ele compartilha seus insigths profundos sobre temas universais da mitologia mundial e explica como todas as culturas criaram histórias para nos ajudar a enfrentar e mapear o caos ao qual somos lançados quando nascemos; caos esse que se constitui de tudo aquilo que é desconhecido por nós e qualquer território inexplorado que precisemos atravessar no mundo social ou na psique.

Combinando evolução, neurociência da emoção, parte do melhor de Jung e Freud, e muito das grandes obras de Nietzsche, Dostoiévski, Solzhenitsyn, Eliade, Neumann, Piaget, Frye e Frankl, o livro *Maps of Meaning*, publicado cerca de duas décadas atrás, mostra a ampla retórica de Jordan para entender como os seres humanos e seu cérebro lidam com a situação arquetípica que surge sempre que nós, no cotidiano, precisamos enfrentar algo que não entendemos. O brilhantismo do livro está na demonstração de quão enraizada essa situação está na evolução, no nosso DNA, cérebro e nas nossas histórias mais antigas. E ele defende que essas histórias sobreviveram porque ainda oferecem uma orientação para lidarmos com a incerteza e o inevitável desconhecido.

Uma das muitas virtudes do livro que você está lendo agora é que ele oferece uma introdução para o *Maps of Meaning*, cujo trabalho foi altamente complexo, uma vez que Jordan estava desenvolvendo sua abordagem da psicologia enquanto o escrevia. No entanto, ele foi um alicerce, pois não importa quão diferentes nossos genes ou experiências possam ser ou como nosso cérebro moldável é conectado com nossa experiência, todos temos que lidar com o desconhecido e tentamos abandonar o caos em busca da ordem. É por isso que muitas das regras deste livro, sendo baseado em *Maps of Meaning*, têm um elemento de universalidade.

O livro *Maps of Meaning* nasceu da dolorosa percepção de Jordan, enquanto adolescente crescendo em plena Guerra Fria, de que grande parte da humanidade parecia estar a ponto de explodir o planeta para defender suas várias identidades. Ele sentiu que tinha de entender como era possível que aquela gente estivesse disposta a sacrificar tudo por uma "identidade", não importava qual fosse. E percebeu que tinha de entender as ideologias que levaram os regimes totalitários a uma variante daquele mesmo comportamento: matar seus próprios cidadãos. Em *Maps of Meaning*, e novamente neste livro, a ideologia é uma das questões para a qual ele alerta os leitores a terem muito cuidado, não importa quem a esteja propagando ou para qual fim.

Ideologias são ideias simples, disfarçadas de ciência ou filosofia, que pretendem explicar a complexidade do mundo e oferecer soluções para aperfeiçoá-lo. Os ideólogos são pessoas que fingem saber como "fazer um mundo melhor" antes de organizarem o próprio caos interior. (A identidade de guerreiro outorgada por sua ideologia encobre esse caos.) Isso é arrogância, é claro, e um dos temas mais importantes deste livro é "arrume sua casa primeiro", para o que Jordan fornece conselhos práticos.

As ideologias substituem o conhecimento verdadeiro, e os ideólogos são sempre perigosos quando ganham poder, pois um comportamento simplista e sabe-tudo não é páreo para a complexidade da existência. Além disso, quando suas engenhocas sociais não funcionam, os ideólogos não culpam a si mesmos, mas a todos que desmascaram suas simplificações. Outro grande professor da Universidade de Toronto, Lewis Feuer, em seu livro *Ideology and the Ideologists* ["A deologia e os Ideólogos", em tradução livre], observou que os ideólogos reestruturam as mesmas histórias religiosas que julgavam capazes de suplantar, mas eliminam a narrativa e a riqueza psicológica. Tal qual o Comunismo, uma história emprestada dos Filhos de Israel no Egito, com uma classe escravizada, perseguidores ricos, um líder, como Lenin, que vai ao exterior, vive com os escravizadores e então guia os escravizados à terra prometida (a utopia; a ditadura do proletariado).

Para entender a ideologia, Jordan leu extensivamente não apenas sobre o gulag soviético, mas também sobre o Holocausto e a ascensão do Nazismo. Eu nunca havia conhecido alguém que, nascido cristão e de minha geração, fosse tão completamente atormentado pelo que aconteceu com os judeus na Europa e que houvesse se esforçado tanto para entender como isso pôde ocorrer. Eu também havia estudado com essa profundidade. Meu próprio pai sobreviveu a Auschwitz. Minha avó estava na meia-idade quando ficou face a face com o Dr. Josef Mengele, o médico nazista que conduziu experimentos indescritivelmente cruéis em suas vítimas, e ela sobreviveu a Auschwitz ao desobedecer sua ordem para entrar na fila com os mais velhos, grisalhos e fracos, e, em vez disso, enfiou-se na fila dos mais jovens. Ela escapou das câmaras de gás uma segunda vez ao negociar comida por tintura de cabelo, para que não fosse morta por aparentar ser muito velha. Meu avô, o marido dela, sobreviveu ao campo de concentração Mauthausen, mas morreu engasgado com o primeiro pedaço de comida sólida que recebeu bem próximo do dia da libertação. Conto isso pois, muitos anos após termos nos tornado amigos, quando Jordan assumiu uma posição liberal clássica a favor da liberdade de expressão foi acusado pelos extremistas de esquerda de ser um fanático de direita.

Permita-me dizer, com todo o cuidado possível: *no mínimo*, esses acusadores simplesmente não fizeram seu dever de casa. Eu fiz. Com um histórico familiar como o meu, qualquer um desenvolve não apenas um radar, mas um sonar subaquático que detecta o fanatismo de direita; mas, ainda mais importante, aprende a reconhecer o tipo de pessoa com compreensão, ferramentas, boa vontade e coragem para combatê-lo, e Jordan Peterson é *essa* pessoa.

Minha própria insatisfação com as tentativas da ciência política atual de entender a ascensão do Nazismo, totalitarismo e preconceito foi um fator preponderante em minha decisão de complementar meus estudos de ciência política com os do inconsciente, projeção, psicanálise, potencial regressivo da psicologia em grupo, psiquiatria e cérebro. Jordan afastou-se da ciência política por motivos parecidos. Com esses interesses paralelos cruciais, não concordávamos sempre nas "respostas" (graças a Deus), mas quase sempre concordávamos nas perguntas.

Nossa amizade não eram só angústia e melancolia. Criei o hábito de participar das aulas dos meus colegas professores em nossa universidade e, assim, assistia às aulas dele, que estavam sempre lotadas, e vi aquilo que milhões puderam ver online: um palestrante brilhante, por vezes esplêndido, que oferecia seu melhor solo, como um artista de jazz; às vezes parecia um inflamado pregador das Pradarias Canadenses (não pela evangelização, mas por sua paixão e habilidade de contar histórias que transmitem tudo o que está em jogo na vida ao crermos ou não em diversas ideias). Ele conseguia facilmente mudar o assunto para fazer um resumo sistemático impressionante sobre uma série de estudos científicos. Era um mestre em ajudar os alunos a serem mais reflexivos e levarem a si mesmos e seus futuros a sério. Ele os ensinou sobre vários dos grandes livros que já foram escritos. Oferecia exemplos reais da prática clínica, era (apropriadamente) autorrevelador, mesmo quanto às próprias vulnerabilidades, e construía ligações fascinantes entre evolução, cérebro e histórias religiosas. Em um mundo em que os estudantes são condicionados a entender a evolução e a religião unicamente como opostas (através de pensadores como Richard Dawkins), Jordan demonstrava aos seus alunos como a evolução, entre todas as coisas, ajuda a explicar o profundo apelo psicológico e a sabedoria de muitas histórias antigas, de Gilgamesh à vida de Buda, mitologia egípcia e à Bíblia. Ele mostrava, por exemplo, como as histórias sobre se aventurar voluntariamente rumo ao desconhecido — a jornada do herói — espelham-se nas tarefas universais para as quais o cérebro evoluiu. Ele respeitava as histórias, não era um reducionista, e nunca alegou ter esgotado a sabedoria delas. Quando debatia um assunto, como preconceito, seus parentes emocionais, medo e repulsa, ou as diferenças típicas dos gêneros em geral, conseguia mostrar como esses traços evoluíram e por que sobreviveram.

Acima de tudo, ele alertava seus alunos sobre assuntos raramente debatidos na universidade, tais como o simples fato de que todos os antigos, de Buda aos autores bíblicos, sabiam aquilo que qualquer adulto vivido sabe: que a vida é sofrimento. Se você ou alguém próximo está sofrendo, isso é triste. Mas, de forma lamentável, não é particularmente especial. Não sofremos apenas porque "os políticos são idiotas", "o sistema é corrupto" ou porque você e eu, assim como a maioria, podemos nos descrever *legitimamente* como uma vítima de algo ou de alguém, de alguma maneira. É pelo fato de termos nascido humanos que, com certeza, teremos nossa dose de sofrimento. E, muito provavelmente, se você ou alguém que ama não está sofrendo agora, estará dentro de cinco anos, a menos que você seja bizarramente sortudo. Criar os filhos é difícil; trabalhar é difícil; velhice, doença e morte são difíceis, e Jordan enfatizou que passar por tudo isso completamente sozinho, sem o auxílio de um relacionamento amoroso, da sabedoria ou dos insigths psicológicos dos grandes psicólogos, apenas dificulta ainda mais. Ele não queria assustar os alunos; aliás, eles consideravam essa conversa franca reconfortante, pois no fundo de suas psiques a maioria sabia

PREFÁCIO

que ele dizia a verdade, mesmo que nunca tivesse existido um fórum para debater isso — talvez porque os adultos, durante suas vidas, tornaram-se tão ingenuamente superprotetores que enganaram a si mesmos pensando que não falar sobre sofrimento, de alguma forma, protegeria magicamente seus filhos.

Nesse ponto, ele trazia à tona o mito do herói, um tema intercultural explorado psicanaliticamente por Otto Rank, que Peterson, seguindo Freud, percebeu que é similar em muitas culturas. A mesma questão já foi levantada por Carl Jung, Joseph Campbell e Erich Neumann, entre outros. Com ele, Freud fez grandes contribuições ao explicar as neuroses através, entre outras coisas, do foco no entendimento daquilo que podemos chamar de história do herói fracassado (como a de Édipo); Jordan concentrou-se nos vitoriosos. Em todas essas histórias de triunfo, o herói precisa se aventurar rumo ao desconhecido em um território inexplorado, lidar com um desafio grande e novo, e correr grandes riscos. No processo, uma parte dele tem que morrer ou ser deixada de lado para que possa renascer e enfrentar o desafio. Isso demanda coragem, algo raramente discutido em aulas ou livros de psicologia. Durante sua manifestação pública recente sobre a liberdade de expressão e contra o que chamo de "expressão forçada" (pois envolve um governo forçando os cidadãos a darem voz para visões políticas), havia muito em jogo; ele tinha muito a perder, e sabia disso. Não obstante, pude vê-lo (e também a Tammy) não apenas demonstrar tal coragem, mas também continuar a viver seguindo muitas das regras deste livro, várias das quais podem ser bastante exigentes.

Pude vê-lo crescer, da pessoa incrível que era, para alguém ainda mais capaz e seguro — ao viver seguindo estas regras. De fato, foi o processo de escrever este livro e desenvolvê-las que o levou a se posicionar contra a expressão forçada ou mandatória. E foi por isso que, durante aqueles eventos, ele começou a postar alguns dos seus pensamentos sobre a vida e estas regras na internet. E agora, após mais de 100 milhões de visualizações no YouTube, sabemos que seus posts tocaram profundamente as pessoas.

Considerando nossa aversão por regras, como podemos explicar as reações extraordinárias às suas palestras, justamente quando o que propõem são regras? No caso de Jordan, foram, é claro, seu carisma e uma disposição incomum para defender um princípio que inicialmente lhe proporcionaram uma vasta exposição online; as visualizações de suas primeiras declarações no YouTube rapidamente atingiram centenas de milhares. Mas as pessoas continuaram o acompanhando porque o que ele diz atinge uma necessidade profunda e silenciosa. E isso porque, paralelamente ao nosso desejo de sermos livres de regras, todos buscamos uma estrutura.

Para muitos jovens a carência de regras, ou de diretrizes, é maior hoje por um bom motivo. No Ocidente, pelo menos, milhares estão vivendo um momento histórico único. Eles são, acredito, a primeira geração diligentemente ensinada sobre duas ideias aparentemente contraditórias sobre moralidade, ao mesmo tempo — em suas escolas, faculdades e universidades, por muitos de minha geração. Essa contradição deixou-os, em geral, desorientados e inseguros, sem um guia e, mais tragicamente, privados de riquezas que nem sabem que existem.

A primeira ideia, ou ensinamento, é de que a moralidade é relativa, no mínimo um "julgamento de valor" pessoal. *Relativo* significa que não há certo ou errado absolutos; em vez disso, a moralidade e as regras associadas a ela são apenas uma questão de opinião ou casualidade pessoal; "relativo a" ou "relacionado a" uma estrutura específica, como a etnicidade, a criação ou a cultura e o momento histórico nos quais cada um nasce. Nada além de um acidente de nascimento. De acordo com esse argumento (agora, uma doutrina), a história ensina que religiões, tribos, nações e grupos étnicos tendem a discordar sobre questões fundamentais, e sempre discordaram. Hoje, a esquerda pós-modernista alega, adicionalmente, que a moralidade de cada grupo não é *nada além* da tentativa de exercer poder sobre o outro. Portanto, o mais decente a ser feito — uma vez que se torna evidente como os valores morais que você e sua sociedade defendem são arbitrários — é demonstrar tolerância com as pessoas que pensam de modo diferente e que vêm de contextos distintos (diversos). Essa ênfase na tolerância é tão primordial que para muitas pessoas uma das piores falhas de caráter que alguém pode ter é ser alguém "dado a fazer julgamentos de valor"[*]. E, uma vez que não sabemos diferenciar o certo do errado, ou o que é bom, *a coisa mais inadequada que um adulto pode fazer é dar conselhos aos mais jovens sobre como viver.*

Assim, uma geração cresceu ignorando o que se denominava, corretamente, de "sabedoria prática", que guiou as anteriores. Os chamados millenials, ou geração Y, que ouviram inúmeras vezes que receberam a melhor educação disponível possível, na verdade sofreram uma forma de grave abandono intelectual e moral. Os relativistas da minha geração e da de Jordan, vários dos quais se tornaram os professores dessa geração, escolhem desvalorizar milhares de anos de conhecimento humano sobre como adquirir virtudes, descartando-o como antiquado, "sem relevância" ou até "opressivo". Eles tiveram tanto sucesso que até a palavra "virtude" parece desatualizada, e aquele que a usa aparenta ser anacronicamente moralista e presunçoso.

O estudo da virtude não é exatamente o mesmo que o da moral (certo e errado, bem e mal). Aristóteles definiu as virtudes como simples formas de comportamento mais favoráveis à felicidade na vida. O vício foi definido como formas de comportamento menos favoráveis à felicidade. Ele observou que as virtudes sempre almejam o equilíbrio e evitam os extremos dos vícios. Aristóteles estudou virtudes e vícios em seu livro *Ética a Nicômaco*. Foi um livro baseado em experiência e

---

[*] Alguns argumentam — equivocadamente — que Freud (várias vezes mencionado nestas páginas) contribuiu para nosso anseio atual por cultura, escolas e instituições "livres de julgamentos de valor". É fato que ele recomendou que os psicanalistas fossem tolerantes, empáticos e não emitissem julgamentos críticos ou moralistas ao ouvir seus pacientes. Mas isso foi com a intenção exclusiva de ajudar os pacientes a se sentirem confortáveis ao serem totalmente honestos, e não menosprezar seus problemas. Isso encorajava a autorreflexão e lhes permitia explorar sentimentos, desejos e até impulsos antissociais inapropriados até então rechaçados. Isso também permitia — e essa foi a jogada de mestre — que descobrissem o próprio consciente inconsciente (e seus julgamentos), sua rigorosa autocrítica de seus "lapsos" e a própria culpa inconsciente, que frequentemente escondiam de si mesmos, mas que muitas vezes formavam a base de sua baixa autoestima, depressão e ansiedade. Na verdade, Freud demonstrou que somos, ao mesmo tempo, mais imorais e mais morais do que nos damos conta. Esse tipo de "ausência de juízo de valor", *na terapia*, é uma técnica ou tática poderosa e libertadora — uma atitude ideal quando você quer entender melhor a si mesmo. Mas Freud nunca afirmou (como fazem alguns que pretendem que todas as culturas se tornem uma grande sessão de terapia em grupo) que alguém consegue viver a *vida inteira* sem *nunca* fazer julgamentos ou sem moralidade. De fato, seu argumento em *A civilização e os seus descontentamentos* é de que a civilização apenas surge quando algumas regras restritivas e a moralidade estão presentes.

observação, não em conjecturas, sobre o tipo de felicidade que era possível para os seres humanos. Cultivar o *julgamento* da diferença entre virtude e vício é o princípio da sabedoria, algo que nunca pode estar desatualizado.

Em contraste a isso, nossos relativistas modernos começam por asseverar que fazer julgamentos sobre o modo de viver é impossível, pois não há um bem *real* e uma virtude *verdadeira* (uma vez que ambos são relativos). Desse modo, o mais próximo da "virtude" é a "tolerância". Apenas a tolerância fornecerá a coesão social entre grupos diferentes e nos prevenirá de causar danos uns aos outros. No Facebook e em outras formas de mídia social, portanto, você sinaliza sua assim chamada virtude dizendo a todos o quão tolerante, aberto e compassivo você é, e espera que as curtidas se acumulem. (Deixando de lado o fato de que dizer às pessoas que você é virtuoso não é uma virtude, é autopromoção. Sinalizar a virtude não é virtude. Sinalizar a virtude é, muito possivelmente, nosso vício mais comum.)

Intolerância com o ponto de vista dos outros (não importa quão ignorantes ou incoerentes eles possam ser) não é simplesmente errado; em um mundo em que não há certo e errado, é ainda pior: é um sinal de que você é desagradavelmente grosseiro ou, possivelmente, perigoso.

Mas o que acontece é que muitas pessoas não conseguem tolerar o vácuo — o caos — inerente à vida, mas que ficou pior por esse relativismo moral; elas não conseguem viver sem uma bússola moral, sem um ideal pelo qual guiar suas vidas. (Para os relativistas, os ideais também são valores e, como todos os valores, meramente "relativos", e dificilmente vale a pena se sacrificar por eles.) Então, ao lado do relativismo, encontramos a difusão do niilismo e do desespero, e o oposto do relativismo moral: a certeza cega oferecida pelas ideologias que alegam ter uma resposta para tudo.

E, assim, chegamos ao segundo ensinamento com o qual os millenials têm sido bombardeados. Eles se inscrevem em cursos de humanidades para estudar os maiores livros já escritos. Mas não recebem os livros; em vez disso, recebem ataques ideológicos contra os livros baseados em uma simplificação aterrorizante. Onde o relativista está repleto de incerteza, o ideólogo é o oposto. Ele é superpreconceituoso

PREFÁCIO xix

e crítico, sempre sabe o que está errado nos outros e como resolver. Às vezes parece que as únicas pessoas dispostas a dar conselhos em uma sociedade relativista são as que têm menos a oferecer.

O relativismo moral *moderno* tem muitas fontes. À medida que nós, no Ocidente, aprendemos mais a história, entendemos que épocas diferentes têm códigos morais específicos. Ao viajarmos pelos mares e explorarmos o globo, aprendemos sobre tribos remotas em continentes distintos cujos códigos morais faziam sentido em relação à, ou dentro da, estrutura de suas sociedades. A ciência também contribuiu ao atacar a visão religiosa do mundo e, assim, enfraquecer as bases religiosas para a ética e as regras. A ciência social materialista deu a entender que poderíamos dividir o mundo em fatos (que todos poderiam observar, objetivos e "reais") e valores (subjetivos e pessoais). Então, poderíamos primeiramente concordar com os fatos e talvez, um dia, desenvolver um código de ética (que ainda estamos esperando). Além do mais, ao sugerir que os valores tinham uma realidade menor do que os fatos, a ciência contribuiu ainda de outra forma para o relativismo moral, pois tratou o "valor" como secundário. (Mas a ideia de que podemos separar fatos e valores facilmente foi e ainda é ingênua; de certa forma, os valores de cada um determinarão a que prestarão atenção e o que contará como fato.)

A ideia de que sociedades distintas tinham regras e morais diferentes era conhecida no mundo antigo também, e é interessante comparar sua resposta a essa percepção com a resposta moderna (relativismo, niilismo e ideologia). Quando os gregos antigos velejaram para a Índia e outros lugares, também descobriram que regras, morais e costumes diferiam em cada local, e viram que a explicação para o que é certo e errado era geralmente enraizada em alguma autoridade ancestral. A resposta grega não foi o desespero, mas uma nova invenção: a filosofia.

Sócrates, reagindo às incertezas alimentadas pela percepção desses códigos morais conflituosos, decidiu que, em vez de se tornar niilista, relativista ou ideologista, devotaria sua vida à busca de uma sabedoria que pudesse explicar essas diferenças, ou seja, ajudou a inventar a filosofia. Ele passou sua vida fazendo perguntas desconcertantes e fundamentais, tais como "O que é a virtude?", "Como alguém pode viver uma vida boa?" e ainda "O que é justiça?", e observou abordagens diferentes perguntando o que parecia ser o mais coerente e próximo da natureza humana. Esses são os tipos de perguntas que acredito que inspiraram este livro.

Para os antigos, a descoberta de que pessoas diferentes têm ideias particulares sobre como viver não os paralisou; ela aprofundou sua compreensão da humanidade e levou alguns às conversas mais satisfatórias que os seres humanos já tiveram sobre como a vida pode ser vivida.

Aristóteles, de forma similar, em vez de se desesperar com essas diferenças nos códigos morais, argumentou que embora regras, leis e costumes específicos variem de lugar para lugar, o que não varia é que em todos os lugares os seres humanos, por sua natureza, possuem uma inclinação para criar regras, leis e costumes. Colocando isso em termos modernos, parece que nós, seres humanos, somos, por algum tipo de dom biológico, tão intrinsecamente preocupados com a moralidade que criamos uma estrutura de leis e regras onde quer que estejamos. A ideia de que a vida humana pode ser livre de preocupações morais é fantasiosa.

Todos somos criadores de regras. E, dado que somos animais morais, qual deve ser o efeito de nosso relativismo moderno simplista sobre nós? Significa que nos limitamos ao fingirmos ser algo que não somos. É uma máscara, mas estranha, pois ela engana principalmente aquele que a veste. *Rissssque* com uma chave a Mercedes do professor relativista pós-moderno mais inteligente e verá como a máscara do relativismo (com sua pretensão de que não pode haver certo nem errado) e o manto da tolerância radical cairão rapidamente.

Uma vez que ainda não temos uma ética baseada na ciência moderna, Jordan não tenta desenvolver suas regras jogando tudo pelo ralo — não dispensa milhares de anos de sabedoria como mera superstição e ignora nossos maiores feitos morais. É muito melhor integrar o melhor do que estamos aprendendo agora com os livros que os seres humanos consideraram adequados preservar ao longo dos milênios e com as histórias que sobreviveram, contra todas as probabilidades, à tendência do tempo em apagá-las.

PREFÁCIO

Ele está fazendo o que guias sensatos sempre fizeram: ele não alega que a sabedoria humana começa nele mesmo; mas, em vez disso, recorre primeiramente aos próprios guias. E embora os temas neste livro sejam sérios, Jordan é sempre muito divertido ao abordá-los com um toque de leveza, como os títulos dos capítulos demonstram. Ele não tem pretensões de ser exaustivo e, às vezes, os capítulos consistem em discussões abrangentes sobre a nossa psicologia, como ele a compreende.

Então, por que não intitular o livro de "diretrizes", um termo muito mais descontraído, amigável e menos rígido do que "regras"?

Porque estas são, de fato, regras. E a principal regra é que você deve assumir a responsabilidade por sua própria vida. Ponto-final.

Alguém pode pensar que uma geração que ouviu incessantemente dos seus professores mais ligados à ideologia sobre direitos, direitos e mais direitos que lhe pertencem, oporia-se a ouvir que é melhor focar-se na aceitação das responsabilidades. No entanto, essa geração de muitos que foram criados em famílias pequenas por pais superprotetores em parquinhos com o chão macio e depois ensinados em universidades com "espaços seguros", que não precisa ouvir coisas que não queira — educada para ter aversão ao risco —, tem agora, em seu meio, milhões que se sentem entorpecidos por essa subestimação da sua resiliência potencial e que abraçaram a mensagem de Jordan de que cada indivíduo tem uma responsabilidade fundamental a assumir; de que para viver uma vida plena é preciso primeiro colocar a própria casa em ordem e, apenas então, será possível sensatamente pretender assumir responsabilidades maiores. A extensão dessa reação frequentemente levou nós dois às lágrimas.

Às vezes essas regras são exigentes. Elas demandam que você execute um processo incremental que, ao longo do tempo, vai levá-lo a um novo limite. Isso exige, como falei, aventurar-se no desconhecido. Desenvolver-se além das barreiras do seu eu atual requer uma escolha cuidadosa de ideais e a busca deles: ideais que estão lá em cima, acima de você, superiores a você — e que nem sempre você terá certeza se pode alcançar.

Mas, se não é certo que nossos ideais são atingíveis, por que nos preocupar tentando alcançá-los, para começar? Porque se você não tentar fazê-lo é certo que nunca sentirá que sua vida tem um sentido.

E talvez porque, por mais desconhecido e estranho que possa parecer, na parte mais profunda de nossa psique, todos nós queremos ser julgados.

Dr. Norman Doidge, psiquiatra e autor de *O cérebro que se transforma*

INTRODUÇÃO

ESTE LIVRO TEM UMA HISTÓRIA curta e uma longa. Vamos começar com a curta.

Em 2012, comecei a contribuir para um site chamado Quora. Lá, qualquer um pode fazer uma pergunta, de qualquer tipo — e qualquer um pode responder. Os leitores avaliam de forma positiva [upvote] as respostas que gostam e de forma negativa [downvote] as que não gostam. Assim, as respostas mais úteis vão para o topo, enquanto as outras caem no esquecimento. Eu estava curioso com esse site. Gostei da sua natureza "aberto para todos". O debate geralmente era cativante e era interessante ver a gama diversa de opiniões geradas pela mesma pergunta.

Geralmente, em meio a uma pausa (ou quando estava evitando trabalhar), eu acessava o Quora buscando perguntas com as quais interagir. Ponderei, e finalmente respondi a perguntas como: "Qual é a diferença entre ser feliz e estar contente?", "Quais coisas ficam melhores ao envelhecermos?" e "O que torna a vida mais significativa?"

O Quora diz quantas pessoas visualizaram sua resposta e quantos upvotes você recebeu. Assim, você consegue entender seu alcance e ver o que as pessoas pensam sobre suas ideias. Apenas uma minoria daqueles que visualizam uma resposta dá upvote. Em julho de 2017, enquanto escrevia este livro — cinco anos após eu interagir com a pergunta "O que torna a vida mais significativa?" —, minha resposta àquela pergunta recebeu uma audiência relativamente pequena (14 mil visualizações e 133 upvotes), enquanto minha resposta à pergunta sobre envelhecer foi visualizada por 7.200 pessoas e recebeu 36 upvotes. Não foram gols de placa, necessariamente. No entanto, é o esperado. Em sites assim, a maioria das respostas recebe bem pouca atenção, enquanto uma minoria torna-se desproporcionalmente popular.

Logo depois, respondi a outra pergunta: "Quais são as coisas mais valiosas que todos deveriam saber?" Escrevi uma lista de regras, ou máximas; algumas muito sérias, outras com humor — "Seja agradecido apesar do seu sofrimento", "Não faça coisas que você odeia", "Não esconda as coisas na neblina", e assim por diante. Os leitores do Quora pareceram gostar dessa lista. Eles comentaram e a compartilharam. Disseram coisas como: "Com certeza vou imprimir esta lista e guardar como referência. Simplesmente fenomenal" e "Você zerou o Quora. Agora podemos fechar o site". Os alunos da Universidade de Toronto, onde leciono, vieram até mim e disseram o quanto haviam gostado. Até hoje, minha resposta para "Quais são as coisas mais valiosas..." foi visualizada por 120 mil pessoas e recebeu upvote 2.300 vezes. Apenas algumas das aproximadamente 600 mil perguntas no Quora passaram a barreira de 2 mil upvotes. As reflexões induzidas pela minha procrastinação haviam descoberto ouro. Eu havia escrito uma resposta com percentil de 99,9.

Quando escrevi a lista de regras para a vida, não achava que ela se sairia tão bem. Eu havia dado bastante atenção para todas as 60 ou mais respostas que enviei naqueles meses próximos de quando escrevi o post. Contudo, o Quora oferece a melhor das pesquisas de mercado. As pessoas que respondem ficam no anonimato. São desinteressadas, no melhor sentido. Suas opiniões são espontâneas e imparciais. Então, prestei atenção aos resultados e pensei sobre as razões do sucesso desproporcional daquela resposta. Talvez eu tivesse atingido o equilíbrio certo entre o conhecido e o desconhecido ao formular as regras. Talvez as pessoas sejam atraídas pela estrutura que sugerem. Talvez as pessoas apenas gostem de listas.

Alguns meses antes, em março de 2012, eu havia recebido um e-mail de uma agente literária. Ela me ouvira na rádio CBC durante um programa com o nome Just Say No to Hapiness ["Simplesmente Diga Não à Felicidade", em tradução livre], em que critiquei a ideia de que a felicidade era o objetivo correto para a vida. Durante as décadas anteriores, eu havia lido uma enorme quantidade de livros sombrios sobre o século XX, concentrando-me em especial na Alemanha nazista e na União Soviética. Aleksandr Solzhenitsyn, o grande produtor de documentários sobre os horrores do campo de concentração de trabalhos forçados na União Soviética, uma vez escreveu que a "ideologia deplorável" que sustentava que os "seres humanos são criados para a felicidade" foi "morta pela primeira pancada do bastão do feitor".[1] Em momentos de crise, o sofrimento inevitável que a vida impõe pode rapidamente tornar ridícula a ideia de que a felicidade é a busca correta do indivíduo. Em vez disso, no programa de rádio, sugeri que um significado mais profundo era necessário. Percebi que a natureza desse significado era constantemente reapresentada nas grandes histórias do passado e tinha mais a ver com o desenvolvimento do caráter frente ao sofrimento do que com a felicidade. Isso faz parte da história longa do presente trabalho.

De 1985 a 1999, trabalhei por cerca de três horas por dia no meu outro e único livro já publicado: *Maps of Meaning: The Architecture of Belief* ["Mapas do Sentido: A Arquetipologia das Crenças", em tradução livre]. Durante aquele tempo e nos anos subsequentes, também ministrei um curso sobre o material daquele livro; primeiramente em Harvard e agora na Universidade de Toronto. Em 2013, ao observar o crescimento do YouTube e por causa da popularidade de alguns trabalhos que havia feito com a TVO, um canal público da TV canadense, decidi gravar minhas palestras públicas e aulas na universidade e disponibilizá-las online. Elas atraíram uma audiência cada vez maior — mais de 1 milhão de visualizações até abril de 2016. O número de visualizações aumentou drasticamente desde então (chegou aos 18 milhões enquanto escrevia este livro); mas isso, em parte, foi porque fui envolvido em uma controvérsia política que atraiu uma quantidade excessiva de atenção.

Mas essa é outra história. Talvez até mesmo outro livro.

Em *Maps of Meaning*, propus que os grandes mitos e histórias do passado, particularmente aqueles provenientes de uma tradição oral mais antiga, tinham um intuito *moral* em vez de serem descritivos. Assim, eles não se preocupavam com o que o mundo era da forma como um cientista se preocuparia, mas com a forma como um ser humano deveria agir. Sugeri que nossos ancestrais retratavam o mundo como um palco — um teatro — em vez de um lugar de objetos. Descrevi como cheguei à crença de que os elementos constitutivos do mundo como um teatro eram a ordem e o caos, e não coisas materiais.

A Ordem acontece quando as pessoas ao seu redor agem de acordo com normas sociais bem compreendidas e mantêm-se previsíveis e cooperativas. É o mundo da estrutura social, do território explorado e da familiaridade. O estado da Ordem é tipicamente retratado, simbolicamente — no imaginário —, como masculino. É o Rei Sábio e o Tirano para sempre vinculados, assim como a sociedade é simultaneamente estrutura e opressão.

O Caos, em contraste, é onde — ou quando — algo inesperado acontece. O Caos emerge de maneira trivial quando você conta uma piada em uma festa com pessoas que acha que conhece e um calafrio silencioso e constrangedor paira sobre o grupo. O Caos é o que emerge mais catastroficamente quando você de repente fica sem emprego ou é traído por um companheiro. Como antítese da ordem, simbolicamente masculina, ele é apresentado, no imaginário, como feminino. É o novo e imprevisível que surge, de repente, no seio do cotidiano familiar. É a Criação e a Destruição, a fonte de coisas novas e o destino dos mortos (assim como a natureza em oposição à cultura é simultaneamente nascimento e morte).

A ordem e o caos são o yang e yin do famoso símbolo taoista: duas serpentes da cabeça ao rabo.* A ordem é a serpente branca, masculina; o caos, sua equivalente feminina, preta. O ponto preto no branco — e o branco no preto — indica a possibilidade de transformação: exatamente quando as coisas parecem seguras, o desconhecido pode se assomar

---

* O símbolo do yin-yang é a segunda parte de um diagrama maior, composto de cinco partes, o *tajitu*, que representa tanto a unidade absoluta original quanto sua divisão na multiplicidade do mundo observado. Esse assunto é analisado com mais detalhes na Regra 2, adiante, assim como em outras partes deste livro.

gigante e inesperadamente. Em contrapartida, exatamente quando tudo parece estar perdido uma nova ordem pode emergir da catástrofe e do caos.

Para os taoistas, o significado deve ser encontrado no limite entre o par eternamente entrelaçado. Caminhar nesse limite é permanecer no caminho da vida, o Caminho divino.

E isso é muito melhor do que a felicidade.

A agente literária que mencionei ouviu o programa de rádio da CBC em que debati essas questões. Isso a levou a fazer perguntas mais profundas a si mesma. Ela me enviou um e-mail perguntando se eu já havia considerado escrever um livro para o público em geral. Eu já havia tentado produzir uma versão mais acessível de *Maps of Meaning*, que é um livro bem denso. Mas durante a tentativa, vendo o resultado no manuscrito, percebi que não estava no clima. Acredito que isso tenha ocorrido pois eu estava imitando meu eu anterior e meu livro anterior em vez de ocupar o espaço entre a ordem e o caos e produzir algo novo. Sugeri que ela assistisse a quatro das palestras que havia feito para um programa da TVO chamado *Big Ideas* ["Grandes Ideias", em tradução livre], no meu canal do YouTube. Pensei que se ela fizesse isso poderíamos ter um debate mais completo e com mais subsídios sobre quais os tipos de assuntos que eu poderia vir a tratar em um livro mais acessível ao público.

Algumas semanas depois, ela entrou em contato comigo, após assistir às quatro palestras inteiras e debatê-las com um colega. Seu interesse havia sido despertado ainda mais, assim como seu comprometimento com o projeto. Isso era promissor — e inesperado. Sempre fico surpreso quando as pessoas respondem positivamente ao que estou dizendo, considerada sua natureza séria e estranha. Fico maravilhado por terem me permitido (e até mesmo encorajado) ensinar aquilo que tinha ensinado primeiramente em Boston e agora em Toronto. Sempre achei que se as pessoas realmente percebessem o que eu estava ensinando seria um Inferno. Você mesmo pode decidir se existe alguma verdade nisso após ler este livro. :)

Ela sugeriu que eu escrevesse uma espécie de guia sobre o que uma pessoa precisa para "viver bem" — seja lá o que isso significasse. Imediatamente pensei na minha lista do Quora. Durante esse período, havia escrito mais alguns pensamentos sobre as regras que havia postado. As pessoas tinham respondido positivamente a essas novas ideias também. Dessa forma, pareceu ser uma boa ideia unir minha lista do Quora com as ideias da minha nova agente. Então, enviei a lista para ela. Ela gostou.

Naquele mesmo período, um amigo e ex-aluno meu — o romancista e roteirista Gregg Hurwitz — estava pensando em escrever um novo livro, que viria a ser o suspense e best-seller *Orphan X* [Lançando no Brasil com o título de *Órfão X*]. Ele gostou das regras, também. A protagonista feminina do seu livro, Mia, colocava uma seleção das regras na porta da geladeira, uma de cada vez, em momentos do romance em que elas pareciam apropriadas. Essa foi outra evidência apoiando minha suposição de que elas eram atraentes. Sugeri à agente que eu escrevesse um breve capítulo sobre cada uma das regras. Ela concordou, então escrevi a proposta do livro com essa sugestão. Porém, quando comecei a escrever os capítulos de fato, eles não eram nada breves. Eu tinha muito mais a dizer sobre cada regra do que inicialmente imaginei.

Isso ocorreu em parte porque eu havia gastado muito tempo pesquisando meu primeiro livro: estudando história, mitologia, neurociência, psicanálise, psicologia infantil, poesia e seções grandes da Bíblia. Li, e talvez até tenha entendido, muito do *Paraíso Perdido*, de Milton; do *Fausto*, de Goethe; e do *Inferno*, de Dante. Juntei tudo isso, seja para o melhor ou para o pior, tentando tratar de um problema complexo: a razão, ou razões, para o impasse nuclear durante a Guerra Fria. Não conseguia entender como os sistemas de crença poderiam ser tão importantes para as pessoas a ponto de elas estarem dispostas a arriscar destruir o mundo para protegê-los. Vim a perceber que os sistemas de crenças compartilhadas tornavam as pessoas inteligíveis umas para as outras — e que eles não envolviam apenas a crença.

As pessoas que vivem sob o mesmo código são consideradas previsíveis umas para as outras. Agem de forma a manter as expectativas e os desejos uns dos outros. Elas podem cooperar. Podem até competir pacificamente, pois todos sabem o que esperar dos outros. Um sistema de crenças compartilhadas, parcialmente psicológico, parcialmente atuante, facilita tudo para todos — a seus próprios olhos e aos dos outros. As crenças compartilhadas simplificam o mundo, também, porque as pessoas sabem o que esperar dos outros e podem agir juntas para domá-lo. Talvez não haja nada mais importante do que a manutenção dessa organização — dessa simplificação. Se ela for ameaçada, o grande navio do estado balançará.

Não significa exatamente que as pessoas lutarão pelo que acreditam. Elas lutarão para manter *a coerência entre* o que acreditam, o que esperam e o que desejam. Lutarão para manter a coerência entre o que esperam e como todos estão agindo. É precisamente a manutenção dessa coerência que permite que todos vivam em paz juntos, de modo previsível e produtivo. Isso reduz a incerteza e a mistura caótica de emoções intoleráveis que a incerteza inevitavelmente produz.

Imagine alguém que foi traído pela pessoa que amava e confiava. O sagrado contrato social entre os dois foi violado. As ações falam mais alto do que as palavras, e cada ato de traição interrompe a frágil paz que foi cuidadosamente negociada em um relacionamento íntimo. Como consequência da deslealdade, as pessoas são tomadas por fortes emoções: repulsa, desprezo (próprio e pelo traidor), culpa, ansiedade, raiva e medo. O conflito é inevitável; às vezes, com consequências mortais. Os sistemas de crenças compartilhadas — sistemas compartilhados de condutas e expectativas negociadas e aceitas — regulam e controlam todas essas forças poderosas. Não é de surpreender que as pessoas lutarão para proteger algo que as salva de serem possuídas por emoções de caos e terror (e, após isso, da degeneração que leva à briga e ao conflito).

E há mais, ainda. Um sistema cultural compartilhado estabiliza a interação humana, mas também é um sistema de valor — uma hierarquia de valor, em que algumas coisas têm prioridade e importância e outras, não. Na ausência de um sistema assim, as pessoas simplesmente não conseguem agir. De fato, não conseguem nem perceber, porque tanto a ação quanto a percepção exigem um objetivo, e um objetivo válido é, por necessidade, algo valorizado. Nós experimentamos muito das nossas emoções positivas em relação aos objetivos. Não seremos felizes, tecnicamente falando, a menos que percebamos que estamos progredindo — e a própria ideia de progresso sugere um valor. Ainda

INTRODUÇÃO

pior é o fato de que o sentido da vida sem um valor positivo não é simplesmente neutro. Como somos vulneráveis e mortais, a dor e a ansiedade são partes integrantes da existência humana. Temos que ter algo com o que combater o sofrimento intrínseco ao Ser.* Temos que ter o sentido inerente a um sistema profundo de valor, ou o horror da existência rapidamente se torna mais importante. Então, o niilismo acena com sua falta de esperança e desespero.

Assim: sem valor, não temos sentido. Contudo, entre os sistemas de valor há a possibilidade de conflito. Estamos, dessa forma, eternamente presos entre a cruz e a espada: a perda da crença centrada no grupo torna a vida caótica, miserável, intolerável; a presença da crença centrada no grupo torna o conflito com outros grupos inevitável. No Ocidente, temos nos distanciado da nossa cultura centrada na tradição, religião e, até mesmo, na nação, em parte para diminuir o perigo do conflito em grupo. No entanto, cada vez mais nos tornamos presas do desespero da falta de sentido, e isso, de forma alguma, é uma melhoria.

Enquanto escrevia *Maps of Meaning*, fui (também) atraído pela percepção de que não podemos mais permitir o conflito — certamente não na escala das conflagrações do século XX. Nossas tecnologias de destruição tornaram-se muito poderosas. As consequências potenciais da guerra são literalmente apocalípticas. Mas não podemos simplesmente abandonar nossos sistemas de valor, nossas crenças, nem mesmo nossas culturas. Sofri com esse problema, aparentemente intratável, por meses. Haveria um terceiro caminho, invisível para mim? Uma noite, durante esse período, sonhei que estava suspenso no ar, pendurado em um lustre vários andares acima do solo, diretamente sob o domo de uma enorme catedral. As pessoas que estavam no solo

---

* Uso o termo Ser (com "S" maiúsculo) em parte por causa da minha exposição às ideias do filósofo alemão do século XX Martin Heidegger. Ele tentou fazer uma distinção entre a realidade objetivamente concebida e a totalidade da experiência humana (que é seu "Ser"). Ser (com "S" maiúsculo) é o que cada um de nós experimenta, subjetiva, pessoal e individualmente, assim como o que cada um experimenta juntamente com os outros. De tal forma, isso inclui emoções, desejos, sonhos, visões e revelações, bem como nossos pensamentos e percepções particulares. O Ser também é, por fim, algo que é trazido à existência através da ação, então, sua natureza tem um grau indeterminante de consequência das nossas decisões e escolhas — algo que é moldado pelo nosso hipotético livre-arbítrio. Interpretado dessa maneira, o Ser é (1) algo que não pode ser fácil e diretamente reduzido ao material e objetivo e (2) algo que, com certeza, exige seu próprio termo, da forma como Heidegger trabalhou durante décadas para indicar.

pareciam distantes e pequeninas. Havia uma vastidão enorme entre mim e qualquer parede — e mesmo até o pico do próprio domo.

Aprendi a prestar atenção nos meus sonhos, especialmente por causa do meu treinamento como psicólogo clínico. Os sonhos lançam luz nos lugares sombrios que a própria razão ainda tem que conhecer. Também estudei o cristianismo consideravelmente (mais do que quaisquer outras tradições religiosas, embora sempre busque ajustar essa lacuna). Como todos, preciso e, de fato, extraio mais daquilo que conheço do que daquilo que não conheço. Sabia que as catedrais foram construídas no formato de uma cruz, e que o ponto sob o domo era o centro da cruz. Sabia que, simultaneamente, a cruz era o ponto de maior sofrimento, o ponto de morte e transformação e o centro simbólico do mundo. Aquele não era um lugar no qual eu queria estar. Consegui descer das alturas — do céu simbólico — de volta ao chão seguro, familiar e anônimo. Não sei como. Então, ainda no meu sonho, voltei à minha cama no quarto e tentei retomar o sono e a paz da inconsciência. Porém, enquanto relaxava, conseguia sentir meu corpo sendo transportado. Um vento forte estava me dissolvendo, preparando-se para me lançar de volta à catedral, para me colocar novamente naquele ponto central. Não havia escapatória. Estava em um verdadeiro pesadelo. Forcei-me a acordar. A cortina atrás de mim balançava por sobre os travesseiros. Meio acordado, olhei o pé da cama. Vi as grandes portas da catedral. Forcei-me a acordar e elas desapareceram.

Meu sonho havia me colocado no centro do próprio Ser, e não havia escapatória. Levei meses até entender o que isso significava. Durante esse tempo, tive uma percepção mais completa e pessoal daquilo que as grandes histórias do passado continuamente insistem: o centro é ocupado pelo indivíduo. O centro é marcado pela cruz, como um X em um mapa. A existência naquela cruz é sofrimento e transformação — e esse fato, acima de todos, precisa ser aceito voluntariamente. É possível transcender a adesão servil ao grupo e suas doutrinas e, simultaneamente, evitar as quedas do seu extremo oposto, o niilismo. É possível encontrar sentido suficiente na consciência e experiência do indivíduo.

INTRODUÇÃO

Como o mundo poderia ser liberto do terrível dilema do conflito, por um lado, e da dissolução psicológica e social, por outro? Eis a resposta: através da elevação e do desenvolvimento do indivíduo e da disposição de cada um para levar o Ser em seus ombros e escolher o caminho do herói. Cada um de nós deve aceitar tanta responsabilidade quanto possível pela vida individual, pela sociedade e pelo mundo. Cada um de nós deve dizer a verdade e corrigir o que está errado e quebrado e recriar o que está velho ou desatualizado. É dessa forma que podemos e devemos reduzir o sofrimento que envenena o mundo. É pedir muito. É pedir tudo. Mas a alternativa — o horror da crença autoritária, o caos do estado falido, a catástrofe trágica do mundo natural desenfreado, a angústia existencial e a fraqueza do indivíduo sem propósitos — é claramente pior.

Tenho pensado e dado palestras sobre tais ideias por décadas. Construí um vasto arsenal de histórias e conceitos referentes a elas. No entanto, em momento algum alego que estou inteiramente correto ou completo na minha linha de raciocínio. Ser é muito mais complicado do que qualquer um pode saber, e eu não tenho a história toda. Estou simplesmente oferecendo o melhor que posso.

De qualquer modo, a consequência de toda a pesquisa e pensamentos prévios foi a série de artigos que finalmente se tornou este livro. Minha ideia inicial era escrever uma história curta para cada uma das 40 respostas que eu havia fornecido ao Quora. Essa proposta foi aceita pela Penguin Random House Canada. Contudo, ao escrevê-las, reduzi o número de respostas para 25, depois para 16 e, finalmente, para as 12 atuais. Estou editando as remanescentes com a ajuda e o cuidado do meu editor oficial (e com a crítica feroz e terrivelmente precisa de Hurwitz, mencionado previamente) pelos últimos três anos.

Demorei bastante tempo para decidir o título: 12 Regras para a Vida: Um Antídoto para o Caos. Por que esse se destacou dos outros? Primeira e principalmente, por sua simplicidade. Ele indica claramente que as pessoas precisam de princípios ordenadores e que, de outra maneira, o caos começa a acenar. Precisamos de regras, padrões, valores — sozinhos e coletivamente. Somos animais que vivem em bando, bestas de carga. Precisamos carregar um fardo para justificar nossa existência miserável. Precisamos de rotina e tradição. Isso é ordem. A ordem pode se tornar excessiva, e isso não é bom, mas o caos pode nos afogar — e isso também não é bom. Precisamos permanecer no caminho reto e estreito. Cada uma das 12 regras deste livro — e as histórias que as acompanham —, portanto, oferece um guia para se estar lá. "Lá" é a linha divisória entre a ordem e o caos. É lá onde somos, ao mesmo tempo, suficientemente estáveis, exploradores, transformadores, reparadores e cooperadores. É lá onde encontramos o sentido que justifica a vida e seu sofrimento inevitável. Talvez, se vivêssemos corretamente, conseguiríamos tolerar o peso da nossa autoconsciência. Talvez, se vivêssemos corretamente, conseguiríamos resistir ao conhecimento da nossa própria fragilidade e mortalidade, sem o sentido de vitimização agravada, o que produz, primeiramente, o ressentimento, depois a inveja e, então, o desejo por vingança e destruição. Talvez, se vivêssemos corretamente, não tivéssemos de nos voltar à certeza do totalitarismo para proteger a nós mesmos do conhecimento de nossa própria insuficiência e ignorância. Talvez conseguíssemos evitar esses caminhos para o Inferno — e vimos, no terrível século XX, quão real o Inferno pode ser.

Espero que estas regras e as histórias que as acompanham possam ajudar as pessoas a entender o que já sabem: que a alma do indivíduo anseia, eternamente, pelo heroísmo do Ser genuíno e que a disposição para assumir essa responsabilidade é idêntica à decisão de viver uma vida significativa.

Se cada um de nós viver corretamente, prosperaremos coletivamente.

Desejo o melhor a todos ao percorrerem estas páginas.

Dr. Jordan B. Peterson
Psicólogo clínico e professor de psicologia

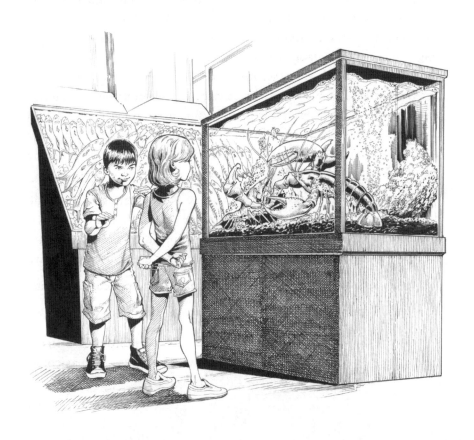

REGRA 1

COSTAS ERETAS, OMBROS PARA TRÁS

LAGOSTAS — E TERRITÓRIO

SE VOCÊ FOR COMO A MAIORIA DAS PESSOAS, não pensa muito em lagostas[2] — a menos que esteja comendo uma. No entanto, esses crustáceos interessantes e deliciosos nos oferecem muito em que pensar. Seu sistema nervoso é relativamente simples, com neurônios, as células mágicas do cérebro, grandes e facilmente observáveis. Por causa disso, os cientistas puderam mapear o circuito neural das lagostas com muita precisão. Isso nos ajudou a entender a estrutura e o funcionamento do cérebro e o comportamento de animais mais complexos, incluindo os seres humanos. As lagostas têm mais em comum com você do que possa imaginar (especialmente quando você faz "boca de siri" — ha ha ha).

As lagostas vivem no fundo do oceano. Elas precisam de uma casa lá embaixo, uma área em que cacem suas presas e vasculhem por pedaços comestíveis de qualquer sobra que desça do caos contínuo de carnificina e morte que acontece muito acima. Elas querem um lugar seguro, em que a caça e a coleta sejam boas. Elas querem um lar.

Isso pode criar um problema, uma vez que existem muitas lagostas. E se duas delas ocuparem o mesmo território ao mesmo tempo, no fundo do oceano, e ambas quiserem viver lá? E se houver centenas de lagostas, todas tentando sobreviver e criar suas famílias, na mesma populosa área de areia e alimentação?

Outras criaturas têm esse problema também. Quando os pássaros voam para o norte na primavera, por exemplo, envolvem-se em disputas ferozes por território. As músicas que cantam, tão pacíficas e bonitas aos ouvidos humanos, são toques de sirene e gritos de domínio. Um pássaro com uma musicalidade brilhante é um pequeno guerreiro proclamando sua soberania. Tome como exemplo a cambaxirra, um pássaro pequeno, briguento e que come insetos, comum na América do Norte. Uma cambaxirra que acabou de chegar quer um lugar protegido para construir seu ninho, longe do vento e da chuva. Ela também vai querer convencer seus concorrentes a ficarem longe daquele espaço.

PÁSSAROS — E TERRITÓRIO

Meu pai e eu fizemos uma casinha para as cambaxirras quando eu tinha dez anos. Parecia uma carroça coberta, e tinha a entrada principal do tamanho de uma moeda. Com isso, tínhamos uma casinha boa para as cambaxirras, que são pequeninas, mas nada boa para os pássaros maiores, que não conseguiam entrar. Minha vizinha, uma senhora idosa, também tinha uma casinha de pássaros, que havíamos feito para ela naquela mesma época usando uma velha bota de borracha. Tinha uma abertura grande o suficiente para um pássaro do tamanho do pintarroxo. Ela esperava ansiosa pelo dia em que a casa seria ocupada.

Um dia, uma cambaxirra descobriu nossa casinha e ali fez seu lar. Podíamos ouvir seu canto longo, vibrante e contínuo durante o início da primavera. No entanto, depois que havia construído seu ninho na carroça coberta, nossa nova inquilina aviária começou a carregar pequenos gravetos para a bota da nossa vizinha. Ela a encheu com gravetos de modo que nenhum outro pássaro, grande ou pequeno, conseguisse entrar. Nossa vizinha não gostou dessa atitude preventiva, mas não havia nada que pudesse fazer. "Se tirarmos a casinha", disse meu pai, "limparmos e a colocarmos de volta na árvore, a cambaxirra vai enchê-la de gravetos novamente". As cambaxirras são pequenas e lindinhas, mas impiedosas.

No inverno anterior eu havia quebrado minha perna esquiando — tinha sido minha primeira vez esquiando morro abaixo — e recebido um dinheiro de um seguro escolar destinado a recompensar crianças sem sorte e desastradas. Comprei um gravador de fita cassete (uma tecnologia de ponta na época) com o dinheiro. Meu pai me deu a sugestão de ficar sentado no jardim e gravar o canto da cambaxirra, e depois tocar a gravação e ver o que aconteceria. Lá fui eu sob os belos raios do sol da primavera e gravei alguns minutos da cambaxirra soltando seu clamor furioso pelo seu território através da música. Então, fiz com que ela escutasse a própria voz. Aquele passarinho, um terço do tamanho de um pardal, começou a atacar o toca-fitas e a mim, investindo para frente e para trás a centímetros da caixa de som. Vimos esse tipo de comportamento várias vezes, mesmo sem o gravador. Se algum pássaro maior sequer ousasse sentar e descansar em qualquer uma das árvores perto da nossa casinha de pássaros, havia uma boa chance de que fosse abatido do seu poleiro por uma cambaxirra kamikaze.

Ora, cambaxirras e lagostas são muito diferentes. As lagostas não voam, cantam ou se empoleiram. As cambaxirras têm penas, e não cascas duras. Elas não podem respirar embaixo d´água e quase nunca são servidas com manteiga. No entanto, são similares de maneiras importantes. Ambas são obcecadas por status e posição, por exemplo, como muitas outras criaturas. O zoólogo e psicólogo comparativo norueguês Thorlief Schjelderup-Ebbe observou (em 1921) que mesmo as galinhas comuns de quintal estabeleciam uma "hierarquia".[3]

A determinação de Quem é Quem no mundo das galinhas tem implicações importantes para a sobrevivência de cada uma das aves, especialmente em tempos de escassez. As aves que sempre têm acesso prioritário a qualquer comida que for jogada no solo pela manhã são as galinhas celebridades. Depois delas, vêm as do banco de reservas, as bajuladoras e as aspirantes. Então, vêm as de terceira classe e assim por diante, até chegarem as miseráveis, feridas e quase depenadas que ocupam a camada mais baixa e desprezível da hierarquia.

As galinhas, assim como as pessoas da cidade, vivem em comunidade. Os pássaros, como a cambaxirra, não, mas ainda habitam uma hierarquia de dominância. Ela apenas está espalhada em uma área maior. Os pássaros mais astutos, fortes, saudáveis e afortunados ocupam o território nobre e o defendem. Por causa disso, há uma chance maior de que atraiam parceiras de alta qualidade para gerarem uma ninhada de filhotes que vai sobreviver e crescer. Estar protegido do vento, da chuva e de predadores, assim como ter acesso fácil à alimentação melhor, proporciona uma existência muito menos estressante. O território é importante, e há pouca diferença entre direitos de território e status social. Geralmente é uma questão de vida ou morte.

Se uma doença aviária se espalhar em uma comunidade de pássaros bem estratificada, serão os pássaros menos dominantes e mais estressados, que ocupam os degraus mais baixos do mundo dos pássaros, que terão mais chances de adoecer e morrer.[4] Isso também vale para as comunidades humanas, quando os vírus aviários e outras doenças se espalham pelo planeta. Os pobres e debilitados sempre morrem primeiro e em maior número. Eles também são muito mais suscetíveis a doenças não infecciosas, como câncer, diabetes e doenças cardíacas. Como dizem, quando a aristocracia pega um resfriado, a classe trabalhadora morre de pneumonia.

Uma vez que o território é crucial e que os melhores locais são sempre mais escassos, a busca por território entre os animais produz o conflito. Por sua vez, o conflito acarreta outro problema: como ganhar ou perder sem que as partes discordantes incorram em grande perda. Esse último ponto é particularmente importante. Imagine que dois pássaros comecem uma disputa por uma área desejável para fazer seu ninho. A interação pode facilmente se transformar em combate físico. Sob tais circunstâncias, eventualmente um pássaro vai ganhar, geralmente o maior — mas mesmo o vencedor pode sair ferido da luta. Isso significa que um terceiro pássaro, sem ferimentos, esperto e observador, pode oportunamente se apresentar e derrotar o vencedor, que agora está ferido. Com certeza isso é um mau negócio para os dois primeiros pássaros.

CONFLITO — E TERRITÓRIO

Ao longo dos milênios, os animais que tiveram de conviver com outros nos mesmos territórios consequentemente aprenderam vários truques para estabelecer o domínio, ao mesmo tempo em que arriscavam a menor quantidade possível de dano. Um lobo derrotado, por exemplo, vai se deitar de costas expondo sua garganta ao vitorioso, que, de sua parte, não vai se dignar a dilacerá-la. O lobo agora dominante pode ainda precisar de um parceiro caçador, mesmo que seja o patético ex-rival derrotado. Os dragões-barbudos, lagartos notavelmente sociais, balançam suas patas dianteiras pacificamente uns para os outros para indicar seu desejo pela continuidade da harmonia social. Os golfinhos produzem pulsos sonoros especializados enquanto caçam e durante outros momentos de alta emoção para reduzir o conflito em potencial entre os membros dominantes e subordinados do grupo. Esse comportamento é endêmico em comunidades de seres vivos. E as lagostas perambulando pelo fundo do oceano não são exceção.[5]

Se você capturar algumas dezenas delas e transportá-las para um novo local, poderá observar seus rituais e técnicas de formação de status. Primeiramente, cada lagosta vai explorar o novo território, em parte para mapear os detalhes e em parte para encontrar um bom lugar para ser seu abrigo. As lagostas aprendem bastante sobre o local onde vivem e se lembram do que aprenderam. Se você assustar uma perto do seu habitat, ela voltará rapidamente e se esconderá lá. No entanto, se assustar uma em um local mais distante, ela vai correr para o abrigo mais próximo, que foi previamente identificado e agora é lembrado.

Cada lagosta precisa de um esconderijo seguro para descansar, livre de predadores e forças da natureza. Além disso, ao crescerem, elas trocam sua casca e se renovam, o que as deixa vulneráveis por longos períodos de tempo. Uma toca sob uma rocha é um bom lar para as lagostas, especialmente se for localizada onde conchas e outros detritos possam ser postos na entrada para cobri-la, uma vez que a lagosta esteja confortavelmente abrigada dentro. Porém, pode ser que haja apenas poucos abrigos ou esconderijos muito bons em cada território. Eles são escassos e valiosos. Outras lagostas buscam por eles continuamente.

Isso quer dizer que as lagostas encontrarão outras ao explorarem. Os pesquisadores demonstraram que até mesmo uma lagosta que cresceu isolada sabe o que fazer quando isso acontece.[6] Ela possui comportamentos de defesa e agressão embutidos, construídos diretamente no seu sistema nervoso. Ela começará a dançar como um boxeador, abrindo e fechando suas pinças, movendo-se para trás, para frente e para os lados, imitando seu oponente, balançando suas pinças abertas para trás e para frente. Ao mesmo tempo, usará os jatos especiais que ficam abaixo dos olhos para lançar um líquido em seu oponente. O líquido contém uma mistura de químicos que informam o oponente sobre seu tamanho, sexo, saúde e humor.

Às vezes, apenas pela demonstração do tamanho da pinça, uma lagosta consegue identificar imediatamente que é muito menor que o seu oponente, e sairá sem lutar. A informação química que é trocada pelo líquido pode causar o mesmo efeito, convencendo uma lagosta menos saudável ou menos agressiva a recuar. Essa é a resolução de disputa de Nível 1.[7] Mas se as duas lagostas forem muito parecidas em tamanho e capacidade aparente, ou se a troca de líquidos não foi suficientemente informativa, elas passam para a resolução de disputa de Nível 2. Com as antenas movendo-se loucamente e com as pinças dobradas para baixo, uma vai avançar e a outra, recuar. Então, a que está se defendendo vai avançar e a agressora, recuar. Depois de algumas rodadas desse comportamento, a lagosta mais nervosa pode sentir que continuar não é o melhor a ser feito. Ela vai mover seu rabo reflexivamente, disparar para trás e desaparecer para tentar sua sorte em outro lugar. Contudo, se nenhuma das duas desistir, elas passam para o Nível 3, que envolve o combate de fato.

Dessa vez as lagostas, já enraivecidas, lançam-se ferozmente uma em direção à outra com suas pinças estendidas para lutar. Cada uma tenta atingir as costas da outra. Aquela lagosta que for atingida vai concluir que sua oponente é capaz de causar sérios danos. Geralmente, desiste e foge (embora carregue um ressentimento intenso e vá disseminar fofocas pelas costas da oponente vitoriosa). Se nenhuma delas conseguir atingir a outra — ou se a que for atingida não desistir —, as lagostas passam para o Nível 4. Isso acarreta um risco extremo e não deve ser feito sem muita ponderação: uma delas, ou ambas, sairá machucada do conflito, talvez fatalmente.

Os animais avançam entre si cada vez mais rapidamente. Suas pinças estão abertas, então podem agarrar uma pata, antena, haste do olho ou qualquer outra parte exposta e vulnerável. Quando uma parte do corpo for agarrada, a lagosta que agarrou vai mover o rabo para trás bruscamente, com as pinças firmemente fechadas, e vai tentar arrancá-la. As disputas que chegam a esse ponto tipicamente deixam claro quem é o vencedor e quem é o perdedor. O perdedor provavelmente não sobreviverá, especialmente se permanecer no território ocupado pelo vencedor, agora um inimigo mortal.

Após perder uma batalha, não importa o quão agressivamente a lagosta tenha se comportado, hesitará em lutar novamente, mesmo contra outro oponente que já tenha derrotado antes. Um competidor derrotado perde a confiança às vezes por dias. Ocasionalmente a derrota pode ter consequências ainda mais graves. Se uma lagosta dominante for seriamente derrotada, seu cérebro praticamente se desconstrói. Então, um novo cérebro, de subordinado, surge — um mais apropriado para sua nova posição, inferior.[8] Seu cérebro original simplesmente não é desenvolvido o suficiente para conciliar a transformação que houve de rei para cachorro de rua sem uma dissolução completa e um renascimento. Qualquer um que tenha experimentado uma transformação dolorosa após uma derrota grave no amor ou na carreira pode sentir algum tipo de afinidade com aquele crustáceo outrora vitorioso.

A NEUROQUÍMICA DA DERROTA E DA VITÓRIA

A química do cérebro de uma lagosta perdedora difere de forma importante daquela de uma vencedora. Isso é refletido na postura de cada uma delas. O fato de uma lagosta ser confiante ou servil depende da proporção de dois elementos químicos que modulam a comunicação entre seus neurônios: a serotonina e a octopamina. A vitória aumenta a proporção do primeiro em relação ao segundo.

Uma lagosta com níveis altos de serotonina e baixos de octopamina é um tipo de crustáceo convencido e pomposo, com poucas chances de recuar se for desafiado. Isso porque a serotonina ajuda a regular a flexão postural. A lagosta com uma boa postura estende seus apêndices para que aparente ser grande e perigosa, como Clint Eastwood em um faroeste espaguete. Quando uma lagosta que acabou de perder uma batalha é exposta à serotonina, ela se estica, avança até as ex-rivais vitoriosas e luta com mais ferocidade por mais tempo.[9] Os medicamentos receitados para seres humanos deprimidos, inibidores seletivos de recaptação de serotonina, oferecem muito do mesmo efeito químico e comportamental. Em uma das demonstrações mais inacreditáveis da continuidade evolucionária da vida na Terra, o Prozac anima até mesmo as lagostas.[10]

Níveis altos de serotonina e baixos de octopamina caracterizam o vitorioso. A configuração neuroquímica oposta, uma alta proporção de octopamina em relação à serotonina, produz um tipo de lagosta com aparência de derrota, desalinho, inibição, esmorecimento e furtividade, perambulando pelos cantos do oceano e desaparecendo ao primeiro sinal de problema. A serotonina e a octopamina também regulam o reflexo de movimento da cauda da lagosta, que serve de mecanismo para movê-la rapidamente para trás quando precisa escapar. São necessários menos estímulos para ativá-lo em uma lagosta derrotada. Podemos perceber um eco disso nas características de reflexo de medo aumentado em soldados ou em crianças espancadas com transtorno de estresse pós-traumático.

O PRINCÍPIO DA DISTRIBUIÇÃO DESNIVELADA

Quando uma lagosta derrotada ganha coragem e ousa lutar novamente, tem, estatisticamente, mais chances de perder de novo, com base em suas lutas anteriores. Por outro lado, sua oponente vitoriosa tem mais chances de ganhar. No mundo das lagostas, o vencedor leva tudo, assim como nas sociedades humanas, em que aquele 1% do topo tem tanto dinheiro quanto os 50% da base[11] — e em que as 85 pessoas mais ricas têm tanto dinheiro quanto as outras 3,5 bilhões juntas.

Esse mesmo princípio brutal de distribuição desnivelada aplica-se fora da área financeira — na verdade, em qualquer contexto em que exista produção criativa. A maioria dos artigos científicos é escrita por um grupo pequeno de cientistas. Uma pequena proporção de músicos produz quase todas as músicas comerciais gravadas. Um número pequeno de autores vende todos os livros. Um milhão e meio de livros diferentes (!) são vendidos por ano nos EUA. Entretanto, desses, apenas 500 têm mais de 100 mil cópias vendidas.[12] Similarmente, apenas quatro compositores clássicos (Bach, Beethoven, Mozart e Tchaikovsky) compuseram quase todas as músicas tocadas pelas orquestras modernas. Bach, de sua parte, compôs tão prolificamente que levaria décadas de trabalho apenas para copiar suas partituras e, no entanto, apenas uma pequena fração de sua extraordinária produção ainda é amplamente tocada. O mesmo princípio aplica-se à obra dos outros três membros desse grupo de compositores superdominantes: apenas uma pequena fração do seu trabalho é ainda amplamente tocada. Assim, uma pequena parte da música que foi composta por uma pequena parte de todos os compositores clássicos que já criaram músicas corresponde a quase todas as músicas clássicas que o mundo conhece e ama.

Esse princípio é algumas vezes conhecido como a lei de Price, em homenagem a Derek J. de Solla Price,[13] o pesquisador que descobriu sua aplicação na ciência, em 1963. O princípio pode ser modelado usando-se um gráfico no formato aproximado de um L, com o número de pessoas no eixo vertical e a produtividade ou recursos, no horizontal. O princípio básico foi descoberto muito antes. Vilfredo Pareto (1848–1923), um polímata italiano, percebeu sua aplicabilidade na distribuição de riquezas no início do século XX, e isso parece ser verdadeiro para cada sociedade já estudada, independentemente da forma de governo. O princípio também é aplicado à população das cidades (um número bem pequeno delas abriga quase todas as pessoas), à massa dos corpos celestes (um número bem pequeno deles acumula quase toda a matéria) e à frequência de palavras em um idioma (90% da comunicação ocorre usando-se apenas 500 palavras), entre muitas outras coisas. Isso costuma ser conhecido como Princípio de Mateus (Mateus 25:29), derivado daquela que pode ter sido uma das declarações mais severas atribuídas a Cristo: "Pois a quem tem, mais será dado, e terá em grande quantidade. Mas, a quem não tem, até o que tem lhe será tirado."

Você realmente sabe que é o Filho de Deus quando seus ensinamentos se aplicam até aos crustáceos.

Voltando aos crustáceos rebeldes: não leva muito tempo antes que as lagostas, ao se testarem, aprendam com quem podem mexer e de quem devem se afastar — e quando aprendem isso a hierarquia resultante é extraordinariamente estável. Tudo o que uma lagosta vitoriosa precisa fazer, uma vez que ganhou, é balançar as antenas de forma ameaçadora e qualquer oponente anterior vai desaparecer deixando uma nuvem de areia para trás. Uma lagosta mais fraca vai desistir de tentar, aceitar seu status mais baixo e, assim, manter suas patas presas ao corpo. A lagosta do topo, por outro lado — que ocupa o melhor abrigo, tem um bom descanso, termina uma boa refeição —, desfila seu domínio ao redor do seu território, acordando as subordinadas em seus abrigos à noite apenas para lembrá-las quem manda.

TODAS AS GAROTAS

As lagostas fêmeas (que também lutam muito pelo território durante as fases explicitamente maternas de sua existência[14]) identificam o macho superior rapidamente e ficam atraídas por ele de forma irresistível. Para mim, isso é uma estratégia brilhante. Ela também é utilizada por fêmeas de outras espécies, incluindo a humana. Em vez de realizarem a difícil tarefa de calcular sozinhas qual é o melhor homem, as fêmeas terceirizam o problema ao usar os cálculos perfeitos da hierarquia de dominância. Elas deixam os machos lutarem e escolhem seus amantes entre aqueles que ficaram no topo. É bem isso o que ocorre na precificação da bolsa de valores, em que o valor de qualquer empreendimento em particular é determinado através da concorrência entre todos.

Quando as fêmeas estão prontas para trocar de casca e amolecer um pouco, ficam interessadas em acasalar. Elas começam a se aproximar da área do macho dominante, lançando perfumes atraentes e afrodisíacos, tentando seduzi-lo. Sua agressividade o fez vitorioso, então provavelmente ele vai reagir de maneira dominante e irritável. Além disso, ele é grande, saudável e poderoso. Não é uma tarefa fácil mudar o foco de sua atenção da luta para o acasalamento. (Porém, se for seduzido corretamente, ele direcionará seu comportamento para a fêmea. Isso é uma versão com lagostas de *Cinquenta Tons de Cinza*, o livro com vendas mais rápidas de todos os tempos, e é a eterna trama de *A Bela e a Fera*, o romance arquetípico. Esse é o padrão de comportamento continuamente representado nas fantasias literárias explicitamente sexuais que são tão populares entre as mulheres quanto as imagens de mulheres nuas entre os homens.)

Deve-se ressaltar, contudo, que a pura força física é uma base instável na qual fundamentar um domínio duradouro, como o primatólogo holandês Frans de Wall[15] esforçou-se para demonstrar. Entre os grupos de chimpanzés que estudou, os machos que foram bem-sucedidos em longo prazo tiveram que complementar sua destreza física com atributos mais sofisticados. Mesmo o chimpanzé déspota mais brutal pode ser derrubado por dois oponentes, cada um com três quartos da agressividade dele. Como consequência, os machos que ficam no topo por mais tempo são aqueles que formam coalizões recíprocas com seus compatriotas de status mais baixo e prestam uma atenção cuidadosa ao grupo das fêmeas e seus filhotes. A estratégia política de beijar bebês tem, literalmente, milhões de anos. Mas as lagostas ainda são relativamente primitivas, então os elementos simples da trama de *A Bela e a Fera* serão suficientes para elas.

Uma vez que a Fera tenha sido seduzida com sucesso, a fêmea vitoriosa (lagosta) despe-se de sua casca, tornando-se perigosamente macia, vulnerável e pronta para acasalar. No momento certo, o macho, agora convertido em amante atencioso, deposita um pacote de sêmen no receptáculo apropriado. Depois disso, a fêmea fica por perto e entra em processo de endurecimento da casca por algumas semanas (outro fenômeno que não é inteiramente desconhecido entre os seres humanos). Quando quiser, ela volta para o próprio domicílio, carregada com ovos fertilizados. Nessa altura, outras fêmeas tentarão fazer o mesmo — e assim por diante. O macho dominante, com sua postura ereta e confiante, não fica apenas com o melhor imóvel e os melhores campos de caça. Também fica com todas as garotas. É exponencialmente mais valioso ser vitorioso se você for uma lagosta macho.

Por que isso tudo é relevante? Por um número incrível de razões além daquelas que são comicamente óbvias. Em primeiro lugar, sabemos que as lagostas existem, de uma forma ou de outra, há mais de 350 milhões de anos.[16] Isso é muito tempo. Sessenta milhões de anos atrás, os dinossauros ainda existiam. E isso é um passado inimaginavelmente distante para nós. Porém, para as lagostas, os dinossauros eram os novos-ricos, que apareceram e desapareceram no fluxo do tempo quase eterno. Isso quer dizer que as hierarquias de dominância têm sido essencialmente uma característica permanente do ambiente ao qual toda vida complexa se adaptou. Cerca de 300 milhões de anos atrás, os cérebros e os sistemas nervosos eram comparativamente simples. Não obstante, já possuíam a estrutura e a neuroquímica necessárias para processar as informações sobre o status e a sociedade. É muito difícil enfatizar o suficiente a importância desse fato.

A NATUREZA DA NATUREZA

Uma verdade incontestável da biologia é que a evolução é conservadora. Quando algo evolui, deve ser construído a partir do que a natureza já produziu. Novas características podem ser acrescentadas e características antigas, sofrer alguma alteração, mas a maioria das coisas permanece igual. É por esse motivo que as asas dos morcegos, as mãos dos seres humanos e as barbatanas das baleias são incrivelmente semelhantes em suas formas esqueléticas. Elas têm, inclusive, o mesmo número de ossos. A evolução lançou a pedra fundamental para a fisiologia básica muito tempo atrás.

Agora, em grande parte, a evolução funciona através da variação e da seleção natural. A variação existe por vários motivos, incluindo a reorganização dos genes (para dizer de forma simples) e a mutação aleatória. Os indivíduos variam em uma mesma espécie por esses motivos. A natureza escolhe entre eles ao longo do tempo. Essa teoria, da maneira que foi colocada, parece responder pela alteração contínua das formas de vida ao longo dos éons. Mas há outra questão espreitando sob a superfície: o que exatamente é a "natureza" na "seleção natural"? O que exatamente é o "ambiente" ao qual os animais se adaptam? Criamos muitas hipóteses sobre a natureza — o ambiente — e isso traz consequências. Mark Twain disse certa vez: "O que nos causa problemas não é o que não sabemos. É o que temos certeza que sabemos e que, ao final, não é verdade."

Em primeiro lugar, é fácil supor que a "natureza" seja algo com uma essência — algo estático. Mas não é: pelo menos não de uma forma simples. É estático e dinâmico ao mesmo tempo. O ambiente — a natureza que seleciona — também se transforma. O famoso símbolo taoista do yin e yang captura essa ideia de uma forma linda. O Ser, para os taoistas — a realidade em si —, é composto por dois princípios opostos, geralmente traduzidos como feminino e masculino ou, ainda mais limitadamente, como fêmea e macho. Porém, yin e yang são mais corretamente compreendidos como caos e ordem. O símbolo taoista é um círculo encerrando duas serpentes da cabeça ao rabo. A serpente preta, o caos, tem um ponto branco em sua cabeça. A serpente branca, a ordem, um preto. Isso porque o caos e a ordem são intercambiáveis, assim como eternamente justapostos. Não há nada tão certo que não possa se transformar. Até o sol tem seus ciclos de instabilidade. Da mesma forma, não há nada tão mutável que não possa ser fixado. Toda revolução produz uma nova ordem. Toda morte é, simultaneamente, uma metamorfose.

Considerar a natureza como puramente estática resulta em erros graves de entendimento. A natureza "seleciona". A ideia de *selecionar* permanece implicitamente alojada dentro da ideia de *aptidão*. É a "aptidão" que é "selecionada". A aptidão, genericamente falando, é a probabilidade de que dado organismo deixe descendência (propague seus genes no decorrer do tempo). O "apto" em "aptidão" é, portanto, a combinação entre o atributo do organismo com a demanda do ambiente. Se essa demanda for conceitualizada como estática — se a natureza for conceitualizada como eterna e imutável —, então a evolução é uma série linear infinita de melhorias e a aptidão, algo do qual pode-se infinitamente chegar cada vez mais perto ao longo do tempo. A ideia vitoriana sobre o progresso evolucionário, ainda poderosa, tendo o homem no ápice é uma consequência parcial desse modelo de natureza. Ela produz a noção equivocada de que há um destino para a seleção natural (aumentar a aptidão ao ambiente) e de que pode ser conceitualizada como um ponto fixo.

Por sua natureza, o agente seletor não é estático — não em qualquer sentido simples. A natureza se veste diferentemente para cada ocasião. A natureza varia como em uma partitura — e isso explica, em parte, porque a música produz insinuações profundas de significado. À medida que o ambiente que suporta uma espécie se transforma e muda, as características que tornam um dado indivíduo bem-sucedido em sobreviver e se reproduzir também se transformam e mudam. Desse modo, a teoria da seleção natural não propõe criaturas se combinando com uma precisão cada vez maior a um modelo especificado pelo mundo. É mais como se as criaturas estivessem dançando com a natureza, embora seja uma dança mortal. "No meu reino", diz a Rainha de Copas em *Alice no País das Maravilhas*, "você precisa correr o mais rápido que puder apenas para ficar no mesmo lugar". Ninguém que fica parado consegue triunfar, por mais bem constituído que seja.

A natureza tampouco é simplesmente dinâmica. Algumas coisas mudam rapidamente, mas essas estão aninhadas dentro de outras que mudam menos rapidamente (a música frequentemente segue esse modelo). As folhas mudam mais rapidamente do que as árvores, e as árvores, do que as florestas. O tempo muda mais rapidamente do que o clima. Se não fosse assim, o conservadorismo da evolução não funcionaria, uma vez que a morfologia básica dos braços e mãos teria que mudar na mesma velocidade que o comprimento dos ossos do braço e a função dos dedos. É o caos dentro da ordem, dentro do caos, dentro de uma ordem maior. A ordem mais real é aquela que é mais imutável — e não necessariamente a ordem que é mais facilmente observada. A folha, quando é percebida, pode fazer com que o observador não veja a árvore. A árvore pode fazer com que ele não veja a floresta. E algumas coisas que são mais reais (tais como a eterna presença da hierarquia de dominância) não podem ser "observadas" de jeito algum.

Também seria um equívoco conceitualizar a natureza romanticamente. Moradores de cidades modernas e ricas, cercados por concreto escaldante, imaginam a natureza como algo puro e paradisíaco, como uma paisagem impressionista francesa. Os ativistas ambientais, ainda mais idealistas em seu ponto de vista, vislumbram a natureza de modo harmonicamente equilibrado e perfeito, sem as perturbações e depredações da humanidade. Infelizmente, a "natureza" também é feita de elefantíase e verme-da-guiné (não me pergunte), mosquito-prego e malária, secas que causam inanição, AIDS e Peste Negra. Não fantasiamos sobre a beleza desses aspectos da natureza, embora sejam tão reais como seus equivalentes edênicos. É pela existência de tais coisas, é claro, que tentamos modificar nosso entorno, protegendo nossos filhos, construindo cidades e sistemas de transporte, e produzindo alimentos e energia. Se a Mãe Natureza não fosse tão determinada em nos destruir, seria mais fácil existirmos em simples harmonia com seus ditames.

E isso nos leva a um terceiro conceito equivocado: que a natureza é algo estritamente segregado de nossas construções culturais que emergiram dentro dela. A ordem que se insere no caos e na ordem do Ser é cada vez mais "natural" conforme perdura por mais tempo. Isso porque "natureza" é "aquilo que seleciona", e quanto mais tempo uma característica tem existido, mais tempo teve para ser selecionada — e para moldar a vida. Não importa se a característica é física, biológica, social ou cultural. Tudo o que importa, sob uma perspectiva darwinista, é a permanência — e a hierarquia de dominância, embora possa parecer social ou cultural, está presente há cerca de meio bilhão de anos. É permanente. É real. A hierarquia de dominância não é o capitalismo. Tampouco é o comunismo. Não é o complexo militar industrial. Não é o patriarcado — aquele artefato cultural descartável, maleável e arbitrário. Muito menos uma criação humana; não em um sentido mais profundo. Pelo contrário, é um aspecto quase eterno do ambiente e muito daquilo cuja culpa colocamos nessas manifestações efêmeras é uma consequência de sua existência imutável. Nós (o *nós* soberano, presente desde o princípio da vida) temos vivido em uma hierarquia de dominância há muito, muito tempo. Estávamos lutando por posições antes mesmo de termos pele, mãos, pulmões ou ossos. Não há quase nada mais natural do que a cultura. As hierarquias de dominância são mais velhas do que as árvores.

A parte do nosso cérebro que registra nossa posição na hierarquia de dominância é, portanto, excepcionalmente antiga e fundamental.[17] É um sistema mestre de controle ajustando nossas percepções, valores, emoções, pensamentos e ações. Ele afeta poderosamente cada aspecto do nosso Ser, tanto consciente quanto inconsciente. É por isso que quando somos derrotados agimos como aquela lagosta que perdeu a batalha. Nossa postura se inclina. Ficamos com o rosto voltado para o chão. Sentimo-nos ameaçados, machucados, ansiosos e fracos. Se as coisas não melhorarem, tornamo-nos cronicamente deprimidos. Sob tais condições, não conseguimos aguentar as lutas impostas pela vida com facilidade e nos tornamos alvos fáceis para os bullies de casca grossa. E não são apenas as semelhanças comportamentais e experimentais que são impressionantes. Muito da neuroquímica básica é a mesma.

Considere a serotonina, a substância química que controla a postura e a fuga nas lagostas. Aquelas em posições inferiores produzem níveis baixos de serotonina. Isso também é válido para seres humanos em posições inferiores (e esses níveis baixos caem mais a cada derrota). Um nível baixo de serotonina significa reagir mais ao estresse e ter um preparo físico para emergências mais dispendioso — uma vez que na base da hierarquia de dominância qualquer coisa pode acontecer a qualquer momento (e raramente alguma coisa boa). Um nível baixo de serotonina significa menos felicidade, mais dor, ansiedade, doença e uma expectativa de vida menor — tanto entre os seres humanos quanto entre os crustáceos. Lugares mais altos na hierarquia de dominância e os níveis mais altos de serotonina, típicos daqueles nessas posições, são caracterizados por menos doenças, tristezas e mortes, mesmo quando fatores como renda absoluta — ou a quantidade de restos de comida no fundo do oceano — são constantes. A importância disso é inestimável.

TOPO E BASE

Há uma calculadora indescritivelmente primordial no fundo do seu ser, bem na base do seu cérebro, muito abaixo dos seus pensamentos e sentimentos. Ela monitora onde exatamente você está posicionado na sociedade — só a título de exemplo, digamos que seja uma escala de um a dez. Se você for o número um, o nível mais alto de status, é um sucesso extraordinário. Se você é macho, tem acesso preferencial aos melhores lugares para viver e à comida da melhor qualidade. As pessoas brigam para lhe oferecer favores. Você tem oportunidades ilimitadas para contatos românticos e sexuais. Você é uma lagosta de sucesso, e as fêmeas mais desejadas fazem fila e disputam sua atenção.[18]

Se você é fêmea, tem acesso a muitos pretendentes de alta qualidade: altos, fortes e simétricos; criativos, confiáveis, honestos e generosos. E, como seu equivalente macho dominante, você vai competir ferozmente, até impiedosamente, para manter ou melhorar sua posição na hierarquia, igualmente competitiva, do acasalamento das fêmeas. Embora haja menos chances de você usar a agressão física para isso, há muitas artimanhas verbais e estratégias efetivas à sua disposição, incluindo depreciar as oponentes, e pode ser que você seja especialista em usá-las.

Por outro lado, se tiver um status nas posições inferiores, seja macho ou fêmea, você não tem onde morar (ou nenhum lugar bom). Sua comida é terrível, quando não está passando fome. Você tem péssimas condições físicas e mentais. Desperta o mínimo interesse romântico nos outros, a menos que estejam tão desesperados quanto você. Tem mais chances de ficar doente, envelhecer rapidamente e morrer jovem, com poucas pessoas, se houver alguma, para chorar sua morte.[19] Até o dinheiro pode ser de pouco uso. Você não vai saber usá-lo, porque é difícil usar dinheiro de forma apropriada, especialmente se não se está familiarizado com ele. O dinheiro o deixará sujeito às perigosas tentações de drogas ilícitas e álcool, que são muito mais recompensadores se você esteve privado de prazer por muito tempo. O dinheiro também fará de você um alvo para predadores e psicopatas que anseiam por explorar aqueles que existem nas camadas mais baixas da sociedade. A base da hierarquia de dominância é um lugar terrível e perigoso para se estar.

A parte ancestral do seu cérebro, especializada em avaliar a dominância, observa como você é tratado por outras pessoas. Com essa evidência, fornece uma determinação do seu valor e lhe designa um status. Se você é julgado pelos seus iguais como de pouca importância, a calculadora restringe a disponibilidade de serotonina. Isso faz com que você fique muito mais reativo, física e psicologicamente, a qualquer circunstância ou evento que possa produzir emoção, especialmente se for negativa. Essa reatividade lhe é necessária. As emergências são comuns na base, e você deve estar pronto para sobreviver.

Infelizmente, essa hiper-reação física, esse estar alerta constantemente, consome muito dos seus preciosos recursos energéticos e físicos. Essa reação é o que todos chamam de estresse e de forma alguma é somente, ou até mesmo primordialmente, psicológica. Ela é um reflexo de restrições genuínas a circunstâncias infelizes. Ao operar na base, a antiga calculadora do cérebro entende que até mesmo o menor impedimento inesperado pode produzir uma cadeia incontrolável de eventos negativos com os quais você terá de lidar sozinho, uma vez que amigos prestativos são, de fato, raros nas posições à margem da sociedade. Assim, você vai sacrificar continuamente o que poderia guardar fisicamente para o futuro, gastando em atenção aumentada e na possibilidade de ação de pânico imediata no presente. Quando não sabe o que fazer, você deve estar preparado para fazer toda e qualquer coisa, caso seja necessário. Você está no seu carro pisando fundo no acelerador e no freio ao mesmo tempo. Muito disso fará tudo cair em ruínas. Seu cérebro ancestral vai até desligar seu sistema imunológico, gastando agora, durante as crises do presente, a energia e os recursos necessários para sua saúde no futuro. Isso o tornará impulsivo,[20] de forma que você vai pular de cabeça, por exemplo, em qualquer oportunidade de acasalamento em curto prazo ou em qualquer outra possibilidade de prazer, não importa o quão medíocre, deplorável ou ilegal possa ser. Vai deixar você com muito mais chances de viver, ou morrer, de forma imprudente por uma rara oportunidade de prazer quando ela se manifestar. As demandas físicas do preparo para emergências o consumirão de todas as formas.[21]

Por outro lado, se você tem um status nas posições mais altas, o mecanismo frio, pré-reptiliano, do cérebro entende que seu nicho está seguro e produtivo e que você está bem amparado por um apoio social. Ele entende que as chances de que algo vá machucar você são mínimas e podem ser seguramente desconsideradas. A mudança pode ser a oportunidade, e não um desastre. A serotonina flui plenamente. Isso o deixa confiante e calmo, permanecendo alto e ereto, e bem menos em alerta constante. Uma vez que sua posição esteja segura, o futuro provavelmente será bom para você. Vale a pena pensar em longo prazo e planejar um amanhã melhor. Você não precisa se agarrar impulsivamente a qualquer migalha que aparecer na sua frente, pois pode esperar, de forma realista, que as boas coisas continuarão disponíveis. Você pode adiar a gratificação sem abster-se dela para sempre. Você pode se dar ao luxo de ser um cidadão confiável e cuidadoso.

MAU FUNCIONAMENTO

No entanto, às vezes o mecanismo da calculadora pode não funcionar. Hábitos errados de sono e alimentação podem interferir em seu funcionamento. A incerteza pode fazer o sistema entrar em um ciclo. O corpo, com suas várias partes, precisa funcionar como uma orquestra bem ensaiada. Cada sistema deve tocar sua parte corretamente e no tempo exato, ou haverá barulho e caos. É por esse motivo que a rotina é tão necessária. Os atos da vida que repetimos diariamente precisam ser automatizados. Eles devem se tornar hábitos estáveis e confiáveis, assim eles perdem sua complexidade e ganham previsibilidade e simplicidade. Podemos perceber isso mais claramente no caso das crianças, que ficam agradáveis, divertidas e brincalhonas quando seu horário de dormir e comer está estável, e ficam irritáveis, chorosas e desagradáveis quando não está.

É por esses motivos que sempre pergunto aos meus clientes em primeiro lugar como está seu sono. Eles acordam no mesmo horário que uma pessoa tipicamente acorda e no mesmo horário todos os dias? Se a resposta for não, recomendo que primeiramente organizem isso. Não importa muito se vão dormir no mesmo horário todas as noites, mas acordar no mesmo horário é uma necessidade. A ansiedade e a depressão não podem ser tratadas facilmente se a pessoa tiver uma rotina diária imprevisível. Os sistemas que fazem a mediação das emoções negativas estão muito atrelados aos ciclos corretos dos ritmos circadianos.

A segunda coisa que pergunto é sobre o café da manhã. Aconselho meus clientes a consumirem uma boa quantidade de gordura e proteína o mais rápido possível após acordarem (sem carboidratos simples e açúcar, uma vez que são digeridos muito rapidamente e produzem um pico de açúcar no sangue que cai logo). A razão disso é que as pessoas ansiosas e deprimidas já estão estressadas, especialmente se suas vidas não estiveram sob controle por um bom tempo. Seus corpos estão, dessa forma, preparados para hipersecretar insulina se elas se envolverem em qualquer atividade complexa ou exigente. Se fizerem isso, após uma noite inteira de jejum e antes de comer, o excesso de insulina em sua corrente sanguínea vai sugar todo o açúcar do sangue. Assim, ficam hipoglicêmicas e psicologicamente instáveis.[22] Durante o dia todo. Seu sistema não pode ser reinicializado até que durmam novamente. Já tive muitos clientes cuja ansiedade foi reduzida a níveis subclínicos meramente porque começaram a dormir seguindo uma rotina e comer no café da manhã.

Outros maus hábitos também podem interferir na precisão da calculadora. Às vezes isso acontece diretamente, por razões biológicas pouco compreendidas, e às vezes porque esses hábitos iniciam um ciclo complexo de feedback positivo. Esse ciclo exige um detector de entrada, um amplificador e alguma forma de saída. Imagine que um sinal foi captado pelo detector de entrada, amplificado e emitido de maneira ampliada. Até aqui, tudo certo. O problema começa quando o detector de entrada identifica aquela saída e a faz passar pelo sistema novamente, amplificando e emitindo-a de novo. Algumas rodadas de intensificação e as coisas saem do controle perigosamente.

A maioria das pessoas já passou pela situação de ficar quase surda devido a uma microfonia em um show, quando o sistema emite um som doloroso. O microfone envia um sinal para as caixas de som. As caixas o emitem. Se estiver muito alto ou próximo das caixas, o sinal será captado pelo microfone e enviado para o sistema novamente. O som é rapidamente ampliado a níveis insuportáveis, suficientes para destruir as caixas se isso continuar.

O mesmo ciclo destrutivo acontece na vida das pessoas. Muitas vezes, quando ocorre, classificamos como doença mental, mesmo que não esteja acontecendo apenas na psique das pessoas ou sequer esteja acontecendo ali. A dependência do álcool ou de qualquer outra droga que altere o humor é um processo comum de feedback positivo. Imagine uma pessoa que gosta de álcool, talvez até demais. Ela toma três ou quatro drinques rapidamente. O nível de álcool no sangue aumenta de maneira brusca. Isso pode ser extremamente estimulante especialmente para alguém que tem uma predisposição ao alcoolismo.[23] Porém, isso só ocorre quando os níveis alcoólicos no sangue estão subindo ativamente e continua apenas se a pessoa continuar bebendo. Quando ela parar, os níveis alcoólicos não apenas se estabilizam e começam a cair, mas seu corpo começa a produzir uma série de toxinas ao metabolizar o etanol já consumido. Ela também começa a sentir a abstinência alcoólica, uma vez que os sistemas de ansiedade que foram suprimidos durante a intoxicação começam a hiper-responder. Uma ressaca é a abstinência de álcool (o que muito frequentemente mata alcoólicos abstêmios), e se inicia logo após a pessoa parar de beber. Para manter a sensação de conforto e postergar o efeito desagradável, a pessoa continua a beber até que todas as bebidas em sua casa sejam consumidas, todos os bares estejam fechados e todo seu dinheiro tenha sido gasto.

No dia seguinte, a pessoa que bebeu acorda com uma ressaca pesada. Até esse ponto, é tudo apenas lamentável. O problema real surge quando ela descobre que a ressaca pode ser "curada" com mais alguns drinques pela manhã. Esse tipo de cura é, obviamente, temporário. Apenas adia os sintomas da abstinência um pouco para o futuro. Mas pode ser que isso seja o necessário, em curto prazo, se o sofrimento for suficientemente agudo. Assim, a pessoa aprendeu a beber para curar sua ressaca. Quando a medicação causa a doença, um ciclo de feedback positivo foi estabelecido. O alcoolismo pode rapidamente emergir sob tais circunstâncias.

Algo similar geralmente ocorre com as pessoas que desenvolvem um distúrbio de ansiedade, como a agorafobia. As pessoas com agorafobia podem ficar esgotadas com o medo a ponto de não saírem mais de casa. A agorafobia é a consequência de um ciclo de feedback positivo. O primeiro evento que precipita o distúrbio é geralmente um ataque de pânico. O enfermo é tipicamente uma mulher de meia-idade que foi muito dependente de outras pessoas. Talvez ela tenha saído da dependência exagerada do seu pai e imediatamente iniciado um relacionamento com um namorado ou marido mais velho e relativamente dominador, com pouca ou nenhuma abertura para uma existência independente.

Durante as semanas antes de a agorafobia aparecer, essa mulher tende a experimentar algo inesperado e anômalo. Pode ser algo psicológico, como palpitações cardíacas, muito comuns em qualquer caso, com chances de aumentarem durante a menopausa, quando o processo hormonal que regula a experiência psicológica da mulher passa por flutuações imprevisíveis. Qualquer alteração perceptível nas batidas do coração pode criar pensamentos tanto de que é um ataque cardíaco como de uma demonstração constrangedora da angústia e do sofrimento após um ataque cardíaco (sendo os dois medos mais básicos o da morte e o da humilhação social). Outra ocorrência inesperada pode ser algum conflito no casamento ou a doença ou morte do cônjuge. Pode ser o divórcio ou a hospitalização de um amigo próximo. Algum evento real geralmente precipita o aumento inicial do medo da mortalidade e do julgamento social.[24]

Talvez, após o choque, a mulher pré-agorafóbica saia de sua casa e vá ao shopping. Está difícil para estacionar. Ela fica ainda mais estressada. Os pensamentos de vulnerabilidade que ocupam sua mente desde que passou pela experiência desagradável ficam perto da superfície. Eles ativam a ansiedade. O coração bate mais rápido. Ela começa a respirar de forma mais curta e rápida. Ela sente o coração acelerar e começa a pensar que está sofrendo um ataque cardíaco. Esse pensamento ativa mais ansiedade. Ela respira de forma ainda mais curta, aumentando os níveis de dióxido de carbono no sangue. O coração bate mais rápido novamente por causa do medo adicional. Ela percebe isso e o coração se acelera de novo.

Puf! Um ciclo de feedback positivo. A ansiedade logo se transforma em pânico, regulada por um sistema cerebral diferente, desenvolvido para as piores ameaças, que pode ser ativado quando há muito medo. Ela está transtornada pelos sintomas e vai para o pronto-socorro, onde, após uma espera ansiosa, o funcionamento do seu coração é verificado. Não há nada de errado. Mas ela não está segura disso.

É necessário um ciclo adicional de feedback para transformar, até essa experiência desagradável, em uma agorafobia totalmente operante. Da próxima vez em que a pré-agorafóbica for ao shopping, ficará ansiosa, lembrando-se do que aconteceu da última. Mas ela vai assim mesmo. No caminho, sente o coração batendo forte. Isso ativa outro ciclo de ansiedade e preocupação. Para prevenir o pânico, evita o estresse do shopping e volta para casa. Mas, agora, os sistemas de ansiedade em seu cérebro percebem que ela fugiu do shopping e entendem que aquela saída foi de fato perigosa. Nossos sistemas de ansiedade são muito práticos. Eles entendem que qualquer coisa da qual fugimos é perigosa. A prova disso é que, obviamente, você de fato fugiu.

Então, o shopping é agora marcado como "perigoso demais para se chegar perto" (ou como a agorafóbica em ascensão denominou a si mesma, "muito frágil para chegar perto do shopping"). Talvez isso não seja ainda o suficiente para causar problemas reais. Há outros lugares para fazer compras. Mas, talvez, o supermercado perto de casa seja parecido o bastante com o shopping para ativar uma reação similar quando ela vai lá e também decide voltar sem entrar. Agora, o supermercado ocupa a mesma categoria. Esse é o fundamento. Depois são os ônibus, táxis e metrôs. Logo, é qualquer lugar. O agorafóbico vai, em algum momento, ficar com medo da própria casa e fugiria de lá se pudesse. Mas não pode. Está preso em sua casa. A fuga induzida pela ansiedade torna seu objeto causador um indutor maior de ansiedade. Isso torna o eu menor e o mundo maior e cada vez mais perigoso.

Há vários sistemas de interação entre o cérebro, o corpo e o mundo social que podem ficar presos em ciclos de feedback positivo. As pessoas deprimidas, por exemplo, podem começar a se sentir inúteis e incômodas, assim como aflitas e magoadas. Isso faz com que se distanciem de qualquer contato com amigos e familiares. Isso as torna ainda mais solitárias e isoladas, com mais chances de se sentirem inúteis e incômodas. Então, distanciam-se mais. Dessa maneira, a depressão aumenta e é amplificada.

Se alguém ficar muito magoado em algum momento da vida — traumatizado —, a calculadora da dominância pode se transformar de modo que novas mágoas se tornem mais prováveis em vez de menos. É o que geralmente ocorre no caso de pessoas, agora adultas, que sofreram um bullying cruel durante a infância ou adolescência. Elas se tornam ansiosas e facilmente perturbadas. Elas se protegem com um encolhimento protetivo e evitam o contato visual direto que pode ser interpretado como um desafio de dominância.

Isso quer dizer que o estrago causado pelo bullying (redução de status e confiança) pode continuar mesmo depois de ter acabado.[25] Nos casos mais simples, as pessoas que estavam em uma posição baixa naquele momento amadureceram e mudaram para novas e bem-sucedidas fases na vida. Mas não percebem isso totalmente. Suas, agora contraproducentes, adaptações fisiológicas para as realidades anteriores ainda permanecem e elas são mais estressadas e inseguras do que o necessário. Em casos mais complexos, a aceitação habitual de uma subordinação torna a pessoa mais estressada e insegura, *e* sua postura habitualmente permissiva continua a atrair atenção genuína negativa de um ou mais daqueles bullies menos exitosos que ainda subsistem no mundo adulto. Em situações assim, a consequência psicológica do bullying anterior aumenta as chances de bullying no presente (mesmo que, estritamente falando, não devesse por causa de amadurecimento, mudança geográfica, educação continuada ou melhoria no status objetivo).

LEVANTANDO A CABEÇA

Às vezes as pessoas sofrem bullying porque *não conseguem* revidar. Isso pode ocorrer com pessoas que são fisicamente mais fracas do que seus oponentes. Essa é uma das razões mais comuns do bullying experimentado por crianças. Mesmo as crianças com seis anos que são mais valentes não são páreo para as de nove. Porém, muito dessa diferença de força desaparece na vida adulta com a estabilização geral e o nivelamento do tamanho físico (com a exceção da diferença entre homens e mulheres, sendo os homens tipicamente maiores e mais fortes, especialmente na parte superior do corpo), assim como com as penalidades maiores geralmente aplicadas na vida adulta àqueles que insistem em continuar com as intimidações físicas.

Mesmo assim, as pessoas sofrem bullying porque *não* revidam. Isso é frequente para as que têm o temperamento compassivo e abnegado — especialmente se também carregam muitas emoções negativas e produzem muitos barulhos de sofrimento gratificantes quando alguém sádico as confronta (as crianças que choram mais facilmente, por exemplo, sofrem bullying com mais frequência).[26] É o que acontece, também, com as pessoas que decidiram, por um motivo ou outro, que todas as formas de agressão, incluindo sentimentos de raiva, são moralmente erradas. Já vi pessoas com uma sensibilidade aguda para tirania mesquinha e competitividade superagressiva restringirem dentro de si todas as emoções que possam dar voz a essas coisas. Geralmente tiveram um pai que era excessivamente bravo e controlador. No entanto, as forças psicológicas nunca são unidimensionais em seu valor, e seu potencial verdadeiramente terrível de raiva e agressão para produzir crueldade e desordem é equilibrado pela habilidade daquelas forças primordiais de revidar opressão, falar a verdade e motivar um movimento resoluto à frente em tempos de luta, incerteza e perigo.

Com sua capacidade de agressão presa na camisa de força de uma moralidade muito restrita, aqueles que são meramente compassivos e abnegados (e ingênuos e exploráveis) não conseguem dar voz à sua raiva, genuinamente justificada e apropriadamente autoprotetora, que é necessária para defender a si mesmos. Se você *consegue* morder, geralmente *não precisa* fazê-lo. Quando é bem integrada, a habilidade de reagir com agressão e violência diminui, em vez de aumentar, a possibilidade de que uma agressão de fato seja necessária. Se você disser não logo no começo do ciclo de opressão com a intenção de dizê-lo (o que significa apresentar sua recusa e manter seu posicionamento sem usar termos incertos), então o escopo para a opressão por parte do opressor ficará adequadamente restrito e limitado. As forças da tirania expandem-se inexoravelmente para preencher o espaço que é tornado disponível para sua existência. As pessoas que se recusam a demonstrar uma reação correta de autoproteção territorial ficam expostas à exploração da mesma forma que aquelas que, genuinamente, não conseguem defender seus direitos por causa de uma inabilidade mais essencial ou por um desequilíbrio real de poder.

As pessoas ingênuas e inofensivas geralmente guiam suas percepções e ações com alguns axiomas simples: as pessoas são basicamente boas; ninguém realmente quer machucar ninguém; a ameaça (e, certamente, o uso) da força, seja física ou de qualquer outro tipo, é errada. Esses axiomas caem por terra, ou pior, na presença de indivíduos que são genuinamente maléficos.[27] *Pior* significa que as crenças ingênuas podem se transformar em um convite positivo ao abuso, porque aqueles que pretendem causar dano se especializaram em atacar as pessoas que pensam exatamente assim. Em tais circunstâncias, os axiomas de inofensibilidade devem ser reorganizados. Em minha prática clínica, geralmente chamo a atenção dos meus clientes que pensam que pessoas boas nunca ficam bravas para a cruel realidade dos próprios ressentimentos.

Ninguém gosta de ser oprimido; mas, em geral, as pessoas aguentam a opressão por muito tempo. Então, faço-os ver seu ressentimento, primeiro como raiva, depois como a indicação de que algo deve ser dito, se não feito (especialmente porque a honestidade exige isso). Assim, faço-os ver essa ação como parte da força que mantém a tirania sob controle — a nível social e individual. Muitas burocracias têm autoritários mesquinhos em seu seio criando regras e procedimentos desnecessários apenas para mostrar e firmar seu poder. Essas pessoas produzem tendências poderosas de ressentimento ao seu redor que, caso fossem expressas, limitariam sua atitude de poder patológico. É dessa forma que a disposição do indivíduo para se defender protege todos da corrupção da sociedade.

Quando as pessoas ingênuas descobrem a capacidade de raiva dentro de si, ficam chocadas, às vezes severamente. Um exemplo significativo disso pode ser encontrado na suscetibilidade de novos soldados ao transtorno de estresse pós-traumático, que geralmente ocorre por causa de algo que observaram a si mesmos fazendo em vez de algo que lhes aconteceu. Eles reagem como os monstros que podem realmente ser nas condições extremas do campo de batalha, e a revelação dessa capacidade desorganiza seu mundo. E não é surpresa. Talvez pensassem que todos os perpetradores terríveis da história fossem pessoas totalmente diferentes deles. Talvez nunca tenham conseguido ver dentro deles mesmos a capacidade para a opressão e o bullying (e talvez, também, não tenham visto sua capacidade para asserção e sucesso). Tive clientes que foram aterrorizados ao ponto de terem, literalmente, anos de convulsões histéricas diárias causadas pelo simples olhar de malevolência na face de seus agressores. Essas pessoas comumente vêm de famílias superprotetoras, em que nada de terrível tem sua existência permitida e tudo é uma maravilha do reino encantado (senão...).

Quando o despertar acontece — quando as pessoas que eram ingênuas reconhecem em si mesmas as sementes do mal e da monstruosidade, e se enxergam como perigosas (ao menos potencialmente), seu medo diminui. Elas desenvolvem mais respeito próprio. Então, talvez, comecem a resistir à opressão. Vejam que possuem a habilidade de se impor, pois são terríveis também. Elas veem que podem e devem levantar a cabeça, pois começam a entender que de outro modo se tornarão os verdadeiros monstros, alimentando seu ressentimento, transformando-o no mais destrutivo dos desejos. Repetindo: há bem pouca diferença entre a capacidade para a desordem e a destruição, integradas, e a força de caráter. Essa é uma das lições mais difíceis da vida.

Talvez você seja um perdedor. Talvez, não — mas se for um, não precisa continuar assim. Talvez você apenas tenha maus hábitos. Talvez até tenha uma coleção deles. No entanto, mesmo que você tenha se deparado com sua má postura honestamente — mesmo que tenha sido impopular ou sofrido bullying em casa ou na escola[28] —, isso não é mais adequado agora, necessariamente. As circunstâncias mudam. Se você se arrastar por aí com a mesma postura de uma lagosta derrotada, as pessoas vão lhe atribuir um status baixo, e a velha calculadora que compartilha com os crustáceos, repousada bem na base do seu cérebro, vai lhe atribuir um número baixo de dominância. Seu cérebro não produzirá tanta serotonina. Isso o fará menos feliz, mais ansioso, triste e com mais chances de cair quando deveria se defender. Isso também diminuirá a chance de viver em uma boa área, ter acesso aos melhores recursos e conseguir um cônjuge saudável e desejável. Você terá mais chances de abusar da cocaína e do álcool, pois vive para o presente em um mundo cheio de futuros incertos. Suas chances de sofrer uma doença cardíaca, câncer e demência aumentarão. Considerando tudo, isso não é nada bom.

As circunstâncias mudam, então você também pode mudar. Os ciclos de feedback positivo, adicionando efeito atrás de efeito, podem aumentar de forma improdutiva e negativa, mas também podem funcionar de modo a fazer você ir para frente. Essa é outra lição, muito mais otimista, da lei de Price e do princípio de distribuição de Pareto: aqueles que começam a ter, provavelmente terão mais. Alguns desses ciclos ascendentes podem ocorrer no seu próprio espaço particular e subjetivo. Alterações na sua linguagem corporal oferecem um exemplo importante. Se um pesquisador pedir que você movimente seus músculos faciais, um de cada vez, para uma posição que pareça triste ao observador, você relatará que está se sentindo mais triste. Se pedir que o faça para uma posição que pareça feliz, você relatará que está se sentindo mais feliz. A emoção é, em parte, expressão corporal, e pode ser amplificada (ou enfraquecida) por ela.[29]

Alguns dos ciclos de feedback positivo exemplificados pela linguagem corporal podem ocorrer além dos limites da experiência subjetiva, no espaço social que você compartilha com outras pessoas. Se sua postura for ruim, por exemplo — costas curvadas, ombros caídos, peito para dentro e cabeça para baixo, parecendo pequeno, derrotado e incapaz (protegido, em teoria, de um ataque pelas costas) —, você vai se sentir pequeno, derrotado e incapaz. As reações dos outros vão amplificar isso. As pessoas, assim como as lagostas, medem-se em parte por consequência da postura. Se você se apresentar como derrotado, as pessoas vão reagir a você como se fosse um perdedor. Se começar a se alinhar, elas o olharão e tratarão de forma diferente.

Você pode contestar: a posição inferior é real. Estar na posição inferior é igualmente real. Uma mera mudança de postura é insuficiente para mudar qualquer coisa tão fixa assim. Se você está na décima posição, levantar a cabeça e demonstrar dominância pode apenas atrair a atenção daqueles que, novamente, querem derrubá-lo. Ok, até concordo. Mas levantar a cabeça, manter as costas eretas e os ombros para trás não é algo somente físico, pois você não é apenas um corpo. Por assim dizer, você também é um espírito — uma psique. Levantar a cabeça fisicamente também significa, evoca e demanda erguê-la metafisicamente. Levantar a cabeça significa voluntariamente aceitar o fardo do Ser. Seu sistema nervoso reage de uma forma totalmente distinta quando você enfrenta as demandas da vida voluntariamente. Você reage a um desafio em vez de se preparar para uma catástrofe. Você vê o ouro que o dragão esconde em vez de se encolher de terror pela existência real demais do dragão. Você dá um passo adiante para assumir seu lugar na hierarquia de dominância e ocupar seu território, manifestando sua disposição para defender, expandir e transformá-lo. Isso tudo pode acontecer prática ou simbolicamente, como uma reconstrução física ou conceitual.

Levantar a cabeça, manter as costas eretas e os ombros para trás é aceitar a terrível responsabilidade da vida com os olhos bem abertos. Significa decidir voluntariamente transformar o caos do potencial em realidades da ordem habitável. Significa receber o fardo da vulnerabilidade da autoconsciência e aceitar o fim do paraíso inconsciente da infância, em que a finitude e a mortalidade são apenas vagamente compreendidas. Significa realizar, voluntariamente, os sacrifícios necessários para gerar uma realidade produtiva e relevante (agir para agradar a Deus, na linguagem antiga).

Levantar a cabeça, manter as costas eretas e os ombros para trás significa construir a arca que protege o mundo do dilúvio, guiando seu povo pelo deserto após ter escapado da tirania, criando seu caminho longe do conforto do seu lar e país, e dizendo a palavra profética aos que ignoram as viúvas e crianças. Significa carregar a cruz que marca o X, o lugar onde você e o Ser tão terrivelmente se encontram. Significa lançar a ordem morta, rígida e muito tirânica de volta ao caos de onde foi gerada; significa aguentar a incerteza resultante e, em consequência, estabelecer uma ordem melhor, mais significativa e produtiva.

Então, preste muita atenção em sua postura. Pare de se curvar e ficar se arrastando. Fale o que pensa. Apresente seus desejos como se tivesse direito a eles — pelo menos o mesmo direito que os outros. Caminhe de cabeça erguida e olhe firmemente para frente. Ouse ser perigoso. Encoraje a serotonina a fluir plenamente através dos caminhos neurais, sedentos por sua influência calmante.

As pessoas, incluindo você, começarão a pensar que você é competente e capaz (ou, pelo menos, não concluirão o contrário imediatamente). Encorajado pelas reações positivas que está recebendo agora, você começará a ser menos ansioso. Então, achará mais fácil prestar atenção às sutis dicas sociais que as pessoas trocam quando estão se comunicando. Isso vai lhe dar mais chances de conhecer pessoas, interagir com elas e impressioná-las. Fazendo isso, você não apenas aumentará as chances de que coisas boas lhe aconteçam — mas, quando acontecerem, parecerão melhores ainda.

Dessa forma fortalecido e encorajado, você poderá escolher abraçar o Ser e trabalhar por sua continuidade e melhoria. Dessa forma fortalecido, conseguirá resistir mesmo à doença de uma pessoa amada ou à morte de seus pais e permitir que os outros encontrem força ao seu lado, pois, de outra forma, ficariam esmagados pelo desespero. Dessa forma encorajado, você embarcará na jornada da sua vida, deixará sua luz brilhar, por assim dizer, na colina celestial e buscará seu destino de direito. Assim, o sentido de sua vida pode ser suficiente para manter a influência do desespero mortal afastada.

Então, você poderá aceitar o terrível fardo do Mundo e encontrar a alegria.

Busque sua inspiração na lagosta vitoriosa, com seus 350 milhões de anos de sabedoria prática. Levante a cabeça, mantenha costas eretas e ombros para trás.

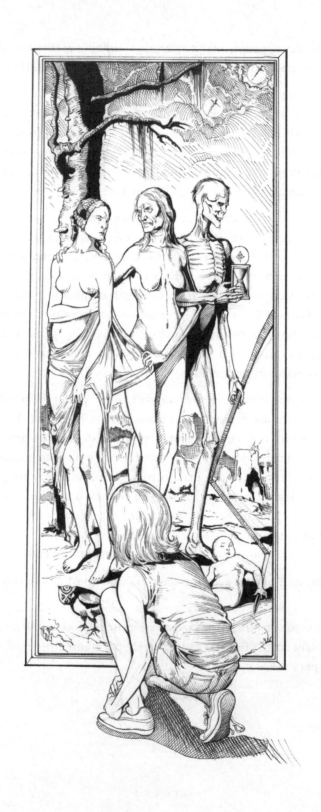

REGRA 2

CUIDE DE SI MESMO COMO CUIDARIA DE ALGUÉM SOB SUA RESPONSABILIDADE

POR QUE VOCÊ NÃO TOMA LOGO A PORCARIA DO REMÉDIO?

IMAGINE QUE UM REMÉDIO seja prescrito para 100 pessoas. Considere o que acontece a seguir. Um terço delas não o compra.[30] Metade das 67 remanescentes compra, mas não o toma corretamente. Elas pulam alguns dias. Param de tomar mais cedo. Podem até nem chegar a tomá-lo.

Os médicos e os farmacêuticos têm uma tendência de culpar pacientes assim por desobediência, inércia ou erro. Você pode levar um cavalo até a água... eles pensam. Psicólogos tendem a reprovar essas conclusões. Somos treinados para presumir que, quando os pacientes não seguem a orientação profissional, a culpa é do profissional, e não do paciente. Acreditamos que o profissional da saúde tenha a responsabilidade de dar orientações que serão seguidas, oferecer intervenções que serão respeitadas, planejar, juntamente com o paciente, até que o resultado pretendido seja alcançado e fazer o devido acompanhamento para garantir que tudo esteja caminhando bem. Isso é apenas uma das muitas coisas que tornam os psicólogos tão maravilhosos — :). É claro que temos o luxo de ter tempo com nossos pacientes, ao contrário de outros profissionais mais ocupados, que se perguntam por que os enfermos não tomam seus remédios. O que há de errado com eles? Será que não querem se curar?

Eis algo pior. Imagine que alguém receba um transplante de um órgão. Imagine que seja um rim. Um transplante normalmente ocorre após uma longa e ansiosa espera de quem vai recebê-lo. Só uma minoria de pessoas doa órgãos quando morre (e menos ainda doa enquanto está viva). Apenas um pequeno número de órgãos doados é compatível com qualquer receptor esperançoso. Isso quer dizer que o receptor padrão de um rim transplantado normalmente está passando por diálise, sua única alternativa, há anos. A diálise implica fazer com que todo o sangue do paciente passe por uma máquina. É um tratamento incrível e milagroso, sem dúvidas, mas não é prazeroso. O processo deve ser feito de cinco a sete vezes por semana e dura oito horas. Deveria ser feito todas as noites enquanto o paciente dorme. Isso é muito sofrimento. Ninguém quer depender de diálise.

Uma das complicações do transplante é a rejeição. Seu corpo não gosta quando partes do corpo de outra pessoa são suturadas a ele. Seu sistema imunológico vai atacar e destruir os elementos estranhos, mesmo que sejam cruciais para sua sobrevivência. Para evitar isso, você deve tomar medicamentos antirrejeição, que enfraquecem sua imunidade e aumentam a suscetibilidade a doenças infecciosas. A maioria aceita essa troca de bom grado. No entanto, receptores de transplante ainda assim sofrem os efeitos da rejeição do órgão a despeito da existência e utilidade de tais remédios. Isso não se deve à ineficácia dos medicamentos (embora às vezes ocorra). O motivo mais frequente são os receptores não tomarem os remédios. É inacreditável. Não é nada bom que seus rins parem de funcionar. A diálise não é moleza. A cirurgia de transplante ocorre após uma longa espera, com altos riscos e despesas. E perder tudo isso porque você não toma os remédios? Como as pessoas podem fazer isso com elas mesmas? Como isso pode ser possível?

É complicado, para ser justo. Muitas das pessoas que recebem um órgão transplantado ficam isoladas ou são bombardeadas por múltiplos problemas de saúde física (sem mencionar os problemas associados a desemprego e crises familiares). Elas podem ficar cognitivamente afetadas ou deprimidas. Podem não confiar totalmente no médico nem entender a necessidade da medicação. Talvez mal possam pagar pelos remédios e começam a racioná-lo de forma desesperada e improdutiva.

Mas — e esse é o fato espantoso — imagine que não é você quem fica doente. É o seu cão. Então você o leva ao veterinário. Ele passa uma receita. O que acontece depois? Você tem os mesmos motivos para não confiar no veterinário como médico. Além disso, se você tivesse tão pouca consideração pelo seu animal de estimação a ponto de não se preocupar se a receita é inadequada, equivocada ou insatisfatória, você nem o teria levado ao veterinário, para começo de conversa. Portanto, você se importa. Suas ações provam isso. De fato, na maioria das vezes, você se importa *mais*. As pessoas são mais cuidadosas ao comprar e administrar remédios para seus animais de estimação do que para si mesmas. Isso não é bom. Mesmo sob a perspectiva do seu animal de estimação, não é bom. Ele (provavelmente) o ama e ficaria mais feliz se você tomasse os remédios de que precisa.

É difícil concluir qualquer coisa desse conjunto de fatos a não ser que as pessoas parecem amar seus cães, gatos, furões e pássaros (e talvez até seus lagartos) mais do que a si mesmas. Como isso é terrível! Quanta vergonha deve haver para algo assim ser real? O que será que faz as pessoas preferirem seus animais de estimação a si mesmas?

Foi uma antiga história do livro de Gênesis — o primeiro do Antigo Testamento — que me ajudou a encontrar uma resposta para essa desconcertante pergunta.

A HISTÓRIA MAIS ANTIGA E A NATUREZA DO MUNDO

Duas histórias da Criação de duas fontes diferentes do Oriente Médio parecem estar entrelaçadas na narrativa do Gênesis. Na primeira em ordem cronológica, porém historicamente mais recente — conhecida como narrativa "sacerdotal" —, Deus criou o cosmos usando Sua palavra Divina para trazer luz, água e terra à existência e fazendo o mesmo com as plantas e os corpos celestes. Depois Ele criou os pássaros, animais e peixes (novamente usando a fala) — e finalizou com o homem, macho e fêmea, ambos formados à Sua imagem. Tudo isso ocorre em Gênesis 1. Na segunda, a mais antiga, a tradição "javista", encontramos outro relato sobre a origem, envolvendo Adão e Eva (em que os detalhes da criação são de certa forma distintos), assim como as histórias de Caim e Abel, Noé e a Torre de Babel. Isso está em Gênesis 2 a 10. Para entender Gênesis 1, a narrativa sacerdotal, com sua insistência na fala como a força criativa fundamental, é necessário primeiramente reconsiderar algumas hipóteses fundamentais e antigas (notadamente diferentes em sua forma e intenção das hipóteses da ciência, que são, historicamente falando, bem mais recentes).

As verdades científicas vieram à tona apenas 500 anos atrás, com os trabalhos de Francis Bacon, René Descartes e Isaac Newton. Qualquer que fosse a visão de mundo adotada por nossos ancestrais antes disso não fora dada pelas lentes da ciência (assim como não se conseguia ver a lua e as estrelas através das lentes de nossos telescópios igualmente recentes). Uma vez que somos tão científicos agora — e tão determinantemente materialistas — fica muito difícil para nós até mesmo entender que outras visões podem existir e, de fato, existem. Mas aqueles que existiram durante a época distante na qual os épicos fundamentais da nossa cultura emergiram estavam muito mais preocupados com as ações que ditavam a sobrevivência (e com a interpretação do mundo de forma comensurada com esse objetivo) do que com qualquer outra coisa que se aproximasse do que agora entendemos como a verdade objetiva.

Antes do nascimento da visão científica do mundo, a realidade era interpretada de maneira diferente. O Ser era compreendido como um lugar de ação, não de coisas.[31] Era compreendido como algo mais semelhante a uma história ou drama. A história, ou drama, era uma experiência vivida e subjetiva, uma vez que se manifestava momento a momento na consciência de cada pessoa viva. Era semelhante às histórias que contamos sobre nossa vida e seus significados pessoais; algo parecido com os acontecimentos que os romancistas descrevem quando capturam a existência nas páginas de seus livros. Uma experiência subjetiva — que inclui objetos conhecidos, tais como árvores e nuvens, essencialmente objetivos em sua existência, mas também (e de forma mais importante) coisas como emoções, sonhos e também fome, sede e dor. Essas coisas, experimentadas pessoalmente, são os elementos mais fundamentais da vida humana do ponto de vista arcaico e dramático, e elas não são facilmente reduzíveis ao imparcial e objetivo — mesmo pela mente reducionista e materialista moderna. Veja a dor, por exemplo — a dor subjetiva. Ela é algo tão real que nenhum argumento é capaz de suplantá-la. Todos agem como se sua dor fosse real — derradeira e finalmente real. A dor é importante, muito mais do que a matéria. É por esse motivo, acredito, que tantas tradições do mundo consideram o sofrimento relacionado à existência como a verdade irredutível do Ser.

De qualquer forma, *aquilo que experimentamos subjetivamente* pode ser comparado muito mais a um romance ou a um filme do que a uma descrição científica da realidade física. É o drama da experiência vivida — a morte do seu pai, singular e trágica, comparada à morte objetiva listada nos relatórios dos hospitais; a dor do seu primeiro amor; o desespero com as esperanças arruinadas; a alegria com o sucesso de um filho.

O DOMÍNIO, NÃO DA MATÉRIA, MAS DO QUE IMPORTA

O mundo científico da matéria pode ser reduzido, de certa forma, aos seus elementos constitutivos fundamentais: moléculas, átomos e até mesmo quarks. No entanto, o mundo da experiência tem constitutivos primais também. São elementos necessários, cujas interações definem o drama e a ficção. Um deles é o caos. Outro é a ordem. O terceiro (uma vez que há três) é o processo que faz a mediação entre os dois e que parece idêntico ao que as pessoas modernas chamam de consciência. É a nossa eterna subjugação aos dois primeiros que nos faz duvidar da validade da existência — que nos faz erguer as mãos em desespero e deixar de cuidar de nós mesmos corretamente. É o conhecimento adequado do terceiro que nos permite encontrar a única saída real.

O caos é o domínio da ignorância em si. É um *território inexplorado*. O caos é o que se estende, eternamente e sem limites, além das divisas de todos os estados, ideias e disciplinas. É o estrangeiro, o estranho, o membro de outra gangue, é o barulho que aumenta durante a noite, o monstro embaixo da cama, a raiva escondida da sua mãe e a doença do seu filho. O caos é o desespero e o horror que você sente quando foi profundamente traído. É o lugar onde você vai parar quando tudo dá errado; quando seus sonhos morrem e sua carreira entra em colapso ou seu casamento acaba. É o submundo do conto de fadas e do mito onde o dragão e o ouro, guardado por ele, coexistem eternamente. O caos é onde estamos quando não sabemos onde estamos, e o que fazemos quando não sabemos o que estamos fazendo. Ele é, em resumo, todas aquelas coisas e situações que não conhecemos nem entendemos.

O caos é o potencial sem forma do qual o Deus do Gênesis 1 criou a ordem usando a linguagem no princípio do tempo. Esse é o mesmo potencial a partir do qual nós, feitos à Sua Imagem, criamos o romance e os momentos em constante mutação de nossa vida. E o Caos é a liberdade, a terrível liberdade, também.

A ordem, por contraste, é o *território explorado*. É a hierarquia de lugar, posição e autoridade com centenas de milhões de anos. É a estrutura da sociedade. É também a estrutura fornecida pela biologia — especialmente à medida que você está adaptado, como de fato está, à estrutura da sociedade. A ordem é a tribo, a religião, o coração, o lar e o país. É a sala de estar segura e reconfortante em que a lareira crepita e as crianças brincam. É a bandeira da pátria. É o valor da moeda. A ordem é o chão sob seus pés e seus planos para o dia. É a grandeza da tradição, as fileiras de carteiras em uma sala de aula, os trens que partem na hora, o calendário e o relógio. A ordem é a máscara pública que somos obrigados a usar, a polidez de um encontro de estranhos civilizados e o fino gelo sobre o qual patinamos. A ordem é o lugar em que o comportamento do mundo se iguala às nossas expectativas e nossos desejos; o lugar em que todas as coisas acontecem como queremos. Mas a ordem é, às vezes, a tirania e o entorpecimento também, quando as demandas por certeza, uniformidade e pureza ficam muito unilaterais.

Quando tudo está definido, estamos na ordem. Estamos nela quando do as coisas estão saindo conforme o planejado e não há nada novo ou perturbador. No domínio da ordem, as coisas acontecem da forma que Deus planejou. Gostamos de estar lá. Os ambientes com os quais estamos familiarizados são agradáveis. Na ordem, conseguimos pensar sobre as coisas em longo prazo. Lá, as coisas funcionam e somos estáveis, calmos e capazes. Por esse motivo, raramente saímos de lugares que compreendemos — sejam geográficos ou conceituais — e certamente não gostamos quando somos forçados a sair ou quando isso acontece acidentalmente.

Você está na ordem quando tem um amigo leal ou um aliado confiável.

Quando a mesma pessoa o trai e engana, você sai da luminosidade do mundo de clareza e luz para o submundo escuro de caos, confusão e desespero. Essa é a mesma mudança que enfrenta e o mesmo lugar que visita quando a empresa em que trabalha começa a falir e seu emprego fica em risco. Quando sua declaração de imposto de renda foi entregue, é ordem. Quando você é auditado, é caos. A maioria das pessoas prefere ser assaltada do que auditada. Antes da queda das Torres Gêmeas — era ordem. O caos se manifestou em seguida. Todos sentiram. O próprio ar se tornou incerto. O que exatamente caiu? Pergunta errada. O que exatamente permaneceu em pé? Essa era a questão ali.

Quando o gelo sobre o qual você patina é sólido, isso é ordem. Quando o chão se rompe, as coisas desmoronam e você mergulha no gelo, é caos. A ordem é o Condado dos hobbits de Tolkien: pacífico, produtivo e seguramente habitável mesmo pelos ingênuos. O caos é o reino subterrâneo dos anões usurpado por Smaug, a serpente que esconde o tesouro. O caos é o fundo do oceano aonde Pinóquio foi para resgatar seu pai do Monstro, o dragão-baleia que soltava fogo. Aquela viagem à escuridão e ao resgate é a coisa mais difícil que um fantoche deve fazer se quiser ser uma pessoa de verdade; se ele quiser escapar das tentações do engano, da encenação, da vitimização, do prazer impulsivo e da servidão totalitária; se ele quiser assumir seu lugar como um genuíno Ser no mundo.

A ordem é a estabilidade do seu casamento. Ela é amparada pelas tradições do passado e por suas expectativas — fundamentadas, geralmente de modo invisível, nessas tradições. O caos é a estabilidade que se desfaz sob seus pés quando você descobre a infidelidade do seu parceiro. O caos é a experiência de cambalear sem destino ou apoio pelo espaço quando suas rotinas e tradições norteadoras colapsam.

A ordem é o lugar e o tempo em que os axiomas frequentemente invisíveis pelos quais você vive organizam suas experiências e ações para que o que deveria ocorrer, de fato, ocorra. O caos são o novo lugar e tempo que emergem quando a tragédia ataca de repente ou quando a malevolência revela seu semblante paralisante, mesmo nos confins do próprio lar. Algo inesperado ou indesejado sempre pode aparecer quando um plano está sendo desenvolvido, não importa o quão familiares as circunstâncias possam ser. Quando isso acontece, o território conhecido se transforma. Não se engane sobre isso: o espaço e o espaço aparente podem ser o mesmo. Mas vivemos no tempo, assim como no espaço. Como consequência disso, até mesmo os lugares mais antigos e familiares carregam uma capacidade inerradicável de surpreendê-lo. Você pode estar dirigindo alegremente pela estrada em seu bom e velho carro, seu companheiro há anos. Mas o tempo está passando. Os freios podem falhar. Você pode estar caminhando pela rua com seu corpo, no qual sempre confiou. Se seu coração não funcionar corretamente, mesmo que momentaneamente, tudo muda. Um cão conhecido ainda pode morder. Um amigo antigo e confiável ainda pode enganá-lo. As ideias novas podem destruir as velhas e reconfortantes certezas. Tais coisas são importantes. Elas são reais.

Nosso cérebro reage instantaneamente quando o caos aparece, com circuitos simples e super-rápidos mantidos desde a antiguidade, quando nossos ancestrais moravam nas árvores e as serpentes davam o bote em um piscar de olhos.[32] Após essa reação profundamente reflexa do corpo, praticamente instantânea, vêm as reações das emoções, mais complexas e lentas, desenvolvidas mais tarde — e, após isso, o pensamento de ordem mais alta, que pode perdurar segundos, minutos ou anos. Toda essa reação é instintiva de alguma forma — e, quanto mais rápida, mais instintiva.

CAOS E ORDEM: PERSONALIDADE, FEMININO E MASCULINO

O caos e a ordem são dois dos elementos mais fundamentais da experiência vivida — duas das subdivisões mais básicas do próprio Ser. Mas eles não são coisas ou objetos, e não são experimentados como tais. As coisas e objetos são parte do mundo objetivo. São inanimadas, sem espírito. Estão mortas. Não é o caso da ordem o do caos. Esses são percebidos, experimentados e compreendidos (supondo que sequer sejam compreendidos) como personalidades — e isso é igualmente verdadeiro para percepções, experiências e compreensão das pessoas modernas tanto quanto dos seus antepassados na antiguidade. Essas pessoas apenas não percebem.

A ordem e o caos não são compreendidos objetivamente primeiro (como coisas e objetos) e, *depois*, personificados. Seria assim apenas se percebêssemos a realidade objetiva *primeiro*, e, *depois*, inferíssemos a intenção e o propósito. Mas não é assim que a percepção opera, a despeito de nossas preconcepções. A percepção das coisas como ferramentas, por exemplo, ocorre antes de, ou durante, nossa percepção delas como objetos. Vemos o que as coisas significam na mesma velocidade, ou mais rapidamente, em que vemos o que são.[33] A percepção das coisas como entidades com personalidades também ocorre antes da percepção delas como coisas. Isso é particularmente verdadeiro em relação à ação dos outros,[34] dos outros seres vivos, mas também vemos o "mundo objetivo" não vivo como animado, com propósito e intenção. Isso ocorre por causa da operação daquilo que os psicólogos chamaram de "o detector de agente hiperativo" dentro de nós.[35] Evoluímos ao longo dos milênios dentro de circunstâncias intensamente sociais. Isso quer dizer que os elementos mais significativos do nosso ambiente de origem eram personalidades, e não coisas, objetos ou situações.

As personalidades que evoluímos para perceber existem, de forma previsível e com configurações hierárquicas típicas, desde sempre para todos os efeitos. Elas são masculinas ou femininas, por exemplo, há um bilhão de anos. Isso é muito tempo. A divisão da vida em gêneros idênticos ocorreu antes da evolução dos animais multicelulares. Foi em um quinto desse tempo, marco ainda assim impressionante, que surgiram os mamíferos, que dispendem cuidados prolongados com sua prole.

Assim, a categoria de "pai" e/ou "filho" existe há 200 milhões de anos. Isso é muito mais tempo do que a existência dos pássaros ou das flores. Não é um bilhão de anos, mas ainda é muito tempo. É tempo suficiente para masculino, feminino, pai e filho servirem como partes vitais e fundamentais do ambiente ao qual nos adaptamos. Isso significa que masculino, feminino, pai e filho são categorias para nós — categorias naturais, profundamente integradas a nossas estruturas perceptivas, emocionais e motivacionais.

Nossos cérebros são profundamente sociais. Outras criaturas (especialmente, outros seres humanos) foram crucialmente importantes para nós enquanto vivíamos, acasalávamos e evoluíamos. Essas criaturas eram, literalmente, nosso habitat natural — nosso ambiente. Sob uma perspectiva darwiniana, a natureza — a realidade em si, o ambiente em si — é *o que seleciona*. O ambiente não pode ser definido de qualquer outra forma fundamental. Ele não é mera matéria inerte. A realidade em si é qualquer coisa com a qual competimos quando estamos lutando para sobreviver e nos reproduzir. Uma boa parte disso está em outros seres, suas opiniões sobre nós e suas comunidades. É assim e pronto.

Ao longo dos milênios, enquanto nossa capacidade cerebral aumentava e desenvolvíamos curiosidade de sobra, tornamo-nos cada vez mais cientes e curiosos sobre a natureza do mundo — o que futuramente conceitualizamos como o mundo objetivo —, fora das personalidades da família e do bando. E "fora" não é meramente o território físico inexplorado. *Fora* é fora do que atualmente entendemos — e entender é *lidar* e *enfrentar*, e não apenas *representar objetivamente*. Mas nossos cérebros se concentram há muito tempo nas outras pessoas. Por isso, parece que começamos a perceber o mundo desconhecido, caótico e não humano com as categorias inatas do nosso cérebro social.[36] E até isso é uma declaração imprecisa: quando começamos a perceber o mundo desconhecido, caótico e não animal, usávamos categorias que haviam originalmente evoluído para representar o *mundo social animal pré-humano*. Nossas mentes são muito mais velhas do que a simples humanidade. Nossas categorias, muito mais antigas do que nossa espécie. Nossa categoria mais básica — tão antiga, de certa forma, quanto o ato sexual em si — parece ser a do sexo, masculino e feminino. Parece que tomamos o conhecimento primitivo da oposição criativa e estruturada e começamos a interpretar tudo através dessas lentes.[37]

A ordem, o conhecido, parece estar simbolicamente associada com a masculinidade (como ilustrado no *yang* do símbolo taoista do yin-yang, já mencionado). Talvez seja assim porque a estrutura hierárquica primária da sociedade humana é masculina, como a da maioria dos animais, incluindo os chimpanzés, nossos correspondentes genéticos e, possivelmente, comportamentais mais próximos. Isso porque os homens são e têm sido ao longo da história os construtores dos povoados e cidades, os engenheiros, pedreiros, marceneiros e operadores de máquinas pesadas.[38] A ordem é Deus, o Pai, o eterno Juiz, quem mantém os registros e distribui recompensas e punições. A ordem é o exército de policiais e soldados em tempos de paz. É a cultura política, o ambiente corporativo e o sistema. É o "eles" em "você sabe o que eles dizem". São os cartões de crédito, as salas de aula, as filas do caixa no supermercado, a troca de turnos, os semáforos e as rotas conhecidas para ir ao trabalho. A ordem, quando levada longe demais, quando está desequilibrada, também pode se manifestar de modo destrutivo e terrível. Ela é assim na migração forçada, no campo de concentração e na uniformidade consumidora da alma que vemos nas paradas militares das ditaduras.

O caos — o desconhecido — é simbolicamente associado com o feminino. É assim, em parte, porque todas as coisas que conhecemos tiveram que nascer, originalmente, do desconhecido, assim como todos os seres nasceram de mães. O caos é a *mater*, origem, fonte, mãe; *matéria*, a substância da qual todas as coisas são feitas. Também é o que *importa*, ou *o que é importante** — a própria matéria subjetiva do pensamento e comunicação. Em sua aparência positiva, o caos é a possibilidade em si, a fonte de ideias, o domínio misterioso da gestação e do nascimento. Como força negativa, é a escuridão impenetrável de uma caverna e o acidente na beira da estrada. É a mãe ursa, toda compaixão com sua prole, mas que se considera você um predador em potencial não hesita em dilacerá-lo.

---

* N.T.: O autor faz um trocadilho não reproduzível em português entre *matter* (matéria); *matter* (verbo importar no sentido de dar importância, ter importância) e *what matters* (o que importa, o que tem importância).

Caos, o eterno feminino, também é a força esmagadora da seleção sexual. As mulheres são mães exigentes (diferentemente dos chimpanzés fêmeas, seu equivalente animal mais próximo[39]). A maioria dos homens não atinge os padrões femininos humanos. É por esse motivo que as mulheres classificam 85% dos homens como abaixo da média em termos de atratividade nos sites de namoro.[40] É por esse motivo que todos nós temos o dobro de ancestrais femininos do que masculinos. (Imagine que todas as mulheres que já existiram tiveram, em média, um filho. Agora imagine que metade dos homens que já existiram foram pais de dois filhos, se tiveram algum, enquanto a outra metade não os teve.[41]) É a Mulher como Natureza que olha para a metade dos homens e diz: "Não!" Para os homens, isso é um encontro direto com o caos e ocorre com uma força devastadora a cada vez que eles são rejeitados para um encontro. A exigência das mulheres na hora de escolher também é o motivo pelo qual somos muito diferentes do ancestral em comum que compartilhamos com nossos primos chimpanzés, enquanto ele e os chimpanzés são muito mais parecidos. A tendência das mulheres para dizer não, mais do que qualquer outra força, foi o que moldou como evoluímos para criaturas criativas, engenhosas e com cérebros grandes (competitivas, agressivas e dominadoras) que somos.[42] É a Natureza como Mulher que diz: "Muito bem, garotão, você é bom o suficiente como amigo, mas minha experiência com você até agora não me indicou a adequabilidade do seu material genético para a propagação continuada."

Os símbolos religiosos mais profundos buscam seus poderes, em grande parte, nessa subdivisão subjacente conceitual fundamentalmente bipartidária. A Estrela de Davi, por exemplo, com o triângulo feminino apontando para baixo e o masculino, para cima.* É o mesmo com o *yoni* e o *lingam* do hinduísmo (que vêm cobertos com serpentes, nossas

---

* É de grande interesse, nesse sentido, que o *taijitu* de cinco partes (mencionado no Capítulo 1, a fonte do símbolo mais simples do yin-yang) expresse a origem do cosmos como primariamente surgido do absoluto indiferenciado, dividido em yin e yang (caos/ordem, feminino/masculino), em cinco agentes (madeira, fogo, terra, metal e água) e, depois, dito de forma simples, "nas dez mil coisas". A Estrela de Davi (caos/ ordem, feminino/masculino) origina, da mesma forma, os quatro elementos básicos: fogo, ar, água e terra (dos quais todo o restante é construído). Um hexagrama similar é usado pelos hindus. O triângulo para baixo simboliza Shakti, o feminino; o triângulo para cima, Shiva, o masculino. Os dois componentes são conhecidos com *om* e *hrim* em sânscrito. Exemplos notáveis de paralelismo conceitual.

provocadoras e antigas adversárias: o Lingam de Shiva é representado junto com deuses serpentes chamados Nagas). Os egípcios antigos representavam Osíris, o deus do Estado, e Ísis, a deusa do Submundo, como serpentes gêmeas unidas pela cauda. O mesmo símbolo foi usado na China para retratar Fuxi e Nuwa, criadores da humanidade e da escrita. As representações do cristianismo são menos abstratas, mais parecidas com personalidades, mas as imagens ocidentais conhecidas da Virgem Maria com o Cristo criança e a Pietà expressam, ambas, a unidade dual feminino/masculino, assim como a tradicional insistência sobre a androgenia de Cristo.[43]

Deve-se notar também, e finalmente, que a estrutura do próprio cérebro em um nível morfológico geral parece refletir essa dualidade. Isso, para mim, indica a realidade fundamental, que transcende a metafórica, da divisão simbólica feminino/masculino, uma vez que o cérebro é adaptado, por definição, à realidade em si (isto é, à realidade conceitualizada dessa forma quase darwiniana). Elkonon Goldber, aluno do grande neuropsicólogo russo Alexander Luria, propôs bem lúcida e diretamente que a simples estrutura hemisférica do córtex reflete a divisão fundamental entre novidade (o desconhecido, ou o caos) e a rotinização (o conhecido, ou a ordem).[44] Ele não faz referência aos símbolos representando a estrutura do mundo em referência a essa teoria, mas isso é ainda melhor: uma ideia é mais crível quando surge como consequência das investigações em domínios diferentes.[45]

Já sabemos tudo isso, mas não sabemos que sabemos. Porém, compreendemos imediatamente quando é articulado dessa maneira. Todo mundo entende a ordem e o caos, o mundo e o submundo, quando são explicados usando-se esses termos. Todos temos uma sensação palpável do caos espreitando em tudo o que nos é familiar. É por isso que entendemos histórias estranhas e surreais como *Pinóquio, A Bela Adormecida, O Rei Leão, A Pequena Sereia* e *A Bela e a Fera*, com seus cenários eternos de conhecido e desconhecido, mundo e submundo. Já estivemos nesses dois lugares muitas vezes: às vezes por casualidade, às vezes por escolha.

Muitas coisas começam a fazer sentido quando entendemos conscientemente o mundo dessa maneira. É como se o conhecimento sobre seu corpo e alma se alinhasse com o do seu intelecto. E mais: esse conhecimento é tanto prescritivo quanto descritivo. Esse é o tipo de conhecimento do *que* o ajuda a saber *como*. Esse é o tipo de *é* de onde você pode extrair um *deveria*. A justaposição taoista do yin e yang, por exemplo, não retrata simplesmente o caos e a ordem como os elementos fundamentais do Ser — ela também lhe diz como agir. O Caminho, o percurso taoista da vida, é representado pela (ou existe na) divisa entre as serpentes gêmeas. O Caminho é o percurso do Ser correto. É o mesmo Caminho mencionado por Cristo em João 14:6: *Eu sou o caminho, a verdade e a vida*. A mesma ideia é expressa em Mateus 7:13–14: *Como é estreita a porta, e apertado o caminho que leva à vida! São poucos os que a encontram.*

Habitamos a ordem eternamente, rodeados pelo caos. Eternamente ocupamos território conhecido, cercados pelo desconhecido. Experimentamos um engajamento significativo quando os mediamos corretamente. Somos adaptados, no sentido darwiniano mais profundo, não ao mundo de objetos, mas às metarrealidades de ordem e caos, yang e yin. O caos e a ordem compõem o ambiente eterno e transcendental da vida.

Dominar essa dualidade fundamental é ser equilibrado: ter um pé firmemente plantado na ordem e na segurança e outro no caos, na possibilidade, no crescimento e na aventura. Quando a vida repentinamente se revela intensa, arrebatadora e significativa; quando o tempo passa e você está tão absorto no que está fazendo que sequer percebe — é nesse exato momento que você está localizado bem na fronteira entre a ordem e o caos.

O significado subjetivo que encontramos lá é a reação do nosso ser profundo, nosso eu instintivo neurológica e evolutivamente fundamentado, indicando que estamos garantindo a estabilidade, mas também a expansão do território habitável e produtivo, do espaço que é pessoal, social e natural. É o lugar certo para se estar, em todos os sentidos. Você está lá quando — e onde — isso importa. É o que a música lhe diz quando você a escuta — e até mais, talvez, quando a dança —, quando seus padrões de previsibilidade e imprevisibilidade harmoniosamente sobrepostos fazem o próprio significado brotar das profundezas do seu Ser.

O caos e a ordem são elementos fundamentais porque cada situação vivida (até mesmo todas as situações vividas concebíveis) é formada por ambos. Não importa onde estejamos, há algumas coisas que podemos identificar, fazer uso e prever e outras que nem conhecemos ou entendemos. Não importa quem sejamos, habitantes do Deserto Calaári ou banqueiros de Wall Street, algumas coisas estão sob nosso controle e outras, não. É por isso que ambos podem entender as mesmas histórias e habitar dentro dos confins das mesmas verdades eternas. Por fim, a realidade fundamental do caos e da ordem se aplica a tudo o que está vivo, não apenas para nós. As coisas vivas são sempre encontradas em lugares que podem dominar, rodeadas por coisas e situações que as tornam vulneráveis.

A ordem não é suficiente. Não dá para simplesmente estar estável, seguro e imutável porque ainda há novas coisas vitais e importantes a serem aprendidas. Todavia, o caos pode ser insuportável. Você não consegue tolerar por muito tempo o fato de estar assoberbado e sobrecarregado, além de sua capacidade de enfrentamento, enquanto está aprendendo o que ainda precisa saber. Assim, você precisa colocar um pé naquilo que dominou e entendeu e outro naquilo que está atualmente explorando e dominando. Então, você terá se posicionado onde o terror da existência está sob controle e onde você está seguro, mas onde você também está alerta e engajado. É lá que há algo novo a ser dominado e alguma maneira como você pode ser aperfeiçoado. É lá que o significado será encontrado.

O JARDIM DO ÉDEN

Lembre-se, como falamos anteriormente, de que as histórias do Gênesis foram amalgamadas de várias outras. Após a narrativa sacerdotal mais recente (Gênesis 1), que reconta o surgimento da ordem a partir do caos, vem a segunda, ainda mais antiga, a parte "javista", começando, essencialmente, com Gênesis 2. A narrativa javista, que usa o nome YHWH ou Javé para representar Deus, contém a história de Adão e Eva junto com uma explicação muito mais detalhada dos eventos do sexto dia aludidos na primeira história "sacerdotal". A continuidade entre as histórias parece ser o resultado de uma edição cuidadosa pela pessoa, ou pessoas, conhecida pelos estudiosos da Bíblia como o "Redator" que as entrelaçou. Isso pode ter ocorrido quando os povos de duas tradições se uniram, por diversas razões, e a ilógica decorrente da mistura de suas histórias se desenvolvendo juntas ao longo do tempo de modo desajeitado incomodou alguém consciente, corajoso e obcecado por coerência.

De acordo com a história javista da criação, primeiro Deus criou um lugar circunscrito, conhecido como Éden (que, em aramaico — a suposta língua de Jesus —, significa lugar bem provido de água) ou Paraíso (*pairidaeza* em iraniano antigo ou avéstico, que significa área, jardim, murada ou protegida). Deus colocou Adão lá junto com todos os tipos de árvores frutíferas, duas das quais foram demarcadas. Uma delas era a Árvore da Vida; a outra, a Árvore do Conhecimento do Bem e do Mal. Então, Deus disse a Adão para pegar quantas frutas quisesse, mas acrescentou que a fruta da Árvore do Conhecimento do Bem e do Mal era proibida. Depois disso, Ele criou Eva como uma parceira para Adão.*

Adão e Eva não pareciam muito conscientes de início, quando foram colocados no Paraíso, e certamente não eram autoconscientes. Como a história enfatiza, os pais originais estavam nus, mas não sentiam vergonha. Essa frase sugere primeiramente que é perfeitamente natural e normal que as pessoas tenham vergonha de sua nudez (de outro modo, nada teria de ser dito sobre isso) e, em segundo lugar, que havia algo de inadequado, para melhor ou pior, com nossos primeiros pais. Embora haja exceções, as únicas pessoas hoje em dia que não ficariam envergonhadas se fossem, de repente, deixadas nuas em público — com exceção de exibicionistas esquisitões — são aquelas que têm menos de três anos. De fato, um pesadelo comum envolve a aparição repentina do sonhador nu, em um palco, em frente de um teatro lotado.

No terceiro verso do Gênesis, uma serpente surge — de início, aparentemente, com pernas. Só Deus sabe por que Ele permitiu — ou colocou — tal criatura no jardim. Há tempos tenho quebrado a cabeça para tentar entender o significado disso. Parece ser um reflexo, em

---

* Ou, em outra interpretação, Ele dividiu o indivíduo andrógeno original em duas partes, masculino e feminino. De acordo com essa linha de pensamento, Cristo, o "segundo Adão", também é o Homem original, antes da subdivisão sexual. O significado simbólico disso deve estar claro para aqueles que estão acompanhando a argumentação até aqui.

parte, da dicotomia ordem/caos que caracteriza toda a experiência, com o Paraíso servindo como a ordem habitável e a serpente fazendo o papel do caos. A serpente no Éden, portanto, significa a mesma coisa que o ponto preto no yin do símbolo de totalidade taoista do yin-yang — isto é, a possibilidade de que o desconhecido e revolucionário se manifeste repentinamente quando tudo aparenta estar calmo.

Parece não ser possível, mesmo para o próprio Deus, fazer um lugar circunscrito totalmente protegido do exterior — não no mundo real, com suas limitações necessárias, rodeado pelo transcendente. O exterior, o caos, sempre se esgueira para o interior, porque nada pode ser totalmente isolado do resto da realidade. Então, mesmo o lugar mais seguro inevitavelmente abriga uma serpente. Havia — sempre — serpentes genuínas, cotidianas e reptilianas na grama e nas árvores do nosso paraíso original africano.[46] No entanto, mesmo que todas essas fossem banidas (de alguma forma inconcebível, por algum São Jorge primitivo), as serpentes ainda assim teriam remanescido na forma de nossos rivais humanos primitivos (pelo menos quando estivessem agindo como inimigos de acordo com nossas limitadas perspectivas formadas por grupos e relações de parentesco). Afinal de contas, não havia falta de conflitos e guerras entre nossos ancestrais tribais e de outros tipos.[47]

E, mesmo se tivéssemos derrotado todas as serpentes que nos cercam, reptilianas e humanas, ainda assim não estaríamos seguros. Nem estamos agora. Afinal, já vimos o inimigo, e somos ele. A serpente habita nossa alma. Esse é o motivo, no meu entender, para a estranha obstinação do cristianismo, tornada mais explícita por John Milton, pela ideia de que a Serpente no Jardim do Éden também era Satanás, o próprio Espírito do Mal. A importância dessa identificação simbólica — seu brilhantismo surpreendente — é imensurável. Foi através desse exercício de imaginação de milênios que a noção dos conceitos morais em si, com todas as suas consequências, desenvolveu-se. Um imenso esforço foi investido na ideia do Bem e do Mal e na metáfora onírica que a cerca. *A pior de todas as serpentes possíveis é a eterna inclinação humana para o mal.* A pior de todas as serpentes possíveis é *psicológica, espiritual, pessoal* e *interna.* Muro algum, não importa sua altura, vai mantê-la afastada. Mesmo se o castelo fosse espesso o suficiente, em princípio, para manter tudo de ruim do lado de fora, ela apareceria imediatamente do lado de dentro novamente. Como o grande escritor russo Aleksandr Solzhenitsyn enfatizava, a linha divisória entre bem e mal passa pelo coração de cada ser humano.[48]

Simplesmente não há maneiras de murar uma porção isolada da grande realidade ao nosso redor e tornar tudo permanentemente previsível e seguro do lado de dentro. Alguma parte de tudo o que for excluído, mesmo da forma mais cuidadosa, sempre vai se esgueirar de volta para dentro. Uma serpente, metaforicamente falando, vai inevitavelmente aparecer. Mesmo os pais mais cuidadosos não conseguem proteger seus filhos, mesmo os prendendo no porão, seguramente longe de drogas, álcool e pornografia na internet. Nesse caso extremo, o pai ou mãe excessivamente cauteloso ou cuidadoso será apenas um substituto dos outros problemas terríveis da vida do filho. Esse é o grande pesadelo freudiano do Édipo.[49] *É muito melhor tornar aptos os Seres que estão sob seus cuidados do que protegê-los.*

E, mesmo se fosse possível banir permanentemente tudo de ameaçador — tudo de perigoso (e, portanto, tudo o que é desafiador e interessante), significaria que outro perigo emergiria: o infantilismo permanente e a inutilidade absoluta dos seres humanos. Como poderia a natureza do homem atingir seu potencial total sem desafios ou perigos? Quão chatos e desprezíveis seríamos se não houvesse mais nenhuma razão para prestar atenção? Talvez Deus achasse que Sua nova criação conseguiria dominar a serpente e considerou a presença dela como o menor dos males.

Pergunta para os pais: vocês querem fazer com que seus filhos estejam seguros ou que sejam fortes?

De qualquer forma, há uma serpente no Jardim e ela é uma besta "sutil", de acordo com a história antiga (difícil de ser vista, nebulosa, astuta, ludibriosa e perigosa). Assim, não é uma surpresa quando ela tenta enganar Eva. Por que Eva e não Adão? Poderia ser apenas acaso. Eram 50% de chances para Eva, estatisticamente falando, e são chances bem altas. Mas aprendi que essas histórias antigas não têm nada aleatório. Qualquer coisa acidental — que não sirva à trama — foi deixada de lado há muito tempo. Como o dramaturgo russo Anton Chekhov advertiu: "Se há uma arma pendurada na parede no ato um, ela tem que ser disparada no seguinte. Caso contrário, não tinha nada que estar ali."[50] Talvez a Eva primordial tivesse mais razões para se preocupar com as serpentes do que Adão. Talvez houvesse uma chance maior, por exemplo, de que as serpentes atacassem as crianças, que habitavam as árvores. Talvez por esse motivo as filhas de Eva sejam mais protetivas, autoconscientes, temerosas e nervosas até hoje (até, e especialmente, na mais igualitária das sociedades humanas modernas[51]). De qualquer forma, a serpente diz à Eva que se ela comesse do fruto proibido não morreria. Em vez disso, seus olhos seriam abertos. Ela seria como Deus, sabendo diferenciar o bem do mal. Claro, a serpente não avisa que ela seria como Deus apenas nesse sentido. Mas é uma serpente, afinal de contas. Sendo humana e querendo saber mais, Eva decide comer a fruta. Puf! Ela acorda: está consciente, talvez autoconsciente, pela primeira vez.

Agora, nenhuma mulher consciente e lúcida vai tolerar um homem não desperto. Então, Eva imediatamente compartilha a fruta com Adão. Isso torna *Adão* autoconsciente. Pouco mudou. As mulheres têm tornado os homens autoconscientes desde o princípio dos tempos. Elas fazem isso, primariamente, ao rejeitá-los — mas também o fazem ao envergonhá-los, caso não assumam a responsabilidade. Não é surpresa, uma vez que a mulher carrega o fardo primário da reprodução. É muito difícil tentar entender como seria de outra forma. Mas a capacidade da mulher de envergonhar os homens e torná-los autoconscientes é ainda uma força primária da natureza.

Então você pode perguntar: que raios as serpentes têm a ver com a visão? Bem, primeiro, é claramente importante *vê-las*, porque podem atacá-lo (especialmente quando você é pequeno e habita as árvores, assim como seus ancestrais arborícolas). A Dra. Lynn Isbell, professora de antropologia e comportamento animal da Universidade da Califórnia, sugeriu que a visão impressionantemente apurada, quase única, dos seres humanos foi uma adaptação forçada pela qual passamos há dezenas de milhões de anos pela necessidade de detectar e evitar o terrível perigo das serpentes, com as quais nossos ancestrais coevoluíram.[52] Talvez essa seja uma das razões pelas quais a serpente é destacada no jardim do Paraíso como a criatura que nos deu a visão de Deus (além de servir como inimiga primordial e eterna da humanidade). Talvez essa seja uma das razões pelas quais Maria, a eterna mãe arquetípica — a Eva aperfeiçoada —, é tão comumente mostrada na iconografia medieval e renascentista segurando o Cristo criança no ar, o mais longe possível de um réptil predador, que aparece firmemente preso sob seu pé.[53] E há mais. A serpente oferece uma fruta, e a fruta também está associada com a transformação da visão, sendo que nossa habilidade de perceber a cor é uma adaptação que nos permite rapidamente detectar os frutos maduros e, portanto, comestíveis ofertados pelas árvores.[54]

Nossos pais primordiais ouviram atentamente a serpente. Eles comeram a fruta. Seus olhos se abriram. Ambos acordaram. Pode ser que você pense, como Eva pensou inicialmente, que isso seria uma coisa boa. Às vezes, porém, é melhor ter um pássaro na mão do que dois voando. Adão e Eva acordaram, até aí tudo bem, mas apenas para descobrir coisas terríveis. A primeira delas: perceberam que estavam nus.

O MACACO NU

Meu filho descobriu que estava nu bem antes de ter três anos. Ele queria se vestir sozinho. Mantinha a porta do banheiro bem fechada. Não aparecia em público sem roupas. Eu não conseguia, por mais que tentasse, ver como isso tinha alguma relação com sua criação. Aquilo foi uma descoberta pessoal, sua própria realização e escolha de reações. Para mim, parecia algo inerente.

O que significa saber que se está nu — ou, pior, saber que você e seu parceiro estão nus? Toda a sorte de coisas terríveis, expressas de forma bem horripilante, por exemplo, pelo pintor renascentista Hans Baldung Grien, cujos quadros inspiraram a ilustração que está no início deste capítulo. A nudez significa vulnerabilidade e ser facilmente ferido. A nudez significa estar sujeito ao julgamento pela beleza e saúde. Significa estar desprotegido e desarmado na selva da natureza e do homem. É por isso que Adão e Eva se envergonharam imediatamente após seus olhos terem sido abertos. Eles podiam ver — e o que viram, em primeiro lugar, foi a si mesmos. Suas falhas se sobressaíram. Sua vulnerabilidade estava à mostra. Diferentemente de outros mamíferos, cujos abdomens delicados são protegidos pela expansão em forma de armadura de suas costas, eles eram criaturas eretas, com as partes mais vulneráveis de seus corpos expostas ao mundo. E o pior ainda estava por vir. Adão e Eva juntaram folhas de figueira para se cobrir (na Versão Internacional Padrão em português; para usar como tangas na Nova Tradução na linguagem de hoje), logo em seguida, para cobrir seus frágeis corpos — e proteger seus egos. Depois, rapidamente correram e se esconderam. Em sua vulnerabilidade, agora inteiramente percebida, sentiram-se indignos de estar perante Deus.

Se não consegue se identificar com esse sentimento, você simplesmente não está pensando. A beleza envergonha a feiura. A força envergonha a fraqueza. A morte envergonha a vida — e o Ideal nos envergonha a todos. Assim, nós o tememos e ressentimos — até o odiamos (e, é claro, esse é o próximo tema examinado em Gênesis, na história de Caim e Abel). O que devemos fazer a respeito disso? Abandonar todos os ideais de beleza, saúde, brilhantismo e força? Não é uma boa solução. Isso simplesmente garantiria que sentiríamos vergonha o tempo todo — e que mereceríamos isso de forma ainda mais justa. Não quero que as mulheres que deslumbram com sua mera presença desapareçam para que os outros não se sintam constrangidos. Não quero que intelectos como o de John von Neumann desapareçam só porque não tenho uma boa nota em matemática. Quando ele tinha 19 anos, havia redefinido os números.[55] Números! Graças a Deus por John von Neumann! Graças a Deus por Grace Kelly, Anita Ekberg e Monica Belluci! Tenho orgulho de me sentir indigno na presença de pessoas assim. É o preço que todos pagamos por poder almejar, realizar e ambicionar. Não foi por acaso que Adão e Eva se cobriram.

A próxima parte da história é totalmente cômica na minha opinião, embora também seja trágica e terrível. Naquela noite, quando o Éden estava mais fresco, Deus saiu para Sua caminhada noturna. Mas não encontrou Adão. Isso intriga Deus, que estava acostumado a caminhar com ele. "Adão", chama Deus, aparentemente esquecendo que Ele consegue enxergar através dos arbustos, "Onde você está?" Adão imediatamente se revela, mas de maneira deplorável: primeiro como um neurótico; depois, como um delator. O criador de todo o universo chama e Adão responde: "Ouvi sua voz, Deus. Mas estava nu e me escondi." O que isso quer dizer? Que as pessoas, inquietas por causa de sua vulnerabilidade, temem eternamente dizer a verdade, mediar o caos e a ordem e manifestar seu destino. Em outras palavras, têm medo de caminhar com Deus. Isso não é particularmente admirável, mas é certamente compreensível. Deus é um pai julgador. Seus padrões são altos. É difícil agradá-Lo.

Deus diz: "Quem foi que lhe disse que você estava nu? Você comeu alguma coisa que não deveria?" E Adão, em sua mediocridade, aponta imediatamente para Eva, seu amor, sua parceira, sua alma gêmea, e a dedura. Ele diz: "A mulher, aquela que você me deu, entregou-me a fruta (e eu comi)." Que patético — e que preciso. A primeira mulher fez com que o primeiro homem se tornasse autoconsciente e rancoroso. Então, o primeiro homem culpou a primeira mulher. Depois, o primeiro homem culpa Deus. Isso é exatamente como cada macho rejeitado se sente até hoje. Primeiro, ele se sente pequeno diante do potencial objeto de seu amor, após ter sua aptidão reprodutiva rebaixada. Então, xinga Deus por tê-la feito tão maldosa e ele, tão inútil (se ele tiver qualquer juízo) e o Ser em si, tão profundamente falho. Depois, apela para pensamentos de vingança. Que atitude totalmente desprezível (e totalmente compreensível). Pelo menos, a mulher tinha a serpente para culpar, e mais tarde é revelado que a serpente é o próprio Satanás, por mais improvável que pareça. Dessa forma, podemos entender e ser solidários com o erro de Eva. Ela foi enganada pelo melhor. Mas e Adão? Ninguém o forçou a dizer o que disse.

Infelizmente, o pior ainda não acabou — para o Homem ou para a Besta. Primeiro, Deus amaldiçoa a serpente, dizendo que agora ela terá de se arrastar por aí, sem pernas, sempre correndo o perigo de ser pisoteada por seres humanos enfurecidos. Depois, Ele diz à mulher que terá filhos na dor e desejará um homem indigno, por vezes rancoroso, que, em consequência, será senhor do destino biológico da mulher para toda a eternidade. Qual seria o significado disso? Poderia apenas significar que Deus é um tirano patriarcal como sugerem as interpretações politicamente motivadas da história antiga. Acho que é meramente descritivo. Meramente. Vou explicar o porquê: com a evolução dos seres humanos, os cérebros que finalmente deram lugar à autoconsciência se expandiram tremendamente. Isso produziu uma corrida armamentista evolutiva entre a cabeça fetal e a pélvis feminina.[56] A fêmea graciosamente alargou seus quadris quase ao ponto em que não seria mais possível correr. O bebê, de sua parte, permitiu-se nascer quase um ano antes, comparado com outros mamíferos de seu tamanho, e desenvolveu um cabeça semiflexível.[57] Isso foi, e é, um ajuste doloroso para os dois. O bebê essencialmente fetal é quase completamente dependente de sua mãe para qualquer coisa durante aquele primeiro ano. A programabilidade do seu cérebro massivo requer um treinamento até os 18 anos (ou 30) antes de ser empurrado para fora do ninho. Isso sem mencionar a dor infligida à mulher durante o nascimento e a chance de morte tanto para a mãe quanto para a criança. Isso tudo significa que as mulheres pagam um preço alto pela gravidez e criação dos filhos, especialmente nas fases iniciais, e que uma das consequências inevitáveis é a dependência aumentada da boa vontade, às vezes incerta, mas sempre problemática, dos homens.

Depois que Deus disse a Eva o que aconteceria, após ela ter despertado, Ele se dirige a Adão — que, juntamente com seus descendentes masculinos, não se safa tão facilmente. Deus diz algo semelhante a isso: "Homem, como você deu ouvidos à mulher, seus olhos foram abertos. Sua visão divina, que lhe foi concedida pela serpente, pela fruta e pela amante, permite que veja longe, até mesmo o futuro. Mas aqueles que veem o futuro também podem ver, eternamente, os problemas que se aproximam, e devem então se preparar para todas as contingências e possibilidades. Para isso, terá de sacrificar eternamente seu presente em prol do futuro. Você deve deixar o prazer de lado em prol da segurança. Em resumo: terá de trabalhar. E será difícil. Espero que você goste de espinhos e ervas daninhas, pois serão abundantes."

E, então, Deus expulsa o primeiro homem e a primeira mulher do Paraíso, para fora da infância, do inconsciente animal, em direção aos horrores da história em si. Depois, Ele coloca um querubim e uma espada flamejante no portão do Éden, apenas para impedi-los de comer o Fruto da Árvore da Vida. Isso, em particular, parece ser um pouco maldoso. Por que não tornar os pobres humanos imortais de uma vez? Especialmente se esse é seu plano para o futuro final, de qualquer maneira, como a história mostra. Mas quem ousaria questionar Deus?

Talvez o Paraíso seja algo que devemos construir e a imortalidade, merecer.

REGRA 2

Assim, voltamos à nossa pergunta inicial: o que será que faz as pessoas preferirem seus animais de estimação a si mesmas? Agora você tem a resposta, derivada de um dos textos fundamentais da humanidade. Por que alguém deveria cuidar de alguém tão indefeso, feio, envergonhado, assustado, sem valor, covarde, rancoroso, defensivo e acusador quanto um descendente de Adão? Mesmo que esse alguém, esse ser, seja ele mesmo? E de forma alguma pretendo excluir as mulheres dessa colocação.

Todas as razões que já debatemos até aqui sobre reprovar a humanidade são aplicáveis aos outros, assim como a si mesmo. São generalizações sobre a natureza humana; nada mais específico. Mas você sabe muito mais sobre você mesmo. Você é mau o suficiente, como as outras pessoas o conhecem. Mas somente você sabe a total extensão de suas transgressões, insuficiências e inadequações secretas. Ninguém sabe mais do que você sobre todas as formas como sua mente e seu corpo são falhos. Ninguém tem mais razão para desprezá-lo, para vê-lo como patético — e ao negar algo que possa fazer bem a si mesmo, você pode se autopunir por todas as suas falhas. Um cão, inofensivo, inocente e inconsciente, é, claramente, mais merecedor.

Mas se você ainda não está convencido, vamos considerar outra questão vital. Ordem, caos, vida, morte, pecado, visão, trabalho e sofrimento: isso não é suficiente para o autor do Gênesis nem para a própria humanidade. A história continua com toda sua catástrofe e tragédia, e as pessoas envolvidas (ou seja, nós) devem lutar com mais um despertar doloroso. A seguir, somos condenados a contemplar a própria moralidade.

BEM E MAL

Quando seus olhos foram abertos, Adão e Eva perceberam mais do que apenas sua nudez e a necessidade de laborar. Também passaram a conhecer o Bem e o Mal. (A serpente disse, em referência ao fruto: "Pois Deus sabe que no dia em que dele comerdes, vossos olhos se abrirão e sereis como deuses, conhecedores do bem e do mal.") O que isso poderia significar?

O que poderia ter sobrado para ser explorado e relatado após o vasto percurso já coberto? Bem, o simples contexto indica que deve ter algo a ver com jardins, serpentes, desobediência, fruta, sexualidade e nudez. Foi o último item — nudez — que finalmente me deu uma pista. Levou anos.

Os cães são predadores. Assim como os gatos. Eles matam e comem. Não é bonito. Mas mesmo assim os aceitamos como animais de estimação e cuidamos deles, dando sua medicação quando estão doentes. Por quê? Eles são predadores, mas é apenas sua natureza. Não podem ser responsabilizados por isso. Eles estão com fome, não são maus. Não têm a presença de espírito e a criatividade — e, acima de tudo, a autoconsciência — necessárias para a engenhosa crueldade do homem.

Por que não? É simples. Diferente de nós, os predadores não compreendem sua fraqueza e vulnerabilidade fundamentais de sua subjugação à dor e à morte. Mas sabemos exatamente como e onde podemos ser feridos, e porquê. Essa é uma boa definição de autoconsciência. Somos conscientes de nosso próprio desamparo, finitude e mortalidade. Podemos sentir dor, repulsa própria, vergonha e horror — e sabemos disso. Sabemos o que nos faz sofrer. Sabemos como o terror e a dor podem ser infligidos a nós — e isso quer dizer que sabemos exatamente como infligi-los aos outros. Sabemos como estamos nus e como essa nudez pode ser explorada — e isso quer dizer que sabemos como os outros estão nus e como podem ser explorados.

Podemos aterrorizar as outras pessoas conscientemente. Podemos machucar e humilhá-las por erros que nos são muito familiares. Podemos torturá-las — literalmente — vagarosa, hábil e terrivelmente. Isso é muito mais do que predação. É uma mudança qualitativa na compreensão. É um cataclismo tão grande quanto o desenvolvimento da própria autoconsciência. É a entrada do conhecimento do Bem e do Mal no mundo. É a segunda fratura ainda não curada da estrutura da Existência. É a transformação do próprio Ser em um empreendimento moral — todo voltado para o desenvolvimento da sofisticada autoconsciência.

Apenas o homem poderia ter concebido o banco de tortura, a dama de ferro e os anjinhos[*]. Apenas o homem infligirá o sofrimento para fins

---

[*] N.T.: Anjinhos são um instrumento de tortura que consiste em anéis de ferro com parafusos que vão apertando o polegar do torturado.

de sofrimento. Essa é a melhor definição do mal que já consegui formular. Os animais não são capazes disso, mas os seres humanos, com suas habilidades semidivinas de causar sofrimento, muito provavelmente, são. E com essa percepção temos praticamente uma legitimação da ideia muito impopular nos círculos intelectuais modernos do Pecado Original. E quem ousaria dizer que não há o elemento da escolha em nossa transformação evolutiva, individual e teológica? Nossos ancestrais escolheram seus parceiros sexuais e os selecionaram pela... consciência? E a autoconsciência? E o conhecimento moral? E quem pode negar que o senso de culpa existencial permeia a experiência humana? E quem poderia deixar de notar que sem essa culpa — esse senso de corrupção inerente e a capacidade para fazer o mal — o homem fica a um passo da psicopatia?

Os seres humanos têm uma grande capacidade para fazer o mal. É um atributo único no mundo da vida. Podemos e deixamos as coisas piores, voluntariamente, com total conhecimento daquilo que estamos fazendo (assim como acidental, descuidada e de uma maneira propositadamente imprudente). Considerando essa capacidade terrível, essa inclinação para ações malévolas, seria de surpreender termos uma grande dificuldade de cuidar de nós mesmos ou dos outros — ou mesmo duvidarmos do valor do projeto humano como um todo? E suspeitamos de nós mesmos, por uma boa razão, há muito tempo. Milhares de anos atrás, os antigos mesopotâmicos acreditavam, por exemplo, que toda a humanidade foi feita a partir do sangue de Kingu, o monstro mais terrível que a grande Deusa do Caos poderia criar em seus momentos mais vingativos e destrutivos.[58] Após chegar a conclusões assim, como poderíamos não questionar o valor do nosso ser, e mesmo do próprio Ser? Quem, então, poderia se deparar com a doença, em si mesmo ou em outro, sem duvidar da utilidade moral da prescrição de um medicamento curativo? E ninguém entende melhor a escuridão do indivíduo do que o próprio indivíduo. Quem, então, quando doente, estará totalmente comprometido com o próprio cuidado?

Talvez o Homem seja algo que nunca deveria ter existido. Talvez o mundo devesse ser limpo de toda a presença humana para que o Ser e a consciência pudessem retornar à brutalidade inocente do animal. Acredito que a pessoa que diz nunca ter desejado algo assim nunca consultou sua memória nem confrontou suas fantasias mais sombrias.

O que deve ser feito, então?

UMA CENTELHA DO DIVINO

Em Gênesis 1, Deus cria o mundo com a Palavra divina e verdadeira, gerando a ordem habitável e paradisíaca a partir do caos pré-cosmogônico. Então, Ele cria o Homem e a Mulher à Sua Imagem, imbuindo-os com a capacidade de fazer o mesmo — de criar a ordem a partir do caos e continuar Seu trabalho. Em cada estágio da criação, incluindo aquele envolvido com a formação do primeiro casal, Deus reflete sobre o que veio a existir e declara isso Bom.

A justaposição de Gênesis 1 com Gênesis 2 e 3 (esses dois últimos capítulos exibem a queda do homem e descrevem por que nossa sorte é tão voltada à tragédia e tão eticamente tortuosa) produz uma sequência de narrativa quase insuportável em sua profundidade. A moral de Gênesis 1 é que o Ser trazido à existência através da palavra verdadeira é Bom. Isso é verdade até mesmo sobre o próprio homem, antes de sua separação de Deus. Essa qualidade de Bom é terrivelmente destruída pelos eventos da queda (e de Caim e Abel, do Dilúvio e a Torre de Babel), mas a relegamos a uma insinuação do estado anterior ao lapso. Lembramos, por assim dizer. Permanecemos eternamente nostálgicos da inocência da infância, do divino e inconsciente Ser do animal e da floresta intocada e virgem, alta como uma catedral. Encontramos alívio nessas coisas. Idolatramos, mesmo se formos autoproclamados ambientalistas ateus do tipo mais anti-humano. O estado original da Natureza, concebido dessa forma, é paradisíaco. Mas não fazemos mais parte da unidade com Deus e a Natureza, e não há retorno fácil.

O Homem e a Mulher originais, existindo em uma unidade inquebrável com seu Criador, não pareciam conscientes (e, certamente, não autoconscientes). Seus olhos não estavam abertos. Mas, em sua perfeição, eram menos, e não mais, do que seus companheiros pós-Queda. Sua qualidade de Bons era concedida, e não merecida ou conquistada. Eles não exerciam a escolha. Deus sabe, isso é mais fácil. Mas talvez não seja melhor do que, por exemplo, a bondade genuinamente conquistada. Talvez, em algum sentido cósmico (presumindo que a própria consciência seja um fenômeno de significado cósmico), o livre-arbítrio importe. Quem pode falar com certeza de tais coisas? No entanto, não estou disposto a dispensar tais questões meramente porque são difíceis. Então, faço uma proposição: talvez não seja o simples surgimento da autoconsciência e da ascensão do nosso conhecimento moral da Morte e da Queda o que nos aflige e nos faz duvidar do nosso próprio valor. Talvez, em vez disso, seja nossa indisposição — refletida no fato de que Adão se escondeu de vergonha — para caminhar com Deus a despeito de nossa fragilidade e propensão para o mal.

A Bíblia inteira está estruturada de modo que tudo após a Queda — a história de Israel, dos profetas, da vinda de Cristo — seja apresentado como um remédio para aquela Queda, uma escapatória contra o mal. O começo da história consciente, a ascensão do estado e de todas as suas patologias de orgulho e rigidez, o surgimento das grandes figuras morais que tentam arrumar as coisas, culminando com o próprio Messias — tudo isso é parte da tentativa humana, se Deus quiser, de se autorreparar. O que isso significaria?

Isso é algo maravilhoso, a resposta já está implícita em Gênesis 1: incorporar a Imagem de Deus — tirar do caos, pela fala, o Ser que é Bom —, e fazê-lo conscientemente com nosso próprio livre-arbítrio. *Voltar é caminhar para frente* — como T. S. Eliot dizia tão corretamente —, mas voltar como seres despertos, exercendo a escolha correta de seres despertos, em vez de voltar a dormir:

> *Não cessaremos de explorar*
> *E o fim de toda a nossa exploração*
> *Será chegar aonde começamos*
> *E conhecer o lugar pela primeira vez.*
> *Pelo portão desconhecido, relembrado,*
> *Quando o último da terra partiu para descobrir,*
> *É aquilo que era o princípio;*
> *Na nascente do mais longo rio*
> *A voz da cascata escondida*
> *E as crianças na macieira*
>
> *Não conhecidas porque não procuradas,*
> *Mas ouvidas, semi-ouvidas na quietude*
> *Entre duas ondas do mar.*
> *Depressa agora, aqui, agora, sempre —*

Uma condição de total simplicidade
(Que custa nada menos do que tudo)
E tudo estará bem e
Toda a espécie de coisas estará bem
Quando as línguas de chama se enlaçam
E recolhem ao nó de fogo coroado
E o fogo e a rosa são um só.
("Little Gidding", *Quatro Quartetos*, 1943)[*]

Se desejamos cuidar de nós mesmos apropriadamente, teremos que respeitar a nós mesmos — mas não fazemos isso, pois somos — pelo menos em nossos próprios olhos — criaturas caídas. Se vivêssemos na Verdade; se falássemos a Verdade — então, poderíamos caminhar com Deus novamente e respeitar a nós mesmos, os outros e o mundo. Então, poderíamos cuidar de nós mesmos como cuidamos das pessoas de quem gostamos. Poderíamos nos empenhar para colocar o mundo em ordem. Poderíamos orientá-lo em direção ao Céu, onde gostaríamos que as pessoas de quem gostamos habitassem, em vez do Inferno, onde nosso ressentimento e ódio condenariam a todos eternamente.

Nas áreas em que o cristianismo surgiu, dois mil anos atrás, as pessoas eram muito mais selvagens do que são hoje. O conflito estava em toda parte. O sacrifício humano, incluindo o de crianças, era uma ocorrência comum mesmo nas sociedades tecnologicamente sofisticadas, tais como a da antiga Cartago.[59] Em Roma, os esportes de arena eram competições mortais e o derramamento de sangue, corriqueiro. A probabilidade de que uma pessoa moderna, em um país funcionalmente democrático, vá matar ou será morta é infinitamente baixa comparada com a das sociedades antigas (ainda é elevada nas partes desorganizadas e anárquicas do mundo).[60] Então, a questão moral primária confrontando a sociedade era o controle da violência, do egoísmo impulsivo, da ganância e da brutalidade irracionais resultantes. As pessoas com essas tendências agressivas ainda existem. Pelo menos, agora sabem que esse comportamento é aquém do ideal e tentam controlá-lo ou encontram grandes obstáculos sociais, se não o fizerem.

---

[*] N.T.: Tradução de João Ferreira Duarte, em "LEITURAS poemas do inglês", Relógio de Água, 1993.

Mas agora outro problema surge também, que talvez fosse menos comum em nosso passado mais rude. É fácil acreditar que as pessoas são arrogantes, egoístas e que sempre estão se preocupando só consigo mesmas. O cinismo que faz dessa opinião um truísmo universal é difundido e está em voga. Mas essa orientação com o mundo não é, de forma alguma, uma característica de muitas pessoas. Elas têm o problema oposto: aguentam fardos intoleráveis de repulsa, desdém e vergonha próprios, e autoconsciência. Assim, em vez de inflar a própria importância narcisisticamente, não se valorizam de modo algum e não cuidam de si mesmas com atenção e habilidade. Parece que as pessoas frequentemente não acreditam de fato que merecem o melhor cuidado, pessoalmente falando. Estão dolorosamente cientes das próprias faltas e inadequações, reais e exageradas, e envergonhadas e duvidosas do próprio valor. Acreditam que as outras pessoas não deveriam sofrer e trabalharão diligente e altruisticamente para ajudá-las a encontrarem alívio. Elas estendem a mesma cortesia até para os animais que conhecem — mas não tão facilmente para si mesmas.

É verdade que a ideia do sacrifício pessoal está profundamente inserida na cultura ocidental (pelo menos até onde o Ocidente foi influenciado pelo cristianismo, que se baseia na imitação de alguém que realizou o ato máximo de autossacrifício). Qualquer alegação de que a Regra de Ouro não signifique "sacrifique-se pelos outros" poderá, portanto, parecer duvidosa. Mas a morte arquetípica de Cristo existe como um exemplo de como aceitar a finitude, a traição e a tirania heroicamente — como caminhar com Deus a despeito da tragédia do conhecimento autoconsciente —, e não como uma diretiva para nos vitimizar em serviço dos outros. Sacrificar-nos para Deus (ou para o bem maior, se preferir) não significa sofrer silenciosa e voluntariamente quando uma pessoa ou organização nos exige mais, de modo reiterado, do que nos é oferecido em troca. Isso significa que estamos apoiando a tirania e permitindo que sejamos tratados como escravos. Não é virtuoso ser vitimizado por um bully, mesmo que o bully seja você mesmo.

Aprendi duas lições muito importantes com Carl Jung, o famoso psicólogo profundo suíço, sobre "fazer aos outros o que gostaria que fizessem a você" ou "amar o próximo como a si mesmo". A primeira lição foi que nenhuma dessas declarações tem qualquer coisa a ver com ser bom. A segunda foi que ambas são equações, e não imposições. Se sou amigo, familiar ou amor de alguém, então estou moralmente obrigado a negociar o melhor possível em meu favor assim como eles em favor deles. Se eu não fizer isso, vou acabar como escravo e a outra pessoa, como tirana. O que há de bom nisso? É muito melhor para qualquer relacionamento quando ambas as partes são fortes. Além do mais, há pouca diferença entre lutar pelos seus direitos quando você está sofrendo bullying, atormentado ou escravizado de alguma outra forma, e pelos direitos de alguém. Como Jung demonstra, isso significa abraçar e amar o pecador, que é você mesmo, assim como perdoar e ajudar alguém que está tropeçando e é imperfeito.

Como o próprio Deus afirma (como diz a história): "Minha é a vingança, Eu retribuirei, disse o Senhor." De acordo com essa filosofia, você não pertence a si mesmo simplesmente. Você não é simplesmente dono de si para que possa torturar e se maltratar. Isso, em parte, porque seu Ser está inexoravelmente unido ao Ser dos outros, e os maus-tratos a si mesmo têm consequências catastróficas para os outros. Isso fica evidente de forma mais clara, talvez, após o suicídio, quando aqueles deixados para trás estão geralmente desolados e traumatizados. Mas, metaforicamente falando, também há o seguinte: você tem uma centelha do divino em você, que não lhe pertence, mas a Deus. Somos, afinal de contas — de acordo com Gênesis —, feitos à Sua imagem. Temos a capacidade semidivina da consciência. Nossa consciência participa em levar o Ser adiante pela palavra. Somos versões Divinas de baixa resolução ("kenóticas"). Podemos criar a ordem a partir do caos — e vice-versa — de nossa própria forma, com nossas palavras. Então, podemos não ser Deus exatamente, mas também não somos nada.

Durante meus próprios períodos de escuridão no submundo da alma, eu me vi frequentemente dominado e admirado pela habilidade das pessoas de se tornarem amigas, de amar seus parceiros íntimos, pais e filhos, e de fazerem o que devem para manter a máquina do mundo funcionando. Conheci um homem, machucado e com deficiências devidas a um acidente de carro, que era empregado na companhia de eletricidade local. Durante anos após o acidente, ele trabalhou lado a lado com outro homem, que sofria de uma doença neurológica degenerativa. Eles se ajudavam enquanto reparavam as linhas, cada um suprindo o que faltava no outro. Esse tipo de heroísmo cotidiano é a regra, acredito, e não a exceção. A maioria dos indivíduos está lidando com um ou mais tipos de problemas sérios de saúde enquanto faz o que deve fazer produtivamente e sem reclamar. Se alguém tem sorte suficiente para estar passando por um período raro de graça e saúde, pessoalmente, tipicamente tem pelo menos algum membro da família em crise. Contudo, as pessoas superam e continuam a realizar tarefas difíceis e penosas para manterem a si mesmas, suas famílias e a sociedade funcionando. Para mim isso é milagroso — tanto que a única resposta apropriada são o reconhecimento e a admiração. Há muitas maneiras como as coisas podem dar errado ou deixar de funcionar completamente, e são sempre as pessoas machucadas que as mantêm funcionando. Elas merecem uma admiração genuína e profunda por isso. É um milagre contínuo de coragem e perseverança.

Durante minha prática clínica, encorajo as pessoas a darem crédito a si mesmas e àqueles ao seu redor por agirem produtivamente e com cuidado, assim como pela preocupação e consideração genuínas que manifestam com os outros. As pessoas são tão torturadas pelas limitações e restrições do Ser que fico maravilhado pelo fato de serem capazes de agir corretamente ou olharem para além de si mesmas. Mas um número suficiente delas age assim, de modo que temos aquecimento, água corrente, tecnologia computacional e eletricidade suficientes para que todos possam se alimentar e até ser capazes de contemplar o destino da sociedade e da natureza mais amplas, a própria natureza terrível. Todo esse maquinário complexo que nos protege do congelamento, da fome e de morrermos por falta de água tem uma tendência incessante para o mau funcionamento através da entropia, e é apenas a atenção constante de pessoas cuidadosas que o mantém funcionando tão incrivelmente bem. Algumas pessoas degeneram-se no inferno do ressentimento e do ódio do Ser, mas a maioria se recusa a isso, apesar de seu sofrimento, decepções, perdas, inadequações e feiura e, novamente, isso é um milagre para aqueles que conseguem perceber.

A humanidade, em sua totalidade, e aqueles que a compõem como pessoas identificáveis merecem a compaixão pelo fardo aterrorizante sob o qual o indivíduo humano genuinamente cambaleia; compaixão pela subjugação à vulnerabilidade mortal, pela tirania do estado e devastação da natureza. É uma situação existencial que não é encontrada ou tolerada por um mero animal, de uma severidade tamanha que necessitaria de um Deus para suportá-la totalmente. É essa compaixão que deveria ser o medicamento adequado para o autodesprezo consciente, que, embora justificável, é apenas metade de toda a história verdadeira. O ódio pelo eu e pela humanidade deve ser equilibrado com a gratidão pela tradição, através da forma e do assombro perante o que as pessoas normais, que encontramos no dia a dia, realizam — sem mencionar as realizações surpreendentes daquelas realmente notáveis.

Merecemos respeito. Você merece respeito. Você é importante para outras pessoas, assim como para si mesmo. Você tem um papel vital a ser exercido no destino em desdobramento do mundo. Você é, portanto, moralmente obrigado a cuidar de si mesmo. Você deve cuidar, ajudar e ser bom consigo da mesma forma que cuidaria, ajudaria e seria bom para alguém que ama e valoriza. Sendo assim, você pode ter que se comportar habitualmente de forma que lhe permita um pouco de respeito pelo seu próprio Ser — nada mais justo. Mas todas as pessoas são profundamente falhas. Todos estão destituídos da glória de Deus. Porém, se esse fato cruel significasse que não temos a responsabilidade de cuidar de nós mesmos como dos outros, todos seríamos brutalmente punidos o tempo todo. Isso não seria bom. Isso faria as falhas do mundo — que podem fazer todos aqueles que pensam honestamente questionarem a própria decência do mundo — ficarem ainda piores, de todas as formas. Isso de modo algum pode ser o caminho certo a seguir.

Cuidar de si mesmo da forma que cuidaria de alguém sob sua responsabilidade significa considerar o que seria realmente bom para você. Não é "o que você quer". Também não é "o que o faria feliz". Toda vez que você dá um doce a uma criança, você a deixa feliz. Isso não quer dizer que deva dar apenas doces a elas. "Feliz" de modo algum é sinônimo de "bom". Você deve fazer com que as crianças escovem os dentes. Elas devem colocar suas roupas de frio quando saírem na neve, mesmo que protestem vigorosamente. Você deve ajudar uma criança a se tornar virtuosa, responsável, um ser desperto e capaz de reciprocidade total — capaz de cuidar de si mesma e dos outros, e de crescer ao fazer isso. Por que você pensaria que é aceitável fazer qualquer coisa menos do que isso a si mesmo?

Você precisa considerar o futuro e pensar: "Como a minha vida seria se eu estivesse cuidando de mim adequadamente? Qual carreira me desafiaria e me tornaria produtivo e prestativo, de modo que pudesse carregar minha parte do fardo e aproveitar as consequências? O que eu deveria estar fazendo, quando tenho uma certa liberdade, para melhorar minha saúde, expandir meu conhecimento e fortalecer meu corpo? Você precisa saber onde está para que comece a traçar seu percurso. Você precisa saber quem é para que entenda suas armas e fortaleça a si mesmo em respeito às suas limitações. Você precisa saber aonde está indo para que limite a extensão do caos em sua vida, reestruture a ordem e traga a força divina da Esperança para o mundo.

Você deve determinar aonde está indo para que possa negociar em seu favor, de modo que não acabe cheio de ressentimento, vingança e crueldade. Você tem que articular os próprios princípios para que se defenda daqueles que querem tirar vantagens indevidas, para que esteja confiante e seguro enquanto trabalha e se diverte. Você deve se disciplinar cuidadosamente. Deve manter as promessas que faz a si mesmo e recompensar-se de modo a confiar em si e se motivar. Você precisa determinar como agir consigo mesmo para que tenha mais chances de se tornar e permanecer sendo uma boa pessoa. Seria bom fazer do mundo um lugar melhor. O Céu, afinal de contas, não chegará por conta própria. Teremos de trabalhar para torná-lo real e nos fortalecer para que possamos resistir aos anjos mortais e à espada flamejante do julgamento de Deus usados para impedir a nossa entrada.

Não subestime seu poder de visão e direção. São forças irresistíveis que podem transformar o que aparentam ser obstáculos intransponíveis em caminhos transitáveis e oportunidades em potencial. Fortaleça o individual. Comece consigo mesmo. Cuide de si mesmo. Defina quem você é. Refine sua personalidade. Escolha seu destino e articule seu Ser. Como o grande filósofo alemão do século XIX Friedrich Nietzsche observou brilhantemente: "Aquele cuja vida tem um porquê, pode suportar quase todos os comos."[61]

Você pode ajudar a direcionar o mundo em sua trajetória descontrolada um pouco mais para perto do Céu e distante do Inferno. Tendo compreendido o Inferno, pesquisado-o, por assim dizer — especialmente o próprio Inferno individual —, você poderá decidir não ir em sua direção nem o criar. Você poderá, de fato, devotar sua vida a isso. Isso lhe daria um Significado, com S maiúsculo. Isso justificaria sua existência miserável. Isso expiaria sua natureza pecaminosa e trocaria sua vergonha e autoconsciência exageradas pelo orgulho natural e pela confiança sincera de alguém que aprendeu, uma vez mais, a caminhar com Deus no Jardim.

Cuide de si mesmo como cuidaria de alguém sob sua responsabilidade.

REGRA 3

SEJA AMIGO DE PESSOAS QUE QUEIRAM O MELHOR PARA VOCÊ

A VELHA CIDADE NATAL

A CIDADE ONDE CRESCI havia sido formada apenas 50 anos antes nas intermináveis pradarias do norte do Canadá. Fairview, Alberta, era parte do velho oeste e tinha os bares de cowboy para provar. A loja de departamentos Hudson´s Bay Co. na Main Street ainda comprava peles de castor, lobo e coiote diretamente dos caçadores locais. Três mil pessoas viviam lá, a 650 quilômetros da cidade mais próxima. TV a cabo, videogames e internet não existiam. Não era fácil se divertir inocentemente em Fairview, especialmente durante os cinco meses de inverno, quando longos intervalos de dias com temperaturas de 40 graus abaixo de zero e noites ainda mais frias eram a regra.

O mundo é um lugar diferente quando faz tanto frio assim. Os bêbados da nossa cidade acabavam com suas tristes vidas cedo. Eles desmaiavam nos montes de neve às três da manhã e morriam congelados.

Você não sai de casa à toa quando a temperatura é de 40 graus negativos. Na primeira inalada, o ar árido do deserto constringe seus pulmões. O gelo se forma em seus cílios e eles ficam grudados. Cabelos longos, molhados após o banho, congelam-se até quase solidificar e depois de aquecidos dentro de casa descongelam-se e ressecam demais, ganhando vida própria e uma aparência fantasmagórica, por causa da eletricidade. As crianças aprendem logo na primeira tentativa que não devem colocar a língua nos brinquedos de aço do parquinho. A fumaça das chaminés das casas não sobe. Derrotada pelo frio, ela desce e se acumula como se fosse neblina nos telhados e quintais cobertos pela neve. Os carros precisam ter seus motores conectados nos aquecedores à noite, se não o óleo não vai fluir na manhã seguinte e o motor não dará a partida. Às vezes, não dá partida de jeito nenhum. Então você continua tentando até que ouve um barulho e, então, o silêncio. Nesse caso, você precisa remover a bateria congelada do carro, soltar os parafusos com os dedos rijos do frio intenso e levá-la para dentro de casa. Ela fica lá suando por horas até que se aqueça o suficiente para dar a partida. Também não dá para ver nada pelo vidro traseiro do carro. Ele se congela em novembro e fica assim até maio. Raspá-lo só serve para deixar o estofamento úmido. Depois, até o estofamento congelaria também. Uma vez, tarde da noite, quando estava indo visitar um amigo, fiquei duas horas sentado na beirada do banco do passageiro de um Dodge Challenger 1970, apertado contra o câmbio usando um trapo embebecido com vodca para manter o para-brisa limpo na frente do motorista porque o aquecedor do carro tinha quebrado. Parar não era uma opção. Não havia onde parar.

E era um inferno para os gatos domésticos. Os felinos em Fairview tinham orelhas e caudas curtas porque haviam perdido as pontas de ambas por conta de queimaduras de frio. Assim, pareciam raposas do Ártico que desenvolveram essas características para enfrentar o frio intenso. Um dia, nosso gato saiu de casa e ninguém percebeu. Nós o encontramos mais tarde, com o pelo congelado e grudado no cimento duro e frio dos degraus onde sentava. Cuidadosamente, separamos o gato do cimento sem grandes danos — a não ser para o orgulho dele. No inverno, os gatos de Fairview também corriam um grande risco com os carros, mas não pelas razões que você pode pensar. Não era que os carros deslizavam nas ruas congeladas e os atropelavam. Só os gatos mais tolos morriam assim. Os carros que tinham acabado de estacionar eram o perigo. Um gato com frio acharia uma boa ideia escalar por baixo um veículo ainda quente e se aninhar no bloco quentinho do motor. Mas e se o motorista decidisse usar o carro novamente, antes que o motor esfriasse e o gato saísse? Digamos que os bichanos que buscam o calor e as ventoinhas do radiador girando rapidamente não são capazes de coexistir em harmonia.

Por estarmos tão ao norte, os invernos excessivamente frios também são muito escuros. Em dezembro, o sol não nasce antes das 9h30. Nós nos arrastávamos para a escola em total escuridão. Não era tão mais claro assim quando chegávamos em casa, logo antes do pôr do sol antecipado. Não havia muito para os jovens fazerem em Fairview, mesmo no verão. Mas os invernos eram piores. Por isso, seus amigos eram importantes. Mais do que qualquer outra coisa.

MEU AMIGO CHRIS E SEU PRIMO

Naquela época eu tinha um amigo. Vamos chamá-lo de Chris. Ele era um cara inteligente. Ele lia muito. Gostava do tipo de ficção científica que eu também adorava (Bradbury, Heinlein, Clarke). Ele era engenhoso. Tinha interesse em kits eletrônicos, engrenagens e motores. Era um engenheiro nato. Porém, tudo isso era ofuscado por alguma coisa que tinha dado errado em sua família. Não sei o que era. Suas irmãs eram inteligentes, seu pai tinha uma voz suave e sua mãe era gentil. As meninas pareciam estar bem. Mas Chris tinha sido negligenciado de alguma forma significativa. Apesar de sua inteligência e curiosidade, ele era irritadiço, ressentido e sem esperança.

Tudo isso se manifestou materialmente na forma de sua caminhonete Ford azul 1972. O famigerado veículo tinha um amassado em cada parte da lataria. E, pior, tinha o mesmo número de amassados na parte de dentro. Esses haviam sido produzidos pelo impacto das partes dos corpos de amigos nas superfícies internas durante os sucessivos acidentes que resultaram nos amassados exteriores. A picape de Chris era o exoesqueleto de um niilista. Tinha um adesivo perfeito para o para-choque: *Be Alert — The World Needs More Lerts**. A ironia gerada pela combinação do adesivo e dos amassados o elevava ao teatro do absurdo. Muito pouco daquilo era (por assim dizer) acidental.

Toda vez que Chris batia sua caminhonete, seu pai mandava consertá-la e comprava alguma coisa para ele. Ele também tinha uma moto e uma van para vender sorvete. Ele não se importava com a moto. Não vendia os sorvetes. Ele expressava constantemente uma insatisfação com seu pai e com o relacionamento entre eles. Mas seu pai era bem velho e não estava muito bem, havia sido diagnosticado com uma doença depois de muitos anos. Ele não tinha a energia necessária. Talvez não conseguisse prestar atenção suficiente em seu filho. Talvez isso tenha sido suficiente para fragilizar o relacionamento deles.

Chris tinha um primo, Ed, que era uns dois anos mais novo. Eu gostava dele, até onde é possível gostar do primo mais novo do seu amigo adolescente. Ele era um garoto alto, inteligente, encantador e bonito. Também era espirituoso. Se você o tivesse conhecido aos 12 anos, teria imaginado um bom futuro para ele. Mas Ed começou a se desviar do caminho lentamente, rumando para um modo de existência marginal, deixando-se levar. Ele não era tão revoltado quanto Chris, mas estava da mesma forma confuso. Se você conhecesse os amigos de Ed, poderia dizer que foi a pressão do grupo que fez com que ele começasse a se desviar do caminho. Só que seus colegas não estavam obviamente mais perdidos ou eram mais delinquentes do que ele, embora fossem, de modo geral, menos inteligentes. Também aconteceu que a situação de Ed — e Chris — não pareceu melhorar após descobrirem a maconha. A maconha não é ruim para todos, assim como o álcool não é ruim para todos. Às vezes até parece que ela deixa as pessoas melhores. Não foi o caso de Ed. E tampouco melhorou Chris.

Para nos divertir nas longas noites, Chris, Ed, eu e outros adolescentes ficávamos dirigindo pela cidade em nossos carros e caminhonetes na década de 1970. Descíamos a Main Street ao longo da Railroad Avenue, passando pelo colégio, dando a volta no fim da cidade pelo lado norte, indo para o oeste — ou subíamos a Main Street, dando a

---

* N.T.: Em tradução livre, Seja Alerta — O Mundo Precisa de Mais Lertas. A frase é atribuída a Woody Allen e faz um trocadilho entre os homófonos *be alert* e *be a lert,* que também é uma gíria usada para dizer para uma pessoa estar sempre alerta, entre outros usos.

volta no fim da cidade pelo lado norte e íamos para o leste — e assim por diante, infinitamente. Quando não dirigíamos na cidade, dirigíamos na área rural. Um século antes, os topógrafos haviam demarcado a malha viária de toda a vasta área de 482 mil quilômetros quadrados das grandes pradarias do oeste. A cada três quilômetros em direção ao norte havia uma estrada de cascalhos aberta de leste a oeste, infinita. A cada quilômetro em direção ao oeste, outra ia do norte ao sul. Nunca ficávamos sem estradas.

A TERRA INCULTA DOS ADOLESCENTES

Se não estivéssemos dirigindo pela cidade ou pela área rural, estaríamos em uma festa. Algum adulto relativamente jovem (ou algum adulto relativamente mais velho e esquisito) abriria sua casa para os amigos. Ela se tornava, assim, um segundo lar para todos os tipos de penetras de festas, vários dos quais bastante indesejáveis desde o início ou que rapidamente se transformavam nisso depois de beber. As festas também podiam acontecer de forma inesperada, quando os pais ingênuos de algum adolescente saíam da cidade. Nesse caso, os ocupantes dos carros ou caminhonetes que sempre estavam dando voltas na cidade percebiam as luzes acesas da casa, mas sem o carro na garagem. Isso não era bom. As coisas poderiam sair seriamente do controle.

Eu não gostava das festas de adolescentes. Não me lembro delas com nostalgia. Eram acontecimentos deprimentes. As luzes ficavam baixas. O que deixava o constrangimento em nível mínimo. A música alta demais tornava impossível conversar. Não havia muito sobre o que conversar, de qualquer modo. Sempre havia alguns dos psicopatas da cidade nas festas. Todo mundo bebia e fumava demais. Em tais ocasiões, uma sensação melancólica e opressiva de despropósito pairava e nunca acontecia nada (ao menos que levemos em conta a vez em que meu colega de classe, que era quieto demais, começou, depois de beber, a ostentar sua espingarda calibre 12 carregada; ou a vez em que a garota com quem mais tarde me casei desdenhosamente insultava um rapaz que a ameaçava com uma faca; ou a vez que outro amigo subiu em uma árvore alta, balançou-se no galho e caiu de costas, meio morto, ao lado da fogueira que havíamos feito na base da árvore, seguido, precisamente um minuto depois, por seu colega idiota).

Ninguém sabia que diabos eles faziam naquelas festas. Estariam esperando encontrar uma cheerleader? Esperando Godot?* Embora as cheerleaders fossem imediatamente preferíveis (mesmo que fossem escassas na nossa cidade), esperar Godot estava mais próximo da verdade. Suponho que seria mais romântico imaginar que teríamos nos lançado de cabeça em qualquer coisa mais produtiva, do jeito que estávamos extremamente entediados. Mas não é verdade. Éramos prematuramente cínicos, cansados do mundo e avessos a responsabilidades para participar de clubes de debate, juntar-nos aos Cadetes do Ar ou participar de esportes escolares que os adultos ao nosso redor tentavam organizar. Fazer *qualquer* coisa não era legal. Não sei como a vida dos adolescentes era antes que os revolucionários do fim dos anos 1960 aconselharam todos os jovens a ligar-se, sintonizar-se, libertar-se. Seria normal que um adolescente participasse entusiasticamente de um clube em 1955? Porque 20 anos depois certamente não era. Muitos de nós conseguiram se ligar e se libertar. Mas poucos se sintonizaram.

Eu queria estar em outro lugar. E não era o único. Todos que em algum momento deixaram a Fairview na qual cresci já sabiam que fariam isso aos 12 anos. Eu sabia. Minha esposa, que cresceu comigo e morava na mesma rua que minha família, sabia. Meus amigos, tendo saído ou não da cidade, também sabiam, independentemente do caminho no qual estivessem. Havia uma expectativa velada nas famílias daqueles que estavam indo para a faculdade de que esse era o caminho natural. Para aqueles provenientes de famílias menos instruídas, um futuro que incluía a universidade simplesmente não fazia parte do campo conceitual. Não era por falta de dinheiro. As mensalidades para a educação superior eram bem baixas naquela época, e os empregos em Alberta eram abundantes e pagavam bem. Ganhei mais dinheiro em 1980 trabalhando em uma fábrica de madeira compensada do que em todos os trabalhos que tive durante os 20 anos seguintes. Ninguém deixava de ir à faculdade devido à necessidade financeira na Alberta rica em petróleo dos anos 1970.

---

* N.T.: O autor faz referência a *Esperando Godot*, originalmente uma peça de Samuel Becket, que retrata dois "vagabundos" em uma longa espera pela chegada do Sr. Godot, que nunca aparece. Becket foi considerado um dos fundadores do "teatro do absurdo".

ALGUNS AMIGOS DIFERENTES — OUTROS SEMPRE IGUAIS

Durante o ensino médio, depois que meus primeiros camaradas abandonaram os estudos, fiz amizade com dois novatos. Eles vieram para Fairview como alunos de internato. Não havia escolas após o ensino fundamental em sua cidade, mais distante ainda e acertadamente nomeada de Bear Canyon (Canyon dos Ursos). Eles eram um duo ambicioso, relativamente falando; diretos e confiáveis, mas também legais e divertidos. Quando saí da cidade para ir à Faculdade Regional de Grande Praire, a 150 quilômetros de distância, um deles foi meu colega de quarto. O outro foi para algum outro lugar em busca do ensino superior. Ambos tinham grandes propósitos. A decisão deles encorajou a minha.

Estava feliz da vida quando cheguei à faculdade. Logo encontrei outro grupo maior de companheiros com as mesmas ideias, ao qual meu camarada de Bear Canyon também se juntou. Todos ficamos fascinados pela literatura e filosofia. Cuidávamos da União dos Estudantes. Conseguimos fazer com que ela tivesse lucro pela primeira vez na história organizando festas. Como seria possível perder dinheiro vendendo cerveja aos universitários? Começamos um jornal. Conhecemos melhor nossos professores de ciências políticas, biologia e literatura inglesa nos pequenos seminários que faziam parte de nossa rotina desde o primeiro ano. Os instrutores ficavam agradecidos pelo nosso entusiasmo e nos ensinavam bem. Estávamos construindo uma vida melhor.

Eu me despi de muito do meu passado. Em uma cidade pequena, todos sabem quem você é. Você arrasta seu passado atrás de você como se fosse um cão correndo com latas amarradas ao rabo. Não dá para escapar de quem você foi. Não havia nada online naquela época, e graças a Deus por isso, mas tudo ficava igual e incrivelmente guardado nas expectativas e memórias de todos.

Quando você muda de cidade, fica tudo suspenso, pelo menos por um tempo. É estressante, mas, no caos, há novas possibilidades. As pessoas, incluindo você mesmo, não podem cerceá-lo com suas antigas noções. Sua rotina é arrancada de você. Você pode criar rotinas novas e melhores, junto com pessoas almejando coisas melhores. Eu pensava que isso era apenas um desenvolvimento natural. Achava que qualquer

REGRA 3

um que mudasse de cidade tinha — e queria — a experiência da fênix. Mas nem sempre era o caso.

Uma vez, quando tinha 15 anos, fui com Chris e outro colega, Carl, para Edmonton, uma cidade com 600 mil habitantes. Carl nunca havia estado em uma cidade assim. Isso não era incomum. Eram 1.300 quilômetros de ida e volta entre Fairview e Edmonton. Já havia feito essa viagem várias vezes, algumas com meus pais, outras sem. Gostava do anonimato que a cidade proporcionava. Gostava de novos começos. Gostava de escapar da cultura adolescente deprimente e limitada da minha cidade natal. Assim, convenci meus dois amigos a abraçarem a empreitada. Só que eles não tinham a mesma experiência. Assim que chegamos, Chris e Carl queriam comprar um baseado. Dirigimo-nos às partes de Edmonton que eram idênticas às piores partes de Fairview. Encontramos os mesmos vendedores furtivos de maconha. Passamos o fim de semana bebendo em um quarto de hotel. Embora tivéssemos viajado uma longa distância, não havíamos ido a lugar nenhum.

Vi um exemplo ainda mais chocante disso alguns anos mais tarde. Havia me mudado para Edmonton para terminar o ensino superior. Fiquei em um apartamento com minha irmã, que estava estudando enfermagem. Ela também era uma pessoa superdecidida e incomum. (Não muito tempo depois ela foi plantar morangos na Noruega, fazer safáris na África, contrabandear caminhões em Tuaregue, área ameaçada no deserto do Saara, e ser babá de bebês gorilas no Congo.) Tínhamos um bom lugar em um arranha-céu, com uma vista para o grande vale do Rio Saskatchewan do Norte. Podíamos ver o contorno da cidade ao fundo. Comprei um piano vertical da Yamaha, novo, em um ataque de entusiasmo. O lugar era bonito.

Um passarinho havia me contado que Ed — o primo mais novo do Chris — havia se mudado para a cidade. Achei que fosse uma coisa boa. Um dia, ele telefonou. Convidei-o para vir a minha casa. Queria saber como ele estava indo. Esperava que ele tivesse alcançado um pouco do potencial que um dia havia visto nele. Não foi o que aconteceu. Ed apareceu mais velho, careca e encurvado. Ele parecia muito mais um jovem adulto que não estava se dando bem na vida do que um jovem de possibilidades. Seus olhos avermelhados denunciavam que era um maconheiro assíduo. Ed tinha trabalhado um pouco — cortando grama e cuidando de jardins —, o que teria sido bom para um universitário que estudasse meio período ou para alguém que não conseguisse algo melhor, mas que era uma carreira de nível miseravelmente baixo para uma pessoa inteligente.

Ele veio acompanhado de um amigo.

É desse amigo que me lembro bem. Ele estava entorpecido. Estava chapado. Estava totalmente doidão. A cabeça dele e o nosso apartamento bonito e civilizado não ocupavam o mesmo universo facilmente. Minha irmã estava lá. Ela conhecia o Ed. Ela já havia visto esse tipo de coisa antes. Mas eu ainda não estava feliz por Ed ter trazido essa figura à nossa casa. Ed sentou-se. Seu amigo também, embora parecesse que ele nem havia notado. Era uma tragicomédia. Chapado do jeito que estava, Ed ainda tinha a capacidade de ficar envergonhado. Bebemos nossa cerveja. O amigo dele olhou para cima. "Minhas partículas estão espalhadas por todo o teto", soltou. Sábias palavras!

Levei Ed para um canto e disse educadamente que ele tinha que ir embora. Eu lhe disse que não deveria ter trazido seu colega cretino e inútil. Ele concordou. Ele entendeu. Isso tornou a coisa ainda pior. Chris, seu primo mais velho, escreveu-me uma carta muito tempo depois sobre isso. Eu a incluí no meu primeiro livro, *Maps of Meaning: The Architecture of Belief*, publicado em 1999: "Tive amigos", disse ele.[62] "Antes. Qualquer um com autodesprezo suficiente para poder perdoar o meu."

O que será que fez com que Chris, Carl e Ed não conseguissem (ou, pior, talvez não quisessem) mudar de amizades e melhorar as circunstâncias de suas vidas? Seria isso inevitável — uma consequência de suas próprias limitações, doenças emergentes e traumas do passado? Afinal de contas, as pessoas são significativamente diferentes, de formas que parecem ser tanto estruturais quanto determinísticas. As pessoas diferenciam-se em inteligência, que em grande parte é a habilidade de aprender e transformar. As pessoas têm personalidades diferentes também. Algumas são ativas e outras, passivas. Outras são ansiosas ou calmas. Para cada indivíduo que é motivado a realizar, há outro que é indolente. O grau em que essas diferenças são parte imutável de alguém é maior do que um otimista pode presumir ou desejar. E, depois, há a doença, mental ou física, diagnosticada ou invisível, limitando ainda mais ou moldando nossas vidas.

Chris teve um surto psicótico quando estava na casa dos 30 anos, após flertar com a insanidade por vários anos. Não muito tempo depois, ele se suicidou. O uso pesado da maconha foi a causa principal ou era uma automedicação compreensível? Afinal, o uso de analgésicos controlados diminuiu nos estados em que a maconha foi legalizada, como no Colorado.[63] Talvez a erva tenha deixado as coisas melhores para Chris, e não piores. Talvez ela tenha aliviado seu sofrimento em vez de exacerbar sua instabilidade. Teria sido a filosofia niilista nutrida por ele que abriu o caminho para seu colapso final? Teria sido esse niilismo, por sua vez, a consequência de uma saúde verdadeiramente debilitada ou apenas uma racionalização intelectual de sua indisposição para mergulhar na vida com responsabilidade? Por que ele — assim como seu primo e meus outros amigos — continuamente escolheu pessoas e lugares que não eram bons para ele?

Às vezes, quando as pessoas têm uma opinião negativa sobre seu próprio valor — ou, talvez, quando se recusam a assumir a responsabilidade por suas vidas —, escolhem uma nova amizade precisamente do mesmo tipo que se provou ser causadora de problemas no passado. Essas pessoas não acreditam que merecem coisa melhor — então nem procuram algo melhor. Ou, talvez, não queiram o trabalho para conseguir o melhor. Freud chamava isso de "compulsão à repetição". Ele a considerava um desejo inconsciente de repetir os horrores do passado — às vezes, talvez, para formular esses horrores mais precisamente, às vezes para tentar um domínio mais ativo e, às vezes, talvez, porque não há nenhuma outra alternativa. As pessoas criam seus mundos com as ferramentas que estão ao seu alcance. Ferramentas com falhas produzirão resultados com falhas. O uso repetido das mesmas ferramentas com falhas produzirá o mesmo resultado com falhas. É dessa forma que aqueles que não conseguem aprender com o passado estão condenados a repeti-lo. Em parte, é destino. Em parte, incapacidade. Em parte é... falta de vontade de aprender? Recusa em aprender? Recusa *motivada* em aprender?

RESGATANDO OS CONDENADOS

As pessoas escolhem amigos que não são bons para elas por outros motivos, também. Às vezes é porque querem resgatar alguém. Isso é mais típico com as pessoas mais jovens, embora o ímpeto ainda exista entre pessoas mais velhas que são cordatas demais, permaneceram ingênuas ou que são deliberadamente cegas. Alguém pode objetar: "Nada mais justo do que ver o melhor nas pessoas. A virtude suprema é o desejo de ajudar." Mas nem todos que fracassam são vítimas e nem todos que estão no fundo desejam subir, embora vários queiram, e vários consigam. Contudo, as pessoas geralmente aceitam ou até amplificam o próprio sofrimento, assim como o dos outros, se puderem ostentá-lo como evidência da injustiça do mundo. Não são poucos os opressores entre os oprimidos, mesmo que, considerando suas posições baixas, muitos sejam apenas aspirantes a tiranos. É o caminho mais fácil a ser escolhido, de momento a momento, embora não seja nada além do que o inferno em longo prazo.

Imagine uma pessoa que não está indo bem. Ela precisa de ajuda. Ela pode até querer a ajuda. Mas não é fácil distinguir entre alguém que verdadeiramente quer e precisa de ajuda e alguém que está apenas explorando alguém disposto a ajudar. A distinção é difícil até para a pessoa que está querendo e precisando, e possivelmente até para aquela que está explorando. A pessoa que tenta e falha, e é perdoada, e tenta e falha novamente, e é perdoada, também é geralmente a pessoa que quer que todos acreditem na autenticidade de todas essas tentativas.

Quando não é apenas ingenuidade, a tentativa de resgatar alguém é geralmente alimentada por vaidade e narcisismo. Algo assim é detalhado no clássico amargurado do incomparável autor russo Fiódor Dostoiévski, *Notas do Subterrâneo*, que começa com as famosas frases: "Sou um homem doente... sou mau. Não tenho atrativos. Acho que sofro do fígado." É a confissão de um hóspede miserável e arrogante do caos e do desespero. Ele analisa a si mesmo implacavelmente, mas somente sofre assim por uma centena de pecados, a despeito de ter cometido mil. Então, imaginando-se redimido, o homem do subterrâneo comete sua pior transgressão. Oferece ajuda para uma pessoa genuinamente desafortunada, Liza, uma mulher no caminho desesperado do século XIX rumo à prostituição. Ele a convida para uma visita, prometendo colocar a vida dela de volta nos trilhos. Enquanto espera por ela, seus devaneios se tornam cada vez mais fervorosos:

> Um dia se passou, porém, e outro e mais outro; ela não veio e comecei a ficar mais calmo. Me senti especialmente corajoso e animado às 9h, e por vezes comecei a sonhar, e eram sonhos doces: eu, por exemplo, transformei-me na salvação de Liza, simplesmente pelo fato de ela vir a mim e de eu falar com ela... eu a desenvolvi, a eduquei. Finalmente, percebi que ela me ama, apaixonadamente. Eu finjo que não entendo (não sei, porém, por que eu finjo, apenas pelo efeito, talvez). Após toda a confusão, transfigurada, tremendo e soluçando, ela se atira aos meus pés e diz que sou seu salvador e que ela me ama mais do que qualquer outra coisa no mundo.

Nada além do narcisismo do homem do subterrâneo é nutrido por tais fantasias. A própria Liza é destruída por elas. A salvação que ele oferece a ela demanda muito mais na forma de comprometimento e maturidade do que o homem do subterrâneo está disposto ou é capaz de oferecer. Ele simplesmente não tem o caráter para entender — algo que ela percebe rapidamente, e racionaliza com a mesma velocidade. Liza finalmente chega ao apartamento decadente, desejando desesperadamente uma saída, apostando tudo o que tem nessa visita. Ela diz ao homem do subterrâneo que quer sair da sua vida atual. A resposta dele?

> "Por que viestes a mim, diga-me, por favor?", comecei, ofegante e indiferente à conexão lógica em minhas palavras. Ansiava ter tudo de uma vez, de um rebento; nem mesmo me importei em como começar. "Por que viestes? Responda, responda", gritei, mal sabendo o que fazia. "Dir-lhe-ei, minha boa moça, porque viestes. Viestes porque havia lhe dito coisas sentimentais antes. Então, agora estás mole como manteiga e ansiando pelos nobres sentimentos novamente. Então deveria também saber que estava rindo de vós antes. E estou rindo de vós agora. Por que estremeces? Sim, ria de vós! Havia sido insultado logo antes, durante o

jantar, pelos senhores que a visitaram naquela noite antes de mim. Vim a você, com a intenção de surrar um deles, um oficial; mas não tive sucesso, não o encontrei; tinha de vingar o insulto em alguém para me recompor novamente; aparecestes, despejei minha raiva em vós. Havia sido humilhado; havia sido tratado como um trapo, então queria mostrar meu poder... Isso foi o que ocorreu, e imaginastes que viera aqui para salvar-te. Sim? Imaginastes isso? Imaginastes isso?"

Eu sabia que talvez ela ficasse desnorteada e não entendesse tudo isso exatamente, mas sabia também que ela captaria a essência disso, muito bem, aliás. Então, de fato, isso aconteceu. Ela ficou branca como um lenço, tentou dizer algo e seus lábios moveram-se dolorosamente; mas ela afundou em uma poltrona como se tivesse sido cortada por um machado. E durante todo o tempo dali em diante, ela me ouviu com seus lábios abertos e com os olhos bem abertos, tremendo de um terror medonho. O cinismo, o cinismo de minhas palavras esgotou-a...

A presunção, a falta de cuidado e a pura malevolência infladas do homem do subterrâneo arruínam as últimas esperanças de Liza. Ele entende isso bem. Pior: algo nele mesmo buscava isso o tempo todo. E ele sabe disso também. Mas um vilão que se desespera com sua vilania não se torna um herói. Um herói é algo positivo, não apenas a ausência do mal.

Mas o próprio Cristo, você pode objetar, fez amizade com os coletores de impostos e com as prostitutas. Como eu ousaria julgar os motivos daqueles que estão tentando ajudar? Porém, Cristo era o arquétipo do homem perfeito. E você é você. Como você sabe que suas tentativas de puxar alguém para cima não o levarão — ou você — mais para baixo? Imagine o caso de alguém supervisionando uma equipe excepcional de trabalhadores, todos lutando coletivamente pelo objetivo estabelecido; imagine que todos são diligentes, brilhantes, criativos e unidos. Mas a pessoa que os supervisiona também é responsável por alguém com problemas, que vem tendo um baixo desempenho em outro lugar. Em um impulso de inspiração, o gerente bem-intencionado leva aquela pessoa, esperando melhorá-la pelo exemplo, para o meio de sua equipe brilhante. O que acontece? A literatura psicológica é clara nesse ponto.[64] O intruso errante imediatamente se fortalece e alça voo? Não. Em vez disso, a equipe toda se degenera.

O recém-chegado continua cínico, arrogante e neurótico. Ele reclama. Ele se esquiva. Ele perde reuniões importantes. A baixa qualidade de seu trabalho causa atrasos e deve ser refeito por outros. No entanto, ele ainda é pago como seus colegas de equipe. Os trabalhadores esforçados que o cercam começam a se sentir traídos. "Por que fico me matando tentando terminar esse projeto", cada um pensa, "enquanto o novo membro da minha equipe não produz uma gota de suor?" O mesmo ocorre quando conselheiros bem-intencionados colocam um adolescente delinquente no meio de colegas comparativamente civilizados. A delinquência se espalha, e não a estabilidade.[65] É muito mais fácil descer do que subir. Talvez você esteja salvando alguém porque você é uma pessoa forte, generosa e bem estruturada que quer fazer a coisa certa. Mas também pode ser possível — e, talvez, o mais provável — que você apenas queira exaltar suas reservas inexauríveis de compaixão e boa vontade. Ou, talvez, você esteja salvando alguém porque quer convencer a si mesmo de que a força de seu caráter é mais do que apenas um efeito colateral de sua sorte e local de nascimento. Ou, talvez, porque seja mais fácil parecer virtuoso quando se está próximo de alguém completamente irresponsável.

Presuma primeiramente que está fazendo a coisa mais fácil, e não a mais difícil.

Seu alcoolismo feroz faz minha bebedeira parecer trivial. Minhas conversas longas e sérias com você sobre seu casamento em frangalhos convencem a nós dois de que está fazendo todo o possível e de que o estou ajudando com tudo que posso. Parece que é esforço. Parece que é progresso. Mas a melhoria real demandaria muito mais de nós dois. Você tem certeza de que a pessoa que está gritando para ser salva não decidiu mais de mil vezes aceitar o próprio lote de sofrimento inútil e agravante simplesmente porque é mais fácil do que aceitar qualquer responsabilidade real? Será que você está possibilitando uma desilusão? Será possível que seu desprezo seja mais salutar do que sua pena?

Ou talvez você não tenha planos genuínos ou de qualquer natureza para resgatar ninguém. Você está se associando com pessoas que são ruins para você não porque é melhor para alguém, mas porque é mais fácil. Você sabe disso. Seus amigos sabem disso. Vocês estão vinculados por um contrato tácito — objetivando o niilismo, o fracasso e o sofrimento do pior tipo. Vocês todos decidiram sacrificar o futuro pelo presente. Vocês não falam sobre isso. Vocês não se juntam e dizem: "Vamos escolher o caminho mais fácil. Vamos nos satisfazer com qualquer coisa que o momento trouxer. E vamos concordar, além disso, com não nos criticarmos por isso. Dessa forma, podemos esquecer mais facilmente o que estamos fazendo." Vocês não mencionam nada disso. Mas todos sabem o que de fato está acontecendo.

Antes de ajudar alguém, você deveria descobrir por que essa pessoa está com problemas. Você não deveria simplesmente presumir que ela é uma nobre vítima de exploração e circunstâncias injustas. Essa é a explicação mais improvável, e não o contrário. Em minha experiência — clínica e de outras áreas —, isso nunca foi simples assim. Além do mais, se você comprar a história de que tudo de terrível aconteceu do nada, sem a responsabilidade pessoal por parte da vítima, você nega a essa pessoa toda sua capacidade de ação no passado (e, por implicação, no presente e no futuro também). Dessa maneira, você a despe de todo o poder.

É muito mais provável que tal indivíduo apenas tenha decidido recusar o caminho para o topo por causa de sua dificuldade. Talvez essa devesse ser a suposição padrão ao se encontrarem situações assim. Isso é árduo demais, você pode pensar. Talvez você esteja certo. Talvez seja um passo muito grande. Mas observe que o fracasso é fácil de compreender. Não é necessária explicação alguma para sua existência. Do mesmo modo, medo, ódio, vício, promiscuidade, traição e trapaça não exigem nenhuma explicação. Não é a existência do vício, ou a indulgência com ele, que requer uma explicação. O vício é fácil. O fracasso, também. É mais fácil não carregar um fardo. É mais fácil não pensar, não fazer e não se importar. É mais fácil deixar para amanhã o que precisa ser feito hoje e afogar os próximos meses e anos nos prazeres baratos do hoje. Como o infame pai do clã dos Simpsons diz, imediatamente antes de engolir uma jarra de maionese com vodca: "Isso é um problema para o Homer do Futuro. Amigo, não invejo aquele cara!"[66]

Como posso saber que seu sofrimento não é um pedido para que eu sacrifique meus recursos só para que você possa momentaneamente impedir o inevitável? Talvez você já nem se importe mais com o colapso iminente, mas ainda não queira admitir. Talvez minha ajuda não retifique nada — não possa retificar nada —, porém mantém essa conscientização tão terrível e pessoal temporariamente afastada. Talvez sua miséria seja uma exigência imposta a mim para que eu falhe também, de modo que a distância que você tão dolorosamente sente existir entre nós possa ser reduzida enquanto você se degenera e afunda. Como posso saber se você se recusaria a jogar esse jogo? Como posso saber que eu mesmo não estou fingindo ser responsável enquanto estou inutilmente "ajudando" você, de modo que *eu* não tenha que fazer algo verdadeiramente difícil — e genuinamente possível?

Talvez sua miséria seja a arma que você brande em seu ódio por aqueles que conseguiram se erguer enquanto você esperava e afundava. Talvez sua miséria seja sua tentativa de provar a injustiça do mundo, e não uma evidência de seu próprio pecado, de sua própria falha, de sua recusa consciente em lutar e viver. Talvez sua disposição para sofrer pelo fracasso seja inexaurível, considerando-se o que você está tentando provar com esse sofrimento. Talvez seja sua vingança contra o Ser. Como, exatamente, eu deveria ser seu amigo quando você se encontra em um lugar assim? Como, exatamente, eu conseguiria?

Sucesso: esse é o mistério. Virtude: isso que é inexplicável. Para fracassar, basta cultivar alguns maus hábitos. Você só tem que esperar a sua vez. E, uma vez que alguém tenha passado tempo suficiente cultivando maus hábitos e esperando sua vez, estará muito enfraquecido. Muito daquilo que ele poderia ter sido já se dissipou, e muito do pouco em que se transformou é agora real. As coisas desmoronam por vontade própria, mas os pecados dos homens aceleram sua degeneração. E depois vem o dilúvio.

Não estou dizendo que não existe esperança de redenção. Mas é muito mais difícil tirar alguém de um precipício do que puxá-lo de uma vala. E alguns abismos são muito profundos. E não sobra muito do corpo lá embaixo.

Talvez eu devesse pelo menos esperar, antes de ajudá-lo, até que esteja claro que você quer ser ajudado. Carl Rogers, o famoso psicólogo humanista, acreditava que era impossível começar um relacionamento terapêutico se a pessoa que buscava ajuda não quisesse melhorar.[67] Rogers acreditava ser impossível convencer alguém a mudar para melhor. Pelo contrário, o desejo de melhorar era uma precondição para o progresso. Já atendi a pacientes que buscaram tratamento por decisão judicial. Eles não queriam minha ajuda. Foram forçados a procurá-la. Não funcionou. Era tudo uma farsa.

Se permaneço em um relacionamento destrutivo com você, talvez seja por ser pouco determinado e indeciso demais para sair, mas não queira admitir. Dessa forma, continuo ajudando você, e consolo a mim mesmo com meu martírio inútil. Talvez eu consiga então deduzir sobre mim mesmo: "Alguém que se sacrifica tanto assim, com tanta vontade de ajudar alguém... tem que ser uma pessoa boa." Não necessariamente. Pode apenas ser uma pessoa tentando aparentar ser boa ao fingir que resolve o que parece ser um problema difícil em vez de ser boa e resolver algo real, de fato.

Talvez em vez de continuar nossa amizade eu devesse apenas ir para outro lugar, organizar-me e liderar pelo exemplo.

E nada disso é uma justificativa para abandonar aqueles em real necessidade para ir em busca de sua ambição cega e estreita, se é que é preciso dizer isso.

UM ACORDO RECÍPROCO

Eis algo para se considerar: se você tem um amigo cuja amizade não recomendaria à sua irmã, ao seu pai ou filho, por que teria tal amizade para si mesmo? Talvez você diga: por lealdade. Bem, lealdade não é o mesmo que burrice. A lealdade deve ser negociada, justa e honestamente. A amizade é um acordo recíproco. Você não fica moralmente obrigado a ajudar alguém que está fazendo do mundo um lugar pior. Muito pelo contrário. Você deve escolher pessoas que queiram que as coisas melhorem, não piorem. É correto e louvável associar-se com pessoas cujas vidas seriam melhoradas se vissem sua vida melhorar.

Se você se cerca de pessoas que o ajudam a ter ambições maiores, elas não tolerarão seu cinismo e destrutividade. Pelo contrário, elas o encorajarão quando fizer algo bom por você mesmo e pelos outros, e o punirão diligentemente quando não o fizer. Isso o ajudará a reforçar sua resolução para fazer o que deve ser feito, do modo mais correto e cuidadoso. As pessoas que não almejam alto farão o oposto. Elas oferecerão um cigarro a um ex-fumante e uma cerveja a um ex-alcoólico. Sentirão inveja quando você alcançar o sucesso ou realizar algo virtuoso. Elas se afastarão ou deixarão de o apoiar, ou o punirão ativamente por causa disso. Elas farão pouco de sua conquista alardeando uma proeza do passado, real ou imaginária, delas mesmas. Talvez elas estejam tentando testar você para ver se sua resolução é real, para ver se você é genuíno. Mas, acima de tudo, elas o estão arrastando para baixo porque suas novas conquistas tornam os fracassos delas mais evidentes.

É por essa razão que todo bom exemplo é um desafio fatal e todo herói, um juiz. Davi, a grande escultura perfeita de Michelangelo, clama ao seu observador: "Você poderia ser mais do que você é." Quando ousa aspirar mais alto, você revela a inadequação do presente e a promessa do futuro. Então, você incomoda os outros, no fundo de suas almas, onde sabem que seu cinismo e imobilidade são injustificáveis. Você atua como Abel para o Caim deles. Você os lembra que eles pararam de se importar não por causa dos horrores da vida, que são inegáveis, mas porque não querem carregar o mundo em seus ombros, onde ele deve estar.

Não pense que é mais fácil se cercar de pessoas boas e saudáveis do que das más e prejudiciais. Não é. Uma pessoa boa e saudável é um ideal. É preciso força e ousadia para estar ao lado de uma pessoa assim. Tenha um pouco de humildade. Tenha um pouco de coragem. Use o seu juízo e proteja-se da compaixão e piedade totalmente desprovidas de senso crítico.

Seja amigo de pessoas que queiram o melhor para você.

REGRA 4

COMPARE A SI MESMO COM QUEM VOCÊ FOI ONTEM, NÃO COM QUEM OUTRA PESSOA É HOJE

O CRÍTICO INTERNO

ERA MAIS FÁCIL PARA AS PESSOAS serem boas em alguma coisa quando a maioria de nós morava em comunidades pequenas e rurais. Uma pessoa poderia ser a rainha do baile. Outra, a campeã do concurso de soletrar, a mestre em matemática ou a estrela do basquete. Havia apenas um ou dois mecânicos e poucos professores. Em cada um de seus domínios, esses heróis locais tinham a oportunidade de desfrutar da confiança carregada de serotonina que a vitória proporciona. Pode ser por esse motivo que as pessoas nascidas em cidades pequenas, estatisticamente, têm mais representantes que a média dentre os eminentes.[68] Hoje, se você é uma pessoa extraordinária, mas vem da moderna Nova York, há outros 20 como você — e a maioria de nós vive em grandes cidades agora. E, mais, tornamo-nos conectados digitalmente aos sete bilhões de pessoas do planeta. Nossas hierarquias de realização agora são de uma verticalidade vertiginosa.

Não importa o quanto você é bom em algo ou como classifica suas realizações, há alguém por aí que o faz parecer incompetente. Você é um bom guitarrista, mas não é o Jimmy Page ou o Jack White. É quase certo que não conseguirá arrasar nem mesmo no bar local. Você é um bom cozinheiro, mas há muitos grandes chefs. A receita de cabeça de peixe e arroz herdada de sua mãe, não importa o quão celebrada seja em sua vila de origem, não tem lugar nesses dias de espuma de grapefruit e sorvete de whisky e tabaco. Algum poderoso da Máfia tem um iate mais brega. Algum CEO obsessivo tem um relógio com um mecanismo mais complicado e que dá corda sozinho, guardado em uma caixa de carvalho e aço ainda mais valiosa. Até mesmo a atriz mais deslumbrante de Hollywood algum dia se transforma na Rainha Má, em uma vigilância eterna e paranoica pela próxima Branca de Neve. E você? Sua carreira é chata e sem propósito, suas habilidades com a manutenção da casa são de segunda categoria, seus gostos são assustadores, você é mais gordo do que seus amigos e todos têm pavor das suas festas. Quem se importa se você é o primeiro-ministro do Canadá quando outra pessoa é o presidente dos Estados Unidos?

Dentro de nós habitam uma voz e um espírito internos e críticos que sabem de tudo isso. São pré-programados para expor suas razões ruidosamente. Eles condenam nossos esforços medíocres. E podem ser muito difíceis de silenciar. O pior é que críticos desse tipo são necessários. Não faltam por aí artistas insossos, músicos desafinados, cozinheiros intragáveis, gerentes de segundo escalão com distúrbio de personalidade burocrática, romancistas charlatões e professores entediantes e guiados por ideologias. As coisas e as pessoas diferem de forma importante em suas qualidades. Músicas horríveis atormentam ouvintes em todos os lugares. Prédios mal projetados desmoronam em terremotos. Automóveis abaixo do padrão matam seus condutores em acidentes. O fracasso é o preço que pagamos por padrões e, uma vez que a mediocridade tem consequências desagradáveis reais, os padrões são necessários.

Não somos iguais em habilidades ou resultados, e nunca seremos. Um número bem pequeno de pessoas produz quase tudo. Os vencedores não levam tudo, mas quase, e a base não é um bom lugar para se estar.

As pessoas são infelizes na base. É lá que ficam doentes, e continuam desconhecidas e não amadas. É lá que desperdiçam suas vidas. É lá que morrem. Como consequência, a voz autodepreciativa nas mentes das pessoas tece um conto devastador. A vida é um jogo de soma zero. A inutilidade é a condição padrão. O que, senão uma cegueira deliberada, poderia proteger as pessoas de um criticismo devastador? É por tais razões que uma geração inteira de psicólogos sociais recomendou "ilusões positivas" como a única rota segura para a saúde mental.[69] Qual é a crença deles? Deixar que uma mentira seja seu guarda-chuva. Uma filosofia mais deprimente, miserável e pessimista dificilmente poderia ser imaginada; as coisas são tão terríveis que apenas a ilusão pode o salvar.

Eis uma abordagem alternativa (e uma que não precisa de ilusões). Se as cartas sempre estão contra você, talvez o jogo que está jogando seja armado (talvez por você, sem que se dê conta disso). Se a voz interna o faz duvidar do valor de suas empreitadas — de sua vida ou da própria vida —, talvez você devesse parar de ouvi-la. Se a voz crítica interior diz as mesmas coisas depreciativas sobre todos, não importa quão bem-sucedidos sejam, que nível de confiabilidade pode ter? Talvez seus comentários sejam tagarelice e não sabedoria. *Sempre haverá pessoas melhores do que você* — é um clichê do niilismo, como a frase: *Em um milhão de anos, quem vai saber a diferença?* A resposta correta a essa declaração não é: *Bem, então tudo é sem sentido.* A resposta é: *Qualquer idiota consegue escolher um período em que nada importa.* Tornar você mesmo irrelevante não é uma crítica profunda ao Ser. É um truque barato da mente racional.

MUITOS JOGOS BONS

Os padrões de melhor ou pior não são ilusórios ou desnecessários. Se você não tivesse decidido que aquilo que está fazendo agora é melhor do que as outras alternativas, não o estaria fazendo. A ideia de uma escolha sem atribuição de valor é uma contradição de termos. Os julgamentos de valor são uma precondição para a ação. Além do mais, toda atividade, uma vez escolhida, vem com os próprios padrões internos de realização. Se algo pode ser feito, então pode ser feito de forma melhor ou pior. Fazer qualquer coisa é, portanto, um jogo com um fim definido e valorado que sempre poderá ser alcançado com maiores ou menores eficiência e elegância. Todo jogo carrega em si suas chances de sucesso ou fracasso. Os diferenciais em qualidade são onipresentes. Além disso, se não houvesse melhor ou pior, não valeria a pena fazer nada. Não haveria valor e, portanto, não haveria significado. Por que se esforçar se nada seria melhorado? O significado em si exige a diferença entre melhor e pior. Como, então, a voz da autoconsciência crítica pode ser acalmada? Onde estão as falhas na lógica aparentemente impecável de sua mensagem?

Podemos começar por considerar as palavras em si, com seus sentidos demarcados demais: "sucesso" ou "fracasso". Ou você é um sucesso, algo abrangente, singular e bom como um todo, ou será seu oposto, um fracasso, algo abrangente, singular e irremissivelmente ruim. As palavras implicam que não há alternativa intermediária. No entanto, em um mundo tão complexo quanto o nosso, essas generalizações (na verdade, esse erro na diferenciação) são um sinal de uma análise ingênua, antiquada ou até malévola. Há graus e graduações vitais destruídas por esse sistema binário, e as consequências não são boas.

Para começar, não há apenas um jogo para vencer ou fracassar. Há muitos jogos e, mais especificamente, muitos jogos bons — que combinam com seus talentos, que o envolvem produtivamente com outras pessoas e que se mantêm ou até se aperfeiçoam ao longo do tempo. Advogado é um jogo bom. Assim como encanador, médico, carpinteiro ou professor de colégio. O mundo permite várias formas para o Ser. Se você não for bem-sucedido em uma, pode tentar outra. Pode escolher algo mais compatível com sua combinação única de forças, fraquezas e situação. Além disso, se mudar de jogo não funcionar, você pode inventar um jogo novo. Recentemente assisti a um show de talentos que exibia um mímico que tampou a bocha com uma fita e apresentou um número ridículo com luvas de cozinha. Isso foi inesperado. Isso foi original. Pareceu funcionar para ele.

Também é improvável que você esteja jogando apenas um jogo. Você tem uma carreira, amigos, membros da família, projetos pessoais, desafios artísticos e objetivos atléticos. Você deveria considerar julgar seu sucesso tendo em conta todos os jogos em que está envolvido. Imagine que você seja muito bom em alguns, mediano em outros e terrível no restante. Talvez seja assim que deva ser. Você pode alegar: eu deveria ganhar em tudo! Mas ganhar em tudo pode apenas significar que você não faz nada novo ou difícil. Você pode ganhar, mas não crescer, e crescer pode ser a forma mais importante de ganhar. Será que a vitória no presente sempre deveria ter precedência sobre a trajetória ao longo do tempo?

Finalmente, pode ser que você perceba que as especificidades dos vários jogos que está jogando são tão únicas para você, tão individuais, que uma comparação com os outros seja simplesmente inapropriada. Talvez você esteja valorizando demais aquilo que não tem e desvalorizando demais o que tem. Há uma utilidade real na gratidão. Ela também é uma proteção contra a vitimização e o ressentimento. Seu colega se sai melhor que você no trabalho. Porém, a esposa dele tem um caso, enquanto seu casamento é estável e feliz. Quem está ganhando? A celebridade que você admira é preconceituosa e uma motorista bêbada reincidente. A vida dela é realmente preferível à sua?

Quando seu crítico interno o põe para baixo usando tais comparações, ele opera da seguinte maneira: primeiro, seleciona um domínio de comparação arbitrário e singular (fama, talvez, ou poder). Depois, age como se esse domínio fosse o único relevante. Então, ele o compara desfavoravelmente a alguém realmente extraordinário dentro daquele domínio. Ele pode levar esse último passo ainda mais longe, usando o espaço intransponível entre você e seu alvo de comparação como evidência para a injustiça fundamental da vida. Dessa maneira, sua motivação para fazer qualquer coisa pode ser efetivamente minada. Aqueles que aceitam essa abordagem de autoavaliação certamente não podem ser acusados de facilitar as coisas para si mesmos. Mas dificultar demais também é um problema.

Quando ainda somos muito jovens, não somos nem individualizados nem informados. Não tivemos tempo nem conquistamos sabedoria para desenvolver os próprios padrões. Como consequência, devemos nos comparar com os outros, uma vez que os padrões são necessários. Sem eles, não há lugar aonde ir nem nada a fazer. Ao amadurecermos nos tornamos, em contraposição, cada vez mais individualizados e únicos. As condições da nossa vida tornam-se cada vez mais pessoais e menos comparáveis às dos outros. Simbolicamente falando, isso quer dizer que devemos deixar a casa governada pelo nosso pai e confrontar o caos do nosso Ser individual. Devemos perceber nossa desordem sem abandonar completamente aquele pai no processo. Devemos, então, redescobrir os valores da nossa cultura — ocultos de nós por nossa ignorância, escondidos no empoeirado tesouro do passado —, resgatar e integrá-los em nossa própria vida. Isso é o que dá o significado total e necessário à existência.

Quem é você? Você acha que sabe, mas talvez não saiba. Você não é, por exemplo, nem seu próprio mestre nem seu próprio escravo. Você não consegue dizer facilmente a si mesmo o que fazer e forçar sua própria obediência (mais do que consegue dizer facilmente ao seu marido, esposa, filho ou filha o que fazer e forçar que obedeçam). Você tem interesse em algumas coisas, e não em outras. Você consegue moldar esse interesse, mas há limites. Algumas atividades sempre o engajarão, e outras, simplesmente não.

Você tem uma natureza. Você pode fazer o papel do tirano, mas certamente se rebelará. Quão energicamente você consegue forçar a si mesmo a trabalhar e manter seu desejo de trabalhar? Quanto você consegue sacrificar ao seu parceiro antes que a generosidade se transforme em ressentimento? O que você ama, de verdade? O que você quer, genuinamente? Antes de poder articular seus próprios padrões de valor, você deve ver a si mesmo como um estranho — e, então, deve conhecer a si mesmo. O que você considera valoroso ou prazeroso? Quanto lazer, prazer e recompensa você requer para que se sinta mais do que uma besta de carga? Como deve tratar a si mesmo de modo que não mande tudo às favas? Você poderia se sacrificar na sua labuta diária e descontar a frustração chutando o cão ao chegar a casa. Poderia assistir aos dias preciosos passarem. Ou você poderia aprender como instigar a si mesmo a se engajar em uma atividade sustentável e produtiva. Você pergunta a si mesmo o que quer? Você negocia justamente consigo mesmo? Ou você é um tirano, tendo a si mesmo como escravo?

Quando você deixa de gostar dos seus pais, cônjuge ou dos seus filhos, e por quê? O que pode ser feito a respeito disso? O que você precisa e quer de seus amigos e de seus parceiros de negócios? Isso não é uma mera questão do que você *deveria* querer. Não estou falando do que as outras pessoas exigem de você, ou de seus deveres com elas. Estou falando sobre determinar a natureza de sua obrigação moral com você mesmo. *Deveria* pode fazer parte da equação, porque você está inserido em uma rede social de obrigações. *Deveria* é sua responsabilidade, e você a deveria cumprir. Mas isso não quer dizer que você deva assumir o papel de um cãozinho de colo, obediente e inofensivo. É assim que um ditador deseja que seus escravos sejam.

Ouse ser perigoso. Ouse ser verdadeiro. Ouse articular a si mesmo e expressar (ou pelo menos estar ciente) o que realmente justificaria sua vida. Se você permitisse, por exemplo, que seus desejos obscuros e inconfessáveis por seu parceiro se manifestassem — se estivesse ao menos disposto a considerá-los —, pode ser que descobrisse que eles não são tão obscuros assim à luz do dia. Pode ser que você descubra que estava apenas temeroso e, assim, fingindo ser moral. Pode ser que você descubra que conseguir o que realmente deseja o impediria de ser tentado e se desviar. Você está tão certo assim de que seu parceiro ficaria infeliz se mais de você viesse à superfície? A mulher fatal e o anti-herói são sexualmente atraentes por uma razão...

Como você precisa que as pessoas falem com você? O que precisa obter das pessoas? O que está tolerando ou fingindo gostar entre seus deveres e obrigações? Consulte seu ressentimento. É uma emoção reveladora, apesar de sua patologia. É parte de uma tríade do mal: arrogância, falsidade e ressentimento. Nada causa mais danos do que essa Trindade do submundo. Mas o ressentimento sempre significa uma entre duas coisas. Ou a pessoa ressentida é imatura, e nesse caso deveria calar a boca, parar de se lamentar e seguir em frente, ou há uma tirania em progresso — e nesse caso a pessoa subjugada tem uma obrigação moral de não se calar. Por quê? Porque a consequência do silêncio é pior. Claro, é mais fácil no momento ficar quieto e evitar o conflito. Mas em longo prazo isso é mortal. Quando você tem algo a dizer, o segredo é uma mentira — e a tirania alimenta-se de mentiras. Quando você deveria rechaçar a opressão a despeito do perigo? Quando você começa a nutrir fantasias secretas de vingança; quando sua vida está sendo envenenada e sua imaginação se inunda de desejo de devorar e destruir.

Tive um paciente décadas atrás que sofria de transtorno obsessivo-compulsivo severo. Ele tinha que alinhar seu pijama para conseguir se deitar. Então, tinha que afofar seu travesseiro. Depois, tinha que ajustar os lençóis. Isso muitas e muitas vezes. Eu lhe disse: "Talvez aquela parte de você, aquela insanamente persistente, queira algo, embora não consiga expressar. Deixe ela falar. O que poderia ser?" Ele respondeu: "Controle." Eu disse: "Feche seus olhos e deixe ela dizer o que quer. Não deixe que o medo o interrompa. Você não precisa colocar em prática só porque está pensando nisso." Ele se abriu: "Ela quer que eu pegue meu padrasto pelo pescoço, coloque-o contra a porta e o sacuda como um rato." Talvez fosse a hora de sacudir alguém como um rato, embora eu tenha sugerido algo um pouco menos primitivo. Mas só Deus sabe quais batalhas devem ser travadas, direta e voluntariamente, no caminho para a paz. O que você faz para evitar o conflito, por mais necessário que ele possa ser? Você tem uma inclinação para mentir sobre o quê, presumindo que a verdade possa ser insuportável? Sobre o que você está fingindo?

Os bebês são dependentes de seus pais para quase tudo do que precisam. A criança — a bem-sucedida — pode deixar os pais, pelo menos temporariamente, e fazer amigos. Ela desiste um pouco dela mesma para conseguir isso, mas ganha muito em troca. O adolescente bem-sucedido deve levar esse processo à conclusão lógica. Ele tem de deixar seus pais e tornar-se igual a todos os outros. Ele tem que se integrar ao grupo para que possa transcender a dependência de sua infância. Uma vez integrado, o adulto bem-sucedido deve então aprender a ser diferente, na medida exata, de todos os outros.

Tenha cuidado ao se comparar com os outros. Você é um ser singular uma vez que seja adulto. Você tem os próprios problemas particulares e específicos — financeiros, íntimos, psicológicos e de outros tipos. Eles estão incorporados ao contexto mais amplo e único de sua existência. Sua carreira ou seu trabalho funcionam para você de modo pessoal ou não, e isso acontece através de uma interação única com as outras especificidades de sua vida. Você deve decidir o quanto do seu tempo é gasto nisso e quanto naquilo. Você deve decidir o que deve ser deixado de lado e o que deve ser buscado.

O FOCO DOS NOSSOS OLHOS (OU FAÇA UM BALANÇO)

Nossos olhos estão sempre focando as coisas nas quais estamos interessados em nos aproximar, investigar, procurar ou ter. Devemos ver, mas, para ver, devemos focar; assim, estamos sempre focando algo. Nossas mentes estão construídas sobre as plataformas de caça e coleta dos nossos corpos. Caçar é especificar um alvo, rastreá-lo e se lançar contra ele. Coletar é especificar e agarrar. Lançamos pedras, lanças e bumerangues. Arremessamos bolas em aros, batemos na bola em direção da rede e lançamos pedras de granito pelo gelo nos alvos horizontais do curling. Lançamos projéteis nos alvos através de arcos, armas, rifles e foguetes. Vomitamos insultos, lançamos planos e vendemos ideias. Somos bem-sucedidos quando marcamos um gol ou atingimos o alvo. Falhamos, ou pecamos, quando não conseguimos (uma vez que a palavra *pecado* significa errar o alvo[70]). Não conseguimos navegar sem focar algum lugar e, enquanto estamos nesse mundo, devemos sempre navegar.[71]

Estamos sempre, e simultaneamente, *no* ponto "a" (que é menos desejável do que poderia ser), *movendo-nos em direção* ao ponto "b" (que julgamos ser melhor, de acordo com nossos valores explícitos e implícitos). Sempre encontramos o mundo em um estado de insuficiência e buscamos sua correção. Podemos imaginar novas formas como as coisas poderiam ser colocadas em ordem e melhoradas, mesmo se tivermos tudo que achamos que precisamos. Mesmo quando temporariamente satisfeitos, permanecemos curiosos. Vivemos dentro de uma estrutura que define o presente como eternamente deficiente e o futuro, eternamente melhor. Se não víssemos as coisas dessa maneira, não agiríamos de forma alguma. Não conseguiríamos nem mesmo ver, porque para ver devemos focar, o que exige escolher uma coisa entre todas as outras.

Mas conseguimos ver. Conseguimos até ver coisas que não estão lá. Podemos prever novas formas como as coisas poderiam ser melhores. Podemos construir novos mundos hipotéticos, em que os problemas que nem sabíamos que existiam podem surgir e ser enfrentados. As vantagens disso são óbvias: podemos mudar o mundo para que o estado intolerável do presente seja retificado no futuro. A desvantagem de toda essa previsão e criatividade é a inquietação crônica e o desconforto.

Uma vez que sempre contrastamos o que é com o que poderia ser, temos de focar o que poderia ser. Mas podemos direcionar nosso foco alto demais. Ou baixo demais. Ou caoticamente demais. Então falhamos e vivemos em desapontamento mesmo quando, para os outros, parecemos viver bem. Como podemos nos beneficiar de nossa criatividade e capacidade de melhorar o futuro sem rebaixar continuamente nossa vida atual, insuficientemente bem-sucedida e inútil?

Talvez o primeiro passo seja fazer um balanço. Quem é você? Quando compra uma casa e se prepara para viver nela, você contrata um avaliador para listar todos os problemas — como a casa está na realidade, agora, não como você gostaria que estivesse. Você vai até mesmo pagar esse profissional pelas más notícias. Você precisa saber. Precisa descobrir as falhas escondidas da casa. Precisa saber se são imperfeições estéticas ou problemas estruturais. Você precisa saber porque não é possível consertar algo se não souber que está quebrado — e você está quebrado. Você precisa de um avaliador. O crítico interno — ele poderia desempenhar esse papel, se você conseguisse o colocar no rumo; se você e ele pudessem cooperar. Ele poderia ajudá-lo a fazer um balanço. Mas você tem que caminhar pela sua casa psicológica com ele e escutar sensatamente o que ele diz. Talvez você seja o sonho de um faz-tudo, uma casa em total necessidade de reparos. Como você pode começar sua reforma sem ficar desmoralizado, até mesmo arrasado, pelo relatório longo e doloroso do seu crítico interno sobre suas inadequações?

Vou dar uma dica. O futuro é como o passado. Mas há uma diferença crucial. O passado é fixo, mas o futuro... pode ser melhor. Pode ser melhor em uma quantidade precisa — a que pode ser alcançada, talvez, em um dia, com algum engajamento mínimo. O presente é eternamente falho. Mas onde você começa pode não ser tão importante quanto a direção para onde está indo. *Talvez a felicidade será sempre encontrada na jornada morro acima, e não na sensação passageira de satisfação aguardando no próximo pico.* Grande parte da felicidade é esperança, não importa a profundidade do submundo no qual essa esperança fora concebida.

Se invocado corretamente, o crítico interno vai sugerir algo para ser arrumado, que você *poderia* arrumar, que você *arrumaria* — voluntariamente, sem ressentimentos, até com prazer. Pergunte a si mesmo: existe uma coisa que esteja em desarranjo em sua vida ou situação que você poderia e arrumaria? Você poderia e de fato consertaria essa coisa que se anuncia humildemente em necessidade de reparo? Você poderia fazer isso agora? Imagine que você seja alguém com quem deve negociar. Imagine, além disso, que você seja preguiçoso, irritável, ressentido e difícil de se relacionar. Com essa atitude, não será fácil fazer com que caminhe adiante. Pode ser que você tenha que usar um pouco de charme e graça. "Com licença", pode dizer a si mesmo, sem ironia ou sarcasmo. "Estou tentando reduzir um pouco do sofrimento desnecessário por aqui. Um pouco de ajuda cairia bem." Deixe a zombaria de lado. "Estou pensando, não haveria algo que você estivesse disposto a fazer? Ficaria muito agradecido por seus préstimos." Pergunte honestamente e com humildade. Não é fácil fazer isso.

Pode ser que você tenha que negociar mais, dependendo do seu estado de espírito. Talvez, você não confie em si mesmo. Você pensa que vai pedir algo a si mesmo e, após receber, vai imediatamente exigir mais. E você será punitivo e vingativo. E vai esnobar o que já foi oferecido. Quem gostaria de trabalhar com um tirano assim? Você não gostaria. É por isso que não faz o que você mesmo quer fazer. Você é um mau funcionário — mas um chefe pior ainda. Talvez, precise dizer a si mesmo: "Ok. Sei que não nos demos muito bem no passado. Sinto muito por isso. Estou tentando melhorar. Provavelmente cometerei mais erros pelo caminho, mas tentarei ouvir se você reclamar. Tentarei aprender. Percebi, somente agora, hoje, que você não estava tão ávido para me ajudar quando pedi. Há algo que eu poderia oferecer em troca da sua cooperação? Talvez, se você lavasse a louça, poderíamos sair para um café. Você gosta de expresso. Que tal um expresso — talvez um duplo? Ou quer alguma outra coisa?" Então você poderia escutar. Talvez ouça uma voz interna (talvez seja até a voz de uma criança há tempos perdida). Talvez ela responda: "Sério? Você realmente quer fazer algo bom para mim? Você vai fazer isso mesmo? Não é um truque?"

É aqui que você deve tomar cuidado.

Aquela vozinha — essa é a voz como a do gato escaldado que tem medo de água fria. Então você poderia dizer com muito cuidado: "Sério. Posso não fazer isso muito bem e posso não ser uma ótima companhia, mas farei algo bom para você. Prometo." Um pouco de bondade e atenção nos levam longe, e a recompensa sensata é um fator poderoso de motivação. Então você poderia pegar pela mão aquele pedacinho de você mesmo e lavar a porcaria da louça. E depois é melhor não ir limpar o banheiro e se esquecer daquele café, filme ou cerveja, se não será ainda mais difícil invocar essas partes esquecidas de si mesmo de seus esconderijos no submundo.

Você poderia se perguntar: "O que eu poderia dizer a outra pessoa — meu amigo, irmão, chefe, assistente — que tornaria as coisas um pouco melhores entre nós amanhã? Qual pedacinho do caos eu posso erradicar em casa, na minha mesa, na minha cozinha, hoje, para que o palco esteja preparado para um espetáculo melhor? Quais serpentes posso banir do meu guarda-roupa — e da minha mente?" Quinhentas pequenas decisões, quinhentas ações minúsculas compõem seu dia, hoje e sempre. Você seria capaz de focar uma ou duas dessas para um resultado melhor? Melhor, na sua opinião particular, pelos próprios padrões individuais? Você seria capaz de comparar seu amanhã pessoal específico com seu ontem pessoal específico? Você seria capaz de usar o próprio julgamento e perguntar a si mesmo o que esse amanhã melhor pode ser?

Foque algo pequeno. Não é bom ter que arcar com coisas demais logo no começo, considerando seus talentos limitados, sua tendência a enganar, o fardo do seu ressentimento e sua capacidade de fugir da responsabilidade. Assim, você determina o seguinte objetivo: no fim do dia, quero que as coisas na minha vida estejam um pouquinho melhores do que estavam essa manhã. Depois, você pergunta a si mesmo: "O que eu poderia fazer, e que eu realmente faria, que realizaria isso, e de que pequeno prêmio eu gostaria como recompensa?" Então você faz o que decidiu fazer, mesmo que faça mal. Daí, você se dá a porcaria do café, em triunfo. Talvez, você se sinta meio tolo com isso, mas faça mesmo assim. E você repete isso amanhã, e depois, e depois. E, a cada dia, sua base de comparação fica um pouco mais alta, e isso é mágico. São juros compostos. Faça isso durante três anos e sua vida será inteiramente diferente. Agora, você está direcionando seu foco para algo mais alto. Agora, você está fazendo pedidos às estrelas. Agora, a viga está desaparecendo do seu olho e você, aprendendo a ver. E onde você foca determina o que vê. Vale a pena repetir. *Onde você foca determina o que vê.*

O QUE VOCÊ QUER E O QUE VOCÊ VÊ

A dependência que a visão tem do foco (e, portanto, do valor — porque você foca aquilo que valoriza) foi demonstrada de forma inesquecível pelo psicólogo cognitivo Daniel Simons mais de 15 anos atrás.[72] Simons estava investigando algo denominado "cegueira por desatenção". Ele fez com que as pessoas que participavam da pesquisa se sentassem em frente do monitor que mostrava, por exemplo, um campo de trigo. Então ele transformava a foto lenta e discretamente, enquanto assistiam. Lenta e gradualmente aparecia uma estrada passando pelo trigo. Ele não inseria uma pequena trilha difícil de ser vista. Era uma trilha grande ocupando um bom terço da imagem. De forma extraordinária, os observadores frequentemente não percebiam.

A demonstração que tornou o Dr. Simons famoso foi do mesmo tipo, só que mais dramática — até inacreditável. Primeiro, ele produziu um vídeo de dois times com três pessoas cada.[73] Um time usava camisetas brancas e o outro, pretas. (E os dois times não estavam distantes nem de qualquer modo difíceis de serem vistos. Aquelas seis pessoas preenchiam quase toda a tela da TV e suas características faciais podiam ser vistas claramente.) Cada time tinha a própria bola, que quicava ou arremessava entre os membros da equipe enquanto se movia e fazia fintas no espaço pequeno, em frente aos elevadores, em que o jogo foi filmado. Com o vídeo pronto, Dan mostrou-o para os participantes do seu estudo. Ele pediu que cada um contasse quantas vezes o time de camisetas brancas lançava a bola entre ele. Após alguns minutos, foi pedido aos participantes que dissessem o número de passes. A maioria respondeu "15". Era a resposta correta. A maioria se sentiu bem com isso. Ah! Eles passaram no teste! Mas o Dr. Simons perguntou: "Vocês viram o gorila?"

Isso foi uma piada? Que gorila?

Então ele disse: "Assistam ao vídeo novamente. Mas, dessa vez, não contem." Obviamente, após um minuto e pouco, um homem vestido de gorila entra bem no meio do jogo por alguns longos segundos, para e bate no peito daquela forma estereotipada. Bem no meio da tela. Grande como a vida. Dolorosa e irrefutavelmente evidente. Mas um em cada dois participantes da pesquisa não o tinha percebido na primeira vez que viu o vídeo. E fica pior. Dr. Simons fez outro estudo. Dessa vez, mostrou aos participantes um vídeo de alguém sendo servido em um balcão. O garçom abaixa atrás do balcão para pegar algo e levanta-se novamente. E daí? A maioria dos participantes não detecta nada faltando. Mas era uma pessoa diferente que se levantou no lugar do garçom original! "Não pode ser", talvez você pense. "Eu perceberia." Mas pode ser sim. Há uma grande probabilidade de que você não percebesse a mudança mesmo que a pessoa fosse de outro gênero ou raça. Você é cego também.

Isso acontece em parte porque a visão é cara — psicofisiologicamente cara; neurologicamente cara. Muito pouco da sua retina é fóvea de alta resolução — a parte bem central do olho, de alta resolução, usada para coisas como identificar rostos. Cada uma das escassas células fóveas precisa de 10 mil células no córtex visual apenas para lidar com a primeira parte dos múltiplos estágios de processamento da visão.[74] Então, cada uma daquelas 10 mil precisa de mais 10 mil apenas para chegar ao estágio dois. Se toda a sua retina fosse fóvea, você precisaria do crânio de um ET daqueles filmes de segunda categoria para abrigar seu cérebro. Em consequência disso, fazemos uma triagem ao enxergar. A maior parte da nossa visão é periférica e de baixa resolução. Guardamos a fóvea para coisas mais importantes. Direcionamos nossas capacidades de alta resolução para as poucas coisas que focamos. E deixamos que todo o resto — que é quase tudo — desapareça despercebidamente no plano de fundo.

Se algo ao qual você não está prestando atenção levanta seu cabeção feio de forma que interfira diretamente em sua atividade atual estreitamente focada, você o verá. Caso contrário, aquilo simplesmente não está ali. A bola na qual os participantes da pesquisa de Simon estavam focados nunca foi encoberta pelo gorila ou por qualquer um dos seis jogadores. Por causa disso — porque o gorila não interferiu na tarefa contínua e estreitamente definida —, ele ficou indistinguível de tudo mais que os participantes não viam quando estavam olhando para a bola. Aquele macaco grande podia ser ignorado com segurança. É assim que você lida com a imensa complexidade do mundo: você a ignora enquanto se concentra minuciosamente nos seus assuntos particulares. Você vê as coisas que facilitam seu movimento adiante em direção aos seus objetivos desejados. Você detecta obstáculos quando eles aparecem no seu caminho. Você é cego com relação a todo o resto (e todo o resto é muita coisa — então você é muito cego). E tem que ser assim, porque o mundo é muito maior do que você. Você deve guiar cuidadosamente seus recursos limitados. Ver é muito difícil, então você deve escolher o que ver e abrir mão do resto.

Há uma ideia profunda nos antigos textos Vedas (as escrituras mais antigas do hinduísmo e parte do fundamento da cultura indiana): o mundo, como é percebido, é *maya* — aparência ou ilusão. Isso significa, em parte, que as pessoas são cegadas pelos seus desejos (assim como meramente incapazes de ver as coisas como verdadeiramente são). Isso é verdadeiro em um sentido que transcende o metafórico. Seus olhos são ferramentas. Eles estão aí para o ajudar a conseguir o que quer. O preço que você paga por essa utilidade, essa direção específica e focada, é a cegueira para todo o resto. Isso não importa muito quando as coisas vão bem e conseguimos o que queremos (embora possa ser um problema, mesmo assim, porque conseguir o que queremos no momento pode nos deixar cegos para causas mais nobres). Mas todo aquele mundo ignorado apresenta um problema terrível quando estamos em crise e nada acontece do jeito que queríamos. Felizmente, no entanto, esse problema contém em si mesmo as sementes para a própria solução. Uma vez que você ignorou tantas coisas, restam muitas possibilidades para as quais ainda não olhou.

Imagine que você esteja infeliz. Você não está conseguindo o que precisa. Ironicamente, isso pode se dar em razão do que você quer. Você está cego por causa do seu desejo. Talvez aquilo de que realmente precisa esteja bem na frente dos seus olhos, mas você não consegue ver por causa do que tem em foco no momento. E isso nos leva para outro fator: o preço que deve ser pago antes que você, ou qualquer um, consiga o que quer (ou, melhor ainda, o que precisa). Pense nisso desta forma. Você olha para o mundo da sua maneira idiossincrática e particular. Usa um conjunto de ferramentas para enquadrar algumas coisas e excluir a maioria. Você gastou muito tempo construindo essas ferramentas. Elas se tornaram habituais. Não são meros pensamentos abstratos. Estão incorporadas em você. Elas o orientam no mundo. São seus valores mais profundos, geralmente implícitos e inconscientes.

Elas se tornaram parte de sua estrutura biológica. Estão vivas. E não querem desaparecer, transformar-se ou morrer. Mas, às vezes, a hora delas chegou e novas coisas precisam nascer. Por esse motivo (embora não apenas por ele) é necessário abrir mão de algumas coisas durante a jornada morro acima. Se as coisas não estão indo bem para você — pode ser porque, como diz o mais cínico dos aforismos, a vida é uma droga, e depois você morre. Antes que sua crise o leve a essa conclusão horrível, você poderia considerar o seguinte: *a vida não tem o problema. Você tem.* Pelo menos, essa percepção o deixa com algumas possibilidades. Se sua vida não está indo bem, talvez seja seu conhecimento atual que é insuficiente, não a vida em si. Talvez sua estrutura de valor precise ser seriamente reequipada. Talvez o que você quer o esteja cegando para qualquer outra coisa. Talvez você esteja se apegando tão fortemente aos seus desejos no presente que não consegue ver nada mais — mesmo aquilo que de fato precisa.

Imagine que você invejosamente pense: "Eu deveria ter o trabalho do meu chefe." Se ele permanecer em seu posto de forma teimosa e competente, pensamentos assim levarão você a um estado de irritação, infelicidade e repulsa. Pode ser que você perceba isso. Você pensa: "Estou infeliz. Porém, eu poderia ser curado dessa infelicidade se conseguisse simplesmente realizar minha ambição." Então você pode pensar mais além. "Espere", você pensa. "Talvez eu não esteja infeliz porque não tenho o trabalho do meu chefe. Talvez esteja porque não consigo parar de querer esse trabalho." Isso não significa que você consegue simples e magicamente dizer a si mesmo para parar de querer aquele trabalho e depois se escuta e se transforma. Você não vai — não consegue, de fato — simplesmente mudar a si mesmo fácil assim. Você tem de cavar mais fundo. Deve mudar mais profundamente o que está buscando.

Então você pode pensar: "Não sei o que fazer com esse sofrimento idiota. Não posso simplesmente abandonar minhas ambições. Isso me deixaria sem ter para onde ir. Mas minha vontade por um trabalho que não posso ter não está funcionando." Pode ser que você decida pegar um caminho diferente. Você pode optar pela revelação de um plano diferente: um que realizasse seus desejos e gratificasse suas ambições em um sentido real, e que removeria a amargura e o ressentimento de sua vida, que o afetam nesse momento. Você pode pensar: "Farei um plano diferente. Vou tentar querer aquilo *que faria minha vida melhor* — o que quer que isso seja — e vou começar a trabalhar nisso agora. Se isso significar algo diferente do que tentar pegar o trabalho do meu chefe, vou aceitar e seguir em frente."

Agora você está em um tipo totalmente diferente de trajetória. Antes, o que era certo, desejável e que valia a pena buscar era algo limitado e concreto. Mas você ficou preso lá, encurralado e infeliz. Então, você abre mão. Você faz o sacrifício necessário e permite que um mundo de possibilidades completamente novo, que estava escondido de você pela sua ambição prévia, revele-se. E há muitas coisas nele. Como seria sua vida *se ela fosse melhor?* Como a Própria Vida seria? O que de fato quer dizer "melhor"? Você não sabe. E não importa que não saiba exatamente nesse momento, porque você vai começar a ver o que é "melhor" aos poucos, uma vez que verdadeiramente decida que é isso o que quer. Você vai começar a perceber o que havia ficado escondido de você pelas suas pressuposições e preconceitos — pelos mecanismos prévios de sua visão. Você começará a aprender.

Porém, isso só funcionará se você genuinamente quiser que sua vida melhore. Você não consegue enganar suas estruturas perceptivas implícitas. Nem um pouco. Elas focam onde você as direciona. Para reequipar, fazer um balanço e focar algo melhor, você tem que pensar cuidadosamente do começo ao fim. Tem que esquadrinhar sua psique. Tem que limpar a porcaria toda. E deve ter cuidado, porque tornar sua vida melhor significa assumir muitas responsabilidades e isso requer mais esforço e cuidado do que viver estupidamente na dor e continuar sendo arrogante, desonesto e ressentido.

E se, na realidade, o mundo revelasse sua bondade na exata proporção do seu desejo pelo melhor? E se quanto mais seu conceito de melhor for elevado, expandido e sofisticado mais você puder perceber possibilidades e benefícios? Isso não quer dizer que você pode ter o que quer apenas por desejá-lo, que tudo é interpretação ou que a realidade não existe. O mundo ainda está aí, com suas estruturas e limites. Ao mover-se com o mundo, ele coopera ou objeta. Mas você pode dançar com ele se focar a dança — e talvez possa até conduzi-la, se tiver habilidade e graça suficientes. Isso não é teologia. Não é misticismo. É conhecimento empírico. Aqui não há nada de mágica — ou nada além do que a já presente magia da consciência. Apenas vemos aquilo que focamos. O resto do mundo (e essa é a maior parte) está escondido. Se começarmos a focar algo diferente — algo do tipo "Quero que minha vida seja melhor" —, nossa mente começará a nos apresentar novas informações, derivadas do mundo previamente escondido, para nos ajudar naquilo que buscamos. Então poderemos usar essa informação e nos mover, agir, observar e melhorar. E, após fazer isso, após melhorar, podemos buscar coisas diferentes ou mais elevadas — coisas do tipo: "Quero qualquer coisa melhor do que apenas minha vida estar melhor." Assim, entraremos em uma realidade mais elevada e completa.

Nesse lugar, o que podemos focar? O que podemos ver?

Pense nisso dessa forma. Comece com a observação que, de fato, desejamos coisas — e até mesmo precisamos delas. É a natureza humana. Compartilhamos as experiências de fome, solidão, sede, desejo sexual, agressão, medo e dor. Essas coisas são elementos do Ser — elementos primordiais e axiomáticos do Ser. Mas devemos escolher e organizar esses desejos primordiais, porque o mundo é um lugar complexo e obstinadamente real. Não podemos apenas selecionar uma coisa em particular que queremos especialmente agora, junto com todo o restante que geralmente queremos, porque nossos desejos podem produzir um conflito com nossos outros desejos, assim como com os das outras pessoas e com o mundo. Dessa forma, devemos nos tornar conscientes dos nossos desejos e os articular, priorizar e organizar em hierarquias. Isso os torna sofisticados. Isso os faz trabalharem uns com os outros, com os desejos das outras pessoas e com o mundo. É dessa forma que nossos desejos elevam a si mesmos. É dessa forma que organizam a si mesmos em valores e se tornam morais. Nossos valores, nossa moralidade — são indicadores de nossa sofisticação.

O estudo filosófico da moralidade — do certo e errado — é a ética. Esse estudo pode nos tornar mais sofisticados em nossas escolhas. No entanto, ainda mais antiga e profunda do que a ética é a religião. Ela se preocupa não com o (meramente) certo e errado, mas com os próprios bem e mal — os arquétipos de certo e errado. A religião se preocupa com o domínio do valor, o valor supremo. Esse não é o domínio científico. Não é o território da descrição empírica. As pessoas que escreveram e editaram a Bíblia, por exemplo, não eram cientistas. Não poderiam ter sido cientistas, mesmo se tivessem pretendido. Os pontos de vista, métodos e práticas da ciência ainda não haviam sido formulados quando a Bíblia foi escrita.

Pelo contrário, a religião trata de *comportamento correto*. Trata do que Platão nomeou de "o Bem". Um genuíno acólito religioso não tenta formular ideias precisas sobre a natureza objetiva do mundo (embora possa tentar isso também). Em vez disso, ele luta para ser uma "pessoa boa". Pode ser que para ele "boa" signifique apenas "obediente" — mesmo cegamente obediente. Daí, temos a objeção do iluminismo clássico e liberal do Ocidente contra a crença religiosa: a obediência não é suficiente. Mas ao menos é um começo (e nos esquecemos disso): *Você não consegue focar nada se for completamente indisciplinado e ignorante.* Você não saberá o que escolher como alvo e não voará em linha reta, mesmo que de alguma forma tenha focado corretamente. E, depois, vai concluir: "Não há nada que focar." Então, você estará perdido.

É, portanto, necessário e desejável que as religiões tenham um elemento dogmático. O que há de bom em um sistema de valores que não fornece uma estrutura estável? O que há de bom em um sistema de valores que não aponta o caminho para uma ordem superior? E como é possível que você seja bom se não internaliza essa estrutura — seja porque não quer, ou porque não consegue — ou aceita essa ordem — não como um destino final, necessariamente, mas ao menos como um ponto de partida? Sem isso, você não é nada além de um adulto com dois anos, sem o mesmo charme ou potencial da criança. Isso não significa dizer (repito) que a obediência é suficiente. Mas uma pessoa capaz de obedecer — uma pessoa disciplinada da maneira correta, por assim dizer — é, pelo menos, uma ferramenta bem desenvolvida. Pelo menos isso (e já é alguma coisa). Claro, precisa haver visão além da disciplina; além do dogma. Uma ferramenta ainda necessita de um propósito. É por esse motivo que Cristo disse, no Evangelho de Tomé: "O Reino do Pai está disperso pela terra e os homens não o veem."[75]

Isso significa que o que vemos depende de nossas crenças religiosas? Sim! E o que não vemos também! Você pode objetar: "Mas sou ateu." Não, você *não* é (e se quiser entender isso poderá ler *Crime e Castigo*, de Dostoiévski, talvez o maior romance já escrito, no qual o personagem principal, Raskólnikov, decide levar seu ateísmo com uma seriedade verdadeira, comete o que ele racionalizou como um assassinato benevolente e paga o preço). Você simplesmente não é um ateu em suas ações, e são elas que refletem mais acuradamente suas crenças profundas — aquelas que estão implícitas, incorporadas no seu ser, sob suas apreensões conscientes e suas atitudes exprimíveis no nível da superfície de seu autoconhecimento. Você só consegue descobrir no que de fato acredita (em vez do que pensa que acredita) ao observar suas ações. Você simplesmente não sabe no que acredita antes disso. Você é complexo demais para entender a si mesmo.

São necessárias observação, educação, reflexão e comunicação cuidadosas com os outros apenas para arranhar a superfície de suas crenças. Tudo aquilo que você valoriza é um produto de processos de desenvolvimento pessoal, cultural e biológico inimaginavelmente demorados. Você não entende como o que quer — e, portanto, o que vê está condicionado pelo passado imenso, abissal e profundo. Você simplesmente não entende como cada circuito neural através do qual você enxerga o mundo foi moldado (dolorosamente) pelas buscas éticas de milhões de anos de ancestrais humanos e por toda a vida que foi vivida nos bilhões de anos antes disso.

Você não entende nada.

Você nem sabia que estava cego.

Parte do conhecimento das nossas crenças foi documentada. Temos observado a nós mesmos agir, refletir sobre o que observamos e contar histórias destiladas através dessa reflexão durante dezenas e, talvez, centenas de milhares de anos. Isso é tudo parte de nossas tentativas individuais e coletivas de descobrir e articular no que é que acreditamos. Parte do conhecimento gerado dessa forma é o que está encapsulado nos ensinamentos fundamentais de nossas culturas, em escritos antigos como o Tao Te Ching, nas já mencionadas escrituras Vedas ou nas histórias bíblicas. A Bíblia é, para o bem ou para o mal, o documento fundador da civilização ocidental (dos valores ocidentais, da moralidade ocidental e das concepções ocidentais de bem e mal). É o produto de processos que permanecem fundamentalmente além de nossa compreensão. A Bíblia é uma biblioteca composta de vários livros, cada um tendo sido escrito e editado por muitas pessoas. É um documento verdadeiramente emergente — uma história selecionada, sequenciada e finalmente coerente escrita por ninguém e por todos ao longo de milhares de anos. A Bíblia foi trazida à tona, das profundezas, pela imaginação humana coletiva, que por si só é o produto de forças inimagináveis operando através de períodos inimagináveis de tempo. Seu estudo cuidadoso e respeitoso pode nos revelar coisas sobre o que acreditamos e sobre como agimos e deveríamos agir que não poderiam ser descobertas de quase nenhuma outra maneira.

O DEUS DO ANTIGO E O DO NOVO TESTAMENTO

O Deus do Antigo Testamento pode parecer implacável, crítico, impre-visível e perigoso, especialmente em uma leitura superficial. O grau de verdade nisso pode ter sido exagerado pelo intento dos comentaristas cristãos em magnificar a distinção entre a divisão antiga e a nova da Bíblia. Porém, houve um preço pago por isso, por essa trama (e com isso me refiro aos dois sentidos da palavra): a tendência das pessoas modernas em pensarem, ao serem confrontadas com Jeová: "Eu nunca acreditaria em um Deus assim." Mas o Deus do Antigo Testamento não se importa muito com o que as pessoas modernas pensam. Fre-quentemente Ele não se importava com o que as pessoas do Antigo Testamento pensavam também (embora pudessem barganhar com Ele a um nível surpreendente, como fica particularmente evidente nas histórias abraâmicas). Mesmo assim, quando Seu povo se desviou do caminho — quando desobedeceram a Suas injunções, violaram Seus pactos e quebraram Seus mandamentos —, problemas certamente sur-giram. Se você não fizesse o que o Deus do Antigo Testamento exigisse — independentemente do que fosse, e não importava o quanto tentasse se esconder disso —, você, seus filhos e os filhos dos seus filhos esta-riam em terríveis e sérios apuros.

Foram os realistas que criaram, ou perceberam, o Deus do Antigo Testamento. Quando os habitantes daquelas sociedades antigas vaga-vam despreocupadamente pelo caminho errado, acabavam escraviza-dos e miseráveis — às vezes por séculos —, quando não eram total-mente obliterados. Seria isso sensato? Seria justo? Os autores do Antigo

Testamento fizeram essas perguntas com um cuidado extremo e sob circunstâncias bem limitadas. Eles presumiram que o Criador do Ser sabia o que estava fazendo, que todo o poder era essencialmente d'Ele e que Suas ordens deveriam ser cuidadosamente seguidas. Elas eram sábias. Ele era uma Força da Natureza. Um leão faminto é sensato, razoável ou justo? Que tipo de pergunta sem sentido é essa? Os israelitas do Antigo Testamento e seus ancestrais sabiam que com Deus não se brincava e que o Inferno criado pela Divindade enfurecida caso fosse contrariada era real. Tendo passado recentemente por um século definido pelos horrores sem fim de Hitler, Stalin e Mao, conseguimos perceber a mesma coisa.

O Deus do Novo Testamento é frequentemente apresentado como um personagem diferente (embora o Livro da Revelação, com seu Julgamento Final, advirta contra qualquer complacência excessivamente ingênua). Ele é mais parecido como o bondoso Geppetto, artesão mestre e pai benevolente. Ele só quer o nosso melhor. Ele é só amor e perdão. Claro, Ele o enviará ao Inferno se você se comportar muito mal. Porém, fundamentalmente, Ele é o Deus de Amor. Isso parece ser mais otimista, mais ingenuamente acolhedor, mas (na exata proporção disso) menos crível. Em um mundo como este — um espaço de perdição —, quem acreditaria em uma história assim? O Deus todo bondoso em um mundo pós-Auschwitz? Foi por esses motivos que o filósofo Nietzsche, talvez o crítico mais astuto a confrontar o cristianismo, considerou o Deus do Novo Testamento como o pior crime literário da história ocidental. Em *Além do Bem e do Mal*, escreveu:[76]

> No "Antigo Testamento" judeu, que é o livro da justiça divina, os personagens, as coisas, os discursos, tudo é de um estilo grandioso, tão grandioso que nada achamos de parecido na literatura grega nem na hindu. Ante essas imensas relíquias detemo-nos colhidos de terror e de veneração ao perceber o que foi o homem, e comparando a Ásia à pequena península Europa [...]. E juntar esse Novo Testamento (uma espécie de rococó do gosto em todo sentido) ao Velho Testamento num só livro, a "Bíblia", o "Livro em Si", foi talvez a maior temeridade, o maior "pecado contra o espírito" que pesa sobre a consciência da Europa literária.

Quem, senão o mais ingênuo entre nós, poderia postular que tal Ser todo benevolente e misericordioso governasse esse mundo tão terrível? Mas algo que parece incompreensível a alguém que não vê pode ser perfeitamente evidente para alguém que abriu os olhos.

Voltemos à situação em que seu foco é determinado por algo mesquinho — à já mencionada inveja do seu chefe. Por causa dessa inveja, o mundo no qual você habita se revela como um lugar de amargura, decepção e maldade. Imagine que você veio a perceber, contemplar e reconsiderar sua infelicidade. Além disso, você se determina a aceitar a responsabilidade por isso e ousa postular que pode ser algo que esteja, ao menos em parte, sob seu controle. Você abre um olho, por um momento, e olha. Você pede algo melhor. Sacrifica sua mesquinhez, arrepende-se de sua inveja e abre seu coração. Em vez de amaldiçoar a escuridão, você deixa um pouco de luz entrar. Você decide focar uma vida melhor — em vez de um escritório melhor.

Só que você não para por aqui. Você percebe que é um erro focar uma vida melhor se o preço for piorar a de outra pessoa. Então você se torna criativo. Decide jogar um jogo mais difícil. Você decide que quer uma vida melhor, de uma forma que fará a vida da sua família melhor também. Ou a vida da sua família e dos seus amigos. Ou a vida da sua família, dos seus amigos e dos estranhos que os rodeiam. E os seus inimigos? Você quer incluí-los também? Você não sabe como lidar com essa porcaria. Mas você já leu um pouco de história. Sabe como a inimizade se acumula. Então você começa a desejar o bem até para seus inimigos, ao menos em princípio, embora você não seja ainda, de forma alguma, mestre desses sentimentos.

E a direção de sua visão muda. Você vê além das limitações que, sem saber, confinavam-no. Novas possibilidades para sua vida emergem e você trabalha para sua concretização. Sua vida de fato melhora. Então você começa a pensar mais além: "Melhor? Talvez isso signifique melhor para mim, para minha família, amigos — até mesmo para meus inimigos. Mas não é tudo o que isso significa. Isso quer dizer melhor hoje, de uma forma que torna tudo melhor amanhã, e semana que vem, ano que vem, uma década à frente e cem anos à frente. E mil anos à frente. E para sempre."

Então, "melhor" significa focar a Melhoria do Ser, com "M" e "S" maiúsculos. Pensando em tudo isso — percebendo tudo isso — você assume um risco. Você decide que começará a tratar o Deus do Velho Testamento, com seu poder terrível e aparentemente arbitrário, como se Ele também pudesse ser o Deus do Novo Testamento (mesmo que você compreenda as muitas formas como isso é um absurdo). Em outras palavras, você decide agir como se a existência fosse justificada por sua bondade — se apenas você se comportasse corretamente. E é essa decisão, a declaração da fé existencial, que permite que você supere o niilismo, o ressentimento e a arrogância. É essa declaração de fé que mantém o ódio contra o Ser, com todos os seus males associados, sob controle. E, com relação a essa fé: não é, de forma alguma, a vontade de acreditar em coisas que você sabe perfeitamente que são falsas. Fé não é uma crença infantil em magia. Isso é ignorância ou até cegueira deliberada. Ela é, pelo contrário, a percepção de que as trágicas irracionalidades da vida devem ser contrabalançadas por um comprometimento igualmente irracional com a bondade essencial do Ser. Ela é, simultaneamente, a vontade de ousar posicionar sua vista no inatingível e sacrificar tudo, incluindo (e de forma mais importante) sua vida. Você percebe que não tem, literalmente, nada melhor para fazer. Mas como pode fazer tudo isso? Presumindo que você seja tolo o suficiente para tentar.

Você pode começar por *não pensar* — ou, mais precisamente, só que menos incisivamente, por rejeitar subjugar sua fé à sua racionalidade atual e sua estreiteza de visão. Isso não significa "se tornar um idiota". Significa o oposto. Significa que você deve parar de manipular, calcular, conspirar, esquematizar, impor, exigir, evitar, ignorar e punir. Significa que deve deixar suas velhas estratégias de lado. Significa, em vez disso, que você deve prestar atenção, de uma forma que pode nunca ter feito antes.

PRESTE ATENÇÃO

Preste atenção. Foque seus arredores físicos e psicológicos. Perceba algo que o incomoda, que o preocupa, que não o deixa ser, que você *poderia* consertar, que você *consertaria*. Você pode encontrar essas coisas ao fazer a si mesmo três perguntas (como se genuinamente quisesse saber): "O que está me incomodando?", "É algo que posso consertar?" e "Eu estaria de fato disposto a consertar isso?" Se descobrir que a resposta é "não" para qualquer uma das questões, busque em outro lugar. Direcione seu foco mais para baixo. Procure até encontrar algo que o incomode, que você poderia consertar e que de fato consertaria, e então conserte. Isso pode ser suficiente para o dia.

Talvez haja uma pilha de papéis na sua mesa e você a tenha evitado. Você nem olha para ela quando entra no recinto. Há coisas terríveis espreitando ali: impostos, contas e cartas de pessoas querendo coisas que você não tem certeza se pode fazer. Perceba seu medo e tenha um pouco de compaixão por ele. Talvez haja serpentes naquela pilha de papéis. Talvez você seja mordido. Talvez haja hidras à espreita. Você cortará uma cabeça e outras sete crescerão. Como seria possível lidar com isso?

Você poderia se perguntar: "Há alguma coisa que eu possa estar disposto a fazer sobre esta pilha de papéis? Será que eu olharia uma parte dela? Por 20 minutos?" Talvez a resposta seja: "Não!" Mas você pode olhar por dez minutos, talvez cinco (e se, nem isso, que seja por um). Comece ali. Você logo perceberá que a pilha inteira vai encolher em significância meramente porque você olhou parte dela. E descobrirá que a coisa toda é feita de partes. E se você se permitisse tomar uma taça de vinho no jantar, ou deitar no sofá e ler ou assistir a algum filme bobo como recompensa? E se você orientasse sua esposa, ou esposo, a dizer "bom trabalho" após você ter consertado qualquer coisa? Isso o motivaria? As pessoas das quais você espera um obrigado podem não ser muito proficientes em oferecê-lo, para início de conversa, mas isso não deveria o impedir. As pessoas conseguem aprender mesmo se não tiverem habilidades no começo. Pergunte a si mesmo, honestamente, o que você exigiria para estar motivado a realizar o trabalho e escute a resposta. Não diga a si mesmo: "Eu não deveria ter que fazer isso para me motivar." O que você sabe sobre si mesmo? Você é, por um lado, a coisa mais complexa do universo inteiro e, por outro, alguém que não consegue nem mesmo ajustar o relógio do seu micro-ondas. Não superestime seu autoconhecimento.

Permita que as tarefas do dia anunciem a si mesmas para sua contemplação. Talvez você possa fazer isso pela manhã, ao sentar-se na beirada da cama. Talvez você possa tentar na noite anterior, quando estiver se preparando para dormir. Peça a si mesmo uma contribuição voluntária. Se pedir educadamente e ouvir cuidadosamente, e não tentar nenhuma sabotagem, pode ser que seja oferecida uma a você. Faça isso todos os dias por um tempo. Então o faça pelo resto de sua vida. Em breve, perceberá que está em uma situação diferente. Logo você estará perguntando a si mesmo habitualmente: "O que eu poderia fazer, e faria, para tornar a Vida um pouco melhor?" Você não está ditando a si mesmo o que "melhor" deve ser. Você não está sendo totalitarista ou utópico, mesmo para si mesmo, porque você aprendeu com os nazistas, soviéticos, maoistas e com a própria experiência que ser um totalitarista é algo ruim. Mire alto. Ajuste sua mira para a melhoria do Ser. Alinhe a si mesmo, em sua alma, com a Verdade e o Bem Maior. Há uma ordem habitável para estabelecer e uma beleza para ser trazida à existência. Há males a serem superados, sofrimento a ser aliviado e a si mesmo a ser melhorado.

É isso, na minha interpretação, que é a ética culminante do cânone do Ocidente. É isso, além do mais, que é comunicado por aquelas estrofes eternamente desconcertantes e inflamadas do Sermão de Cristo na Montanha, a essência, em um certo sentido, da sabedoria do Novo Testamento. Essa é a tentativa do Espírito da Humanidade de transformar o entendimento da ética inicial e necessária do Não Farás da criança e dos Dez Mandamentos na visão positiva e totalmente articulada do verdadeiro indivíduo. Essa é a expressão não apenas de admirável autocontrole e autodidatismo, mas do desejo fundamental de consertar o mundo. Isso não é a cessação do pecado, mas seu oposto, o próprio bem. O Sermão da Montanha delineia a verdadeira natureza do homem e o alvo correto da humanidade: concentrar-se no dia para que você possa viver no presente e participar completa e corretamente do que está bem a sua frente — mas faça isso apenas após ter decidido permitir que aquilo que está no seu interior brilhe, para que você possa justificar o Ser e iluminar o mundo. Faça isso apenas após ter se determinado a sacrificar o que deve ser sacrificado para que você possa buscar o bem mais alto.

> Por que vocês se preocupam com roupas? Vejam como crescem os lírios do campo. Eles não trabalham nem tecem.
>
> Contudo, eu lhes digo que nem Salomão, em todo o seu esplendor, vestiu-se como um deles.
>
> Se Deus veste assim a erva do campo, que hoje existe e amanhã é lançada ao fogo, não vestirá muito mais a vocês, homens de pequena fé?
>
> Portanto, não se preocupem, dizendo: "Que vamos comer?" ou "Que vamos beber?" ou "Que vamos vestir?"
>
> Pois os pagãos é que correm atrás dessas coisas; mas o Pai celestial sabe que vocês precisam delas.
>
> Busquem, pois, em primeiro lugar o Reino de Deus e a sua justiça, e todas essas coisas lhes serão acrescentadas.
>
> Portanto, não se preocupem com o amanhã, pois o amanhã se preocupará consigo mesmo. Basta a cada dia o seu próprio mal (Mateus 6:28–34 Nova Versão Internacional).

A percepção desperta. Portanto, em vez de bancar o tirano, você presta atenção. Você diz a verdade em vez de manipular o mundo. Você negocia em vez de fazer o papel do mártir ou do tirano. Você não precisa mais ser invejoso, porque não sabe mais se outra pessoa realmente tem algo melhor. Você não precisa mais ficar frustrado, porque aprendeu a focar baixo e a ser paciente. Você está descobrindo quem você é e o que quer, e o que está disposto a fazer. Está descobrindo que as soluções para seus problemas particulares têm que ser ajustadas para você, pessoal e precisamente. Você está menos preocupado com as ações das outras pessoas porque tem muito o que fazer.

Cuide deste dia, mas foque o bem supremo.

Agora, sua trajetória é em direção ao céu. Isso o torna esperançoso. Mesmo alguém em um navio que está afundando pode ser feliz quando sobe para dentro do bote salva-vidas! E quem sabe para onde pode ir no futuro? Ser feliz ao realizar a jornada pode ser muito melhor do que chegar ao destino com sucesso...

Peça e receberás. Bata e a porta será aberta. Se pedir com vontade e bater, como se quisesse entrar, pode ser que lhe seja oferecida a chance de melhorar sua vida um pouco; muito; completamente — e com essa melhoria algum progresso será realizado no próprio Ser.

Compare a si mesmo com quem você foi ontem, não com quem outra pessoa é hoje.

O DIREITO COMUM

Neste local, o Direito Comum da Inglaterra foi estabelecido neste continente com a chegada dos primeiros colonos em 13 de maio de 1607. O primeiro estatuto garantido por James I para a Companhia Virginia em 1606 declarava que os habitantes da colônia "terão e gozarão das liberdades, direitos e imunidades... como se tivessem habitado e nascido dentro do reino da Inglaterra...". Desde a Carta Magna, o Direito Comum tem sido a pedra fundamental das liberdades individuais, mesmo quando contra a Coroa. Resumido posteriormente na Declaração de Direitos, seus princípios têm inspirado o desenvolvimento do nosso sistema de liberdade perante a lei. Qual seja nosso bem mais precioso e a realização que nos dá mais orgulho.

Apresentado pela Ordem do Estado da Virgínia
em 17 de maio de 1959

REGRA 5

NÃO DEIXE QUE SEUS FILHOS FAÇAM ALGO QUE FAÇA VOCÊ DEIXAR DE GOSTAR DELES

NA REALIDADE, NÃO ESTÁ TUDO CERTO

Recentemente, observei um menino de três anos se arrastando vagarosamente atrás de seus pais em um aeroporto lotado. Ele gritava muito a cada cinco segundos — e, mais importante, fazia isso deliberadamente. Ele tinha energia de sobra. Como pai, sabia dizer pelo tom do grito dele. Ele estava irritando seus pais e outras centenas de pessoas para receber atenção. Talvez precisasse de algo. Mas essa não era a forma de conseguir, e os pais deveriam avisá-lo disso. Você poderia argumentar que "talvez eles estivessem esgotados e sofrendo com o jet lag após uma longa viagem". Porém, 30 segundos dedicados a uma solução direta do problema teriam acabado com aquele episódio vergonhoso. Pais mais atenciosos não teriam deixado alguém realmente importante para eles ser objeto do desprezo de todos.

Já observei também um casal que, inapto ou indisposto a dizer não ao filho de dois anos, via-se obrigado a segui-lo aonde quer que fosse, o tempo todo, durante o que deveria ser uma visita social agradável, porque ele se comportava tão mal se não fosse supervisionado que não podia ter um segundo de liberdade genuína sem riscos. O desejo dos pais de deixar o filho agir a cada impulso sem ser corrigido produziu, paradoxalmente, o efeito oposto: eles privaram a criança de qualquer oportunidade para se engajar em uma ação independente. Uma vez que não ousaram lhe ensinar o que "Não" significa, ele não tinha o conceito dos limites aceitáveis que permitiriam uma autonomia infantil máxima. É um exemplo clássico de muito caos gerando muita ordem (e o inevitável oposto). Similarmente, vi pais não conseguirem participar de uma conversa adulta em um jantar porque seus filhos de quatro e cinco anos dominavam a cena social comendo todos os miolos dos pães, sujeitando todos à sua tirania juvenil, enquanto a mãe e o pai lhes assistiam envergonhados e incapazes de intervir.

Uma vez, quando minha filha, hoje adulta, era criança, um menino bateu na cabeça dela com um caminhão de brinquedo feito de metal. Observei esse mesmo menino, um ano depois, cruelmente empurrar sua irmã mais nova sobre uma frágil mesinha de café com tampo de vidro. A mãe o pegou imediatamente após isso (mas não a filha assustada) e lhe disse em um tom bem baixinho para que não fizesse aquilo novamente, enquanto lhe dava tapinhas de consolo em uma forma clara de aprovação. Ela estava criando um pequeno Deus-imperador do Universo. Esse é o objetivo indireto de muitas mães, incluindo as que se consideram defensoras da total igualdade de gêneros. Mulheres assim se opõem ferozmente a qualquer ordem proferida por um homem adulto, mas vão correndo fazer um sanduíche de manteiga de amendoim para seu filho se ele exigir isso enquanto estiver imerso, todo importante, em seu videogame. As futuras parceiras desses meninos terão todas as razões para odiar suas sogras. Respeito pelas mulheres? Isso é para outros meninos, outros homens — não para seus filhinhos queridos.

Algo parecido pode ser o fundamento, em parte, da preferência por filhos meninos observada em lugares como Índia, Paquistão e China, em que o aborto seletivo de gênero é amplamente praticado. Na Wikipédia, a explicação para essa prática a atribui às "normas culturais" que favorecem os meninos em detrimento das meninas. (Cito a Wikipédia porque ela é escrita e editada coletivamente e, portanto, o lugar perfeito para encontrar a sabedoria popularmente aceita.) Porém, não há evidências de que tais ideias sejam estritamente culturais. Há motivos psicobiológicos plausíveis em favor da evolução dessas atitudes sob uma perspectiva moderna e igualitária, e não são bonitos. Se a circunstância o forçar a apostar todas as fichas em uma opção só, por assim dizer, um filho é uma aposta melhor pelos padrões estritos da lógica evolutiva, em que a proliferação de seus genes é tudo o que importa. Por quê?

Uma filha reprodutivamente bem-sucedida pode garantir oito ou nove filhos. A sobrevivente do Holocausto Yitta Schwartz, uma estrela nesse sentido, teve três gerações de descendentes diretos que igualaram essa performance. Ela era a ancestral de quase 2 mil pessoas quando morreu, em 2010.[77] Mas o céu é o limite com um filho reprodutivamente bem-sucedido. Sexo com múltiplas parceiras fêmeas é o caminho para a reprodução exponencial (considerando a limitação prática dos nascimentos individuais na nossa espécie). Dizem por aí que o ator Warren Beatty e o atleta Wilt Chamberlain dormiram cada um com milhares de mulheres (algo nada estranho, também, entre as estrelas do rock). Eles não produziram esse número todo de filhos. Os métodos de contracepção modernos limitam isso. Mas celebridades similares no passado, sim. Por exemplo, Giocangga (por volta de 1550), o ancestral da dinastia Qing, é o antepassado de um milhão e meio de pessoas no nordeste da China.[78] A dinastia medieval de Uí Néill produziu três milhões de descendentes masculinos, localizados principalmente no noroeste da Irlanda e nos EUA, através da emigração irlandesa.[79] E o rei de todos, Genghis Khan, conquistador de grande parte da Ásia, é o ancestral de 8% dos homens na Ásia Central — 16 milhões de descendentes masculinos, 34 gerações depois.[80] Então, sob uma perspectiva biológica profunda, há razões pelas quais os pais poderiam favorecer filhos o suficiente para eliminar fetos femininos, embora eu não esteja alegando uma causalidade direta nem sugerindo a falta de outras razões culturalmente mais dependentes.

Um tratamento preferencial concedido a um filho durante o desenvolvimento pode até ajudar a criar um homem atraente, capaz e confiante. Foi o que aconteceu no caso do pai da psicanálise, Sigmund

Freud, como ele mesmo conta: "Um homem que foi o favorito inquestionável de sua mãe carrega por toda a vida o sentimento de conquistador, aquela confiança no sucesso que geralmente leva ao sucesso real."[81] Faz sentido. Mas "sentimento de conquistador" pode facilmente virar "conquistador de fato". O excepcional sucesso reprodutivo de Genghis Khan certamente deu-se à custa de nenhum sucesso para os outros (incluindo a morte de milhões de chineses, persas, russos e húngaros). Mimar um filho pode, portanto, dar muito certo sob a perspectiva do "gene egoísta" (permitindo que os genes do filho favorito se repliquem em uma prole incontável), para usar a famosa expressão do biólogo evolucionista Richard Dawkins. Porém isso pode criar um espetáculo sombrio e doloroso no aqui e agora e transformar-se em algo indescritivelmente perigoso.

Nada disso significa que todas as mães favoreçam todos os filhos em detrimento das filhas (ou que as filhas não sejam favorecidas às vezes em relação aos filhos, ou que os pais não favoreçam os meninos às vezes). Outros fatores podem claramente dominar. Às vezes, por exemplo, o ódio inconsciente (e por vezes não tão inconsciente também) passa por cima de qualquer preocupação que os pais possam ter por qualquer filho, independentemente de personalidade ou situação. Já vi deixarem um menino de quatro anos passar fome regularmente. A babá estava machucada e ele estava sendo passado de vizinho em vizinho para ser cuidado. Quando a mãe o deixou em nossa casa, falou que ele não comia nada o dia inteiro. "Tudo bem", disse ela. Não estava tudo bem (caso isso não seja óbvio). Esse mesmo menino de quatro anos grudou em minha esposa durante horas em desespero absoluto e comprometimento total quando ela, com firmeza, persistência e compaixão, conseguiu fazer com que ele comesse a refeição inteira do almoço, recompensando-o por sua cooperação e se recusando a permitir que desistisse. Ele começou com a boca fechada, sentado com todos nós à mesa da sala de jantar, minha esposa, eu, nossas duas crianças e outras duas crianças da vizinhança que estávamos cuidando durante o dia. Ela colocou a colher na frente dele, esperando paciente e persistentemente enquanto ele balançava a cabeça para trás e para frente, recusando-a, usando os típicos métodos defensivos de uma criança teimosa e não muito bem cuidada de dois anos.

Ela não permitiu que ele falhasse. Dava tapinhas de incentivo em sua cabeça toda vez que ele comia um bocado e lhe dizia com sinceridade que ele era um "bom menino". Ela de fato achava que ele era um bom menino. Ele era uma criança lindinha, mas mimada. Dez minutos não tão difíceis assim depois, ele terminou a refeição. Todos observávamos atentamente. Era um drama de vida e morte.

"Olha", disse ela, segurando o prato dele. "Você comeu tudo." Aquele menino que ficava parado em um canto por vontade própria, infeliz, quando o vi pela primeira vez, que não interagia com as outras crianças, o tempo todo de cara amarrada, que não reagia quando eu fazia cócegas e o cutucava tentando fazê-lo brincar — aquele menino abriu um sorriso enorme, imediato e radiante. Todos ficaram alegres na mesa. Vinte anos depois, ao escrever isso hoje, ainda venho às lágrimas. Depois disso, ele seguiu minha esposa como um cachorrinho pelo resto do dia, recusando-se a perdê-la de vista. Quando ela se sentava, ele pulava em seu colo e a abraçava, abrindo-se para o mundo, buscando desesperadamente pelo amor que lhe havia sido continuamente negado. Mais tarde naquele dia, porém, antes do esperado, a mãe dele voltou. Ela desceu as escadas para o cômodo em que todos nós estávamos. "Ah, Supermãe", disse ela, ressentida ao ver seu filho aninhado no colo da minha esposa. Depois, ela saiu, com o coração sombrio e cruel inalterado, com a criança condenada em suas mãos. Ela era psicóloga. Cada coisa que a gente vê, mesmo com apenas um olho aberto. Não é à toa que as pessoas querem permanecer cegas.

TODO MUNDO ODEIA ARITMÉTICA

Meus clientes geralmente me procuram para discutir seus problemas familiares diários. Essas preocupações cotidianas são insidiosas. Sua ocorrência habitual e previsível as faz parecerem triviais. Mas essa aparente trivialidade é enganosa: são as coisas que ocorrem todos os dias que de fato compõem nossa vida, e o tempo gasto da mesma maneira, repetidamente, soma-se de forma alarmante. Um pai falou comigo recentemente sobre a dificuldade que estava tendo para fazer seu filho dormir à noite* — um ritual que envolvia cerca de 45 minutos de luta. Fizemos as contas. Quarenta e cinco minutos por dia, sete dias por semana — são 300 minutos, ou cinco horas, por semana. Cinco horas para cada uma das quatro semanas do mês — são 20 horas mensais. Vinte horas por mês durante os 12 meses são 240 horas por ano. É o mesmo que um mês e meio de trabalho, considerando-se uma semana padrão de 40 horas.

Meu cliente estava passando o tempo equivalente a um mês e meio de trabalho por ano lutando de forma ineficaz e miserável com seu filho. Não é necessário dizer que ambos sofriam com isso. Não importa quão boas sejam nossas intenções ou quão doce e tolerante seja seu temperamento, você não vai conseguir manter boas relações com alguém com quem tem que lutar durante o tempo equivalente a um mês e meio de trabalho por ano. O ressentimento vai aparecer inevitavelmente. Mesmo que não apareça, todo o tempo desagradável e desperdiçado poderia obviamente ser gasto em atividades mais produtivas, úteis, agradáveis e menos estressantes. Como situações assim podem ser compreendidas? Onde está o erro, na criança ou no pai? Na natureza ou na sociedade? E se algo pode ser feito, o que seria?

Alguns localizam esses problemas nos adultos, seja nos pais ou na sociedade mais ampla. "Não há crianças ruins", pensam essas pessoas, "apenas pais ruins". Quando a imagem idealizada da criança imaculada vem à mente, essa noção parece ser totalmente justificada. A beleza, abertura, alegria, confiança e capacidade para amar que caracterizam a criança tornam fácil atribuir a culpa total aos adultos na cena. Porém, tal atitude é perigosa e ingenuamente romântica. É unilateral demais no caso de pais que foram presenteados com um filho especialmente difícil. E também não é bom que toda a corrupção humana seja depositada incondicionalmente nos ombros da sociedade. Essa conclusão apenas desloca o problema de lugar, jogando-o para o passado. Ela não explica nada e não resolve problema algum. Se a sociedade é corrupta, mas não os indivíduos dentro dela, então de onde vem a corrupção? Como é propagada? Isso é uma teoria unilateral profundamente

---

* Aqui e em várias partes deste livro, faço uso das experiências da minha prática clínica (como já fiz da minha história pessoal). Tentei manter a moral das histórias intacta enquanto alterei os detalhes, respeitando a privacidade dos envolvidos. Espero ter equilibrado corretamente.

ideológica. Ainda mais problemática é a insistência logicamente derivada dessa pressuposição de corrupção social de que todos os problemas individuais, não importa quão raros sejam, devem ser resolvidos pela reestruturação cultural, não importa quão radical isso seja. Nossa sociedade enfrenta um chamado cada vez maior para desconstruir suas tradições estabilizadoras de forma a incluir quantidades cada vez menores de pessoas que não se ajustam ou não vão se ajustar às categorias nas quais até mesmo nossas percepções são baseadas. Isso não é bom. O problema particular de cada pessoa não se resolve através de uma revolução social, porque as revoluções são desestabilizadoras e perigosas. Aprendemos a viver juntos e a organizar nossas sociedades complexas de forma lenta e gradual, durante longos períodos, e não entendemos com suficiente exatidão por que o que estamos fazendo dá certo. Sendo assim, alterar descuidadamente nosso modo de ser social em nome de algum lema (diversidade é o que me vem à mente) ideológico terá maiores chances de criar mais problemas do que coisas boas, considerando o sofrimento que até as pequenas revoluções geralmente produzem.

Será que foi mesmo uma boa ideia, por exemplo, liberar as leis do divórcio tão drasticamente nos anos 1960? Não fica claro para mim se as crianças que tiveram suas vidas desestabilizadas pela liberdade hipotética introduzida por essa tentativa de liberalização diriam que sim. O horror e o terror espreitam atrás dos muros erigidos tão sabiamente por nossos ancestrais. Nós os derrubamos por nossa conta e risco. Patinamos inconscientemente sobre gelo fino, tendo águas geladas e profundas abaixo, onde monstros inimagináveis espreitam.

Vejo os pais de hoje em dia aterrorizados por seus filhos, sobretudo porque foram considerados os agentes centrais dessa tirania social hipotética e ao mesmo tempo lhes é negado o crédito por seu papel como agentes benevolentes e necessários de disciplina, ordem e convenção. Eles habitam de forma desconfortável e insegura a penumbra lançada pela sombra todo-poderosa do etos adolescente dos anos 1960, uma década cujos excessos levaram ao total menosprezo da fase adulta, a uma descrença impensada na existência de um poder competente e a uma inabilidade de distinguir entre o caos da imaturidade e a liberdade responsável. Isso aumentou a vulnerabilidade parental com relação ao sofrimento emocional em curto prazo dos filhos, ao mesmo tempo em que seu medo de lhes causar danos aumentou até um grau doloroso e contraproducente. Melhor assim do que o contrário, você pode argumentar — mas há catástrofes espreitando nos extremos de todo e qualquer *continuum* moral.

O MAU SELVAGEM

Dizem que cada indivíduo é seguidor consciente ou inconsciente de algum filósofo influente. A crença de que as crianças têm um espírito intrinsecamente imaculado, deturpado apenas pela cultura e pela sociedade, deriva em grande parte do filósofo suíço do século XVIII Jean-Jacques Rousseau.[82] Ele acreditava fervorosamente na influência corruptora tanto da sociedade humana quanto da propriedade privada. Ele alegava que nada era tão gentil e maravilhoso quanto o homem em seu estado pré-civilizado. Precisamente na mesma época, percebendo sua falta de habilidade como pai, ele abandonou cinco dos seus filhos aos cuidados ternos e fatais dos orfanatos da época.

Porém, o bom selvagem descrito por Rousseau era um ideal — uma abstração arquetípica e religiosa —, e não a realidade de carne e osso que ele supôs. A Criança Divina, mitologicamente perfeita, habita nossa imaginação permanentemente. É o potencial da juventude, o herói recém-nascido, o inocente enganado e o filho há muito perdido do rei justo. São as insinuações da imortalidade que acompanham nossas experiências mais antigas. É Adão, o homem perfeito, caminhando sem pecado com Deus no Jardim antes da Queda. Mas os seres humanos são maus, assim como bons, e a escuridão que habita eternamente nossas almas também está presente, e não timidamente, no nosso eu mais jovem. Em geral, as pessoas ficam melhores com a idade em vez de piorarem, tornando-se mais bondosas, conscienciosas e emocionalmente estáveis ao amadurecerem.[83] O bullying com a intensidade terrível com que é manifestado no pátio da escola[84] raramente se manifesta na sociedade adulta. O livro sombrio e anarquista de William Golding, *O Senhor das Moscas*, é um clássico por uma razão.

Além disso, há evidências abundantes e diretas de que os horrores do comportamento humano não podem ser atribuídos tão facilmente à história e à sociedade. Isso foi descoberto, talvez, da forma mais dolorosa pela primatóloga Jane Goodall, a partir de 1974, quando aprendeu que seus amados chimpanzés eram capazes e estavam dispostos a assassinar uns aos outros (para usar a terminologia apropriada para os seres humanos).[85] Por causa dessa natureza chocante e da grande significância antropológica, ela manteve suas observações em segredo por anos, temendo que seu contato com os animais houvesse produzido esse comportamento não natural neles. Mesmo após ter publicado seu relato, muitos se recusaram a acreditar. Logo ficou evidente, no entanto, que o que ela havia observado não era nem de longe raro.

Falando de modo direto: os chimpanzés conduzem guerras intertribais. E, mais, isso acontece com uma brutalidade quase inimaginável. O típico chimpanzé adulto tem mais de duas vezes a força de um ser humano, a despeito de seu tamanho menor.[86] Goodall relatou com certo horror a tendência que os chimpanzés que ela estudou tinham de arrebentar cabos de aço e alavancas.[87] Eles podem literalmente rasgar os outros em pedaços — e fazem isso. As sociedades humanas, com suas tecnologias complexas, não podem ser culpadas por isso.[88] "Frequentemente quando acordava durante a noite", escreveu ela, "cenas horríveis invadiam minha mente — Satan (um chimpanzé observado durante longo tempo) fazendo uma concha com a mão abaixo do queixo de Sniff para beber o sangue que jorrava de uma ferida grande em seu rosto... Jomeo rasgando um pedaço grande de pele da coxa de Dé; Figan disparando e batendo sem parar contra o corpo abatido e tremulante de Goliath, um dos seus heróis de infância".[89] Pequenas gangues de chimpanzés adolescentes, a maioria de machos, perambulam pelas fronteiras do seu território. Se encontrarem forasteiros (mesmo chimpanzés que já conheciam e se separaram do grupo quando esse ficou grande demais) e estiverem em maior número, a gangue os ataca e destrói sem qualquer misericórdia. Os chimpanzés não têm algo que possa ser chamado de superego, e é prudente recordar que a capacidade humana de autocontrole também pode estar superestimada. Uma leitura cuidadosa do livro de Iris Chang, *O Massacre de Nanquim*,[90] que descreve a dizimação brutal dessa cidade chinesa invadida pelos japoneses, vai desencantar até um romântico inveterado. E quanto menos falarmos da Unidade 731, uma discreta unidade japonesa de pesquisas biológicas de guerra estabelecida naquela época, melhor. Leia sobre ela por sua própria conta e risco. Eu avisei.

REGRA 5

Os caçadores-coletores, também, são muito mais assassinos do que seus equivalentes urbanos e industrializados, a despeito de sua vida em comunidade e de suas culturas localizadas. A taxa anual de homicídios no Reino Unido moderno é de 1 a cada 100 mil habitantes.[91] Ela é quatro a cinco vezes maior nos EUA e aproximadamente nove vezes maior em Honduras, que tem a taxa mais alta reportada entre todas as nações modernas. Porém, a evidência sugere fortemente que os seres humanos se tornaram mais pacíficos, e não o contrário, com o passar do tempo e com as sociedades ficando maiores e mais organizadas. Os bosquímanos !Kung da África, romantizados nos anos 1950 por Elizabeth Marshall Thomas como "o povo inofensivo",[92] tinham uma taxa anual de homicídios de 40 a cada 100 mil habitantes, que caiu mais do que 30% depois de sua sujeição à autoridade do estado.[93] Esse é um exemplo bem instrutivo das estruturas sociais complexas servindo para reduzir, e não exacerbar, as tendências violentas dos seres humanos. Taxas anuais de 300 a cada 100 mil habitantes foram reportadas entre os Yanomami no Brasil, famosos por sua agressividade — mas essas não são as estatísticas mais altas. Os habitantes de Papua-Nova Guiné, matam-se a ponto de terem as taxas anuais variando entre 140 e 1 mil para cada 100 mil habitantes.[94] Contudo, o recorde parece ser mantido pelos Kato, um povo indígena da Califórnia, com 1.450 de cada 100 mil habitantes tendo encontrado uma morte violenta ao redor do ano de 1840.[95]

Uma vez que as crianças, assim como outros seres humanos, não são somente boas, não podem ser deixadas sozinhas, intocadas pela sociedade e florescerem em perfeição. Até mesmo os cães devem ser socializados se quiserem ser membros aceitáveis da matilha — e crianças são muito mais complexas do que cães. Isso quer dizer que há muito mais chances de que elas desandem de formas complexas se não forem treinadas, disciplinadas e devidamente encorajadas. Isso quer dizer que não é apenas errado atribuir todas as tendências violentas dos seres humanos às patologias da estrutura social. É errado o suficiente para ser praticamente o oposto. O processo vital de socialização previne muitos danos e fomenta muito do bem. As crianças devem ser moldadas e informadas, ou não serão capazes de prosperar. Esse fato é refletido fortemente no comportamento delas: as crianças são completamente desesperadas por atenção tanto das outras quanto dos adultos porque essa atenção, que as torna partícipes efetivas e sofisticadas da comunidade, é vitalmente necessária.

As crianças podem sofrer tanto ou mais danos pela falta de atenção incisiva quanto pelo abuso físico ou mental. Esse é o dano por omissão, ao invés de por ação, mas não é menos severo e duradouro. As crianças sofrem danos quando seus pais "compassivamente" desatentos fracassam na missão de torná-las espertas, observadoras e despertas, e as deixam em um estado inconsciente e indiferenciado. As crianças sofrem danos quando os responsáveis por seu cuidado, com medo de qualquer conflito ou chateação, não ousam mais corrigi-las e as deixam sem uma direção. Consigo reconhecer esse tipo de criança na rua. Elas são lentas, desconcentradas e vagas. São pesadas e apagadas em vez de leves e radiantes. São blocos brutos, presos em um estado perpétuo de espera para ser algo.

Crianças assim são cronicamente ignoradas pelas outras. Porque não é divertido brincar com elas. Os adultos têm uma tendência de manifestar a mesma atitude (embora neguem isso veementemente se pressionados). Quando trabalhei em creches, no início da minha carreira, as crianças relativamente negligenciadas vinham a mim desesperadas, com seu jeito atrapalhado, ainda em formação, sem o senso de distanciamento adequado e sem a habilidade de brincar de forma atenciosa. Elas se jogavam perto de mim — ou diretamente no meu colo, não importava o que eu estivesse fazendo — guiadas inexoravelmente pelo desejo de atenção adulta, o catalisador necessário para um desenvolvimento contínuo. Era muito difícil não ter uma reação de irritação, até mesmo aversão, com essas crianças e seu infantilismo prolongado demais — era difícil até mesmo não as empurrar, literalmente — muito embora me sentisse mal por elas e entendesse bem seu dilema. Acredito que aquela reação, por mais cruel e terrível que pudesse ser, era praticamente um sinal interno universalmente experimentado indicando o perigo de estabelecer uma relação com uma criança mal socializada: as chances de uma dependência imediata e inapropriada (que deveria ter sido responsabilidade dos pais) e a gigantesca demanda de tempo e recursos que a aceitação dessa dependência exigiria. Diante de uma situação assim, crianças potencialmente amigáveis e adultos interessados têm muito mais chances de interagirem com outras crianças com uma relação custo/benefício melhor.

PAIS OU AMIGOS

A negligência e os maus-tratos que são parte integrante de abordagens disciplinares mal estruturadas ou totalmente ausentes podem ser deliberados — motivados por razões parentais explícitas e conscientes (mesmo que mal orientadas). Porém, com muito mais frequência os pais modernos ficam simplesmente paralisados pelo medo de não serem mais apreciados ou até mesmo amados pelos seus filhos se os castigarem por algum motivo. Eles buscam, acima de tudo, a amizade dos filhos e estão dispostos a sacrificar o respeito para consegui-la. Isso não é bom. Um filho terá muitos amigos, mas apenas dois pais — se tiver —, e os pais são muito mais do que amigos. Os amigos têm uma autoridade bem limitada para correção. Cada um dos pais, portanto, precisa aprender a tolerar a raiva ou mesmo o ódio momentâneos direcionados a eles pelos seus filhos após a ação corretiva necessária ter sido tomada, uma vez que a capacidade das crianças de perceberem ou se importarem com as consequências em longo prazo é muito limitada. Os pais são os árbitros da sociedade. Ensinam as crianças como se comportarem para que outras pessoas possam interagir de forma significativa e produtiva com elas.

É um ato de responsabilidade disciplinar uma criança. Não é ter raiva frente um mau comportamento. Não é vingança por algum malfeito. Pelo contrário, é uma combinação cuidadosa de compaixão e julgamento em longo prazo. A disciplina correta requer esforço — na verdade, é praticamente sinônimo de esforço. É difícil oferecer uma atenção cuidadosa às crianças. É difícil descobrir o que está errado, o que está certo e o porquê. É difícil formular estratégias de disciplina que sejam justas e compassivas e negociar suas aplicações com outros que estejam profundamente envolvidos com o cuidado da criança. Por causa dessa combinação de responsabilidade e dificuldade, qualquer sugestão de que qualquer restrição imposta às crianças causa danos pode ser ironicamente bem-vinda. Uma vez que tal noção seja aceita, permite que os adultos, que deveriam ser mais esclarecidos, abandonem seu dever de servir como agentes de aculturamento e finjam que isso é bom para as crianças. É um ato profundo e pernicioso de autoengano. É preguiçoso, cruel e indesculpável. E nossa tendência de racionalizar não acaba por aqui.

Presumimos que as regras inibem irremediavelmente o que seria, de outra forma, a criatividade ilimitada e intrínseca das nossas crianças, mesmo que a literatura científica claramente indique, primeiro, que a criatividade além do trivial é absurdamente rara[96] e, segundo, que limitações criteriosas facilitam, em vez de inibirem, a realização criativa.[97] A crença no elemento puramente destrutivo das regras e das estruturas é frequentemente combinada com a ideia de que as crianças farão boas escolhas sobre o horário de dormir e sobre o que comer se simplesmente permitirmos que suas naturezas perfeitas se manifestem. Essas são suposições igualmente sem fundamento. As crianças são perfeitamente capazes de tentar sobreviver comendo cachorro-quente, nuggets e Froot Loops se isso lhes atrair a atenção, der poder ou protegê-las de tentar qualquer coisa nova. Em vez de irem dormir sábia e pacificamente, vão lutar contra a sensação de sono até que estejam atordoadas de cansaço. Elas também estão perfeitamente dispostas a provocar os adultos enquanto exploram os complexos limites do ambiente social, assim como os jovens chimpanzés assediam os adultos em seus bandos.[98] Observar as consequências da provocação e zombaria permite que tanto os chimpanzés quanto as crianças descubram os limites do que pode ser, de outro modo, uma liberdade aterrorizante e desestruturada demais. Tais limites, quando descobertos, oferecem segurança, mesmo que sua detecção cause decepção ou frustração momentâneas.

Eu me lembro de levar minha filha ao parquinho quando ela estava com uns dois anos. Ela estava brincando no trepa-trepa, pendurando-se no ar. Um monstrinho da mesma idade, especialmente provocador, estava em pé acima dela, na mesma barra na qual ela se pendurava. Observei ele se mover na direção dela. Nossos olhos se encontraram. Ele pisou nas mãos dela, vagarosa e deliberadamente, com uma força cada vez maior, repetidamente, enquanto me encarava lá de cima. Ele sabia exatamente o que estava fazendo. Vá se danar, velhote — era a filosofia dele. Ele já havia concluído que os adultos são desprezíveis e que poderia desafiá-los sem problemas. (Infelizmente ele estava destinado a se tornar um.) Esse era o futuro sem esperança ao qual seus pais o haviam destinado. Para seu grande e salutar espanto, peguei-o firmemente, arranquei-o do brinquedo e o lancei dez metros longe.

Não, não fiz isso. Apenas levei minha filha para outro lugar. Mas teria sido melhor para ele se eu o tivesse feito.

Imagine uma criancinha batendo repetidamente no rosto da mãe. Por que ela faria isso? É uma pergunta tola. É inaceitavelmente ingênua. A resposta é óbvia. Para dominar sua mãe. Para ver se pode se safar dessa. A violência, afinal, não é um mistério. A paz, sim, é um mistério. A violência é o padrão. É fácil. A paz é que é difícil: aprendida, inculcada, conquistada. (As pessoas geralmente fazem as perguntas psicológicas básicas invertidas. Por que as pessoas usam drogas? Não é um mistério. Por que não as usam o tempo todo é que é um mistério. Por que as pessoas sofrem com ansiedade? Não é um mistério. Como as pessoas conseguem ficar calmas? Eis o mistério. Somos quebráveis e mortais. Um milhão de coisas pode dar errado de um milhão de formas diferentes. Deveríamos tremer na base a cada segundo. Mas não fazemos isso. O mesmo pode ser dito sobre a depressão, preguiça e criminalidade.)

Se posso machucar e dominar você, então posso fazer exatamente o que quiser, quando quiser, mesmo quando você estiver por perto. Posso atormentá-lo para satisfazer minha curiosidade. Posso desviar a atenção sobre você, posso dominá-lo. Posso roubar seu brinquedo. As crianças batem, primeiro porque a agressão é inata, embora seja mais dominante em alguns indivíduos do que em outros, e segundo porque a agressão estimula o desejo. É tolice presumir que tal comportamento precisa ser aprendido. Uma serpente não precisa ser ensinada a dar o bote. Está em sua natureza. As crianças de dois anos, estatisticamente falando, são as pessoas mais violentas.[99] Elas chutam, batem, mordem e roubam as propriedades dos outros. Fazem isso para explorar, expressar revolta e frustração, e satisfazer seus desejos impulsivos. Ainda mais relevante para o nosso propósito, elas fazem isso para descobrir os limites reais do comportamento permitido. De que outra maneira conseguiriam descobrir o que é aceitável? Crianças são como pessoas cegas procurando uma parede. Precisam ir adiante e testar para ver onde, de fato, estão os limites (e eles raramente estão onde alguém disse que estariam).

Uma correção consistente de uma atitude assim indica os limites da agressão aceitável para a criança. Sua ausência apenas aumenta a curiosidade — então, a criança vai bater, morder e chutar se for agressiva e dominante até que algo indique um limite. Até quanto posso bater na Mamãe? Até que ela se oponha. Com isso em mente, quanto antes houver correção, melhor (se o resultado final desejado pela mãe for não apanhar). A correção também ajuda a criança a aprender que bater nos outros é uma estratégia social inadequada. Sem essa correção, a criança não passará pelo processo penoso de organizar e regular seus impulsos para que possam coexistir sem conflitos com a psique da criança e com o mundo social mais amplo. Não é tão simples assim organizar uma mente.

Meu filho era particularmente genioso quando criança. Quando minha filha era pequena, eu conseguia paralisá-la apenas com um olhar bravo. Esse tipo de intervenção não surtia efeito no meu filho. Ele conseguia dominar minha esposa (que não é moleza) na mesa do jantar, aos nove meses. Ele lutava com ela pelo controle da colher. "Legal!", pensávamos. Não queríamos ter que dar comida em sua boca um minuto além do necessário. Mas aquele monstrinho não comia mais do que três ou quatro colheradas. Daí, ele começava a brincar. Ficava mexendo na comida no seu prato. Ficava derrubando pedaços no chão e olhando enquanto a comida caía do alto da sua cadeirinha. Sem problemas. Ele estava explorando. Mas ainda assim não comia o suficiente. Em consequência disso, não dormia o suficiente. E assim seu choro da meia-noite acordava seus pais. E eles estavam ficando muito mal-humorados. Ele estava deixando a mãe frustrada, e ela descontava em mim. Esse não era um bom caminho.

Após alguns dias dessa desordem, decidi tomar a colher de volta. E me preparei para a guerra. Reservei tempo suficiente. Um adulto paciente consegue derrotar uma criança de dois anos, por mais difícil que possa parecer. Como diz o ditado: "Velhice e artimanha sempre vencem juventude e talento." Isso porque, em parte, o tempo é infinito quando você tem dois anos. Meia hora para mim era o mesmo que uma semana para meu filho. Eu estava confiante da vitória. Ele era teimoso e terrível. Mas eu podia ser pior. Sentamos cara a cara, a tigela na frente dele. Era *Matar ou Morrer*. Ele sabia disso, e eu também. Ele pegou a colher. Eu a tirei dele e saboreei uma deliciosa colherada de mingau. Eu a movi deliberadamente em direção de sua boca. Ele me olhou da mesma maneira que aquele monstro do parquinho. Fechou os lábios firmemente, refutando qualquer entrada. Fiquei insistindo ao redor de sua boca com a colher enquanto ele movia a cabeça em círculos.

Só que eu tinha outros truques escondidos na manga. Comecei a cutucá-lo com minha outra mão, que estava livre, de forma calculada para incomodá-lo. Ele não se mexeu. Fiz de novo. E de novo. E de novo. Nada demais — mas também não a ponto de ser ignorado. Dez ou mais cutucadas depois, ele abriu a boca planejando emitir um som de revolta. Rá! Erro dele. Habilmente inseri a colher. Ele tentou, corajosamente, forçar a comida invasora para fora com a língua. Mas eu sabia como lidar com isso também. Simplesmente coloquei meu dedo indicador horizontalmente sobre seus lábios. Saiu um pouco de comida. Mas ele engoliu um pouco também. Um a zero para o Papai. Dei-lhe um tapinha na cabeça e disse que ele era um bom menino. E disse com intenção. Quando alguém faz algo que você está tentando que faça, recompense-o. Nada de mau humor após a vitória. Uma hora depois, tudo se acabou. Houve revolta. Houve um pouco de choro. Minha esposa teve que sair do cômodo. O estresse foi demais. Mas a comida foi para dentro da criança. Meu filho caiu exausto no meu peito. Tiramos uma soneca juntos. E ele gostou mais de mim após acordar do que antes de ser disciplinado.

Isso foi algo que observei constantemente quando batíamos de frente — e não apenas com ele. Um tempo depois, começamos a fazer rodízio com outro casal para cuidar das crianças. Todas as crianças ficavam juntas em uma casa. Assim, quando um casal de pais saía para jantar ou assistir a um filme, deixava outro cuidando das crianças, todas menores de três anos. Uma noite, outro casal de pais se juntou ao grupo. Eu não conhecia o filho deles, um menino grande e forte de dois anos.

"Ele não dorme", disse o pai. "Depois que você o colocar na cama, ele vai engatinhar para fora e vai vir aqui para baixo. Geralmente colocamos um vídeo do Elmo e o deixamos assistindo."

"Nem sonhando vou recompensar uma criança teimosa por comportamento indevido", pensei, "e certamente não vou colocar vídeo de Elmo nenhum". Sempre odiei aquele fantoche assustador e barulhento. Uma desgraça para o legado de Jim Henson. Uma recompensa à la Elmo não era uma opção. Não disse nada, é óbvio. Não há como falar com os pais sobre seus filhos — até que estejam dispostos a ouvir.

Duas horas depois, colocamos as crianças na cama. Quatro delas dormiram prontamente — mas não o aficionado pelo Muppet. Porém, eu o coloquei em um berço para que não pudesse fugir. Mas ele ainda podia berrar, e foi exatamente o que fez. Aí ele me pegou. Foi uma boa estratégia da parte dele. Era irritante e ameaçava acordar todas as outras crianças, que começariam a berrar também. Um a zero para a criança. Então, eu me dirigi ao quarto. "Deite-se", falei. Não produziu efeito algum. "Deite-se", disse novamente, "ou vou fazer você se deitar". Geralmente não dá resultado argumentar com crianças, especialmente em circunstâncias assim, mas acredito em avisos claros. Obviamente ele não se deitou. Ele berrou de novo, para me impressionar.

As crianças fazem isso frequentemente. Pais temerosos acham que uma criança que está chorando sempre está triste ou machucada. Isso simplesmente não é verdade. A raiva é um dos motivos mais comuns para o choro. Uma análise cuidadosa dos padrões da musculatura em crianças que estão chorando confirmou isso.[100] O choro de raiva e o de medo ou tristeza não são iguais. O som é diferente e eles podem ser distinguidos se prestarmos atenção. O choro de raiva é geralmente um ato de dominância e deveria ser tratado como tal. Levantei o garoto e o coloquei deitado. Gentilmente. Pacientemente. Mas com firmeza. Ele se levantou. Eu o deitei. Ele se levantou. Eu o deitei. Ele se levantou. Dessa vez, eu o deitei e mantive minha mão em suas costas. Ele lutou vigorosamente, mas não surtiu efeito. Afinal, ele tinha um décimo do meu tamanho. Eu conseguia segurá-lo com uma das mãos. Então, eu o mantive deitado e falei calmamente com ele, e disse que era um bom menino e que deveria relaxar. Eu lhe dei uma chupeta e bati gentilmente em suas costas. Ele começou a relaxar. Seus olhos começaram a se fechar. Retirei minha mão.

Ele imediatamente se levantou. Fiquei impressionado. O garoto tinha coragem! Eu o levantei e o fiz deitar novamente. "Deite-se, monstro", disse eu. Bati gentilmente em suas costas mais um pouco. Algumas crianças acham isso reconfortante. Ele estava ficando cansado. Estava prestes a se render. Fechou os olhos. Eu me levantei e fui silenciosamente em direção à porta. Espiei atrás de mim para conferir a posição dele uma última vez. Ele estava em pé de novo. Apontei meu dedo para ele. "Deite-se, monstro", disse eu, e falei com vontade. Ele caiu como uma pedra. Fechei a porta. Gostamos um do outro. Nem minha esposa nem eu ouvimos um pio dele pelo resto da noite.

"Como ele se comportou?", perguntou o pai ao chegar em casa, bem tarde naquela noite. "Bem", respondi. "Não deu trabalho nenhum. Está dormindo agora."

"Ele se levantou?", perguntou o pai.

"Não", respondi. "Dormiu o tempo todo."

O pai me olhou. Ele queria saber. Mas não perguntou. E eu não contei.

Não lance pérolas aos porcos, diz o antigo ditado. E você pode achar que isso é cruel. Porém, treinar seu filho para não dormir e recompensá-lo com as palhaçadas de um fantoche medonho? Isso é cruel também. Você escolhe seu veneno e eu, o meu.

DISCIPLINAR E PUNIR

Pais modernos morrem de medo de duas palavras geralmente usadas juntas: disciplinar e punir. Elas evocam imagens de prisões, soldados e coturnos. A distância entre disciplinador e tirano, ou punição e tortura, é, de fato, facilmente atravessada. *Disciplina* e *punição* devem ser tratadas com cuidado. O medo não é de surpreender. Mas ambas são necessárias. Elas podem ser aplicadas consciente ou inconscientemente, bem ou mal, mas não há como escapar do seu uso.

Não que seja impossível disciplinar com recompensa. De fato, recompensar o bom comportamento pode ser muito eficaz. O mais famoso dos psicólogos comportamentais, B. F. Skinner, foi um grande defensor dessa abordagem. Era especialista nisso. Ele ensinou os pombos a jogarem pingue-pongue, embora eles apenas rolassem a bola para trás e para frente com seus bicos.[101] Mas eram apenas pombos. Então, embora jogassem mal, isso ainda era muito bom. Skinner até ensinou seus pássaros a pilotar mísseis durante a Segunda Guerra Mundial, no Projeto "Pigeon" (depois renomeado para ORCON).[102] Ele foi longe, antes que a invenção dos sistemas eletronicamente guiados tornasse seus esforços obsoletos.

Skinner observava com um cuidado excepcional os animais que treinava. Qualquer ação que se aproximasse do que ele pretendia era imediatamente recompensada de forma proporcional: não tão pequena para ser inconsequente nem grande demais para não desvalorizar esforços futuros. Tal abordagem pode ser utilizada com crianças, e funciona muito bem. Imagine que você gostaria que seu filho pequeno ajudasse a arrumar a mesa. É uma habilidade útil. Você gostaria mais dele se ele conseguisse fazer isso. Seria bom para a (titubeante) autoestima de seu filho. Então, você divide o comportamento-alvo em partes menores. Uma parte da ação de arrumar a mesa é carregar um prato do armário até ela. Mesmo isso pode ser complexo demais. Talvez seu filho tenha acabado de começar a andar e seus passos ainda sejam hesitantes e sem segurança. Então, você começa seu treinamento ao lhe entregar um prato e fazer com que o devolva. Um afago na cabeça pode vir em seguida. Você pode transformar isso em um jogo. Faça-o com sua mão esquerda. Mude para a direita. Faça uma volta pelas costas. Então, pode lhe entregar o prato e dar alguns passos para trás para que ele tenha que caminhar um pouquinho antes de devolvê-lo. Treine-o para que seja um exímio passador de pratos. Não o deixe isolado pela falta de jeito.

Você pode ensinar praticamente qualquer coisa a qualquer um com essa abordagem. Primeiro, descubra o que você quer. Depois, observe as pessoas ao seu redor como um falcão. Finalmente, sempre que perceber qualquer coisa mais parecida com o que quer, voe até lá (falcão, lembre-se) e entregue uma recompensa. Sua filha ficou muito reservada desde que se tornou adolescente. Você gostaria que ela falasse mais. Esse é o alvo: uma filha mais comunicativa. Em uma manhã, durante o desjejum, ela conta uma história sobre a escola. Esse é um momento excelente para prestar atenção. Essa é a recompensa. Pare de mexer no celular e ouça. A menos que queira que ela nunca mais lhe conte nada.

Intervenções parentais que deixem as crianças mais felizes claramente podem e devem ser usadas para moldar o comportamento. O mesmo vale em relação a maridos, esposas, colegas de trabalho e pais. Skinner, no entanto, era um realista. Ele percebeu que o uso da recompensa era muito difícil: o observador tinha que acompanhar pacientemente até que o alvo manifestasse espontaneamente o comportamento desejado para, então, reforçá-lo. Isso exigia muito tempo e espera, e isso é um problema. Ele também tinha que deixar seus animais passando fome até perderem um terço do seu peso corporal normal antes que pudessem ficar interessados o suficiente em comida como recompensa para prestarem bastante atenção. Mas essas não são as únicas falhas da abordagem puramente positiva.

As emoções negativas, assim como as positivas, ajudam-nos a aprender. Precisamos aprender pois somos tolos e vulneráveis. Podemos morrer. Isso não é bom e não nos sentimos bem com isso. Se nos sentíssemos bem, buscaríamos a morte, e então morreríamos. Não nos sentimos bem com a morte ainda que seja apenas uma *possibilidade*. E isso acontece o tempo todo. Assim, emoções negativas nos protegem, por mais desagradáveis que sejam. Nós nos machucamos e sentimos medo, vergonha e repulsa para evitar danos. E somos suscetíveis demais a esses sentimentos. Na verdade, sentimo-nos mais negativos com a perda do que bem com o ganho, ainda que de proporções equivalentes. A dor é mais potente do que o prazer e a ansiedade, mais do que a esperança.

As emoções, positivas e negativas, vêm em duas variantes diferentes e úteis. A satisfação (tecnicamente, a saciação) nos diz que o que fizemos foi bom, enquanto a esperança (tecnicamente, o incentivo da recompensa) indica que algo prazeroso está a caminho. A dor nos machuca, então não repetiremos as ações que produziram dano pessoal ou isolamento social (uma vez que a solidão também é, tecnicamente, uma forma de dor). A ansiedade nos afasta de pessoas nocivas e de lugares ruins para que não tenhamos de sofrer a dor novamente. Todas essas emoções devem ser equilibradas entre si e cuidadosamente julgadas dentro de um contexto, mas todas são necessárias para nos manter vivos e prosperando. Portanto, prestamos um desserviço aos nossos filhos quando deixamos de usar qualquer coisa a nosso dispor para ajudá-los a aprender, incluindo as emoções negativas, muito embora esse uso deva ocorrer da forma mais compassiva possível.

Skinner sabia que as ameaças e punições poderiam interromper comportamentos indesejados, assim como a recompensa reforça o que é desejável. Em um mundo paralisado pelo simples pensamento de interferir no caminho hipoteticamente imaculado do desenvolvimento natural da criança, pode ser difícil até mesmo discutir as técnicas aqui apresentadas. No entanto, as crianças não teriam um período de

136   12 REGRAS PARA A VIDA

desenvolvimento natural tão longo antes da maturidade se seus comportamentos não tivessem de ser moldados. Elas pulariam para fora do útero prontas para negociar ações na bolsa. As crianças não podem ser totalmente protegidas contra o medo e a dor. Elas são pequenas e vulneráveis. Elas não sabem muito sobre o mundo. Mesmo quando estão realizando algo tão natural como aprender a andar, são constantemente surradas pelo mundo. E isso sem falar da frustração e rejeição que inevitavelmente experimentarão ao lidar com irmãos, colegas e adultos não cooperativos e teimosos. Com isso em mente, a questão moral fundamental não é como proteger totalmente uma criança contra o infortúnio e o fracasso para que nunca experimente qualquer medo ou dor, mas como maximizar seu aprendizado para que conhecimentos úteis possam ser conquistados com um custo mínimo.

No filme da Disney *A Bela Adormecida*, o Rei e a Rainha têm uma filha, a princesa Aurora, após uma longa espera. Eles planejam um grande batizado para apresentá-la ao mundo. Eles recebem todos que amam e honram sua nova filha. Mas não convidam Malévola (maliciosa, malevolente), que é basicamente a Rainha do Submundo, ou a Natureza em sua face negativa. Isso quer dizer, simbolicamente, que os dois monarcas estão superprotegendo sua amada filha ao construírem um mundo ao seu redor isento de tudo que é negativo. Mas isso não a protege. Isso a torna fraca. Malévola amaldiçoa a princesa, sentenciando-a à morte quando completar 16 anos, causada pela picada da agulha de uma roda de fiar. A roda representa a roda do destino; a picada, que produz sangue, simboliza a perda da virgindade, um sinal do surgimento da mulher a partir da criança.

Felizmente, uma boa fada (o elemento positivo da Natureza) reduz a punição para a inconsciência, redimível pelo primeiro beijo do amor verdadeiro. O Rei e a Rainha, em pânico, livram-se de todas as rodas de fiar em seu reino e entregam a filha a três boas fadas. Eles continuam com sua estratégia de remover tudo de perigoso — mas, ao fazerem isso, deixam a filha ingênua, imatura e fraca. Um dia, logo antes do décimo sexto aniversário de Aurora, ela conhece um príncipe na floresta e se apaixona no mesmo dia. Por qualquer padrão sensato, isso é um pouco demais. Depois, ela se lamenta pelo fato de ter que se casar com o Príncipe Phillip, a quem foi prometida desde criança e colapsa

REGRA 5

emocionalmente quando é levada de volta ao castelo dos pais para sua festa de aniversário. É nesse momento que a maldição de Malévola se manifesta. Um portal se abre no castelo, uma roda de tear aparece e Aurora fura seu dedo, caindo inconsciente. Ela se torna a Bela Adormecida. Ao fazer isso (novamente, simbolicamente falando), ela escolhe a inconsciência em detrimento do terror da vida adulta. Algo existencialmente similar a isso frequentemente ocorre com crianças superprotegidas que podem ficar devastadas — e então desejar a benção da inconsciência — ao primeiro contato real com o fracasso ou, ainda pior, com a maldade genuína, que não entendem ou não são capazes de entender, e contra a qual não têm defesa alguma.

Pegue o exemplo da garotinha de três anos que não aprendeu a compartilhar. Ela exibe seu comportamento egoísta na presença de seus pais, mas eles são bonzinhos demais para intervir. Na verdade, eles se recusam a prestar atenção, a admitir o que está acontecendo e ensiná-la como agir corretamente. Eles ficam irritados, é claro, quando ela não compartilha com a irmã, mas fingem que está tudo certo. Não está. Eles vão esbravejar com ela mais tarde por algo totalmente desconexo. Ela ficará magoada com isso, ficará confusa e não aprenderá nada. Pior: quando tentar fazer amigos, ela não vai ter sucesso por causa de sua falta de sofisticação social. Fará com que as crianças de sua idade deixem de gostar dela em razão de sua inabilidade em cooperar. Elas vão brigar com ela ou sairão de perto para encontrar outra colega para brincar. Os pais daquelas crianças a enxergarão como problemática e malcomportada, e não a convidarão mais para brincar com seus filhos. Ela ficará solitária e rejeitada. Isso produzirá ansiedade, depressão e ressentimento. Resultará no afastamento da vida, que é equivalente ao desejo pela inconsciência.

Pais que se recusam a assumir a responsabilidade pela disciplina de seus filhos acham que podem simplesmente optar por evitar o conflito necessário para uma criação adequada de uma criança. Eles evitam ser os vilões (em curto prazo). Mas de forma alguma isso resgata ou protege seus filhos contra o medo e a dor. É exatamente o contrário: o mundo social mais amplo, crítico e indiferente infligirá conflitos e punições muito maiores do que os provocados por um pai consciente. Você pode disciplinar seu filho ou delegar essa responsabilidade ao mundo cruel e indiferente — e a decisão pela segunda opção nunca deve ser confundida com amor.

Você pode objetar, como os pais modernos às vezes fazem: por que uma criança deveria *estar* sujeita aos ditames arbitrários de um pai? De fato, há uma nova variante do pensamento politicamente correto que presume que tal ideia seja "adultismo":[103] uma forma de preconceito e opressão análoga ao, digamos, sexismo ou racismo. A questão sobre a autoridade adulta deve ser respondida com cuidado. Isso exige um exame meticuloso da própria questão. Aceitar uma objeção como formulada é meio caminho para aceitar sua validade, e isso pode ser perigoso se a pergunta for mal colocada. Vamos separá-la em partes.

Em primeiro lugar, por que uma criança deveria estar *sujeita*? Essa é fácil. Toda criança deve ouvir e obedecer aos adultos porque é dependente dos cuidados que um ou mais adultos imperfeitos estão dispostos a oferecer. Assim, é melhor que a criança aja de uma maneira que convide à afeição e à boa vontade genuínas. Algo ainda melhor pode ser imaginado. A criança poderia agir de uma forma que simultaneamente assegurasse a atenção ideal por parte do adulto, de uma forma que beneficiasse seu estado presente de ser e seu desenvolvimento futuro. Esse é um padrão muito alto, mas é a melhor intenção com a criança, então há todas as razões para termos essa aspiração.

Toda criança também deve ser ensinada a cumprir honrosamente as expectativas da sociedade civil. Isso não quer dizer serem oprimidas até o ponto de uma conformidade ideológica irracional. Pelo contrário, significa que os pais devem recompensar as atitudes e ações que garantirão sucesso aos seus filhos no mundo fora da família, e usar ameaça e punição quando necessárias para eliminar os comportamentos que os levarão à infelicidade e ao fracasso. Há uma janela de oportunidade estreita para isso, então socializar a criança rapidamente é importante. Se uma criança não foi ensinada a se comportar corretamente até os quatro anos, terá para sempre dificuldades em fazer amigos. A literatura científica é muito clara a esse respeito. Isso é importante porque os colegas são a fonte primária de socialização após os quatro anos. Crianças rejeitadas deixam de se desenvolver porque são excluídas por seus colegas. Elas ficam cada vez mais para trás, enquanto as outras continuam a progredir. Dessa forma, a criança sem amigos, com muita frequência, torna-se o adolescente e adulto solitário, antissocial ou deprimido. Isso não é bom. A parcela de nossa sanidade derivada de uma imersão positiva em uma comunidade social é muito maior do que normalmente percebemos. Devemos ser continuamente relembrados a pensar e agir corretamente. Quando nos desviamos, as pessoas que se importam conosco e nos amam nos dão pequenas cutucadas para nos colocar de volta no bom caminho. Então, é melhor termos algumas dessas pessoas por perto.

Não é o caso também (voltando à questão) de que os ditames adultos sejam todos arbitrários. Isso só é verdade em um estado totalitário disfuncional. Mas, nas sociedades abertas e civilizadas, a maioria obedece a um contrato social funcional, que visa o melhoramento mútuo — ou, pelo menos, a convivência próxima sem muita violência. Mesmo um sistema de regras que permita apenas esse contrato mínimo não é, de modo algum, arbitrário, considerando-se as alternativas. Se uma sociedade não recompensa adequadamente o comportamento produtivo e pró-social, insiste em distribuir recursos de uma forma nitidamente arbitrária e injusta, e permite o roubo e a exploração, não permanecerá livre de conflitos por muito tempo. Se suas hierarquias forem baseadas apenas (ou até mesmo principalmente) no poder, em vez de na competência em realizar coisas necessárias e importantes, a sociedade estará destinada ao colapso, também. Isso se aplica, de uma forma mais simples, às hierarquias dos chimpanzés, o que é uma indicação de sua verdade emergente fundamental, biológica e não arbitrária.[104]

Crianças precariamente socializadas têm vidas terríveis. Portanto, é melhor socializá-las da melhor forma possível. Parte disso pode ser feita com recompensas, mas não tudo. Assim, a questão não é se a punição e a ameaça devem ser usadas. A questão é se serão usadas de modo consciente e cuidadoso. Como, então, as crianças deveriam ser disciplinadas? Essa é uma pergunta muito difícil porque os filhos (e os pais) são muito diferentes em seus temperamentos. Algumas crianças são cordatas. Elas querem muito agradar, mas pagam por isso com uma tendência à dependência e aversão ao conflito. Outras são mais determinadas e independentes. Essas crianças querem fazer o que quiserem, quando quiserem, o tempo todo. Elas podem ser desafiadoras, desobedientes e teimosas. Algumas são desesperadas por regras e estruturas, e ficam contentes em ambientes rígidos. Outras, com pouca estima por previsibilidade e rotina, são imunes às demandas até para uma mínima ordem necessária. Algumas são loucamente imaginativas e criativas, enquanto outras são mais objetivas e conservadoras. Todas essas diferenças são muito profundas e importantes, fortemente influenciadas por fatores biológicos e difíceis de serem modificadas socialmente. É realmente uma sorte que, em face de tamanha variabilidade, sejamos os beneficiários de tantas meditações cuidadosas sobre o uso apropriado do controle social.

A FORÇA MÍNIMA NECESSÁRIA

Eis uma ideia inicial que vai direto ao ponto: as regras não devem ser multiplicadas além da necessidade. Dizendo de outro modo, as leis ruins tiram o respeito das boas. É o equivalente ético — e mesmo legal — da navalha de Occam, a guilhotina conceitual do cientista, que afirma que a hipótese mais simples possível é a preferível. Então, não sobrecarregue as crianças — ou seus disciplinadores — com regras demais. Esse caminho leva à frustração.

Limite as regras. Depois, pense no que fazer caso uma delas seja quebrada. É difícil estabelecer uma regra geral em relação à severidade da punição sem levar em conta o contexto. Porém, uma norma útil já foi consagrada pelo direito comum inglês, um dos grandes feitos da civilização ocidental. Sua análise pode nos ajudar a estabelecer um segundo princípio útil.

O direito comum inglês permite que todos defendam seus direitos, mas apenas de uma maneira razoável. Alguém invade sua casa. Você tem uma pistola carregada. Você tem o direito de se defender, mas é melhor agir por estágios. E se for um vizinho bêbado e confuso? "Atira!", passa por sua cabeça. Mas não é tão simples assim. Em vez disso, você então diz: "Pare! Estou armado." Se isso não produzir pelo menos uma explicação ou a retirada, você pode considerar dar um tiro de aviso. Se o perpetrador ainda avançar, você pode mirar na perna dele. (Esse é só um exemplo. Não o considere um aconselhamento legal.) Um único princípio incrivelmente prático pode ser usado para gerar todas essas reações gradativamente mais severas: a força mínima necessária. Então, agora temos dois princípios gerais de disciplina. O primeiro: limite as regras. O segundo: use a força mínima necessária para garantir que essas regras sejam cumpridas.

Talvez você se pergunte sobre o primeiro princípio: "Limitar as regras a que, exatamente?" Vou dar algumas sugestões. Não morda, chute ou bata, exceto em caso de autodefesa. Não torture ou faça bullying nas outras crianças para não acabar na cadeia. Alimente-se de forma civilizada e agradecida, assim as pessoas ficarão felizes em recebê-lo em suas casas e satisfeitas em alimentá-lo. Aprenda a compartilhar, assim outras crianças brincarão com você. Preste atenção quando os adultos falarem com você, para que eles não o odeiem e possam, assim, dignarem-se a lhe ensinar algo. Vá dormir na hora certa e em paz para que seus pais possam ter uma vida pessoal e não fiquem ressentidos com sua existência. Cuide dos seus pertences porque você precisa aprender como fazer isso e porque tem sorte em possui-los. Seja uma boa companhia quando algo divertido estiver acontecendo, assim será convidado para a diversão. Aja de forma que as outras pessoas fiquem felizes com sua presença, assim vão querer você sempre por perto. Uma criança que conhece essas regras será bem-vinda em todos os lugares.

Sobre o segundo princípio, de igual importância, sua pergunta pode ser: "Qual é a força mínima necessária?" Isso deve ser estabelecido experimentalmente, começando com as menores intervenções possíveis. Algumas crianças ficarão duras como uma pedra com apenas um olhar. Um comando verbal vai parar outras. Um peteleco com seu indicador na mão da criança pode ser necessário para algumas. Essa estratégia é especialmente útil em lugares públicos, como restaurantes. Pode ser administrada rapidamente, de forma silenciosa e efetiva, sem o risco de intensificação. Qual é a alternativa? Uma criança chorando com raiva exigindo atenção não se tornará mais popular. Uma criança que fica correndo de mesa em mesa perturbando a paz de todos está levando desonra (uma palavra antiga, mas boa) para si mesma e para seus pais. Resultados assim estão longe do ideal e as crianças certamente se comportarão mal em público, porque estão experimentando: tentando estabelecer se as mesmas regras antigas também são aplicadas no novo ambiente. Elas não resolvem isso verbalmente, não quando têm menos de três anos.

Quando nossos filhos eram pequenos e os levávamos aos restaurantes, eles atraíam sorrisos. Eles se sentavam direitinho e comiam educadamente. Não conseguiam fazer isso por muito tempo, mas não os deixávamos lá tempo demais. Quando começavam a ficar irritados, após estarem sentados por 45 minutos, sabíamos que era a hora de irmos. Isso fazia parte do acordo. As pessoas que se sentavam próximas de nós diziam como era bom ver uma família feliz. Não estávamos felizes o tempo todo e nossos filhos não se comportavam bem sempre. Mas eram assim durante a maior parte do tempo e era maravilhoso ver as pessoas reagindo positivamente a eles. Foi muito bom para as crianças. Elas podiam ver que as pessoas gostavam delas. Isso também reforçava seu bom comportamento. Essa era a recompensa.

As pessoas gostarão bastante de seus filhos se você lhes der essa chance. Aprendi isso assim que tivemos nossa primeira filha, Mikhaila. Quando a levávamos para passear no seu carrinho por nossa vizinhança de classe média em Montreal, aqueles caras grandões, estilo lenhadores que bebiam todas, paravam o que estavam fazendo e sorriam para ela. Ficavam fazendo aquelas caras e barulhos bobos que fazemos para as criancinhas. Observar as pessoas reagirem frente às crianças dessa forma restaura sua fé na natureza humana. Todo esse sentimento é multiplicado quando seus filhos se comportam em público. Para garantir que isso ocorra, você tem que discipliná-los de forma cuidadosa e efetiva — e, para conseguir isso, tem que conhecer algo sobre recompensa e punição em vez de ficar se esquivando desse conhecimento.

Uma parte de estabelecer um relacionamento com seu filho é saber como aquela pessoinha reage perante uma intervenção disciplinar — para então intervir efetivamente. É muito fácil ficar dizendo clichês, como: "Não há o que justifique a punição física." Ou: "Bater em seus filhos apenas os ensina a bater nos outros."[105] Comecemos pela primeira declaração: *não há o que justifique a punição física*. Primeiramente, devemos observar o consenso largamente difundido sobre a ideia de que algumas formas de mau comportamento, especialmente as que estiverem associadas a roubo e agressão, são erradas e devem sofrer sanções. Em segundo lugar, devemos observar que quase todas as sanções envolvem algum tipo de punição em suas várias formas psicológicas e mais diretamente físicas. Estar privado de liberdade causa um tipo de dor que é essencialmente similar ao trauma físico. O mesmo pode ser dito sobre o isolamento social (incluindo os castigos). Sabemos isso neurobiologicamente. As mesmas áreas do cérebro controlam a reação frente a essas situações e são todas amenizadas pela mesma classe de drogas, os opioides.[105] A cadeia é uma punição claramente física — especialmente o confinamento solitário —, mesmo quando não acontece nada de violento. Terceiro, devemos observar que algumas ações infames devem ser interrompidas de forma efetiva e imediata para que nada de pior aconteça. Qual seria uma punição apropriada para alguém que continua enfiando uma faca na tomada? Ou que sai correndo e gargalhando no estacionamento lotado do supermercado? A resposta é simples: qualquer coisa que, dentro do razoável, interrompa a ação o mais rápido possível. Porque a alternativa poderia ser fatal.

Isso fica óbvio no caso do estacionamento. Porém, o mesmo se aplica no âmbito social, o que nos traz ao quarto ponto sobre as justificativas para punir fisicamente. As penalidades pelo mau comportamento (do tipo que poderia ter sido interrompido efetivamente durante a infância) tornam-se cada vez mais severas com o crescimento das crianças — e, desproporcionalmente, são as que permanecem totalmente não socializadas até os quatro anos que acabam sendo punidas explicitamente pela sociedade ao fim de sua juventude e no início da vida adulta. Por sua vez, essas crianças com quatro anos, que não tiveram limites, são muitas vezes aquelas que eram excessivamente agressivas por natureza quando tinham dois. Em comparação a seus pares, eram estatisticamente mais propensas a chutar, bater, morder e pegar os brinquedos dos outros (o que é conhecido mais tarde como roubar). Elas abrangem por volta de 5% dos meninos e uma porcentagem bem menor de meninas.[106] Ficar repetindo sem pensar a frase mágica: "Não há o que justifique a punição física" também significa fomentar a ilusão de que os adolescentes diabinhos surgiram magicamente a partir de crianças anjinhas. Você não está ajudando em nada seu filho ao fazer vista grossa para qualquer mau comportamento (especialmente se ele tiver um temperamento mais agressivo).

Abraçar a teoria de que *não há o que justifique a punição física* também significa (em quinto lugar) presumir que a palavra *não* pode ser dita efetivamente para outra pessoa na ausência da ameaça da punição.

Uma mulher pode dizer *não* a um homem poderoso e narcisista apenas porque ela tem as normas sociais, a lei e o estado a amparando. Um pai só pode dizer *não* ao seu filho que quer uma terceira fatia de bolo porque ele é maior, mais forte e capaz do que a criança (e também está amparado em sua autoridade pela lei e pelo estado). Em última análise, a palavra *não* sempre vai significar: "Se continuar a fazer isso, algo que você não vai gostar acontecerá com você." Caso contrário ela não significa nada. Ou, pior, pode significar "outro nada sem sentido resmungado por adultos ignoráveis". Ou, ainda pior, "todos os adultos são inúteis e fracos". Essa é uma lição especialmente ruim, quando o destino de toda criança é tornar-se adulta e quando a maioria das coisas que são aprendidas sem uma dor pessoal demasiada é modelada ou explicitamente ensinada por adultos. O que uma criança que ignora os adultos e os despreza pode esperar do futuro? Para que crescer então? Essa é a história de Peter Pan, que pensa que todos os adultos são uma variante do Capitão Gancho, tirano e aterrorizado pela própria mortalidade (pense no crocodilo faminto com um relógio em seu estômago). A única instância em que *não* sempre significa *não* na ausência de violência é quando é dito de uma pessoa civilizada para outra.

E quanto à ideia de que *bater em seus filhos apenas os ensina a bater nos outros*? Primeiramente: *não*. *Está errado*. Simples demais. Para começar, "bater" é uma palavra muito pouco sofisticada para descrever o ato disciplinar de um pai eficaz. Se "bater" descrevesse precisamente todo o espectro da força física, não haveria diferença entre gotas de chuva e bombas atômicas. Magnitude faz diferença — assim como o contexto, se não formos deliberadamente cegos e ingênuos a respeito da questão. Qualquer criança sabe a diferença entre levar uma mordida de um cão maldoso que não foi provocado e uma abocanhada do próprio cão ao brincar com ele e tentar tirar seu osso. A intensidade e o motivo pelo qual alguém apanha não podem ser meramente ignorados ao falarmos sobre bater. O momento, parte do contexto, também é de crucial importância. Se você der um peteleco com seu dedo no seu filho de dois anos logo após ele ter batido na cabeça da bebê com uma caixa de madeira, ele vai entender a conexão e vai, pelo menos, ter menos vontade de bater nela de novo no futuro. Isso parece ser um bom resultado. Ele certamente não vai concluir que deveria bater mais nela, usando o peteleco dado pelo dedo da mãe como exemplo. Ele não é idiota. Ele apenas está com ciúmes e é impulsivo, e ainda não é muito esclarecido. E de qual outra maneira você vai proteger a irmã mais nova dele? Se discipliná-lo de forma ineficaz, a bebê vai sofrer. Talvez por anos. O bullying vai continuar porque você não faz droga nenhuma para o interromper. Você evita o conflito que é necessário para estabelecer a paz. Você fecha os olhos. E, depois, quando a criança mais nova o confrontar (talvez até quando for adulta), você vai dizer: "Eu nunca soube que era assim." Você apenas não quis saber. Então, não soube. Você apenas rejeitou a responsabilidade da disciplina e a justificou com uma demonstração contínua da sua bondade. Toda casinha feita de doces abriga em seu interior uma bruxa devoradora de crianças.

Portanto, aonde tudo isso nos leva? A tomar a decisão de disciplinar de forma eficiente ou ineficiente (mas nunca para a decisão de ignorar a disciplina totalmente, porque a natureza e a sociedade punirão de forma draconiana quaisquer erros do comportamento infantil que permaneçam não corrigidos). Então, vou deixar algumas dicas práticas: ficar de castigo pode ser uma forma muito eficiente de punição, especialmente se a criança que se comportou mal for bem recebida assim que controlar sua raiva. Uma criança com raiva deveria ficar sentada sozinha até se acalmar. Então, deve-se permitir que volte à vida normal. Isso quer dizer que foi a criança que venceu — e não a raiva. A regra é: "Junte-se a nós assim que você se comportar adequadamente." Esse é um ótimo negócio para a criança, os pais e a sociedade. Você saberá se seu filho realmente retomou o controle. Você vai gostar dele novamente a despeito do seu mau comportamento há pouco. Se você ainda estiver bravo, talvez ele ainda não tenha se arrependido completamente — ou talvez você deva fazer algo em relação à sua tendência de guardar rancor.

Caso seu filho seja daquele tipo de monstrinho determinado que simplesmente sai correndo dando risada quando é colocado na escada, ou no quarto, a restrição física pode ter que ser adicionada aos castigos. Uma criança pode ser segurada cuidadosamente, mas com firmeza, pela parte superior dos braços até que pare de se contorcer e preste atenção. Se isso não funcionar, ser colocada de barriga para baixo no colo dos pais pode ser necessário. Para aquela criança que está saindo do limite de uma forma espetacularmente inspirada, uma palmada no traseiro pode indicar a devida seriedade que um adulto responsável deve ter. Há algumas situações em que nem isso vai resolver, em parte porque algumas crianças são muito determinadas, exploradoras e difíceis, ou porque o comportamento transgressor é realmente grave. E se você não estiver pensando cuidadosamente nessas coisas, então não está agindo responsavelmente como um pai. Você está deixando o trabalho sujo para outra pessoa, que será muito mais suja ao realizá-lo.

UM RESUMO DOS PRINCÍPIOS

Princípio disciplinar 1: *limite as regras*. Princípio 2: *use a força mínima necessária*. E aqui temos um terceiro: *os pais deveriam sempre estar juntos*.[107] Criar filhos é exigente e exaustivo. Por causa disso, é fácil para um dos pais cometer um engano. Insônia, fome, a consequência de uma discussão, uma ressaca, um dia ruim no trabalho — qualquer uma dessas coisas sozinhas pode deixar alguém inconsequente e, se combinadas entre si, podem produzir uma pessoa perigosa. Sob tais circunstâncias, é necessário ter mais alguém por perto para observar, intervir e discutir. Isso fará com que seja menos provável que uma criancinha chorona e provocadora, somando-se a um dos pais irritado e de mau humor, provoque a tal ponto que não haja retorno. Os pais deveriam estar juntos, de forma que o pai de um recém-nascido possa acompanhar a nova mãe, de modo que ela não fique esgotada e faça algo desesperado após ouvir seu bebê com cólica ficar se lamentando das onze da noite até as cinco da manhã durante 30 dias seguidos. Não estou dizendo que devemos ser maldosos com as mães solteiras, muitas das quais lutam de maneira corajosa e quase impossível — e várias das quais tiveram que simplesmente fugir de um relacionamento brutal —, porém, isso não significa que devamos fingir que todas as formas familiares são igualmente viáveis. Elas não são. Ponto-final.

Aqui temos um quarto princípio, que é particularmente psicológico: *os pais devem entender a própria capacidade de serem cruéis, vingativos, arrogantes, ressentidos, irritados e traiçoeiros*. Pouquíssimas pessoas planejam, conscientemente, fazer um péssimo trabalho como pais ou mães, mas uma criação ruim acontece o tempo todo. Isso ocorre pois as pessoas têm uma grande capacidade para o mal, assim como para o bem — e porque permanecem deliberadamente cegas para esse fato. As pessoas são agressivas e egoístas, assim como bondosas e atenciosas. Por esse motivo, nenhum ser humano adulto — nenhum macaco predatório e hierárquico — consegue realmente tolerar ser dominado por uma criança que acabou de chegar. A vingança virá. Dez minutos após os pais completamente bondosos e pacientes não conseguirem parar a pirraça em público no supermercado local, vão dar o troco para seu filhinho dando as costas quando for correndo, todo feliz, mostrar sua última realização. Uma quantia suficiente de vergonha, desobediência e desafio por dominância fará com que até os pais hipoteticamente mais altruístas fiquem ressentidos. E, depois, a punição real começará. Ressentimento alimenta o desejo por vingança. Menos demonstrações espontâneas de amor serão oferecidas, com cada vez mais racionalizações para sua ausência. Menos oportunidades para o desenvolvimento pessoal da criança serão buscadas. Um afastamento sutil começará. E isso é apenas o início de uma estrada para a guerra familiar total, conduzida principalmente nos subterrâneos sob a falsa aparência de normalidade e amor.

É bom evitar esse caminho tão frequentemente tomado. Um pai ou mãe que esteja completamente ciente da sua tolerância limitada e da sua capacidade de agir mal se for provocado pode, portanto, planejar seriamente uma estratégia disciplinar apropriada — especialmente se for monitorado por um parceiro igualmente consciente — e nunca deixar as coisas saírem do controle ao ponto de surgir um ódio genuíno. Tenha cuidado. Há famílias tóxicas em todos os lugares. Elas não criam regras e não limitam o mau comportamento. Os pais atacam de forma aleatória e imprevisível. As crianças que vivem nesse caos sentem-se oprimidas, caso sejam tímidas, ou rebelam-se de forma contraproducente se forem mais duras. Isso não é bom. E pode resultar em extrema violência.

Aqui temos um quinto e último princípio, e o mais geral de todos. Os pais têm o dever de agir como representantes do mundo real — representantes compassivos e cuidadosos —, mas, ainda assim, representantes. Essa obrigação suplanta qualquer responsabilidade de garantir a felicidade, fomentar a criatividade ou estimular a autoestima.

É o dever primário dos pais tornar seus filhos socialmente desejáveis. Isso fornecerá oportunidade, respeito próprio e segurança à criança. É até mais importante do que fomentar a identidade individual. Esse Santo Graal só pode ser buscado, de qualquer forma, quando um alto grau de sofisticação social tiver sido estabelecido.

OS BONS FILHOS — E OS PAIS RESPONSÁVEIS

Uma criança de três anos que foi socializada corretamente é educada e participativa. Ela também não é uma fracote. Atrai o interesse das outras crianças e a apreciação dos adultos. Ela existe em um mundo em que as outras crianças a recebem e competem por sua atenção, e onde os adultos ficam felizes em vê-la em vez de se esconderem atrás de sorrisinhos falsos. Ela será apresentada ao mundo por pessoas que estão satisfeitas em fazê-lo. Isso fará mais por sua individualidade futura do que qualquer outra tentativa covarde dos pais de evitar o conflito e a disciplina diários.

Converse com seu parceiro sobre o que o faz gostar e deixar de gostar dos seus filhos, e, se isso não for possível, converse com um amigo. Porém, não tenha medo de admitir o que gosta e o que não gosta. Você sabe distinguir entre o que é adequado e o que é inadequado, assim como sabe separar o joio do trigo. Você percebe a diferença entre bem e mal. Uma vez que esclareceu seu ponto de vista — uma vez que avaliou se ainda resta alguma mesquinhez, arrogância ou ressentimento —, você pode dar o próximo passo e fazer com que seus filhos se comportem. Você assume a responsabilidade pelos erros que inevitavelmente vai cometer ao disciplinar. Você pode pedir desculpas quando estiver errado e aprender a fazer melhor.

Afinal de contas, você ama seus filhos. Se as ações deles fazem com que você deixe de gostar deles, pense qual será o efeito delas em outras pessoas, que se importam muito menos com eles do que você. Essas outras pessoas os punirão severamente, por omissão ou ação. Não permita que isso aconteça. É melhor que seus monstrinhos saibam o que é desejável e o que não é, para que se tornem habitantes esclarecidos do mundo fora da família.

Um filho que presta atenção em vez de ignorar e que sabe brincar, não choraminga, é engraçado sem incomodar, é confiável — esse filho terá amigos aonde quer que vá. Seus professores gostarão dele, assim como seus pais. Se ele se dirigir educadamente aos adultos, será atendido, receberá um sorriso e será instruído com satisfação. Ele vai prosperar naquilo que poderia facilmente ser um mundo hostil, implacável e frio. Regras claras produzem crianças seguras e pais calmos e racionais. Princípios claros de disciplina e punição equilibram a compaixão e a justiça para que o desenvolvimento social e a maturidade psicológica possam ser promovidos da melhor forma possível. Regras claras e disciplina apropriada ajudam a criança, a família e a sociedade a estabelecerem, manterem e expandirem a ordem, que é tudo aquilo que nos protege do caos e terror do submundo, em que tudo é incerto, desesperançoso, deprimente e provoca ansiedade. Não há presente melhor que pais comprometidos e corajosos possam oferecer.

Não deixe que seus filhos façam algo que faça você deixar de gostar deles.

REGRA 6

DEIXE SUA CASA EM PERFEITA ORDEM ANTES DE CRITICAR O MUNDO

UM PROBLEMA RELIGIOSO

NÃO PARECE SENSATO descrever o jovem que atirou e matou 26 crianças e seis funcionários da Escola de Ensino Fundamental Sandy Hook em Newtown, no estado de Connecticut, em 2012, como uma pessoa religiosa. Isso é igualmente verdadeiro em relação ao atirador do cinema em Colorado e os assassinos da Escola de Ensino Médio em Columbine. Mas esses indivíduos homicidas tinham um problema com a realidade existente em uma profundidade religiosa. Um dos atiradores de Columbine escreveu:[108]

> A raça humana não merece que lutemos por ela, apenas que a matemos. Devolva a Terra aos animais. Eles a merecem infinitamente mais do que nós. Nada tem mais significado algum.

As pessoas que pensam assim entendem o próprio Ser como iníquo e inclemente ao ponto da degradação e o Ser *humano*, em especial, como desprezível. Eles apontam a si mesmos como os juízes supremos da realidade e decidem que ela é insuficiente. Eles são os críticos supremos. O escritor, profundamente cínico, continua:

> Se você relembrar a história, os nazistas criaram a "solução final" para o problema judeu... Matem-nos todos. Bem, caso não tenha entendido, eu digo: "MATE A HUMANIDADE." Ninguém deve sobreviver.

Para esses indivíduos, o mundo da experiência é insuficiente e mau — então que vá tudo pro inferno!

O que está acontecendo quando alguém passa a pensar dessa maneira? Uma grande peça alemã, *Fausto: Uma Tragédia*, escrita por Johann Wolfgang von Goethe, trata dessa questão. O personagem principal da peça, um erudito chamado Henrique Fausto, negocia sua alma imortal com o demônio Mefistófeles. Em troca, ele recebe o que desejar enquanto estiver vivo na Terra. Na peça de Goethe, Mefistófeles é o eterno adversário do Ser. Ele tem um credo central, definidor:[109]

> *Eu sou o espírito que sempre nega!*
> *E com razão; pois tudo que existe*
> *Merece ser destruído.*
> *E, portanto, melhor fora que nada existisse.*
> *Assim, tudo que chamas pecado,*
> *Ruína, para ser breve, o Mal —*
> *É o meu específico e próprio elemento.*

Goethe considerou esse sentimento odioso tão importante — tão essencial ao elemento central da destrutividade da vingança humana — que fez com que Mefistófeles dissesse isso uma segunda vez, fraseado de forma um pouco diferente, no Ato II da peça, escrita muitos anos depois.[110]

As pessoas frequentemente pensam como Mefistófeles, embora raramente coloquem seus pensamentos em prática de forma tão brutal quanto os assassinos da escola, do colégio e do cinema. Sempre que experimentamos a injustiça, real ou imaginária; sempre que nos deparamos com a tragédia ou somos vítimas das maquinações dos outros;

sempre que experimentamos o horror e a dor de nossas limitações aparentemente arbitrárias — a tentação de questionar o Ser e depois amaldiçoá-lo ergue-se sordidamente da escuridão. Por que pessoas inocentes devem sofrer tão terrivelmente? Que tipo de porcaria horrível de planeta é esse, afinal?

A vida é muito dura de verdade. Todos estamos destinados à dor e programados para a destruição. Às vezes o sofrimento é claramente o resultado de uma falha pessoal tal como cegueira voluntária, tomadas de decisão ruins ou malevolência. Nesses casos, quando aparenta ser autoinfligido, pode até parecer justo. As pessoas recebem o que merecem, você pode alegar. Isso é um triste consolo, no entanto, mesmo quando é verdade. Às vezes, se aqueles que estão sofrendo mudassem seu comportamento, sua vida se desenrolaria menos tragicamente. Mas o controle humano é limitado. A suscetibilidade ao desespero, à doença, ao envelhecimento e à morte é universal. Em última análise, parece que não somos os arquitetos da nossa própria fragilidade. De quem é a culpa, então?

As pessoas que estão muito enfermas (ou, pior, que têm um filho enfermo) inevitavelmente se pegarão fazendo essa pergunta, sejam religiosas ou não. O mesmo é verdadeiro no caso de alguém que se viu aprisionado pela engrenagem de uma burocracia gigantesca — sofrendo por conta de uma auditoria fiscal ou batalhando em um interminável processo ou divórcio. E não são apenas aqueles que obviamente estão sofrendo que são atormentados pela necessidade de culpar alguém ou algo pelo estado intolerável do Ser. No auge de sua fama, influência e poder criativo, por exemplo, o eminente Leo Tolstói começou a questionar o valor da existência humana.[111] Ele argumentou da seguinte forma:

> Minha posição era terrível. Eu sabia que não poderia encontrar nada através do caminho do conhecimento racional exceto uma negação da vida; e na fé não poderia encontrar nada exceto uma negação da razão, o que era ainda mais impossível para mim do que uma negação da vida. Do conhecimento racional conclui-se que a vida é um mal, e as pessoas sabem disso. Elas não têm que viver, ainda assim, elas viveram e ainda vivem, e eu vivo, embora eu já saiba, desde muito tempo, que a vida não faz sentido e é um mal.

Por mais que tentasse, Tolstói só conseguia identificar quatro maneiras de escapar desses pensamentos. Um era se esconder sob uma ignorância infantil do problema. Outro era buscar o prazer irracional. O terceiro era "continuar a arrastar uma vida que é um mal e não faz sentido, sabendo de antemão que não se pode esperar nada dela". Ele identificou essa forma específica de escape como uma fraqueza: "As pessoas nessa categoria sabem que a morte é melhor do que a vida, mas não têm força para agir racionalmente e colocar um fim rápido à ilusão, cometendo suicídio..."

Apenas o quarto e último modo de escape envolvia "força e energia. Ele consiste em destruir a vida, uma vez que se percebeu que a vida é um mal e sem sentido." Tolstói continuou seu pensamento de forma implacável:

> Apenas algumas pessoas excepcionalmente fortes e logicamente consistentes agem assim. Tendo compreendido a estupidez da piada de que fomos vítimas e tendo entendido que é melhor estar morto do que estar vivo, e que o melhor de tudo é não existir, elas agem e acabam com essa piada estúpida; e elas se utilizam de qualquer meio para isso realizar: uma corda no pescoço, água, uma faca no coração, um trem.

Tolstói não era pessimista a esse ponto. A estupidez da piada de que somos vítimas não motiva meramente o suicídio. Ela motiva o assassinato — em massa, geralmente seguido de suicídio. Esse é um protesto existencial muito mais eficaz. Em junho de 2016, por mais incrível que possa parecer, haviam ocorrido 1.000 assassinatos em massa (definidos por conterem quatro ou mais vítimas no mesmo incidente, excluindo-se o atirador) nos EUA em 1.260 dias.[112] Isso equivale a cinco eventos desse tipo a cada seis dias durante mais de três anos. Todos dizem: "Nós não entendemos." Como ainda podemos fingir isso? Tolstói entendeu, mais de um século atrás. Os antigos autores da história bíblica de Caim e Abel entenderam, também, mais de 20 séculos atrás. Eles descreveram o assassinato como o primeiro ato da história pós-edênica: e não apenas assassinato, mas fratricídio — não apenas o assassinato de alguém inocente, mas de alguém ideal e bom, e um assassinato executado deliberadamente para despeitar o criador do universo. Os matadores de hoje nos dizem a mesma coisa, com suas próprias palavras. Quem ousaria dizer que isso não é a maçã podre, na essência? Mas não damos ouvidos, porque a verdade dói demais. Mesmo para uma mente tão profunda quanto aquela do celebrado autor russo, não havia saída. Como o restante de nós conseguirá lidar com isso quando um homem da magnitude de Tolstói admite derrota? Durante anos, ele escondia as armas de si mesmo e não carregava cordas para não se enforcar.

Como uma pessoa desperta para essa realidade pode evitar a revolta contra o mundo?

VINGANÇA OU TRANSFORMAÇÃO

Alguém religioso pode erguer as mãos em desespero perante a injustiça e cegueira aparentes de Deus. O próprio Cristo se sentiu abandonado perante a cruz, como conta a história. Alguém mais agnóstico ou ateu pode culpar o destino ou meditar amargamente sobre a brutalidade do acaso. Outro pode revirar a si mesmo, procurando pelas falhas de caráter subjacentes ao seu sofrimento e deterioração. São todas variações sobre um tema. O nome do alvo muda, mas a psicologia subjacente permanece constante. Por quê? Por que há tanto sofrimento e crueldade?

Bem, talvez isso seja mesmo obra de Deus — ou a culpa de um destino cego e sem sentido, se você estiver inclinado a pensar assim. E parece que há todas as razões para isso. Mas o que acontece se você pensar assim? Os assassinos em massa acreditam que o sofrimento relacionado com a existência justifica o julgamento e a vingança, conforme os garotos de Columbine indicaram tão claramente:[113]

> Antes morrer do que trair meus próprios pensamentos. Antes de partir deste lugar indigno, matarei todos aqueles que julgar inadequados para qualquer coisa, especialmente para a vida. Se você me atormentou no passado, você vai morrer se eu o vir. Talvez você consiga atormentar os outros e eles se esqueçam disso futuramente, eu não. Não me esqueço das pessoas que me fizeram mal.

Um dos assassinos mais vingativos do século XX, o terrível Carl Panzram, foi estuprado, brutalizado e traído na instituição em Minnesota, responsável por sua "reabilitação", quando era um delinquente juvenil. Ele surgiu, enraivecido além da conta, como ladrão, incendiário, estuprador e assassino serial. Ele focou de modo consciente e consistente a destruição, até mesmo monitorando quantos dólares valiam as propriedades que ele queimou. Ele começou por odiar os indivíduos que o feriram. Seu ressentimento cresceu, até que seu ódio abarcou toda a humanidade, e ele não parou por ali. Sua destrutividade tinha como foco de uma maneira fundamental o próprio Deus. Não há outra forma de escrever isso. Panzram estuprou, assassinou e queimou para expressar sua revolta contra o Ser. Ele agiu como se Alguém fosse o responsável. A mesma coisa acontece na história de Caim e Abel. Os sacrifícios de Caim são rejeitados. Ele existe em sofrimento. Ele tira satisfações com Deus e desafia o Ser que Ele criou. Deus recusa seu argumento. Ele diz a Caim que o problema dele é autoinduzido. Caim, em sua revolta, mata Abel, o favorito de Deus (e, verdade seja dita, o ídolo de Caim). Caim tem inveja, é claro, do seu irmão bem-sucedido. Mas ele destrói Abel principalmente para afrontar Deus. Essa é a versão mais verdadeira do que acontece quando as pessoas levam sua vingança ao extremo.

A reação de Panzram foi (e isso é o que foi o mais terrível) perfeitamente compreensível. Os detalhes em sua autobiografia revelam que ele era uma daquelas pessoas fortes e logicamente consistentes de Tolstói. Ele era um ator sem medo, consistente e poderoso. Tinha a coragem de suas convicções. Como poderíamos esperar que alguém como ele pudesse perdoar e esquecer, considerando o que tinha acontecido? Coisas verdadeiramente terríveis acontecem com as pessoas. Não é surpresa que elas busquem a vingança. Sob essas condições, a vingança parece ser uma necessidade moral. Como ela pode ser distinguida do clamor por justiça? Após a experiência de uma atrocidade terrível, o perdão não seria apenas covardia ou falta de força de vontade? Essas perguntas me atormentam. No entanto, as pessoas emergem de passados terríveis para fazer o bem, e não o mal, embora tal realização possa parecer super-humana.

Encontrei pessoas que conseguiram fazer isso. Conheço um homem, um grande artista, que emergiu de uma "escola" assim, como a descrita por Panzram — com a diferença de que esse homem foi lançado nela como um inocente de cinco anos logo após passar um longo período no hospital, onde havia sofrido de sarampo, caxumba e catapora simultaneamente. Incapaz de falar o idioma da escola, deliberadamente isolado de sua família, abusado, faminto e atormentado também de outras maneiras, ele emergiu como um jovem revoltado e destruído. Feriu seriamente a si mesmo após isso tudo com drogas, álcool e outras formas de comportamento autodestrutivo. Ele detestava todos — Deus, a si mesmo e o destino incerto. Porém, ele pôs um fim nisso tudo. Parou de beber. Parou de odiar (embora o ódio ainda apareça em lampejos). Ele revitalizou a cultura artística de sua tradição indígena e treinou jovens para continuarem em seus passos. Ele produziu um totem no formato de poste de 15 metros de altura registrando os eventos de sua vida e uma canoa de 12 metros, de uma única tora, de um tipo raramente produzido, se é que ainda são produzidos assim. Ele recompôs sua família e fez uma grande festa com 16 horas de dança e centenas de pessoas para expressar sua tristeza e fazer as pazes com o passado. Ele decidiu ser uma boa pessoa, e depois fez aquelas coisas impossíveis que são necessárias para se viver dessa forma.

Tive uma cliente que não tinha bons pais. Sua mãe havia morrido quando era muito jovem. Sua avó, que a criou, era mal-humorada, amarga e preocupada demais com as aparências. Ela destratava sua neta, punindo-a por suas virtudes: criatividade, sensibilidade e inteligência — incapaz de resistir ao ressentimento por uma vida admitidamente difícil, descontava-o em sua neta. Ela tinha um relacionamento melhor com seu pai, mas ele era um viciado que morreu de forma terrível enquanto ela cuidava dele. Minha cliente tinha um filho. Ela não perpetuou nada disso nele. Ele cresceu e se tornou honesto, independente, trabalhador e inteligente. Em vez de ampliar o rasgo no tecido cultural que ela havia herdado e transmitir isso adiante, ela o remendou. Ela rejeitou os pecados de seus ancestrais. Coisas assim são possíveis.

O sofrimento, seja psíquico, físico ou intelectual, não precisa de forma alguma produzir o niilismo (que é a rejeição radical de valor, significado e desejabilidade). Tal sofrimento sempre permite uma variedade de interpretações.

Nietzsche escreveu essas palavras.[114] Ele quis dizer o seguinte: as pessoas que experimentam o mal podem certamente desejar perpetuá-lo, dando o troco adiante. Mas também é possível aprender o bem ao experimentar o mal. Um garoto que sofreu bullying pode imitar aqueles que o atormentaram. Porém, ele também pode aprender com o próprio abuso que é errado intimidar as pessoas por aí, tornando suas vidas miseráveis. Alguém que foi atormentado por sua mãe pode aprender com sua experiência terrível o quanto é importante ser um bom pai. Muitos, talvez a maioria dos adultos que abusam de crianças, foram eles mesmos abusados quando crianças. No entanto, a maioria das pessoas que foram abusadas quando crianças não abusa dos próprios filhos. Esse é um fato bem estabelecido que pode ser demonstrado de forma simples e aritmética da seguinte forma: se um pai abusasse de três filhos e cada um desses filhos tivesse três filhos, e assim por diante, então haveria três abusadores na primeira geração, nove na segunda, 27 na terceira, 81 na quarta — e assim por diante, exponencialmente. Após 20 gerações, mais de 10 bilhões teriam sofrido abuso na infância: mais pessoas do que atualmente habitam o planeta. Mas, na verdade, o abuso desaparece ao longo das gerações. As pessoas limitam sua disseminação. Isso é um testemunho à genuína dominância do bem sobre o mal no coração humano.

O desejo por vingança, embora justificado, também impede o caminho para outros pensamentos produtivos. O poeta norte-americano/inglês T. S. Eliot explicou o porquê em sua peça *The Cocktail Party* ["O Coquetel", em tradução livre]. Uma de suas personagens não está passando por um bom momento. Ela conversa com um psiquiatra sobre sua profunda infelicidade. Diz ter a esperança de que todo seu sofrimento seja sua própria culpa. O psiquiatra fica surpreso. Ele a pergunta por quê. Ela responde que havia pensado longa e profundamente sobre isso e havia chegado à seguinte conclusão: se fosse culpa dela, ela poderia fazer algo a respeito. No entanto, se fosse culpa de Deus — se a própria realidade fosse falha, estabelecida para garantir sua miséria —, ela estaria perdida. Não haveria como mudar a estrutura da própria realidade. Porém, talvez ela conseguisse mudar a própria vida.

Alexandre Soljenítsin tinha todos os motivos para questionar a estrutura da existência quando foi aprisionado em um campo de trabalho soviético em meados do terrível século XX. Ele havia servido como soldado nas linhas de frente russas, despreparadas para a invasão nazista. Ele foi preso, surrado e lançado na prisão pelo próprio povo. Depois, foi atingido pelo câncer. Ele poderia ter se tornado ressentido e amargurado. Sua vida foi tornada miserável tanto por Stalin quanto por Hitler, dois dos piores tiranos da história. Ele viveu em condições brutais. Vastos períodos preciosos do seu tempo foram roubados dele e desperdiçados. Ele testemunhou o sofrimento e a morte degradante e sem sentido de amigos e conhecidos. Então, contraiu uma doença extremamente séria. Soljenítsin tinha motivos para amaldiçoar Deus. Nem Jó sofreu tanto assim.

No entanto, o grande escritor, o profundo e vivaz defensor da verdade, não permitiu que sua mente se voltasse à vingança e à destruição. Em vez disso, ele abriu os olhos. Durante suas muitas provações, Soljenítsin encontrou pessoas que se comportavam de maneira nobre sob circunstâncias horríveis. Ele analisava profundamente o comportamento delas. Então, fazia a si mesmo a mais difícil das perguntas: havia ele contribuído pessoalmente para a catástrofe de sua vida? Se sim, como? Ele se lembrou do apoio inquestionável que deu ao Partido Comunista quando era mais jovem. Reconsiderou sua vida inteira. Ele tinha tempo de sobra nos campos. Como ele havia fracassado no passado? Quantas vezes havia agido contra a própria consciência, engajando-se em ações que ele sabia serem erradas? Quantas vezes havia traído a si mesmo e mentido? Havia alguma forma pela qual os pecados do seu passado pudessem ser retificados e expiados no inferno lamacento do gulag soviético?

Soljenítsin esquadrinhou os detalhes de sua vida, passando um pente-fino. Ele fez uma segunda pergunta a si mesmo, e uma terceira. Será que consigo parar de cometer esses erros agora? Consigo, agora, reparar os danos causados pelos meus erros passados? Ele aprendeu a observar e escutar. Encontrou pessoas que admirava; que eram honestas, apesar de tudo. Desconstruiu a si mesmo, peça por peça, deixando o que era desnecessário e prejudicial morrer, e ressuscitando a si mesmo. Então, escreveu *Arquipélago Gulag*, uma história sobre o sistema soviético de prisão em campos de trabalho forçado.[115] É um livro poderoso, terrível, escrito com a força moral irresistível da verdade crua. Sua pura revolta grita insuportavelmente ao longo das centenas de páginas. Banido (por bons motivos) da URSS, foi contrabandeado para o Ocidente nos anos 1970 e irrompeu pelo mundo. A escrita de Soljenítsin destruiu total e definitivamente a credibilidade intelectual do comunismo, como ideologia ou sociedade. Ele lançou um machado contra o tronco da árvore cujos frutos amargos o haviam nutrido tão miseravelmente — e cujo plantio havia testemunhado e apoiado.

A decisão de um homem em mudar sua vida, em vez de amaldiçoar o destino, balançou todo o sistema patológico da tirania comunista até seu âmago. O sistema ruiu inteiramente não muitos anos depois, e a coragem de Soljenítsin não foi uma das razões menos importantes pelas quais isso ocorreu. Ele não foi a única pessoa a realizar tal milagre. Nomes como Václav Havel, o escritor perseguido que mais tarde, de forma que parecia impossível, tornou-se o presidente da Tchecoslováquia, depois da República Tcheca, vêm à mente, assim como o de Mahatma Gandhi.

AS COISAS DESMORONAM

Povos inteiros se recusaram, intransigivelmente, a julgar a realidade, a criticar o Ser, a culpar Deus. É interessante considerar os hebreus do Antigo Testamento nesse aspecto. Suas lutas seguiram um padrão constante. As histórias de Adão e Eva, Caim e Abel, Noé e a Torre de Babel são realmente antigas. Suas origens se perdem nos mistérios do tempo. Somente após a história do dilúvio, em Gênesis, que algo parecido com a história como a entendemos verdadeiramente começou. Ela começa com Abraão. Seus descendentes se tornam o povo hebreu do Antigo Testamento, também conhecido como a Bíblia dos Hebreus. Eles fazem um pacto com Javé — com Deus — e começam suas aventuras reconhecivelmente históricas.

Sob a liderança de um grande homem, os hebreus se organizam em uma sociedade e depois em um império. Após suas fortunas crescerem, o sucesso dá à luz o orgulho e a arrogância. A corrupção mostra sua cara horrível. O estado, em sua progressiva soberba, torna-se obcecado pelo poder e começa a esquecer seu dever para com as viúvas e os órfãos, e desvia-se do seu antigo acordo com Deus. Um profeta surge. Ele insulta pública e insolentemente o rei autoritário e o país infiel por suas falhas ante Deus — um ato de coragem cega —, dizendo-lhes do terrível julgamento vindouro. Quando suas sábias palavras não são totalmente ignoradas, são levadas em conta tarde demais. Deus golpeia seu povo teimoso, condenando-o a uma derrota abjeta nas batalhas e a gerações de subjugação. Os hebreus se arrependem profundamente, jogando a culpa por sua desgraça na própria incapacidade de serem fiéis à palavra de Deus. Eles insistem consigo mesmos que poderiam ter sido melhores. Eles reconstroem seu estado e o ciclo recomeça.

A vida é assim. Construímos estruturas para viver. Construímos famílias, estados e países. Abstraímos os princípios sobre os quais essas estruturas são fundadas e formulamos sistemas de crença. No início, habitamos nessas estruturas e crenças como Adão e Eva no Paraíso. Mas o sucesso nos torna complacentes. Esquecemos de prestar atenção. Deixamos de valorizar o que temos. Fechamos um olho. Não percebemos que as coisas mudam ou que a corrupção cria raízes. E tudo desmorona. Seria isso culpa da realidade — de Deus? Ou as coisas desmoronam porque não prestamos atenção suficiente?

Quando o furacão atingiu Nova Orleans e a cidade naufragou nas águas, foi um desastre natural? Os holandeses preparam seus diques para a pior tempestade em 10 mil anos. Se Nova Orleans tivesse seguido esse exemplo, tragédia alguma teria ocorrido. Não podemos dizer que ninguém sabia. O Decreto de Controle de Enchentes de 1965 ordenava melhorias no sistema de barragem no Lago Pontchartrain. O sistema deveria ter sido concluído em 1978. Quarenta anos depois, apenas 60% do trabalho havia sido realizado. A cegueira voluntária e a corrupção destruíram a cidade.

Um furacão é um ato de Deus. Mas deixar de se preparar, quando a necessidade de preparo é bem conhecida — isso é pecado. É fracassar. E o salário do pecado é a morte (Romanos 6:23). Os judeus antigos culparam a si mesmos quando as coisas desmoronaram. Agiram como se a bondade de Deus — a bondade da realidade — fosse axiomática e assumiram a responsabilidade pelo próprio fracasso. Isso é ser insanamente responsável. Mas a alternativa é julgar a realidade como insuficiente, criticar o próprio Ser e afundar-se em ressentimento e no desejo por vingança.

Se você está sofrendo — bem, isso é o normal. As pessoas são limitadas e a vida, trágica. No entanto, se seu sofrimento for insuportável e você estiver começando a se corromper, isso é algo sobre o que pensar.

ARRUME SUA VIDA

Considere suas circunstâncias. Comece com pouco. Você aproveitou totalmente as oportunidades que lhe foram oferecidas? Está se esforçando em sua carreira, ou mesmo em seu emprego, ou está deixando que a amargura e o ressentimento o detenham e arrastem para baixo? Você fez as pazes com seu irmão? Está tratando seu cônjuge e seus filhos com dignidade e respeito? Tem hábitos que destroem sua saúde e bem-estar? Você realmente assume suas responsabilidades? Disse o que precisava dizer a seus amigos e familiares? Há coisas que você poderia fazer, que sabe que poderia fazer, que deixariam as coisas ao seu redor melhores?

Você arrumou sua vida?

Se a resposta for não, tente isso: *comece a parar de fazer o que você sabe que é errado*. Comece hoje. Não perca tempo questionando como você sabe que aquilo que está fazendo é errado se tem certeza de que é. Questionamento inoportuno pode confundir, e não esclarecer, assim como desviá-lo da ação. Você consegue saber que algo é errado ou certo sem saber o porquê. Seu Ser inteiro pode lhe dizer algo que você não consegue nem explicar nem articular. Cada pessoa é complexa demais para conhecer a si mesma completamente e todos temos uma sabedoria que não conseguimos compreender.

Então simplesmente pare quando perceber, por mais vagamente que seja, que deve parar. Pare de agir daquela maneira específica e desprezível. Pare de dizer aquelas coisas que o tornam fraco e envergonhado. Diga apenas coisas que o tornem forte. Faça apenas as coisas das quais você possa falar com honra.

Você pode usar os próprios padrões de julgamento. Pode confiar em si mesmo como seu guia. Não precisa aderir a um código externo e arbitrário de comportamento (embora você não deva desconsiderar as diretrizes de sua cultura. A vida é curta e você não tem tempo de descobrir tudo sozinho. A sabedoria do passado foi duramente conquistada e seus falecidos ancestrais podem ter algo útil para lhe dizer).

Não culpe o capitalismo, a esquerda radical ou a iniquidade de seus inimigos. Não reorganize o estado até que você tenha ordenado sua própria experiência. Tenha um pouco de humildade. Se você não pode levar paz para sua casa, como ousa tentar governar uma cidade? Deixe que sua própria alma o guie. Veja o que acontece ao longo dos dias e semanas. Quando estiver no trabalho, vai começar a dizer o que realmente pensa. Vai começar a dizer à sua esposa, ou ao seu marido, ou aos seus filhos, ou aos seus pais, o que você realmente quer e precisa. Quando souber que deixou algo inacabado, vai agir de modo a corrigir a omissão. Sua cabeça começará a ficar mais organizada quando parar de enchê-la com mentiras. Sua experiência melhorará ao parar de distorcê-la com ações inautênticas. Então, você começará a descobrir coisas novas e mais sutis que está fazendo errado. Pare de fazê-las também. Após alguns meses e anos de esforço diligente, sua vida vai se tornar mais simples e menos complicada. Seu julgamento melhorará. Você vai desfazer os nós do passado. Será mais forte e menos amargo. Caminhará confiantemente para o futuro. Vai parar de fazer com que sua vida seja desnecessariamente difícil. Então, só lhe restarão as tragédias cruas da vida; porém, elas não mais serão pioradas pela adição de amargura e falsidade.

Talvez você descubra que sua alma, agora menos corrupta, está muito mais forte do que estaria de outra forma, consegue aguentar aquelas tragédias remanescentes, necessárias, mínimas e inescapáveis. Talvez você até aprenda a combatê-las para que continuem trágicas — meramente trágicas — em vez de se degenerarem ao ponto de um inferno total. Talvez sua ansiedade, falta de esperança, ressentimento e raiva — por mais violentos que sejam inicialmente — retrocedam. Talvez sua alma incorrupta veja sua existência como um bem genuíno, como algo a ser celebrado, mesmo em face de sua própria vulnerabilidade. Talvez você se torne uma força ainda mais poderosa para a paz e tudo aquilo que é bom.

Talvez você então veja que se todas as pessoas fizerem isso, nas próprias vidas, o mundo pode parar de ser um lugar ruim. Após isso, com um esforço continuado, talvez possa até deixar de ser um lugar trágico. Quem sabe como seria a existência se todos nós decidíssemos lutar pelo melhor? Quem sabe quais paraísos eternos poderiam ser estabelecidos pelos nossos espíritos, purificados pela verdade, almejando os céus, bem aqui nesta Terra caída?

Deixe sua casa em perfeita ordem antes de criticar o mundo.

REGRA 7

BUSQUE O QUE É SIGNIFICATIVO, NÃO O QUE É CONVENIENTE

APROVEITE ENQUANTO PODE

A VIDA É SOFRIMENTO. ISSO ESTÁ CLARO. Não há verdade mais básica e irrefutável. É basicamente isso que Deus diz a Adão e Eva, imediatamente antes de os expulsar do Paraíso.

> À mulher, ele declarou: "Multiplicarei grandemente o seu sofrimento na gravidez; com sofrimento você dará à luz filhos. Seu desejo será para o seu marido, e ele a dominará."
>
> E ao homem declarou: "Visto que você deu ouvidos à sua mulher e comeu do fruto da árvore da qual eu lhe ordenara que não comesse, maldita é a terra por sua causa; com sofrimento você se alimentará dela todos os dias da sua vida.

Ela lhe dará espinhos e ervas daninhas, e você terá que se alimentar das plantas do campo.

Com o suor do seu rosto você comerá o seu pão, até que volte à terra, visto que dela foi tirado; porque você é pó e ao pó voltará." (Gênesis 3:16–19. Nova Versão Internacional)

O que, afinal, deveria ser feito a respeito disso?

Quer a resposta mais óbvia e direta? Busque o prazer. Siga seus impulsos. Viva para o momento. Faça o que é conveniente. Minta, traia, furte, engane, manipule — mas não seja pego. Em um universo essencialmente sem sentido, que diferença faria? E de modo algum isso é uma ideia nova. A tragédia da vida e o sofrimento que faz parte dela têm sido usados para justificar a busca por gratificação imediata e egoísta há muito tempo.

Curta é a nossa vida, e cheia de tristezas; para a morte não há remédio algum; não há notícia de ninguém que tenha voltado da região dos mortos.

Um belo dia nascemos e, depois disso, seremos como se jamais tivéssemos sido! É fumaça a respiração de nossos narizes, e nosso pensamento, uma centelha que salta do bater de nosso coração!

Extinta ela, nosso corpo se tornará pó, e o nosso espírito se dissipará como um vapor inconsistente! Com o tempo nosso nome cairá no esquecimento, e ninguém se lembrará de nossas obras. Nossa vida passará como os traços de uma nuvem, desvanecer-se-á como uma névoa que os raios do sol expulsam e que seu calor dissipa.

A passagem de uma sombra: eis a nossa vida, e nenhum reinício é possível uma vez chegado o fim, porque o selo lhe é aposto e ninguém volta.

Vinde, portanto! Aproveitemo-nos das boas coisas que existem! Vivamente gozemos das criaturas durante nossa juventude!

Inebriemo-nos de vinhos preciosos e de perfumes, e não deixemos passar a flor da primavera!

Coroemo-nos de botões de rosas antes que eles murchem!

Ninguém de nós falte à nossa orgia; em toda parte deixemos sinais de nossa alegria, porque esta é a nossa parte, esta a nossa sorte!

Tiranizemos o justo na sua pobreza, não poupemos a viúva, e não tenhamos consideração com os cabelos brancos do ancião!

Que a nossa força seja o critério do direito, porque o fraco, em verdade, não serve para nada. (Sabedoria 2:1–11, Bíblia Ave-maria.)

O prazer da conveniência pode ser passageiro, mas ainda assim é prazer, e isso é algo que se contrapõe ao terror e à dor da existência. Cada um por si e Deus por todos, como diz o antigo ditado. Por que não aproveitar tudo o que puder sempre que a oportunidade aparecer? Por que não se determinar a viver dessa maneira?

Ou haveria uma alternativa mais poderosa e convincente?

Nossos ancestrais desenvolveram respostas bem sofisticadas para essas perguntas, mas ainda não as entendemos muito bem. Isso porque elas ainda permanecem em grande parte implícitas — manifestadas principalmente em rituais e mitos e, até agora, articuladas de forma incompleta. Nós as expressamos e representamos nas histórias, mas ainda não somos sábios o suficiente para as formular explicitamente. Ainda somos chimpanzés em um bando, ou lobos em uma matilha. Sabemos nos comportar. Sabemos quem é quem, e o porquê. Aprendemos isso através da experiência. Nosso conhecimento foi moldado pela nossa interação com os outros. Estabelecemos rotinas previsíveis e padrões de comportamento — mas não os entendemos realmente, nem sabemos de onde se originaram. Evoluíram ao longo de grandes períodos de tempo. Ninguém os estava formulando explicitamente (pelo menos não no passado mais longínquo), embora digamos uns aos outros como agir, desde sempre. Um dia, no entanto, não muito tempo atrás, despertamos. Já fazíamos coisas, mas começamos a *perceber* o que fazíamos. Começamos a usar nossos próprios corpos como instrumentos para representar as próprias ações. Começamos a imitar e dramatizar. Inventamos o ritual. Começamos a expressar nossas próprias experiências. Então começamos a contar histórias. Codificamos nossas observações sobre nosso próprio drama nessas histórias. Dessa maneira, a informação que inicialmente estava incorporada apenas no nosso comportamento se tornou representada em nossas histórias. Mas não entendíamos, e ainda não entendemos o que isso tudo significa.

A narrativa bíblica do Paraíso e da Queda é uma dessas histórias inventadas por nossa imaginação coletiva, que funcionam ao longo dos séculos. Ela fornece um relato profundo da natureza do Ser e aponta o caminho para um modo de conceitualização e de ação compatível com essa natureza. No Jardim do Éden, antes do amanhecer da nossa autoconsciência — assim conta a história —, os seres humanos eram imaculados. Nossos pais primordiais, Adão e Eva, caminhavam com Deus. Então, tentados pela serpente, o primeiro casal comeu o fruto da árvore do conhecimento do bem e do mal, descobriu a Morte e a vulnerabilidade, e se afastou de Deus. A humanidade foi exilada do Paraíso e iniciou sua laboriosa existência mortal. A ideia do sacrifício aparece logo em seguida, começando com o relato de Caim e Abel, e desenvolvendo-se através das aventuras de Abraão e do Êxodo: após muita contemplação, a humanidade em dificuldades aprende que o favor de Deus pode ser conquistado e Sua ira, evitada através do sacrifício adequado — e, também, que o assassinato sangrento pode ser motivado entre aqueles indispostos ou inaptos a conseguirem agir dessa maneira.

O ADIAMENTO DA GRATIFICAÇÃO

Ao se engajarem em sacrifícios, nossos antepassados começaram a expressar aquilo que seria considerado uma proposição, que pode ser representada da seguinte forma: *que algo melhor pode ser obtido no futuro ao se abrir mão de algo de valor no presente.* Convido você a recordar que a necessidade do trabalho é uma das maldições lançadas por Deus sobre Adão e seus descendentes em consequência do Pecado Original. O despertar de Adão para as restrições fundamentais do seu Ser — sua vulnerabilidade, sua eventual morte — é equivalente à sua descoberta do futuro. O futuro: é onde você vai para morrer (espero que não tão em breve). Seu fim pode ser adiado através do trabalho: através do sacrifício do *agora* para ganhar benefícios *mais tarde*. É por essa razão — entre outras, sem dúvida — que o conceito do sacrifício é introduzido no capítulo bíblico imediatamente após o drama da Queda. Há pouca diferença entre sacrifício e trabalho. Ambos também são singularmente humanos. Às vezes os animais agem como se estivessem trabalhando, mas apenas estão seguindo os ditames de sua natureza. Castores constroem barragens. Fazem isso porque são castores, e castores constroem barragens. Enquanto estão construindo uma represa, eles não ficam pensando: "É, mas eu preferiria estar nas praias do México com a minha namorada."

Objetivamente, esse sacrifício — o trabalho — é o adiamento da gratificação, mas essa é uma frase simplória demais para descrever algo de uma significância tão profunda. A descoberta de que a gratificação poderia ser adiada foi simultaneamente a descoberta do tempo e, com isso, da causalidade (pelo menos da força causal da ação humana voluntária). Muito tempo atrás, na noite do tempo, *começamos a perceber que a realidade estava estruturada de tal modo que parecia ser possível barganharmos com ela*. Aprendemos que nos comportar corretamente agora, no presente — regulando nossos impulsos, considerando o sofrimento dos outros —, pode trazer recompensas no futuro, em um tempo e lugar que ainda não existem. Começamos a inibir, controlar e organizar nossos impulsos imediatos de forma que pudéssemos parar de influenciar outras pessoas e nossos eus futuros. Fazer isso era o mesmo que organizar a sociedade: a descoberta da relação causal entre nossos esforços de hoje e a qualidade do amanhã motivou contrato social — a organização que permite com que o trabalho de hoje seja armazenado com segurança (principalmente na forma de promessas feitas pelos outros).

O entendimento é geralmente expresso antes que possa ser articulado (assim como uma criança expressa o que significa ser "mãe" ou "pai" antes de conseguir fazer um relato falado do que esses papéis significam).[116] O ato de fazer um sacrifício ritual a Deus foi uma encenação primitiva e sofisticada da ideia da utilidade do adiamento. Há uma longa jornada conceitual entre meramente banquetear-se esfomeadamente e aprender a separar um pouco da carne defumada sobre o fogo para o fim do dia ou para alguém que não está presente. É necessário um longo tempo para alguém aprender a reservar qualquer coisa para mais tarde, seja para si mesmo ou para compartilhar com mais alguém (e isso em grande parte é a mesma coisa, já que no último caso você está compartilhando com seu eu futuro). É muito mais fácil e bem mais provável devorar de forma egoísta e imediata tudo o que estiver à vista. Há longas jornadas similares entre cada salto de sofisticação com relação ao adiamento e sua conceitualização: compartilhar em curto prazo, armazenar para o futuro, representar esse armazenamento na forma de registros e, mais tarde, na forma de dinheiro — e, finalmente, guardar dinheiro em um banco ou em outra instituição social. Algumas conceitualizações tiveram que servir como intermediárias, ou o alcance total de nossas práticas e ideias em torno de sacrifício e trabalho e suas representações nunca teria surgido.

Nossos ancestrais encenaram um drama, uma ficção: eles personificaram a força que governa o destino como um espírito com o qual podemos barganhar e negociar, como se ele fosse outro ser humano. O surpreendente é que *isso funcionou*. Isso ocorreu porque o futuro é em grande parte composto de outros seres humanos — com frequência, são precisamente aqueles que observaram, avaliaram e julgaram os mínimos detalhes do seu comportamento anterior. Isso não fica muito distante da ideia de Deus, sentado acima de todos, monitorando cada movimento e anotando tudo para referência futura em um grande livro. Eis uma ideia simbólica produtiva: *o futuro é um pai julgador*. Esse é um bom começo. Porém, surgiram duas questões adicionais, arquetípicas e fundadoras, por causa da descoberta do sacrifício, ou trabalho. Ambas têm a ver com a extensão máxima da lógica do trabalho — que é: *sacrifique-se agora para ganhar mais tarde*.

Primeira questão. O que deve ser sacrificado? Pequenos sacrifícios podem ser suficientes para resolver problemas pequenos e singulares. Mas é possível que sacrifícios maiores e mais abrangentes possam resolver uma gama de problemas maiores e mais complexos simultaneamente. É mais difícil, mas pode ser melhor. Adaptar-se à disciplina necessária de uma faculdade de medicina, por exemplo, fatalmente interferirá no estilo libertino e extremo de um universitário festeiro. Abrir mão disso é um sacrifício. Mas um médico pode — parafraseando

George W. Bush — realmente colocar comida na mesa de sua família. Isso é se livrar de muitos problemas durante um período muito longo de tempo. Sendo assim, sacrifícios são necessários para melhorar o futuro, e sacrifícios maiores podem ser melhores.

Segunda questão (na realidade, um conjunto de questões relacionadas): já estabelecemos o princípio básico — *o sacrifício melhorará o futuro*. Porém, uma vez estabelecido um princípio, ele precisa ganhar corpo. Sua extensão ou significância totais devem ser compreendidas. O que decorre da ideia de que o sacrifício melhorará o futuro, no caso mais extremo e final? Onde está o limite desse princípio básico? Devemos perguntar, para começar: "Qual seria, entre todos os sacrifícios possíveis, o maior, o mais efetivo — o mais agradável?" E depois: "Quão bom o melhor futuro possível pode vir a ser se o sacrifício mais efetivo pudesse ser feito?"

A história bíblica de Caim e Abel, os filhos de Adão e Eva, vem imediatamente após a história da expulsão do Paraíso, conforme mencionei previamente. Caim e Abel são realmente os primeiros seres humanos, uma vez que seus pais foram feitos diretamente por Deus e não nasceram da maneira padrão. Caim e Abel vivem na *história*, e não no Éden. Eles precisam trabalhar. Precisam fazer sacrifícios para agradar Deus, e eles fazem isso, com um altar e um ritual apropriados. Mas as coisas ficaram complicadas. As oferendas de Abel agradam Deus, mas as de Caim, não. Abel é recompensado, por várias vezes, mas Caim, não. O porquê disso não fica explicitamente claro (embora o texto sugira fortemente que Caim não havia feito de coração). Talvez a qualidade do sacrifício que Caim ofereceu fosse baixa. Talvez houvesse inveja em seu espírito. Ou talvez Deus estivesse irritado por qualquer razão secreta que Ele pudesse ter. E tudo isso é realístico incluindo a imprecisão da explicação do texto. Nem todos os sacrifícios têm a mesma qualidade. Além do mais, geralmente parece que sacrifícios de qualidade aparentemente maior não são recompensados com um futuro melhor — e não fica claro o porquê. Por que Deus não está feliz? O que teria que ser mudado para fazê-Lo feliz? Essas são perguntas difíceis — e todos as fazem o tempo todo, mesmo que não percebam.

Fazer tais perguntas é indistinguível de pensar.

A compreensão de que o prazer poderia ser adiado de forma útil nos ocorreu com grande dificuldade. Isso é absolutamente contrário aos nossos instintos animais antigos e fundamentais, que demandam a satisfação imediata (especialmente sob condições em que haja privação, que são, ao mesmo tempo, inevitáveis e comuns). E, para complicar a questão, esse adiamento só se torna útil quando a civilização estabiliza--se ao ponto de garantir a existência da recompensa adiada no futuro. Se tudo que você economizar for destruído ou, pior, roubado, não faz sentido economizar. É por esse motivo que um lobo engole cinco quilos de carne crua em uma única refeição. Ele não fica pensando: "Cara, odeio quando como demais. Deveria ter guardado um pouco para semana que vem." Como foi então que essas duas realizações impossíveis e necessariamente simultâneas (adiamento e estabilização da sociedade no futuro) puderam se manifestar?

Eis uma progressão desenvolvimentista, do animal ao humano. Ela está errada nos detalhes, sem dúvida. Mas é correta o suficiente para nossos propósitos nesse tema: primeiro, há um excedente de comida. Carcaças grandes, mamutes ou outros herbívoros gigantes podem fornecer isso. (Já comemos muitos mamutes. Talvez todos eles.) Após matar um animal grande, sobra alguma coisa para mais tarde. Isso é acidental no início — porém, eventualmente, a utilidade desse "para mais tarde" começa a ser valorizada. Uma certa noção provisória sobre sacrifício se desenvolve ao mesmo tempo: "Se eu deixar sobrar um pouco, mesmo querendo tudo agora, não terei que passar fome depois." Essa noção provisória se desenvolve para o próximo nível ("Se eu deixar um pouco para depois, não vou passar fome, nem aqueles que estão sob meus cuidados") e depois para o seguinte ("Não tenho como comer esse mamute todo, mas não há como guardar o resto por muito tempo também. Talvez eu devesse alimentar algumas outras pessoas. Talvez elas se lembrarão e me alimentarão com o mamute delas quando tiverem algum e eu nenhum. Então, vou ter um pouco de mamute agora *e* um pouco depois. É um bom negócio. E talvez esses com quem estou compartilhando começarão a confiar em mim de forma mais ampla. Talvez então possamos negociar para sempre"). Dessa forma, o "mamute" torna-se o "mamute futuro" e o "mamute futuro", a "reputação pessoal". Esse é o surgimento do contrato social.

Compartilhar não significa dar algo que você valoriza e não receber nada em troca. Isso é apenas o que toda criança que se recusa a compartilhar teme que o termo signifique. Compartilhar significa, propriamente, iniciar o processo de troca. Uma criança que não consegue compartilhar — que não consegue trocar — não consegue ter nenhum amigo, porque ter amigos é uma forma de troca. Benjamim Franklin sugeriu, certa vez, que um recém-chegado a uma vizinhança deveria pedir um favor a um de seus novos vizinhos, citando uma antiga máxima: *Aquele que lhe fez um favor uma vez estará mais disposto a fazer-lhe outro do que aquele a quem você fez um favor*.[117] Na opinião de Franklin, pedir alguma coisa para alguém (nada tão extremo, obviamente) era o convite mais útil e imediato para a interação social. Esse pedido, por parte do recém-chegado, dava ao vizinho a oportunidade para se mostrar como uma boa pessoa em um primeiro encontro. E também significava que o vizinho poderia, por sua vez, pedir um favor ao recém-chegado, devido ao débito incorrido, aumentando a familiaridade e a confiança mútuas. Dessa maneira, as duas partes poderiam superar sua hesitação natural e seu medo mútuo de estranhos.

É melhor ter algo do que não ter nada. É melhor ainda compartilhar generosamente esse algo que você tem. No entanto, melhor ainda é se tornar amplamente conhecido por compartilhar generosamente. Isso é algo que perdura. É algo confiável. E, nesse ponto da abstração, podemos observar como o fundamento para as concepções de *confiável*, *honesto* e *generoso* foi lançado. A base para uma moralidade articulada foi estabelecida. O compartilhador produtivo e honesto é o protótipo do bom cidadão e do bom homem. Dessa forma podemos ver como é possível que a partir da simples noção de que "sobras são uma boa ideia" possam surgir os mais altos princípios morais.

É como se, enquanto a humanidade se desenvolvia, tivesse acontecido algo mais ou menos. Primeiro houve as infinitas dezenas ou centenas de milhares de anos antes do surgimento da história escrita e do drama. Durante esse tempo, as práticas equivalentes de adiamento e troca começam a surgir, vagarosa e dolorosamente. Então, elas se tornam representadas em uma abstração metafórica como rituais e contos de sacrifício, relatados de forma semelhante a esta: "É *como se* houvesse uma Figura poderosa no Céu, que vê tudo e está julgando você. Abrir

REGRA 7

mão de algo que você valoriza parece fazê-Lo feliz — e o melhor a fazer é deixá-Lo feliz, senão as portas do Inferno se abrem. Então, pratique o sacrifício e compartilhe até que seja um especialista nisso, e as coisas darão certo para você."* Ninguém disse nada disso, pelo menos não de modo tão claro e direto. Mas isso estava implícito na prática e, depois, nas histórias.

A *ação* veio antes (como tinha de ser, pois, quando éramos animais, podíamos apenas agir, mas não pensar). *O valor não reconhecido e implícito veio primeiro* (já que as ações que precederam o pensamento incorporavam o valor, mas não o tornavam explícito). As pessoas observaram os bem-sucedidos terem sucesso e os malsucedidos fracassarem por milhares e milhares de anos. Refletimos sobre isso e chegamos a uma conclusão: *os bem-sucedidos entre nós adiam a gratificação. Os bem-sucedidos entre nós barganham com o futuro.* Uma grande ideia começa a surgir, tomando uma forma mais claramente articulada, em histórias cada vez mais claramente articuladas: qual é a diferença entre os bem-sucedidos e os malsucedidos? *Os bem-sucedidos sacrificam.* As coisas melhoram à medida que eles praticam seus sacrifícios. As perguntas se tornam cada vez mais precisas e, simultaneamente, mais amplas: qual é o maior sacrifício possível? Para o maior bem possível? E as respostas começam a ficar cada vez mais profundas e significativas.

O Deus da tradição ocidental, assim como muitos outros deuses, exige sacrifício. Já examinamos o porquê. Porém, às vezes Ele ainda vai além. Ele não exige apenas o sacrifício, mas o sacrifício daquilo que é especificamente mais amado. Isso é retratado mais precisamente (e de uma forma mais confusa e evidente) na história de Abraão e Isaque. Abraão, amado de Deus, há tempos queria um filho — e Deus lhe prometeu exatamente isso, após vários adiamentos e perante as condições aparentemente impossíveis de uma esposa de idade avançada e estéril. Porém, não muito tempo depois, enquanto Isaque, que havia nascido milagrosamente, ainda era criança, Deus dá meia-volta e, de modo aparentemente ilógico e bárbaro, exige que Seu servo fiel ofereça seu filho em sacrifício. A história tem um final feliz: Deus envia um anjo para segurar a mão obediente de Abraão e aceita um cordeiro no lugar de Isaque. Isso é algo bom, porém não resolve a questão: por que

---

* E, perceba, tudo isso é verdade, haja — ou não — *realmente* tal figura poderosa "no céu" :)

é necessário que Deus vá longe demais? Por que Ele — por que a vida — impõe tais exigências?

Começaremos nossa análise com uma verdade dura, evidente e subestimada: *às vezes as coisas não dão certo*. Isso parece ter muito a ver com a terrível natureza do mundo, com suas pragas, fome, tirania e traições. Porém, o problema é: *às vezes, quando as coisas não estão dando certo, não é por causa do mundo. Em vez disso, a causa é aquilo que está sendo mais valorizado naquele momento, subjetiva e pessoalmente.* Por quê? Porque o mundo é revelado, a um grau indeterminado, através do modelo dos seus valores (trataremos muito mais disso na Regra 10). Se o mundo que você está vendo não é o que quer, está na hora de examinar seus valores. Está na hora de se livrar de suas pressuposições atuais. É hora de abrir mão. Pode até ser hora de sacrificar aquilo que mais ama para poder se tornar quem você puder se tornar em vez de ficar sendo quem é.

Há uma história antiga, possivelmente apócrifa, sobre como capturar um macaco, que ilustra esse conjunto de ideias muito bem. Primeiro, você deve encontrar uma jarra grande com a abertura pequena, com diâmetro suficiente para que o macaco consiga colocar a mão lá dentro. Depois, encha metade da jarra com pedras, de modo que seja pesada demais para que o macaco a carregue. Então, espalhe alguns agradinhos, atraentes para o macaco, perto da jarra, para atraí-lo, e coloque mais dentro da jarra. O macaco virá, colocará a mão na jarra pela abertura estreita e vai agarrar tudo o que puder. Mas agora ele não vai conseguir tirar a mão fechada, cheia de guloseimas, pela abertura estreita demais da jarra. Conseguirá apenas se abrir a mão. Apenas se desistir do que já tem. E é exatamente isso o que ele não fará. O caçador de macacos pode simplesmente caminhar até a jarra e capturá-lo. O animal não sacrificará a parte para preservar o todo.

Quando desistimos de algo valioso, garantimos a prosperidade futura. Ao sacrificarmos algo valioso, agradamos o Senhor. Qual será a coisa mais valiosa, que resultará no melhor sacrifício? Ou, pelo menos, que seja *emblemática disso*? A carne mais nobre. O melhor animal do rebanho. A posse mais valiosa. O que está ainda acima disso? Algo intensamente pessoal que causará dor ao ser abandonado. Isso é simbolizado, talvez, na insistência de Deus com a circuncisão como parte da rotina sacrificial, em que a parte é ofertada, simbolicamente, para redimir o todo. E o que está além disso? O que concerne mais proximamente à pessoa toda ao invés da parte? O que constitui o sacrifício máximo — para ganhar o prêmio máximo?

É uma corrida apertada entre a criança e o eu. O sacrifício da mãe, ofertando seu filho ao mundo, é profundamente exemplificado pela grande escultura de Michelangelo, a *Pietà*, ilustrada no início deste capítulo. Michelangelo esculpiu Maria contemplando seu Filho crucificado e destruído. É *culpa dela*. Foi através dela que Ele veio ao mundo e ao Seu grande drama do Ser. *É certo trazer um bebê a este mundo terrível?* Todas as mulheres se fazem essa pergunta. Algumas dizem que não, e elas têm seus motivos. Maria responde que sim, voluntariamente, sabendo muito bem o que virá — como todas as mães sabem, caso se permitam enxergar. É um ato de coragem suprema quando feito voluntariamente.

Por sua vez, o filho de Maria, Cristo, oferece-se a Deus e ao mundo, à traição, tortura e morte — ao ponto do desespero na cruz, onde exclama aquelas terríveis palavras: *meu Deus, meu Deus, por que me abandonaste?* (Mateus 27:46). Essa é a história arquetípica do homem que se entrega inteiro em nome do melhor — que oferece sua vida pelo avanço do Ser —, que permite que a vontade de Deus se torne totalmente manifesta dentro dos confins de uma vida única e mortal. Esse é o modelo de um homem honrado. Porém, no caso de Cristo — já que Ele sacrifica a Si mesmo —, Deus, seu Pai, está simultaneamente sacrificando *Seu* filho. É por essa razão que o drama sacrifical cristão do Filho e do Eu é arquetípico. É uma história que vai ao limite em que nada mais extremo — nada maior — pode ser imaginado. Essa é a própria definição de "arquetípico". Isso é a essência do que constitui o "religioso".

A dor e o sofrimento definem o mundo. Disso, não pode haver dúvidas. Sacrifício pode adiar dor e sofrimento, em um grau maior ou menor — e sacrifícios maiores podem fazer isso muito mais efetivamente do que os menores. Disso não pode haver dúvidas. Todos possuem esse conhecimento em suas almas. Sendo assim, a pessoa que deseja aliviar o sofrimento — que deseja corrigir as falhas no Ser, que quer promover o melhor de todos os futuros possíveis, que quer criar o Céu na Terra — fará o maior dos sacrifícios, do eu e da criança, de tudo que é amado, para viver uma vida focada no Bem. Ela vai renunciar ao conveniente. Vai buscar o caminho de significância máxima. Assim, ela levará salvação a um mundo cada vez mais desesperado.

Mas algo assim seria mesmo possível? Não é simplesmente pedir demais do indivíduo? Isso funciona bem para o Cristo, poderíamos contestar — mas Ele era o verdadeiro Filho de Deus. Contudo, temos outros exemplos, alguns muito menos mitológicos e arquetípicos. Considere, por exemplo, o caso de Sócrates, o antigo filósofo grego. Após uma vida inteira buscando a verdade e educando seus conterrâneos, Sócrates enfrentou um julgamento por crimes contra a cidade–estado de Atenas, sua terra natal. Seus acusadores deram oportunidades suficientes para que ele saísse e evitasse os problemas.[118] Mas o grande sábio já havia considerado e rejeitado essa opção. Seu companheiro Hermógenes o observou naquele momento debatendo "todo e qualquer assunto"[119] que não fosse seu julgamento, e perguntou-lhe por que ele aparentava estar tão despreocupado. Sócrates primeiramente respondeu que ele havia se preparado durante a vida inteira para se defender[120], mas então disse algo mais misterioso e significativo: quando tentou especificamente considerar estratégias que produziriam a absolvição "por bem ou por mal"[121] — ou mesmo apenas ao considerar suas potenciais ações no julgamento[122] —, ele se viu interrompido por seu sinal divino: seu espírito, voz ou *daemon* interno. Sócrates discutiu essa voz no próprio julgamento.[123] Ele disse que um dos fatores que o distinguia dos outros homens[124] era sua absoluta disposição em ouvir os avisos dela — *parar de falar* e *cessar a ação* quando a voz objetava. Os próprios Deuses o consideravam mais sábio do que os outros homens, sobretudo por essa razão, de acordo com a própria sacerdotisa do Oráculo de Delfos, considerada uma juíza confiável nesses assuntos.[125]

Como sua sempre confiável voz interna opunha-se a fugir (ou mesmo a se defender), Sócrates alterou radicalmente sua visão sobre a significância do seu julgamento. Ele começou a considerar que isso poderia ser uma bênção, e não uma maldição. Ele contou a Hermógenes sobre sua percepção de que o espírito ao qual ele sempre havia dado ouvidos poderia estar lhe oferecendo uma forma de partir, de uma maneira "mais fácil, mas também menos trabalhosa para os amigos[126]" com um "corpo são e um espírito capaz de mostrar bondade"[127] e sem as "dores da doença" e os vexames da extrema idade avançada.[128] A decisão de Sócrates de aceitar seu destino permitiu que ele afastasse o terror mortal diante da própria morte antes e durante o julgamento, após a sentença ter sido proferida[129], e mesmo depois, durante sua execução.[130] Ele viu que sua vida tinha sido tão rica e plena que ele poderia a deixar, elegantemente. Foi lhe dada a oportunidade de colocar seus assuntos em ordem. Ele viu que poderia escapar da terrível e lenta degeneração da idade avançada. Passou a entender tudo o que estava acontecendo com ele como um presente dos deuses. Portanto, não precisava se defender de seus acusadores — pelo menos não com o objetivo de ser declarado inocente e escapar do seu destino. Em vez disso, ele virou a mesa, dirigindo-se a seus julgadores de uma maneira que permite ao leitor entender precisamente porque o concílio da cidade o queria morto. Então, ele tomou seu veneno, como um homem.

Sócrates rejeitou a conveniência e a necessidade de manipulação que a acompanha. Pelo contrário, escolheu, perante a condição mais extrema, manter sua busca daquilo que é significativo e verdadeiro. Dois mil e quinhentos anos depois, recordamos sua decisão e nos confortamos com ela. O que podemos aprender com isso? Se você parar de proferir falsidades e viver de acordo com os ditames de sua consciência, pode manter sua nobreza, mesmo ao enfrentar a ameaça suprema; se permanecer sincera e corajosamente junto ao mais alto dos ideais, serão proporcionadas a você mais segurança e força do que poderia receber de qualquer concentração míope na sua própria segurança; se você viver correta e integralmente, poderá descobrir um significado tão profundo que ele o protegerá até mesmo do medo da morte.

Será que tudo isso pode ser verdade?

MORTE, LABUTA E MAL

A tragédia do Ser autoconsciente produz sofrimento, o inevitável sofrimento. Esse sofrimento, por sua vez, motiva o desejo pela gratificação imediata e egoísta — por conveniência. Mas sacrifício — e trabalho — serve para manter o sofrimento afastado de forma muito mais eficiente do que o prazer impulsivo em curto prazo. No entanto, a tragédia em si (concebida como a crueldade arbitrária da sociedade e da natureza, comparadas com a vulnerabilidade do indivíduo) não é apenas — e talvez nem a principal — fonte de sofrimento. Também há o problema do mal a ser considerado. O mundo se coloca de forma dura contra nós, com certeza, porém a inumanidade do homem contra o próprio homem é algo ainda muito pior. Sendo assim, o problema do sacrifício tem sua complexidade aumentada: não é apenas a privação e a limitação mortal que devem ser resolvidas pelo trabalho — pela vontade de oferecer e de desistir. É o problema do mal, também.

Considere, mais uma vez, a história de Adão e Eva. A vida se torna muito difícil para os filhos deles (que somos nós) após a queda e o despertar dos nossos pais arquetípicos. Em primeiro lugar, há o terrível destino nos aguardando no mundo pós-paradisíaco — no mundo da história. Uma parte significativa desse destino é o que Goethe chamou de "nossos intermináveis e criativos labores"[131]. Os seres humanos trabalham, como já vimos. Trabalhamos porque despertamos para a verdade da nossa própria vulnerabilidade, nossa subjugação à doença e à morte, e o desejo de nos proteger pelo maior tempo possível. Uma vez que podemos ver o futuro, devemos nos preparar para encontrá-lo, ou viver em negação e terror. Portanto, sacrificamos os prazeres de hoje por um amanhã melhor. Mas a percepção da mortalidade e da necessidade do trabalho não são as únicas revelações para Adão e Eva quando comeram o Fruto proibido, acordaram e abriram seus olhos. Eles também ganharam (ou foram amaldiçoados com) o conhecimento do Bem e do Mal.

Levei décadas para entender o que isso significa (para entender até mesmo uma parte do que isso significa). É o seguinte: uma vez que você conscientemente se dá conta de que é vulnerável, entende a natureza da vulnerabilidade humana em geral. Você entende o que quer dizer ficar com medo, bravo, ressentido e amargurado. Entende o que a dor significa. E uma vez que entende verdadeiramente esses sentimentos em você mesmo e como são produzidos *você entende como os produzir nos outros*. É dessa maneira que os seres autoconscientes que somos se tornam, de forma voluntária e sofisticada, capazes de torturar os outros (e a nós mesmos, é claro — mas é nos outros que estamos concentrados no momento). Podemos ver as consequências desse novo conhecimento se manifestarem quando conhecemos Caim e Abel, os filhos de Adão e Eva.

Quando eles apareceram, a humanidade havia aprendido a fazer sacrifícios para Deus. Sobre altares de pedra, construídos para esse fim, um ritual comunitário é realizado: a imolação de algo de valor, o melhor animal, ou parte dele, e sua transformação através do fogo em fumaça (em espírito) que se ergue ao Céu. Assim, a ideia do adiamento é dramatizada para que o futuro possa melhorar. Os sacrifícios de Abel são aceitos por Deus, e ele prospera. Os de Caim, no entanto, são rejeitados. E ele se torna invejoso e amargo — e não é surpresa. Se alguém falha e é rejeitado porque se recusou a fazer qualquer tipo de sacrifício — pelo menos seria compreensível. A pessoa ainda pode se sentir ressentida e vingativa, mas sabe em seu coração que é a culpada. Esse conhecimento geralmente estabelece um limite em sua revolta. Porém, seria muito pior se ela tivesse renunciado aos prazeres do momento — se tivesse se esforçado e trabalhado e, mesmo assim, as coisas não tivessem dado certo —, se tivesse sido rejeitada apesar de seus esforços. Então, teria perdido o presente *e* o futuro. Então, seu trabalho — seu sacrifício — teria sido em vão. Em tais condições, o mundo se torna sombrio e a alma se rebela.

Caim fica revoltado por sua rejeição. Ele confronta Deus, acusa-O e amaldiçoa Sua criação. Isso se mostra uma decisão muito ruim. Deus responde de forma muito direta que a culpa é toda de Caim — e pior: que Caim havia flertado com o pecado de forma consciente e criativa[132], e colhido as consequências. Isso não é nada daquilo que Caim queria ouvir. Não é, de forma alguma, uma desculpa da parte de Deus. Pelo contrário, é um insulto, além de injúria. Caim, amargurado até os ossos pela resposta Divina, trama uma vingança. Ele desafia o Criador audaciosamente. É ousado. Caim sabe como machucar. Ele é autoconsciente, afinal — e ficou muito mais em razão de sofrimento e sua vergonha. Então, ele assassina Abel a sangue-frio. Ele mata seu irmão, seu próprio ideal (afinal, Abel é tudo o que Caim deseja ser). Ele comete o mais terrível dos crimes para ofender a si mesmo, toda a humanidade e o próprio Deus de uma só vez. Ele faz isso para causar estragos e ter sua vingança. Ele faz isso para marcar sua oposição fundamental à existência — protestar contra os caprichos intoleráveis do próprio Ser. E os filhos de Caim — sua descendência, provenientes tanto do seu corpo quanto da sua decisão — são piores. Em sua fúria existencial, Caim mata uma vez. Lameque, seu descendente, vai muito além. "Eu matei um homem porque me feriu", diz Lameque, "e um menino porque me machucou. Se Caim é vingado sete vezes, Lameque o será setenta e sete". (Gênesis 4:23–24). Tubalcaim, um mestre de "todo tipo de ferramentas de bronze e ferro" (Gênesis 4:22), está, por tradição, sete gerações abaixo de Caim — sendo o primeiro criador de armas de guerra. E a seguir, nas histórias de Gênesis, vem o dilúvio. A justaposição não é um mero acaso.

O mal entra no mundo com a autoconsciência. A labuta com a qual Deus amaldiçoa Adão... já é ruim o suficiente. A dificuldade no parto com a qual Eva é penalizada e sua consequente dependência do marido não são questões triviais, tampouco. Elas são indicativas das tragédias implícitas e frequentemente agonizantes da insuficiência, provação, necessidade bruta e subjugação à doença e morte que, simultaneamente, definem e atormentam a existência. Sua mera realidade fatual é suficiente para fazer com que mesmo uma pessoa corajosa se volte contra a vida. Contudo, em minha experiência, os seres humanos são fortes o suficiente para tolerar as tragédias implícitas do Ser sem titubear — sem se destruírem ou, pior, sem acabar com tudo. Vi repetidamente evidências disso em minha vida particular, no meu trabalho como professor e em meu papel de profissional clínico. Terremotos, enchentes, pobreza, câncer — somos fortes o suficiente para suportar tudo isso. Mas o mal humano adiciona uma dimensão totalmente nova de sofrimento ao mundo. É por essa razão que o surgimento da autoconsciência e sua consequente percepção de mortalidade e conhecimento do Bem e do Mal são apresentados nos primeiros capítulos do Gênesis (e na vasta tradição que os cerca) como um cataclismo de magnitude cósmica.

A malevolência humana consciente pode quebrar o espírito que até mesmo a tragédia não consegue abalar. Lembro-me de ter descoberto (juntamente com ela) que uma de minhas clientes havia sofrido, por anos, de um sério transtorno de estresse pós-traumático — terror e tremores físicos diários e insônia crônica — pela mera expressão do rosto do seu namorado bêbado enraivecido. "Seu rosto transtornado" (Gênesis 4:5) indicava seu desejo claro e consciente de causar mal a ela. Ela era mais ingênua do que deveria e isso a predispunha ao trauma, mas essa não é a questão: o mal voluntário que fazemos uns aos outros pode

REGRA 7

ser profunda e permanentemente prejudicial mesmo para os fortes. E o que, exatamente, motiva esse mal?

Ele não se manifesta meramente em consequência da dureza da vida. Ele nem mesmo surge, simplesmente, por causa do fracasso em si ou da decepção e amargura que o fracasso, normalmente e de forma até compreensível, gera. Mas a dureza da vida, ampliada pela consequência de sacrifícios continuamente rejeitados (por mais pobremente conceitualizados que sejam; por mais apaticamente executados que sejam)? Isso vai dobrar e torcer as pessoas, moldando-as de maneiras verdadeiramente monstruosas que então começam a trabalhar o mal conscientemente; que então começam a gerar para si mesmas e para os outros quase nada além de dor e sofrimento (e que fazem isso em nome dessa dor e desse sofrimento). Assim, um círculo realmente vicioso se estabelece: um sacrifício ressentido, oferecido sem entusiasmo; a rejeição desse sacrifício por Deus ou pela realidade (faça sua escolha); o ressentimento raivoso, gerado por essa rejeição; a descida à amargura e ao desejo de vingança; o sacrifício oferecido ainda mais ressentidamente ou recusado completamente. E o Inferno em si é o destino final dessa espiral descendente.

A vida é, realmente, "sórdida, brutal e curta", como o filósofo inglês Thomas Hobbes tão memoravelmente observou. Mas a capacidade do homem para o mal a piora. Isso significa que o problema central da vida — lidar com seus fatos brutos — não é apenas o que e como sacrificar para diminuir o sofrimento, mas o que e como sacrificar para diminuir o sofrimento *e o mal — a fonte consciente, voluntária e vingativa do pior sofrimento*. A história de Caim e Abel é uma manifestação do conto arquetípico dos irmãos hostis, herói e vilão: os dois elementos da psique humana individual, um voltado para cima, para o Bem; e o outro, para baixo, para o próprio Inferno. É verdade que Abel é um herói: mas um herói que é por fim derrotado por Caim. Abel pôde agradar a Deus — um feito difícil e nada trivial —, mas não conseguiu vencer o mal humano. Por essa razão, Abel é arquetipicamente incompleto. Talvez ele fosse ingênuo, embora um irmão vingativo possa ser inconcebivelmente traiçoeiro e *astuto*, como a serpente em Gênesis 3:1. No entanto, desculpas — mesmo razões — mesmo aquelas razões compreensíveis — não importam; não na análise final. O problema do mal permaneceu não resolvido mesmo pelos sacrifícios divinamente aceitos de Abel. Levou milhares de anos adicionais para a humanidade aparecer com algo que parecesse uma solução. A mesma questão surge novamente, em sua forma culminante, na história do Cristo e de sua tentação por Satanás. Mas dessa vez ela é expressa de forma mais abrangente — e o herói vence.

O MAL CONFRONTADO

Jesus foi levado ao deserto, de acordo com a história, "para ser tentado pelo Diabo" (Mateus 4:1) antes de sua crucifixão. Essa é a história de Caim, reformulada abstratamente. Caim não está nem satisfeito nem feliz, como vimos. Ele está se esforçando, ou pelo menos pensa que está, mas Deus não está satisfeito. Enquanto isso, Abel está, de acordo com todas as aparências, seguindo sua vida como se fosse uma dança. Suas plantações são vicejantes. As mulheres o amam. E, pior de tudo, ele é verdadeiramente um homem bom. Todos sabem disso. Ele merece sua boa sorte. Ainda mais razões para o invejar e odiar. Em contrapartida, as coisas não vão bem para Caim e ele fica ruminando seu azar, como o boi rumina sua comida. Ele luta, em sua miséria, para criar algo infernal e, ao fazê-lo, entra no deserto selvagem da própria mente. Ele fica obcecado com sua desventura; sua traição por Deus. Ele alimenta seu ressentimento. Ele se deixa levar por fantasias de vingança cada vez mais elaboradas. E ao fazer isso sua arrogância atinge proporções luciferianas. "Sou mal aproveitado e oprimido", pensa ele. "Este planeta idiota é uma porcaria. No que depender de mim, tudo pode ir para o Inferno." E com isso, para todos os efeitos, Caim encontra Satanás no deserto e cai vítima de suas tentações. E ele faz o que pode para que as coisas fiquem o pior possível (nas palavras imortais de John Milton):

> *Uma malícia tão profunda, para confundir a Raça*
> *da Humanidade em uma Raiz, e a Terra com o Inferno*
> *para misturar e envolver — tudo feito para despeitar*
> *o Grande Criador...*[133]

Caim recorre ao Mal para obter o que Deus havia lhe negado, e faz isso de forma voluntária, autoconsciente e com maldade premeditada.

Cristo trilha um caminho diferente. Sua estadia no deserto é a noite escura da alma — uma experiência profundamente humana e universal. É a jornada àquele lugar onde cada um de nós vai quando as coisas desmoronam, quando amigos e família estão distantes, quando a falta de esperança e o desespero reinam, onde o niilismo mais sombrio nos seduz. E podemos sugerir em testemunho à exatidão da história: quarenta dias e quarenta noites passando fome sozinho no deserto podem levar você exatamente para aquele lugar. E ocorre de tal maneira que os mundos objetivo e subjetivo começam a ruir juntos, sincronicamente. Quarenta dias é um período de tempo profundamente simbólico, dando eco aos 40 anos que os Israelitas passaram vagando pelo deserto após escaparem da tirania do Faraó e do Egito. Quarenta dias é um longo tempo no submundo das suposições sombrias, da confusão e do medo — longo o suficiente para se chegar bem ao centro, que é o próprio Inferno. Uma viagem para lá, para conhecer a paisagem, pode ser feita por qualquer um — isto é, qualquer um que esteja disposto a levar com suficiente seriedade o mal do eu e do Homem. Um pouco de familiaridade com a história pode ajudar. Uma passada através dos horrores totalitários do século XX, com seus campos de concentração, trabalho forçado e patologias ideológicas assassinas é um bom lugar para se começar — isso e um pouco de reflexão sobre o fato de que os piores entre os guardas nos campos de concentração eram humanos, demasiadamente humanos, também. Tudo isso faz parte de tornar a história do deserto real novamente; a parte de atualizá-la para a mente moderna.

"Após Auschwitz", disse Theodor Adorno, estudante do autoritarismo, "não deveria haver poesia". Ele estava errado. Mas a poesia deveria ser sobre Auschwitz. Na sequência sombria das últimas dez décadas do milênio anterior, a destrutividade terrível do homem se tornou um problema cuja seriedade evidentemente diminui até mesmo o problema não resolvido do sofrimento. E nenhum desses problemas vai ser resolvido na ausência de uma solução para o outro. É aqui que a ideia de Cristo assumir os pecados da humanidade como se fossem d'Ele se torna a chave que abre a porta para um entendimento mais profundo do encontro com o mal em pessoa no deserto. *Homo sum, humani nihil a me alienum puto*, disse o dramaturgo Romano Terêncio: nada do que é humano me é estranho.

"Nenhuma árvore pode crescer até o Céu", adiciona o sempre aterrorizante Carl Gustav Jung, extraordinário psicanalista, "a menos que suas raízes desçam até o Inferno".[134] Tal declaração provoca reflexão em todos aqueles que se deparam com ela. Não havia possibilidade de um movimento para cima na opinião profundamente ponderada desse grande psicanalista sem um correspondente movimento para baixo. É por essa razão que a iluminação é tão rara. Quem está disposto a fazer isso? Você realmente quer saber quem está no comando, na base dos pensamentos mais perversos? O que Eric Harris, o assassino em massa do colégio de Columbine, escreveu tão incompreensivelmente exatamente um dia antes de massacrar seus colegas de sala? *É interessante, quando estou em minha forma humana, sabendo que vou morrer. Tudo tem um toque de trivialidade perante isso.*[135] Quem ousaria explicar essa carta? Ou, pior, justificá-la?

No deserto, Cristo encontra Satanás (veja Lucas 4:1–13 e Mateus 4:1–11). Essa história tem um significado psicológico muito claro — um significado metafórico — além de qualquer significado material e metafísico que possa ter. Ela significa que Cristo *é eternamente aquele que se determina a assumir a responsabilidade pela total profundidade da depravação humana.* Isso quer dizer que Cristo é eternamente aquele que está disposto a confrontar e ponderar profundamente e arriscar as tentações impostas pelos elementos mais malevolentes da natureza humana. Isso quer dizer que Cristo é sempre aquele que está disposto a confrontar o mal — de forma consciente, total e voluntária — na forma que residia simultaneamente em Seu interior e no mundo. Isso não tem nada de meramente abstrato (embora o seja); nada para ser tratado casualmente. Não é apenas uma questão intelectual.

Com frequência, a causa do desenvolvimento de transtorno do estresse pós-traumático em soldados não é algo que presenciaram e sim que fizeram.[136] Há muitos demônios, por assim dizer, no campo de batalha. O envolvimento em uma guerra é algo que pode abrir as portas do Inferno. De vez em quando algo consegue rastejar para fora de lá e possuir um garoto ingênuo do interior de Iowa, e ele se torna monstruoso. Ele faz algo terrível. Ele estupra e mata mulheres, e massacra crianças em My Lai. E ele observa a si mesmo fazendo isso. E alguma parte sombria dentro dele se diverte com isso — e essa é a parte mais inesquecível. Mais tarde, ele não saberá como reconciliar a si mesmo com a realidade sobre si mesmo e sobre o mundo que lhe foi revelado. Não é de se admirar.

Nos grandes e fundamentais mitos do Egito antigo, o deus Hórus — frequentemente considerado como precursor de Cristo, histórica e conceitualmente falando[137] — experimentou a mesma coisa quando confrontou seu maligno tio Set*, usurpador do trono de Osíris, o pai de Hórus. Hórus, o deus-falcão que tudo vê, o olho egípcio da própria e suprema atenção eterna em si, tem a coragem de confrontar a natureza verdadeira de Set, encontrando-o em combate direto. Na luta com seu terrível tio, porém, sua consciência é danificada. Ele perde um olho. E isso acontece apesar de sua condição divina e capacidade inigualável de visão. O que um mero homem perderia se tentasse a mesma coisa? Entretanto, pode ser que ele ganhe em visão interna e entendimento algo proporcional àquilo que perdeu na percepção do mundo exterior.

Satanás personifica a recusa do sacrifício; ele é a arrogância encarnada; o despeito, a falsidade e a malevolência cruel e consciente. Ele é o puro ódio contra o Homem, Deus e o Ser. Ele não vai se humilhar, mesmo quando sabe perfeitamente que deveria. Além do mais, ele sabe exatamente o que está fazendo, obcecado pelo desejo de destruição, e faz isso de forma deliberada, refletida e completa. Tem que ser ele, portanto — o próprio arquétipo do Mal —, que confronta e tenta a Cristo, o arquétipo do Bem. Deve ser ele que oferece ao Salvador da Humanidade, sob as condições mais penosas, o que todos os homens desejam mais ardentemente.

Satanás primeiramente tenta o Cristo esfomeado para que aplaque Sua fome ao transformar as pedras do deserto em pão. Depois sugere que se atire de um penhasco, chamando Deus e os anjos para impedir sua queda. Cristo responde à primeira tentação dizendo: "Nem só de pão viverá o homem, mas de toda palavra que procede da boca de Deus." O que essa resposta quer dizer? Ela quer dizer que mesmo sob condições de privação extrema há coisas mais importantes do que comida. Em outras palavras: o pão não tem muita utilidade para aquele que

---

* Em conformidade com essa observação está o fato de que a palavra Set é etimologicamente precursora da palavra Satanás. Veja Murdock, D.M. (2009). *Christ in Egypt: the Horus Jesus connection.* Seattle, WA: Stellar House, p. 75 [conteúdo em inglês].

traiu sua alma, mesmo se estiver faminto no momento.* Cristo poderia claramente usar seus poderes praticamente infinitos, como Satanás indica, para conseguir pão naquele instante — para quebrar seu jejum —, até mesmo, em um sentido mais amplo, para adquirir riquezas no mundo (o que teoricamente resolveria o problema do pão de forma mais permanente). Mas a que custa? Para ganhar o quê? Gulodice em meio à desolação moral? Esse é o mais miserável e deplorável dos banquetes. Cristo foca, no entanto, mais alto: a descrição de um modo do Ser que resolveria o problema da fome de forma definitiva e eterna. E se todos escolhêssemos nos alimentar da Palavra de Deus em vez da conveniência? Isso exigiria que cada uma das pessoas vivesse, produzisse, sacrificasse, falasse e compartilhasse de maneira a deixar a privação da fome permanentemente no passado. E é assim que o problema da fome nas privações do deserto é abordado de maneira mais verdadeira e definitiva.

Há outras indicações disso nos evangelhos de forma dramática e encenada. Cristo é continuamente retratado como a fonte do sustento eterno. Ele milagrosamente multiplica o pão e o peixe. Transforma a água em vinho. O que isso quer dizer? É um chamado para a busca de um significado mais sublime como modo de vida que seja, ao mesmo tempo, mais prático e da mais alta qualidade. É um chamado retratado de forma literária/dramática: viva como o Salvador arquetípico vive e você e aqueles ao seu redor não passarão mais fome. A beneficência do mundo se manifesta para aqueles que vivem corretamente. Isso é melhor do que pão. Isso é melhor do que o dinheiro que vai comprar o pão. É assim que Cristo, o indivíduo simbolicamente perfeito, vence a primeira tentação. Ainda há duas por vir.

"Jogue-se deste penhasco", diz Satanás, oferecendo a próxima tentação. "Se Deus existe, com certeza Ele o salvará. Se você for mesmo Seu Filho, com certeza Deus o salvará." Por que Deus não Se faria manifesto para resgatar Seu Filho único da fome, isolamento e presença de um grande mal? Mas isso não estabelece um padrão para a vida. Não

---

* Para qualquer um que pense que isso não é de forma alguma realista, tendo em conta a realidade concreta e material e o sofrimento genuíno associado à privação, novamente recomendo *Arquipélago Gulag* de Soljenítsin, que contém uma série de discussões excepcionalmente profundas sobre o comportamento ético apropriado e sua importância exagerada, e não o contrário, em situações de necessidade e sofrimento extremos.

funciona nem mesmo na literatura. O *deus ex machina* — o surgimento de uma força divina que magicamente resgata o herói de sua aflição — é o truque mais barato que um escritor pode usar. Isso zomba da independência, coragem, destino, livre-arbítrio e responsabilidade. Além disso, Deus não é, de modo algum, uma rede de proteção para os cegos. Ele não é alguém que pode ser ordenado a realizar truques mágicos ou forçado à autorrevelação — nem mesmo por Seu próprio Filho.

"Não ponha à prova o Senhor, o seu Deus" (Mateus 4:7) — essa resposta, embora bem curta, acaba com a segunda tentação. Cristo não ordena casualmente nem mesmo ousa pedir a intervenção de Deus em causa própria. Ele se recusa a o eximir da responsabilidade pelos eventos de sua vida. Ele se recusa a exigir que Deus prove Sua presença. Ele se recusa, também, a resolver os problemas da vulnerabilidade mortal de uma forma meramente pessoal — ao compelir Deus a salvá-lo —, porque isso não resolveria o problema para todos os demais para sempre. Também há o eco da rejeição dos confortos da insanidade na renúncia dessa tentação. A autoidentificação fácil, porém psicótica; como o Messias puramente mágico poderia ter sido uma tentação genuína sob as duras condições daquela estada de Cristo no deserto. Em vez disso, ele rejeita a ideia de que a salvação — ou mesmo a sobrevivência, em curto prazo — depende de demonstrações narcisistas de superioridade e de comandar Deus, mesmo por Seu filho.

Finalmente temos a terceira tentação, a mais persuasiva de todas. Cristo vê os reinos do mundo dispostos perante ele para serem tomados. É o canto da sereia do poder terreno: a oportunidade de controlar e ordenar tudo e todos. A Cristo é oferecido o pináculo da hierarquia de dominância, o desejo animalesco de qualquer macaco nu: a obediência de todos, a mais magnífica das casas, o poder de construir e aumentar, a possibilidade de gratificação sensual ilimitada. Isso é conveniência em letras garrafais. Mas não é tudo. Tal expansão do status também oferece oportunidade ilimitada para que a escuridão interna se revele. A sede por sangue, estupro e destruição é parte importante da atração do poder. Não é que os seres humanos desejem o poder apenas para que não sofram mais. Não é que o desejem para superar a subjugação à necessidade, doença e morte. Poder também significa capacidade de se vingar, garantir submissão e derrotar inimigos. Dê a Caim poder suficiente e ele não vai apenas matar Abel. Ele vai o torturar primeiro, de forma criativa e infinita. Depois, e apenas depois, vai matá-lo. Depois, ele irá para cima de todos os outros.

Há algo acima até mesmo do pináculo mais alto das hierarquias de dominância, e o acesso a ele não deve ser sacrificado por um mero sucesso mais próximo. É um lugar real, também, embora não deva ser conceitualizado no senso geográfico padrão que tipicamente utilizamos para nos orientar. Certa vez, tive uma visão de uma paisagem imensa perante a mim, espalhada por muitos quilômetros até o horizonte. Eu estava acima, no ar, com uma visão de pássaro. Para qualquer lugar que eu olhasse, podia ver pirâmides de vidro estratificadas de vários andares, algumas pequenas, algumas grandes, algumas sobrepondo-se, algumas separadas — todas semelhantes aos arranha-céus modernos; todas repletas de pessoas lutando para alcançar o pináculo de cada pirâmide. Porém, havia algo acima daquele pináculo, um domínio fora de cada pirâmide, em que todas estavam aninhadas. Essa era a posição privilegiada do olho que podia, ou talvez tivesse escolhido, planar livremente acima das lutas; que escolheu não dominar nenhum grupo ou causa específicos, mas, em vez disso, transcender tudo simultaneamente, de alguma forma. Aquilo era atenção pura e sem entraves: imparcial, alerta, cuidadosa, esperando para agir quando a hora e o local certos estivessem sido estabelecidos. Como o Tao Te Ching coloca:

> *Quem faz algo contra a lei, tem de falhar;*
> *quem se apega a algo, o perderá.*
> *Por isso o sábio não é egocêntrico,*
> *e por isso nunca falha.*
> *Não se apega a nada, e por isso não perde nada.*[*138]

Há um poderoso chamado ao Ser correto na história da terceira tentação. Para obter o maior prêmio possível — o estabelecimento do Reino de Deus na Terra, a ressurreição do Paraíso —, o indivíduo deve conduzir sua vida de uma maneira que exija a rejeição da gratificação imediata dos desejos tanto naturais quanto perversos, não importa quão poderosa, convincente e realisticamente sejam oferecidos, e dispensar, também, as tentações do mal. O mal amplifica a catástrofe da vida e

---

* N.T.: Lao-Tsé. Tao Te Ching, *O Livro Que Revela Deus*. 1ª edição. São Paulo: Martin Clarinet, páginas 153 e 154.

aumenta drasticamente a motivação para a conveniência que já está lá por causa da tragédia essencial do Ser. Um sacrifício mais prosaico mantém a tragédia afastada de forma mais ou menos bem-sucedida, mas é necessário um tipo especial de sacrifício para derrotar o mal. É a descrição desse sacrifício especial que tem preocupado a imaginação dos cristãos (e mais do que os cristãos) por séculos. Por que não surtiu o efeito desejado? Por que continuamos não convencidos de que não existe um plano melhor do que levantar nossas cabeças ao céu almejando o Bem e sacrificar tudo por essa ambição? Será que apenas deixamos de entender ou nos desviamos, propositadamente ou não, do caminho?

O CRISTIANISMO E SEUS PROBLEMAS

Carl Jung criou a hipótese de que a mente europeia se encontrou motivada o suficiente para desenvolver as tecnologias cognitivas da ciência — para investigar o mundo material — após concluir implicitamente que o cristianismo, com sua ênfase absoluta na salvação espiritual, fracassou em abordar satisfatoriamente o problema do sofrimento no aqui e agora. Essa percepção se tornou insuportavelmente aguda nos três ou quatro séculos antes do Renascimento. Como consequência, uma fantasia compensatória, profunda e estranha começou a surgir profundamente na psique coletiva do Ocidente, manifestando-se primeiramente nas meditações estranhas da alquimia e desenvolvendo-se apenas após muitos séculos na forma totalmente articulada de ciência.[139] Os alquimistas foram os primeiros que começaram a examinar seriamente as transformações da matéria, esperando descobrir os segredos da saúde, riqueza e longevidade. Esses grandes sonhadores (sendo Newton o principal entre eles[140]) intuíram e depois imaginaram que o mundo material, condenado pela Igreja, continha segredos cuja revelação poderia libertar a humanidade de suas dores e limitações terrenas. Foi essa visão, conduzida pela dúvida, que concedeu o tremendo poder de motivação coletiva e individual necessário para o desenvolvimento da ciência, com suas exigências extremas de concentração e adiamento da gratificação dos pensadores individuais.

Isso não quer dizer que o cristianismo, mesmo em sua forma incompletamente realizada, tenha sido um fracasso. Muito pelo contrário: o cristianismo conquistou quase o impossível. A doutrina cristã elevou a alma individual, colocando o escravo e o mestre, o plebeu e o nobre igualmente na mesma base metafísica, considerando-os iguais perante Deus e a lei. O cristianismo insistiu que mesmo o rei era apenas um entre muitos. Para que algo tão contrário a toda evidência aparente encontrasse seu fundamento, foi necessário que a ideia do poder mundano e da proeminência como indicadores do favor particular de Deus perdesse radicalmente o destaque. Isso foi especialmente alcançado através da estranha insistência cristã de que a salvação não poderia ser obtida através de esforço ou merecimento — através das "obras".[141] Independente de suas limitações, o desenvolvimento de tal doutrina impediu que o rei, o aristocrata, assim como o mercador rico, fossem os senhores morais dos plebeus. Como consequência, a concepção metafísica do valor transcendental implícito de cada uma das almas foi estabelecido contra todas as chances, como a pressuposição fundamental da lei e da sociedade ocidentais. Esse não foi o caso no mundo do passado, e ainda não é o caso na maioria dos lugares do mundo do presente. Na realidade, é praticamente um milagre (e deveríamos nos atentar firmemente a isso) que as sociedades hierárquicas dos nossos ancestrais, tendo a escravidão como base, tenham se reorganizado sob a influência de uma revelação ética/religiosa, de forma que a posse e a dominação absolutas de outra pessoa passaram a ser vistas como erradas.

Seria bom recordarmos, também, que a utilidade imediata da escravidão é óbvia e que o argumento de que os fortes devem dominar os fracos é atraente, conveniente e eminentemente prático (pelo menos para os fortes). Isso quer dizer que era necessária uma crítica revolucionária de tudo o que era valorizado pelas sociedades que possuíam escravos antes que a prática pudesse até mesmo ser questionada, quem dirá interrompida (incluindo a ideia de que exercer poder e autoridade fazia do proprietário de escravos um nobre; incluindo a ideia ainda mais fundamental de que o poder exercido pelo proprietário de escravos era válido e até virtuoso). O cristianismo tornou explícita a reivindicação de que até a pessoa do nível mais baixo tinha direitos genuínos — e de que o soberano e o Estado eram moralmente encarregados, em um nível fundamental, de reconhecer esses direitos. O cristianismo propôs, explicitamente, a ideia ainda mais incompreensível de que o ato da propriedade humana degradava o escravizador (previamente visto como admiravelmente nobre) tanto quanto ou ainda mais do que o escravo. Não conseguimos compreender o quanto uma ideia assim é difícil de ser compreendida. Esquecemos que o oposto foi evidente ao longo de quase toda a história humana. Achamos que é o desejo de escravizar e dominar que requer uma explicação. Estamos vendo as coisas de trás para frente de novo.

Isso não quer dizer que o cristianismo não tinha problemas. Mas é mais apropriado notar que eram os tipos de problemas que surgem apenas após um conjunto inteiramente diferente de problemas mais sérios terem sido resolvidos. A sociedade produzida pelo cristianismo era muito menos cruel do que as pagãs — mesmo a romana — que ela substituiu. A sociedade cristã pelo menos reconheceu que era errado alimentar os leões vorazes com os escravos para o entretenimento da população, mesmo que muitas práticas cruéis ainda existissem. Ela protestou contra o infanticídio, a prostituição e o princípio de que a justiça é apenas o interesse dos mais fortes. Insistiu em que as mulheres tinham o mesmo valor que os homens (mesmo que ainda estejamos desenvolvendo como manifestar essa insistência de forma política). Ela exigiu que até mesmo um inimigo da sociedade fosse considerado humano. Finalmente, separou a igreja do Estado para que os imperadores demasiadamente humanos não pudessem alegar a veneração devida aos deuses. Isso tudo era pedir o impossível: mas aconteceu.

Porém, com o progresso da revolução cristã, o problema impossível que ela resolvera desapareceu de vista. É isso o que ocorre quando os problemas são resolvidos. E após a solução ter sido implementada *até mesmo o fato de que tais problemas alguma vez existiram desapareceu de vista*. Depois, e somente depois, os problemas remanescentes, menos passíveis de solução rápida pela doutrina cristã, foram ocupar um lugar central na consciência do Ocidente — motivaram, por exemplo, o desenvolvimento da ciência, buscando resolver o sofrimento material e corpóreo que ainda era existente de uma forma dolorosa demais dentro das sociedades cristianizadas com êxito. O fato de que os automóveis poluem apenas se torna um problema de magnitude suficiente para atrair a atenção pública quando desaparecem os problemas muito piores que o motor de combustão interna soluciona. Pessoas atingidas pela pobreza não se importam com o dióxido de carbono. Não que os níveis de CO_2 sejam irrelevantes. É que são irrelevantes quando você está trabalhando até a morte; passando fome; catando algumas migalhas de um solo cheio de pedras, duro e infestado por cardos e espinhos. Eles são irrelevantes até que o trator seja inventado e centenas de milhões parem de passar fome. De qualquer forma, na época em que Nietzsche entrou em cena, no fim do século XIX, os problemas que o cristianismo havia deixado sem solução se tornaram cruciais.

Nietzsche descreveu a si mesmo, sem exageros, como aquele que filosofa a golpes de martelo.[142] Sua crítica devastadora ao cristianismo — já enfraquecido pelo conflito com a própria ciência que originou — envolveu duas linhas principais de ataque. Em primeiro lugar, Nietzsche alegou que era exatamente o sentido da verdade, desenvolvido em seu significado máximo pelo próprio cristianismo, que finalmente veio a questionar e então minar as pressuposições fundamentais da fé. Esse foi em parte o motivo de a diferença entre a verdade moral ou narrativa e a objetiva não ter sido compreendida totalmente (assim, uma oposição foi presumida onde necessariamente não havia) — mas isso não refuta nosso ponto. Mesmo quando os ateus modernos opostos ao cristianismo menosprezam os fundamentalistas cristãos por insistirem, por exemplo, em que o relato da criação em Gênesis é objetivamente verdadeiro, eles usam seu senso de verdade, altamente desenvolvido ao longo dos séculos de cultura cristã, para se engajar em tal argumentação. Carl Jung continuou a desenvolver os argumentos de Nietzsche décadas mais tarde, apontando que a Europa despertou, durante o Iluminismo, como de um sonho cristão, percebendo que tudo aquilo que tinha considerado como certo até ali deveria ser questionado. "Deus está morto", disse Nietzsche. "Deus continua morto. E nós o matamos. Como nós, assassinos de todos os assassinos, vamos nos consolar? Aquele que foi o mais santo e poderoso de tudo o que o mundo já possuiu sangrou até a morte por causa de nossas espadas. Quem limpará o sangue de nossas mãos?"[143]

Os dogmas centrais da fé ocidental não eram mais confiáveis, de acordo com Nietzsche, dado o que a mente ocidental agora considerava como a verdade. Mas foi seu segundo ataque — sobre a remoção do verdadeiro fardo moral do cristianismo durante o desenvolvimento da

Igreja — que foi mais devastador. O filósofo do martelo organizou um ataque contra uma linha de pensamento cristão antigamente estabelecida e, então, altamente influente: *que o cristianismo significava aceitar a proposição de que o sacrifício de Cristo, e apenas esse sacrifício, havia redimido a humanidade.* Isso não significava, absolutamente, que um cristão que acreditasse que Cristo morreu na cruz pela salvação da humanidade estaria assim livre de qualquer obrigação moral pessoal. Porém, insinuava fortemente que a responsabilidade primária pela redenção já havia sido assumida pelo Salvador, e que nada tão importante a ser feito restou para os indivíduos humanos caídos demais.

Nietzsche acreditava que Paulo e, depois, os protestantes que seguiram Lutero haviam isentado os seguidores de Cristo da responsabilidade moral. Eles haviam enfraquecido a ideia de *imitação de Cristo.* Essa imitação era o dever sagrado do crente não de apenas aderir (ou meramente repetir) um conjunto de declarações sobre a crença abstrata, mas de fato manifestar o espírito do Salvador nas condições específicas e particulares de sua vida — realizar ou encarnar o arquétipo, como Jung colocava; vestir o padrão eterno na carne. Nietzsche escreve: "Os cristãos nunca praticaram as ações prescritas por Jesus, e a descarada fala eloquente sobre a 'justificação pela fé' e seu significado supremo e único são apenas a consequência da falta de coragem e vontade da Igreja em professar as obras que Jesus exigiu."[144] Nietzsche foi, certamente, um crítico sem precedentes.

A crença dogmática nos axiomas centrais do cristianismo (de que a crucifixão de Cristo redimiu o mundo; de que a salvação foi reservada para o além; de que a salvação não poderia ser alcançada através de obras) teve três consequências mutuamente consolidantes: a primeira, *a desvalorização do significado da vida terrena, uma vez que apenas o além importava.* Isso também significava que havia se tornado aceitável fazer vista grossa e se esquivar da responsabilidade pelo sofrimento que existia no aqui e agora. A segunda, *a aceitação passiva do* status quo, *porque a salvação não poderia ser conquistada de jeito algum através do esforço nesta vida* (uma consequência que Marx também ridicularizou, com sua proposição de que a religião era o ópio do povo); e, finalmente, a terceira, *o direito do crente em rejeitar qualquer fardo moral real* (fora da crença declarada na salvação por Cristo), *porque o Filho de Deus já havia feito todo o trabalho importante*. Foi por tais razões que Dostoiévski, que exerceu uma grande influência em Nietzsche, também censurou o cristianismo institucional (embora ele tenha conseguido isso, defensavelmente, de uma maneira mais ambígua, mas também mais sofisticada). Em sua obra-prima, *Os Irmãos Karamázov*, Dostoiévski faz com que seu super-homem ateu, Ivan, conte uma pequena história: "O Grande Inquisidor."[145] Uma breve revisão vale a pena.

Ivan fala com seu irmão Aliócha — cujas ocupações como noviço do monastério ele despreza — sobre o retorno de Cristo à Terra no tempo da Inquisição Espanhola. O Salvador retornado cria um belo tumulto, como era de se esperar. Ele cura os doentes. Ressuscita os mortos. Suas palhaçadas logo atraem a atenção do próprio Grande Inquisidor, que prontamente prende Cristo e o lança em uma cela de prisão. Mais tarde, o Inquisidor o visita. Informa Cristo que ele não é mais necessário. Seu retorno é simplesmente uma ameaça demasiada para a Igreja. O Inquisidor diz a Cristo que o fardo que ele colocou sobre a humanidade — da existência em fé e verdade — era simplesmente pesado demais para meros mortais suportarem. O Inquisidor alega que a Igreja, em sua misericórdia, havia diluído essa mensagem, suspendendo a exigência de um Ser perfeito dos ombros de seus seguidores, oferecendo-lhes, no lugar, as fugas simples e misericordiosas da fé e da vida no além. Esse trabalho levou séculos, diz o Inquisidor, e a última coisa que a Igreja precisa após todo esse esforço é o retorno do Homem que insistia em que as pessoas suportassem todo o peso, em primeiro lugar. Cristo ouve em silêncio. E quando o Inquisidor se vira para sair, Cristo o abraça e o beija nos lábios. O Inquisidor fica pálido com o choque. Então, ele sai, deixando a porta da cela aberta.

A profundidade dessa história e a grandeza de espírito necessária para produzi-la é inconcebível. Dostoiévski, um dos grandes gênios literários de todos os tempos, confrontou os problemas existenciais mais sérios em todos os seus grandes escritos, e o fez de forma incrivelmente corajosa e impetuosa, sem se preocupar com as consequências. Claramente um cristão, ele veementemente se recusa, no entanto, a usar a falácia do espantalho com seus oponentes racionalistas e ateus. Pelo contrário: em *Irmãos Karamázov*, por exemplo, o personagem ateu de Dostoiévski, Ivan, argumenta contra as pressuposições do cristianismo com clareza e paixão inigualáveis. Aliócha, alinhado com a Igreja por temperamento e decisão, não consegue refutar nenhum dos argumentos do seu irmão (embora sua fé permaneça inabalável). Dostoiévski sabia e admitia que o cristianismo havia sido derrotado pela faculdade racional — pelo intelecto, mesmo —, mas (e isso é de importância fundamental) *ele não se escondeu desse fato*. Ele não tentou, através da negação, falsidade ou mesmo sátira, enfraquecer a posição que se opunha ao que ele acreditava ser o mais verdadeiro e valoroso. Em vez disso, colocou suas ações acima de suas palavras e abordou o problema de forma bem-sucedida. No final do romance, Dostoiévski faz com que a grande bondade moral personificada em Aliócha — a imitação corajosa que o noviço fez de Cristo — alcance a vitória contra a inteligência de Ivan, espetacular, mas extremamente niilista e crítica.

A igreja cristã descrita pelo Grande Inquisidor é a mesma ridicularizada por Nietzsche. Infantil, hipócrita, patriarcal e serva do Estado, essa igreja é toda a podridão que ainda é questionada pelos críticos modernos do cristianismo. Nietzsche, embora seja brilhante, permite-se à raiva, mas talvez não a equilibre o suficiente com o juízo. É aqui onde Dostoiévski verdadeiramente transcende Nietzsche, na minha avaliação — onde a grande literatura de Dostoiévski transcende a mera filosofia de Nietzsche. O Inquisidor do grande escritor russo é o objeto genuíno em todos os sentidos. Ele é oportunista, cínico, manipulador e um interrogador cruel, disposto a perseguir os hereges — e até mesmo a os torturar e matar. Ele é o fornecedor de um dogma que sabe ser falso. Mas Dostoiévski faz com que Cristo, o homem perfeito arquetípico, beije-o assim mesmo. Igualmente importante, após o beijo, é o fato de que o Inquisidor deixa a porta entreaberta para que Cristo possa escapar de sua execução iminente. Dostoiévski viu que o edifício grande e corrupto do cristianismo ainda conseguia criar espaço para o espírito do seu Fundador. Essa é a gratidão de uma alma sábia e profunda pela sabedoria persistente do Ocidente, apesar de suas falhas.

Não é que Nietzsche não estivesse disposto a ser justo com a fé — e, mais especificamente, com o catolicismo. Nietzsche acreditava que a longa tradição da "não liberdade", que caracterizava o cristianismo dogmático — sua insistência de que tudo fosse explicado dentro dos confins de uma teoria metafísica única e coerente —, era uma precondição para o surgimento da mente moderna disciplinada, mas livre. Como escreveu em *Além do Bem e do Mal*:

> A longa servidão do espírito... o persistente desejo do espírito de interpretar tudo o que ocorre segundo um esquema cristão e de descobrir a mão de Deus, de justificar sua presença em cada ocorrência casual: toda essa violência, arbitrariedade, severidade, horror e irracionalidade mostraram-se como sendo os meios disciplinares através dos quais o espírito europeu atingiu sua força, curiosidade implacável e sutil mobilidade; com a condição de que grande parte dessa força e espírito irrecuperáveis tenham sido reprimidos, sufocados e deteriorados no processo.[146]

Tanto para Nietzsche quanto para Dostoiévski, a liberdade — e mesmo a capacidade de agir — requer comedimento. Por essa razão, ambos reconhecem a necessidade vital dos dogmas da Igreja. O indivíduo deve ser restringido e moldado — e até levado próximo à destruição — através de uma estrutura disciplinar coerente e restritiva, antes que possa agir de forma livre e competente. Dostoiévski, com sua grande generosidade de espírito, garantiu à igreja, corrupta como pode ser, um certo elemento de misericórdia, um certo pragmatismo. Ele admitiu que o espírito de Cristo, o Logos criador do mundo, tinha, historicamente, e ainda atualmente, seu lugar no mundo — e mesmo sua soberania — dentro dessa estrutura dogmática.

Se um pai disciplina seu filho corretamente, obviamente ele interfere em sua liberdade, especialmente no aqui e agora. Ele coloca limites na expressão voluntária do Ser de seu filho, forçando-o a assumir seu lugar como um membro socializado do mundo. Esse pai requer que todo o potencial infantil seja centralizado em um caminho individual. Ao estabelecer essas limitações para seu filho, ele pode ser considerado uma força destrutiva, agindo para substituir a pluralidade milagrosa da infância por uma realidade simples e limitada. Mas se o pai não tomar essa atitude, permite que seu filho permaneça como Peter Pan, o eterno Menino, Rei dos Meninos Perdidos, Governador da inexistente Terra do Nunca. Essa não é uma alternativa moralmente aceitável.

O dogma da Igreja foi enfraquecido pelo espírito da verdade fortemente desenvolvido pela própria Igreja. Esse enfraquecimento culminou na morte de Deus. Mas a estrutura dogmática da Igreja era uma estrutura disciplinar necessária. Um longo período de falta de liberdade — a adesão a uma estrutura interpretativa singular — é necessário para o desenvolvimento da mente livre. O dogma cristão forneceu essa falta de liberdade. Porém, o dogma está morto, pelo menos para a mente ocidental moderna. Ele pereceu muito tempo atrás, juntamente com Deus. O que emergiu de seu cadáver, no entanto — e essa é uma questão de central importância —, é algo ainda mais morto; algo que nunca esteve vivo, mesmo no passado: *o niilismo, assim como uma suscetibilidade igualmente perigosa a ideias novas, totalitárias e utópicas*. Foi após a morte de Deus que os grandes horrores coletivos do comunismo e do fascismo se espalharam (da forma que tanto Dostoiévski quanto Nietzsche previram). Nietzsche, de sua parte, postulou que os seres humanos individuais teriam de inventar os próprios valores após a morte de Deus. Porém, esse é o elemento do seu pensamento que aparenta ser o mais fraco psicologicamente falando: *não podemos inventar nossos próprios valores, porque não podemos meramente impor no que acreditamos a nossas almas.* Essa foi a grande descoberta de Carl Jung — feita em grande parte por causa de seus intensos estudos sobre os problemas propostos por Nietzsche.

Nós nos rebelamos contra nosso próprio totalitarismo, assim como contra o dos outros. Não posso simplesmente ordenar a mim mesmo a agir, nem você pode. Posso dizer: "Vou parar de adiar as coisas", mas não paro. Digo: "Vou comer corretamente", mas não como. Digo: "Vou parar de beber", mas não o faço. Não posso apenas me transformar na imagem construída pelo meu intelecto (especialmente se esse intelecto estiver possuído por uma ideologia). Tenho uma natureza, como você tem uma, assim como todos nós. Devemos descobri-la e lutar com ela antes de fazermos as pazes conosco. O que somos mais verdadeiramente? O que podemos mais verdadeiramente nos tornar sabendo quem de fato somos? Devemos chegar ao próprio fundamento das coisas antes que essas perguntas possam ser verdadeiramente respondidas.

DÚVIDA, PARA ALÉM DO MERO NIILISMO

Trezentos anos antes de Nietzsche, o grande filósofo francês René Descartes iniciou uma missão intelectual para levar sua dúvida de desconstruir as coisas para chegar ao que era essencial a sério — ver se ele conseguiria estabelecer, ou descobrir, uma única proposição que fosse impenetrável para seu ceticismo. Ele estava procurando a pedra fundamental sobre a qual o Ser correto pudesse ser estabelecido. Descartes a descobriu, até onde entendia, no "eu" que pensa — o "eu" consciente — conforme foi expresso em seu famoso ditado, *cogito ergo sum* (penso, logo existo). Porém, esse "eu" havia sido conceitualizado muito tempo antes. Milhares de anos atrás, o "eu" consciente era o olho que tudo vê de Hórus, o grande filho e deus-sol egípcio, que renovou o Estado ao prestar atenção nele e confrontar sua corrupção inevitável. Antes disso, foi o Deus criador Marduque dos mesopotâmios, cujos olhos circundavam sua cabeça e que proferia palavras mágicas que geravam o mundo. Durante o período cristão, o "eu" transformou-se no Logos, a Palavra que profere ordem para o Ser no princípio do tempo. Pode-se dizer que Descartes meramente secularizou o Logos, transformando-o, mais explicitamente, naquilo "que é consciente e pensa". Esse é o eu moderno, dizendo de forma simples. Mas o que é exatamente esse eu?

Podemos entender, até certo ponto, seus horrores, se assim desejarmos, mas sua bondade permanece mais difícil de ser definida. O eu é o grande ator do mal que caminhou pelo palco do Ser na forma tanto dos nazistas quanto dos stalinistas; que produziu Auschwitz, Buchenwald, Dachau e a multiplicidade dos gulags soviéticos. E tudo isso deve ser considerado com uma seriedade terrível. Mas qual é o seu oposto? Qual é o bem que é a contraparte necessária a esse mal, tornado mais corpóreo e compreensível por sua própria existência? E aqui podemos declarar com convicção e clareza que mesmo o intelecto racional — essa faculdade tão amada por aqueles que desprezam a sabedoria tradicional — é, no mínimo, algo muito próximo e necessariamente similar ao deus arquétipo que morre e ressuscita eternamente, o salvador da humanidade, o próprio Logos. O filósofo da ciência Karl Popper, que certamente não é um místico, considerou o próprio ato de pensar como uma extensão lógica do processo darwiniano. Uma criatura que não consegue pensar deve exclusivamente personificar seu Ser. Ela pode apenas colocar sua natureza em ação, concretamente, no aqui e agora. Ao fazer isso, se ela não conseguir manifestar em seu comportamento o que o ambiente exige, simplesmente morrerá. Porém, isso não é verdade quanto aos seres humanos. Nós conseguimos produzir representações abstratas de modos potenciais do Ser. Conseguimos produzir uma ideia no teatro da imaginação. Conseguimos testá-la confrontando-a com nossas outras ideias, com as ideias dos outros ou com o próprio mundo. Se ela for insuficiente, podemos dispensá-la. Podemos, na formulação de Popper, deixar nossas ideias morrerem em nosso lugar.[147] Então, a parte essencial, criadora dessas ideias, pode continuar adiante, agora sem estar impedida, por comparação, pelo erro. *A fé na parte de nós que continua através dessas mortes é um pré-requisito para o próprio pensar.*

Entretanto, uma ideia não é a mesma coisa que um fato. Um fato é algo que está morto por si mesmo. Ele não tem consciência, força de vontade, motivação ou ação. Há bilhões de fatos mortos. A internet é um cemitério de fatos mortos. No entanto, uma ideia que se agarra em alguém está viva. Ela quer se expressar e viver no mundo. É por essa razão que os psicólogos profundos — sendo Freud e Jung os mais importantes entre eles — insistiram em que a psique humana era um campo de batalha das ideias. *Uma ideia tem um objetivo. Quer algo. Postula uma estrutura de valor.* Uma ideia acredita que aquilo que tem como objetivo é melhor do que aquilo que tem agora. Ela reduz o mundo a essas coisas que ajudam ou impedem sua concretização e reduz todo o restante à irrelevância. Uma ideia diferencia uma figura do seu fundo. *Uma ideia é uma personalidade, e não um fato.* Quando se manifesta em uma pessoa, ela possui uma forte tendência de tornar essa pessoa seu avatar: impelir essa pessoa a expressá-la. Às vezes essa impulsividade (possessão é outra palavra) pode ser tão forte que a pessoa morre em vez de permitir que a ideia morra. Isso é, em termos gerais, uma má decisão, considerando-se que geralmente é apenas a ideia que precisa morrer e que a pessoa com a ideia pode parar de ser seu avatar, mudar seus caminhos e continuar.

Para usarmos uma conceitualização dramática dos nossos ancestrais: as convicções mais fundamentais devem morrer — ser sacrificadas — quando o relacionamento com Deus é rompido (quando a presença do sofrimento indevido e frequentemente intolerável, por exemplo, indica que algo tem que mudar). Isso é dizer nada menos que o futuro pode se tornar melhor se os sacrifícios adequados forem feitos no presente. Nenhum outro animal jamais descobriu isso, e levamos incontáveis centenas de milhares de anos para descobrir. Levamos, ainda, éons de observação e adoração de heróis, e, depois, milênios de estudo para destilar essa ideia na forma de uma história. E então um vasto tempo adicional foi usado para avaliar essa história, incorporá-la, para que agora possamos simplesmente dizer: "Se você for disciplinado e privilegiar o futuro em detrimento do presente, você pode mudar a estrutura da realidade em seu favor."

Mas qual é a melhor maneira de fazer isso?

Em 1984, iniciei o mesmo percurso de Descartes. Não sabia que era o mesmo caminho, naquela época, e não me equiparo a Descartes, que é acertadamente considerado um dos grandes filósofos de todos os tempos. Mas eu estava verdadeiramente assolado pela dúvida. Eu tinha amadurecido demais em relação ao cristianismo superficial da minha juventude no momento que entendi os fundamentos da teoria de Darwin. Depois disso, não conseguia distinguir entre os elementos básicos da crença no cristianismo e o *wishful thinking* [pensamento ilusório]. O socialismo, que logo em seguida se tornou tão atraente para mim como uma alternativa, provou-se ser igualmente insubstancial; com o tempo, passei a entender, através do grande George Orwell, que muito desse pensamento encontrou sua motivação no ódio contra os ricos e bem--sucedidos, em vez de na consideração verdadeira pelos pobres. Além disso, os socialistas eram mais intrinsecamente capitalistas do que os próprios capitalistas. Também acreditavam firmemente no dinheiro. Eles pensavam que se pessoas diferentes o tivessem, os problemas que afligiam a humanidade desapareceriam. Isso é simplesmente uma inverdade. Há muitos problemas que o dinheiro não resolve, e outros que torna ainda piores. As pessoas ricas ainda se divorciam, alienam--se dos seus filhos, sofrem angústia existencial, desenvolvem câncer e demência, e morrem solitárias e não são amadas. Os viciados que estão em recuperação, que são amaldiçoados com o dinheiro, torram-no todo um frenesi de drogas e álcool. E o tédio tem um peso enorme nas pessoas que não têm o que fazer.

REGRA 7

Ao mesmo tempo, estava atormentado pelo fato da Guerra Fria. Fiquei obcecado. Tinha pesadelos. Ela me levou ao deserto, adentrando a longa noite da alma humana. Não conseguia entender como era possível que as duas grandes facções do mundo buscassem a destruição total uma da outra. Seria cada um desses sistemas tão arbitrário e corrupto quanto o outro? Seria uma mera questão de opinião? Seriam todas as estruturas de valor meramente uma roupagem do poder?

Estariam todos loucos?

O que exatamente aconteceu no século XX, afinal? Como pôde ser possível dezenas de milhares morrerem sacrificados por novos dogmas e ideologias? Como foi que descobrimos algo pior, muito pior, do que a aristocracia e as crenças religiosas corruptas que o comunismo e o fascismo buscaram tão racionalmente suplantar? Ninguém havia respondido a essas questões, até onde eu sabia. Assim como Descartes, eu estava afligido pela dúvida. Busquei algo — qualquer coisa — que pudesse considerar irrefutável. Queria uma rocha sobre a qual pudesse construir minha casa. Foi a dúvida que me levou a ela.

Uma vez li a respeito de uma prática particularmente insidiosa em Auschwitz. Um guarda forçava um interno a carregar uma saca de 45kg de sal molhado de um lado do grande complexo para o outro — e depois carregá-la de volta. *Arbeit mach frei*, dizia uma placa na entrada do campo — "O trabalho o fará livre" — e a liberdade era a morte. Carregar o sal era um ato inútil de tormento. Era uma obra de arte malévola. Isso me permitiu perceber claramente que algumas ações são erradas.

Alexandre Soljenítsin escreveu, de maneira definitiva e profunda, sobre os horrores do século XX, sobre as dezenas de milhões de pessoas que tiveram seus empregos, famílias, identidades e vidas arrancados de si. Em seu livro *Arquipélago Gulag*, na segunda parte do segundo volume, ele discutiu os julgamentos de Nuremberg, considerado o evento mais significativo do século XX. Qual foi a conclusão desses julgamentos? *Há algumas ações tão intrinsecamente terríveis que podem ir contra a própria natureza do Ser humano.* Isso é verdade tanto do ponto de vista essencial quanto do intercultural — através do tempo e do espaço. *Essas são más ações. Não há desculpa que justifique tomar parte delas.* Desumanizar um companheiro humano, reduzi-lo ao status de parasita, torturar e abater sem nenhuma consideração pela inocência ou culpa individual, transformar a dor em uma forma de arte — isso é errado.

Do que não consigo duvidar? Da realidade do sofrimento. Não há argumentos contra isso. Os niilistas não podem diminuir seu valor com o ceticismo. Os totalitaristas não a podem banir. Os cínicos não podem fugir de sua realidade. O sofrimento é real, e infligi-lo engenhosamente no outro, apenas pelo próprio sofrimento, é errado. Isso se tornou a pedra fundamental da minha crença. Ao buscar nos recantos mais baixos já alcançados pelo pensamento e ação humanos, ao entender minha própria capacidade de agir como um guarda da prisão nazista, um administrador do arquipélago gulag ou um torturador de crianças em algum porão, compreendi o que significa "levar os pecados do mundo em si mesmo". Cada ser humano tem uma capacidade imensa para o mal. Cada ser humano entende, *a priori*, talvez não o que seja o bem, mas certamente o que não é. E se há algo que *não é o bem*, então há algo que *é o bem*. Se o pior pecado é torturar os outros simplesmente pelo sofrimento — então o bem é qualquer coisa diametralmente oposta a isso. O bem é qualquer coisa que impede tais ações de acontecer.

O SIGNIFICADO COMO O BEM MAIOR

Foi a partir disso que extraí minhas conclusões morais fundamentais. Mire alto. Preste atenção. Conserte o que puder consertar. Não seja arrogante com o próprio conhecimento. Empenhe-se em ser humilde, porque o orgulho totalitário se manifesta na intolerância, opressão, tortura e morte. Torne-se consciente da própria insuficiência — de sua covardia, malevolência, ressentimento e ódio. Considere a parte sanguinária do próprio espírito antes de ousar acusar os outros e de tentar consertar a estrutura do mundo. Talvez a falha não esteja no mundo. Talvez ela esteja em você. Você falhou em acertar a meta. Você errou o alvo. Você está destituído da glória de Deus. Você pecou. E tudo isso é a sua contribuição para a insuficiência e para o mal do mundo. E, acima de tudo, não minta. Não minta sobre nada, nunca. A mentira leva ao Inferno. Foram as mentiras grandes e pequenas dos estados nazistas e comunistas que produziram a morte de milhões de pessoas.

Considere, então, que aliviar dor e sofrimento desnecessários é um bem. Faça disso um axioma: com o melhor das minhas habilidades agirei de forma que alivie dor e sofrimento desnecessários. Agora você depositou um conjunto de pressuposições e ações voltadas à melhoria do Ser no pináculo da hierarquia moral. Por quê? Porque conhecemos a alternativa. A alternativa foi o século XX. A alternativa estava tão próxima do Inferno que nem vale a pena discutir a diferença. E o oposto do Inferno é o Céu. Depositar o alívio da dor e do sofrimento desnecessários no pináculo de sua hierarquia de valor é trabalhar para trazer o Reino de Deus à Terra. Ele é um estado e é uma mentalidade ao mesmo tempo.

Jung observou que a construção de tal hierarquia moral era inevitável — embora permanecesse organizada precária e internamente de forma contraditória. Para Jung, qualquer coisa no topo da hierarquia de valor de um indivíduo seria, para todo os efeitos, o valor máximo daquela pessoa, o deus daquela pessoa. Era o que a pessoa externalizava. No que ela acreditava de forma mais profunda. Algo externalizado não é um fato, nem mesmo um conjunto deles. Em vez disso, é uma personalidade — ou, mais precisamente, uma escolha entre duas personalidades opostas. É Sherlock Holmes ou Moriarty. É Batman ou Coringa. É Superman ou Lex Luthor; Professor Xavier ou Magneto; Thor ou Loki. É Abel ou Caim — e Cristo ou Satanás. Se trabalha para o enobrecimento do Ser, para o estabelecimento do Paraíso, então é Cristo. Se trabalha para a destruição do Ser, para a geração e propagação de dor e sofrimento desnecessários, então é Satanás. Essa é a realidade arquetípica inescapável.

Conveniência é seguir o impulso cego. É o ganho em curto prazo. Ela é estreita e egoísta. Ela mente para conseguir ir adiante. Ela não leva nada em consideração. Ela é imatura e irresponsável. O significado é seu substituto amadurecido. O significado surge quando os impulsos são regulados, organizados e unificados. O significado surge a partir da interação entre as possibilidades do mundo e a estrutura de valor que opera dentro desse mundo. Se a estrutura de valor está orientada para o aprimoramento do Ser, então o significado revelado será o sustento da vida. Ela fornecerá o antídoto para o caos e para o sofrimento. Ela tornará tudo melhor.

Se agir corretamente, suas ações permitirão que você esteja psicologicamente integrado agora, amanhã e no futuro, ao mesmo tempo que beneficia a si mesmo, sua família e o mundo mais amplo ao seu redor. Tudo passará a fazer sentido e se alinhará ao longo de um único eixo. Tudo se encaixará. Isso produz o significado máximo. Esse "passar a fazer sentido" é um lugar no tempo e no espaço cuja existência podemos detectar com nossa habilidade de experimentar mais do que é revelado simplesmente no aqui e agora, através dos nossos sentidos, que são obviamente limitados em sua capacidade representacional de juntar as informações. O significado triunfa sobre a conveniência. O significado satisfaz todos os impulsos, agora e sempre. É por isso que podemos detectá-lo.

Se você decidir que não tem justificativa para seu ressentimento contra o Ser, apesar de sua injustiça e dor, pode vir a perceber coisas que você poderia consertar para reduzir, mesmo que um pouquinho, o sofrimento e a dor desnecessária. Pode ser que você se pergunte: "O que devo fazer hoje?" Mas de um modo que queira dizer: "Como posso usar meu tempo para deixar as coisas melhores em vez de piores?" Essas tarefas podem se anunciar como uma pilha de papéis não resolvidos à qual você poderia dar atenção, como o quarto que poderia tornar um pouco mais acolhedor ou a refeição que poderia ser um pouco mais saborosa e oferecida mais agradecidamente à sua família.

Você pode descobrir que se cuidar dessas obrigações morais, tendo colocado "tornar o mundo melhor" no topo de sua hierarquia, você vai experimentar um significado cada vez mais profundo. Isso não é êxtase. Não é felicidade. É algo muito mais parecido com uma expiação pelo fato criminoso do seu Ser fraturado e danificado. É o pagamento da dívida que você tem pelo milagre insano e horrível da sua existência. É como você se lembra do holocausto. É como você compensa a patologia da história. É a adoção da responsabilidade de ser um habitante em potencial do Inferno. É a disposição de servir como um anjo do Paraíso.

Conveniência — é esconder toda a sujeira debaixo do tapete. É cobrir com um pano o sangue que você acabou de derramar. É evitar a responsabilidade. É covarde, superficial e errada. É errada porque a mera conveniência, multiplicada por muitas repetições, produz o personagem de um demônio. É errada porque a conveniência meramente transfere a maldição que pesa sobre você para outra pessoa, ou para seu eu futuro, de uma maneira que tornará o seu futuro, e o futuro geral, pior em vez de melhor.

Não há fé, nem coragem, nem sacrifício algum em se fazer o que é conveniente. Não há uma observação cuidadosa de que ações e pressuposições importam ou de que o mundo é feito daquilo que importa. Ter significado em sua vida é melhor do que ter aquilo que quer, porque talvez você nem saiba o que quer ou do que de fato necessita. O significado é algo que vai até você por conta própria. Você pode ajustar as precondições, pode seguir o significado quando ele se manifestar, mas você não consegue simplesmente o produzir como um ato da vontade. O significado traduz a ideia de que você está no lugar certo, na hora certa, adequadamente equilibrado entre a ordem e o caos, onde tudo se alinha da melhor forma possível naquele momento.

O que é conveniente funciona apenas para o momento. É imediato, impulsivo e limitado. O que é significativo, por contraste, é a organização daquilo que, de outra maneira, seria meramente conveniente em uma sinfonia do Ser. O significado é o que Beethoven produziu, tão poderosamente que as palavras não conseguem expressar, em sua "Ode à Alegria", uma criação triunfante a partir do vazio, moldada em uma constância linda, em que cada instrumento toca a sua parte, com as vozes disciplinadas reunindo tudo isso, perpassando a total amplitude da emoção humana, do desespero à euforia.

O significado é o que se manifesta quando os vários níveis do Ser se organizam e formam uma perfeita harmonia funcional, do microcosmo atômico à célula, ao órgão, ao indivíduo, à sociedade e ao cosmos, para que a ação em cada nível facilite bela e perfeitamente a ação em todos os outros, de tal modo que o passado, o presente e o futuro sejam todos de uma vez redimidos e reconciliados. O significado é o que surge linda e profundamente como um botão de rosa, recém-formado, abrindo-se da inexistência à luz do sol e de Deus. O significado é o lótus que batalha para subir, passando pelas profundezas escuras do lago e atingindo a água sempre límpida, florescendo bem na superfície, revelando dentro de si mesmo o Buda Dourado, ele mesmo perfeitamente integrado, tal qual a revelação da Vontade Divina pode se fazer manifesta em cada uma de suas palavras e gestos.

O significado é aquele momento quando tudo o que existe fica alinhado em uma dança que tem um único propósito — a glorificação de uma realidade que não importa quão boa tenha repentinamente se tornado, pode ficar cada vez melhor e eternamente assim em direção ao futuro. O significado acontece quando a dança se torna tão intensa que todos os horrores do passado, todas as terríveis batalhas pelas quais toda a vida e toda a humanidade passaram até esse momento, tornem-se uma parte necessária e válida da tentativa cada vez mais bem-sucedida de construir algo verdadeiramente Poderoso e do Bem.

O significado é o equilíbrio máximo entre, de um lado, o caos da transformação e da possibilidade e, do outro, a disciplina da ordem incontaminada, cujo propósito é gerar, a partir do caos, uma ordem que será ainda mais imaculada e capaz de produzir um caos e uma ordem ainda mais produtivos e equilibrados. O significado é o Caminho, a senda da vida mais abundante, o lugar em que você vive quando é guiado pelo Amor e fala a Verdade, e quando nada do que você deseja, ou poderia desejar, será mais importante.

Busque o que é significativo, não o que é conveniente.

REGRA 8

DIGA A VERDADE.
OU, PELO MENOS, NÃO MINTA

A VERDADE NA TERRA DE NINGUÉM

ESTUDEI NA UNIVERSIDADE McGill para me tornar psicólogo clínico. Durante esse período, às vezes me reunia com os colegas de classe no Hospital Douglas, em Montreal, onde tivemos nossas primeiras experiências diretas com os pacientes psiquiátricos. O Hospital Douglas estende-se por hectares de terra ocupando dezenas de prédios. Vários são conectados por túneis subterrâneos para proteger os funcionários e os pacientes dos intermináveis invernos de Montreal. Durante um tempo, o hospital abrigou centenas de pacientes que ficavam internados por muito tempo. Isso foi antes de os medicamentos antipsicóticos e movimentos de grande escala existentes no fim dos anos 1960 contra as instituições fazerem com que os hospícios fechassem, geralmente, relegando os pacientes agora "livres" a uma vida muito mais difícil nas ruas. No começo dos anos 1980, durante minhas primeiras visitas ao hospital, todos os pacientes residentes, com exceção daqueles que sofriam de casos mais graves, já haviam sido dispensados. Os remanescentes eram pessoas estranhas e com alto grau de danos psicológicos. Eles se aglomeravam ao redor das máquinas que vendiam comida e ficavam espalhados ao longo dos túneis do hospital. Pareciam uma fotografia de Diane Arbus ou um quadro de Hieronymus Bosch.

Um dia, meus colegas e eu estávamos aguardando na fila. Esperávamos por mais instruções do psicólogo alemão, muito puritano, que dirigia os programas de treinamento clínicos do Hospital Douglas. Uma paciente frágil e vulnerável, internada há muito tempo ali, aproximou-se de uma das alunas, uma jovem reservada e fechada. A paciente falou com ela de uma forma amigável, quase infantil, e lhe perguntou: "Por que vocês estão esperando aqui? O que estão fazendo? Posso ir com vocês?" Minha colega virou-se para mim e, incerta do que dizer, me perguntou: "O que eu deveria responder a ela?" Ela havia se surpreendido, assim como eu, com esse pedido vindo de uma pessoa tão isolada e machucada. Não queríamos dizer qualquer coisa que pudesse ser entendida como uma rejeição ou reprimenda.

Havíamos entrado temporariamente em uma espécie de terra de ninguém, para a qual a sociedade não oferece nenhum tipo de regra ou instrução. Éramos alunos clínicos iniciantes, despreparados para ser confrontados, no campo de um hospital psiquiátrico, por uma paciente esquizofrênica que fazia uma pergunta ingênua e amigável sobre a possibilidade de um pertencimento social. Aquele tipo de conversa natural, aquela troca entre pessoas que entendem as deixas contextuais, também não estava acontecendo ali. Quais, exatamente, eram as regras em uma situação assim, tão distante dos limites de uma interação social normal? Quais, exatamente, eram as opções?

Havia apenas duas opções até onde pude rapidamente deduzir. Poderia contar uma história à paciente apenas para livrar nossa cara, ou responder honestamente. "Não podemos ter mais do que oito pessoas no grupo", é uma resposta que se encaixaria na primeira categoria. Assim como: "Já estamos indo embora do hospital." Nenhuma dessas respostas feriria os sentimentos de ninguém, pelo menos aparentemente, e a presença da diferença de status que nos separava dela passaria despercebida. Porém, essas respostas não eram exatamente verdadeiras. Dessa forma, não usei nenhuma delas.

Disse à paciente, da forma mais simples e direta que pude, que éramos alunos iniciantes em treinamento para ser psicólogos e que, por esse motivo, ela não poderia se juntar a nós. A resposta destacou a distinção entre a situação dela e a nossa, deixando a distância entre nós ainda mais evidente. Essa resposta foi mais dura do que uma mentira branca bem formulada. No entanto, eu já possuía uma intuição de que uma inverdade, mesmo com a melhor das intenções, pode produzir consequências indesejadas. A paciente ficou cabisbaixa e magoada, mas apenas por um momento. Depois, ela entendeu e ficou tudo certo. Era assim que as coisas eram.

Eu já havia tido um conjunto de experiências estranhas antes de embarcar nos meus estudos clínicos.[148] Percebi que estava sujeito a algumas compulsões bem violentas (nenhuma das quais coloquei em prática) e, em consequência disso, desenvolvi a convicção de que na realidade sabia muito pouco sobre quem eu era e quais eram minhas intenções. Então, comecei a prestar muito mais atenção ao que estava fazendo — e dizendo. A experiência foi desconcertante, para dizer o mínimo. Logo estava dividido em duas partes: uma que falava e outra, mais desprendida, que prestava atenção e julgava. Percebi rapidamente que quase tudo o que dizia não era verdade. Tinha razões para dizer aquelas coisas: queria vencer os debates, ganhar status, impressionar as pessoas e conseguir o que queria. Eu estava usando a linguagem para forçar o mundo a me dar o que achava que era necessário. Só que assim eu era falso. Quando percebi isso, comecei uma prática de apenas dizer coisas às quais a voz interna não se oporia. Comecei a praticar dizer a verdade — ou, pelo menos, não mentir. Aprendi logo em seguida que essa habilidade era muito útil quando não sabia o que fazer. O que fazer quando não sabemos o que fazer? Diga a verdade. Então, foi o que fiz no meu primeiro dia no Hospital Douglas.

Tempos depois, tive um cliente paranoico e perigoso. É desafiador trabalhar com pessoas assim. Elas acreditam que estão sendo perseguidas por forças conspiratórias misteriosas, trabalhando malevolamente por trás dos bastidores. Os paranoicos são superalertas e superfocados. Eles prestam atenção aos sinais não verbais com uma intensidade que nunca é manifestada nas interações humanas normais. Eles erram na interpretação (isso é a paranoia), mas ainda assim são excepcionais em sua habilidade de detectar motivos ambíguos, julgamento e falsidade. Você precisa ouvir muito atentamente e dizer a verdade se quiser fazer com que um paranoico se abra com você.

Eu escutava atentamente e falava a verdade para o meu cliente. De vez em quando, ele descrevia fantasias de gelar o sangue sobre esfolar as pessoas por vingança. Eu observava a minha reação. Prestava atenção aos pensamentos e imagens que surgiam no teatro da minha imaginação enquanto ele falava e eu lhe dizia o que estava observando. Não estava tentando controlar ou direcionar os pensamentos e ações dele (nem os meus). Estava apenas tentando mostrar, da forma mais transparente possível, como aquilo que ele fazia estava afetando pelo menos uma pessoa diretamente — eu. Minha atenção cuidadosa e minhas respostas francas não significavam, de modo algum, que eu não ficava perturbado, muito menos que eu aprovava. Eu lhe dizia quando ele me deixava assustado (o que era frequente), que suas palavras e seu comportamento estavam equivocados e que ele iria se meter em um grande problema.

Mesmo assim, ele conversava comigo porque eu o ouvia e respondia honestamente, mesmo que minhas respostas não fossem encorajadoras. Ele confiava em mim, apesar (ou, mais precisamente, por causa) das minhas objeções. Ele era paranoico, e não idiota. Ele sabia que seu comportamento era socialmente inaceitável. Ele sabia que qualquer pessoa decente reagiria com horror perante suas fantasias insanas. Ele confiava em mim e conversava comigo porque era assim que eu reagia. Não haveria chances de o entender sem essa confiança.

Os problemas começavam para ele geralmente quando tinha de enfrentar algum tipo de burocracia, como a de um banco. Ele entrava e tentava realizar alguma tarefa simples. Queria abrir uma conta, fazer um pagamento ou resolver algo. De vez em quando se deparava com aquele tipo de pessoa que não quer ajudar, que todos nós encontramos de vez em quando em lugares assim. Essa pessoa não aceitava o documento que ele apresentava ou exigia alguma informação desnecessária e difícil de ser obtida. Acho que, às vezes, essa enrolação burocrática era inevitável — mas muitas vezes era desnecessariamente complicada por causa de pequenos maus usos do poder burocrático. Ele era obcecado pela honra. Isso era mais importante para ele do que segurança, liberdade ou pertencimento. Seguindo essa lógica (porque os paranoicos são impecavelmente lógicos), ele nunca se permitia ser destratado, insultado ou humilhado, mesmo que só um pouquinho, por ninguém. Ele não deixava por menos. Por causa dessa atitude rígida e inflexível, as ações do meu cliente já haviam sido sujeitas a várias ordens de restrição. No entanto, as ordens de restrição funcionam muito melhor com o tipo de pessoa que nunca precisaria de uma.

"Serei seu pior pesadelo", era sua frase preferida nessas situações. Como eu queria poder dizer algo assim ao encontrar obstáculos burocráticos desnecessários, mas o melhor a fazer é deixar passar. No entanto, meu cliente não falava aquilo da boca para fora, e às vezes ele de fato se transformava no pior pesadelo de alguém. Ele era o vilão do filme *Onde os Fracos Não Têm Vez*. Ele era aquela pessoa que você encontra no lugar e na hora errados. Se mexesse com ele, mesmo que por acidente, começaria a seguir você, ele lhe lembraria do que você havia feito e lhe daria um susto de tremer na base. Ele não era alguém para quem se pudesse mentir. Eu lhe dizia a verdade, e isso o acalmava.

O LOCADOR DO MEU APARTAMENTO

Nessa época, tive um locador que havia sido o líder de uma gangue de motoqueiros. Minha esposa, Tammy, e eu morávamos ao lado dele, no prédio dos pais dele, que tinha pequenos apartamentos. Sua namorada carregava em si as marcas de lesões autoinfligidas, características de um transtorno de personalidade limítrofe. Ela se suicidou enquanto vivíamos ali.

Denis era grande, forte, franco-canadense, tinha uma barba grisalha e era um talentoso eletricista amador. Ele também tinha talentos artísticos e conseguia se manter fazendo pôsteres de madeira laminada com luzes de neon customizadas. Ele estava tentando permanecer sóbrio, após ter saído da cadeia. Mesmo assim, a cada mês, mais ou menos, ele desaparecia por causa de uma bebedeira que durava dias. Ele era aquele tipo de homem que tem uma capacidade milagrosa para o álcool; ele conseguia beber 50 ou 60 cervejas em uma farra de dois dias e ficar em pé o tempo todo. Pode ser difícil de acreditar, mas é verdade. Naquela época, eu fazia uma pesquisa sobre o alcoolismo familiar, e não era raro os participantes relatarem que seus pais consumiam habitualmente cerca de 1 litro de vodca por dia. Esses patriarcas compravam uma garrafa a cada tarde de segunda a sexta e duas no sábado para fazê-los aguentar o domingo, quando as lojas de bebidas fechavam.

Denis tinha um cãozinho. Por vezes, Tammy e eu podíamos ouvir Denis e o cão lá fora no quintal, às 4h da manhã, durante uma de suas maratonas de álcool, ambos uivando enlouquecidamente para a lua. De vez em quando, em ocasiões assim, Denis consumia, em bebidas, cada centavo que havia economizado. Então, ele aparecia em nosso apartamento. Escutávamos uma batida na porta à noite. Ele estava ali, cambaleante e milagrosamente consciente.

Ele ficava parado com uma torradeira, um micro-ondas ou um pequeno pôster nas mãos. Ele queria vendê-los para mim, de modo que pudesse continuar a beber. Comprei algumas coisas dele fingindo ser caridoso. Finalmente, Tammy convenceu-me de que eu não poderia mais fazer isso. Ela ficava nervosa e isso era ruim para Denis, de quem ela gostava. Mesmo que seu pedido fosse sensato e até mesmo necessário, isso me colocava em uma posição delicada.

O que podemos dizer a uma pessoa severamente embriagada, ex-líder de uma gangue de motoqueiros, com tendências violentas e com a fala enrolada quando ela tenta vender seu micro-ondas para você, na sua porta aberta, às 2h da manhã? Essa pergunta era ainda mais difícil do que aquelas apresentadas pela paciente do hospício ou do esfolador paranoico. Porém, a resposta era a mesma: a verdade. É melhor que você saiba qual é a danada da verdade.

Logo depois que minha esposa e eu havíamos conversado, Denis bateu na porta novamente. Ele me olhou daquela forma direta e cética, com os olhos semicerrados, característicos do homem durão, que bebe todas e que está acostumado com problemas. Esse olhar quer dizer: "Prove sua inocência." Balançando levemente para frente e para trás, ele perguntou — educadamente — se eu estaria interessado em comprar sua torradeira. Consegui me livrar, até o fundo da minha alma, das motivações de dominância primata e da superioridade moral. Disse a ele da forma mais direta e cuidadosa que pude que não tinha interesse. Eu não o havia enganado. Naquele momento, eu não era um jovem estudado, anglófono, bem-sucedido, subindo na hierarquia social. Ele não era um motoqueiro quebequense ex-condenado com um alto nível alcoólico no sangue. Não, éramos dois homens de boa vontade tentando nos ajudar mutuamente em nossa luta comum para fazer o que é certo. Eu falei que ele havia comentado que estava tentando parar de beber. Disse que não seria bom para ele se lhe desse mais dinheiro. Também disse que Tammy, a quem ele respeitava, ficava nervosa quando ele aparecia tão bêbado e tão tarde tentando me vender coisas.

Ele me encarou seriamente sem falar nada por uns 15 segundos. Esse foi um tempo bastante longo. Ele estava buscando, eu sabia, qualquer microexpressão que revelasse sarcasmo, falsidade, desprezo ou autocongratulação. Porém, eu havia planejado isso cuidadosamente e apenas disse aquilo que verdadeiramente pensava. Havia escolhido minhas palavras com cuidado, pisando em ovos. Denis se virou e foi embora. Além disso, ele se lembrou dessa conversa, apesar do seu estado de embriaguez de nível profissional. Ele nunca mais tentou me vender nada. Nosso relacionamento, que era relativamente bom considerando as diferenças culturais entre nós, tornou-se ainda mais sólido.

Escolher o caminho fácil ou dizer a verdade — essas não são meramente duas escolhas diferentes. São trajetórias diferentes de vida. Elas são formas completamente diferentes de existir.

MANIPULE O MUNDO

Podemos usar as palavras para manipular o mundo, para que ele nos dê o que queremos. Esse é o significado de "politicagem". É distorcer a realidade. É a especialidade dos marqueteiros, vendedores, publicitários, pickup artists*, utópicos imbuídos de slogans e psicopatas, todos inescrupulosos. É o discurso no qual as pessoas se engajam quando tentam influenciar e manipular os outros. É o que os universitários fazem quando escrevem um trabalho para agradar ao professor em vez de articular e esclarecer as próprias ideias. É o que todos fazem quando querem alguma coisa e decidem falsificar a si mesmos para agradar e lisonjear. É a conspiração, a criação de slogans e propaganda.

Conduzir a vida dessa forma é ser tomado por um tipo de desejo disforme e, depois, moldar o discurso e a ação de forma que pareça

---

* N.T.: Pickup artist, ou PUA, em inglês, é a pessoa que utiliza um conjunto de técnicas psicológicas e sociológicas para conseguir seduzir outra pessoa.

possível, racionalmente, produzir aquele fim. Os fins tipicamente pretendidos podem incluir "impor minhas crenças ideológicas", "provar que estou (ou estava) certo", "aparentar ser competente", "subir minha posição na hierarquia de dominância", "evitar a responsabilidade" (ou, seu equivalente, "ganhar créditos pelas ações dos outros"), "ser promovido", "conseguir o máximo de atenção", "assegurar que todos gostem de mim", "colher os benefícios do martírio", "justificar meu cinismo", "racionalizar minha atitude antissocial", "minimizar o conflito imediato", "manter minha ingenuidade", "tirar proveito da minha vulnerabilidade", "sempre aparentar ser o santinho" ou (e este é especialmente mau) "garantir que a culpa seja sempre do meu filho não amado". Esses são todos exemplos do que o compatriota de Sigmund Freud, Alfred Adler, psicólogo austríaco menos famoso, chamou de "mentiras da vida" (life-lies).[149]

Alguém que vive uma mentira da vida tenta manipular a realidade através da percepção, do pensamento e da ação, para que apenas um resultado minuciosamente desejado e predefinido tenha permissão de existir. Uma vida assim é baseada, consciente ou inconscientemente, em duas premissas. A primeira é que o conhecimento do momento é suficiente para definir o que é bom, de forma inquestionável, mesmo no futuro distante. A segunda é que a realidade seria insuportável se a deixássemos à própria sorte. A primeira hipótese é filosoficamente injustificável. O que você busca no momento pode não valer o esforço de ser alcançado, assim como o que você faz no momento pode ser um erro. A segunda é ainda pior. Ela é válida apenas se a realidade for intrinsecamente intolerável e, ao mesmo tempo, puder realmente ser manipulada e distorcida. Esse discurso e pensamento requerem a arrogância e a certeza, que a genialidade do poeta inglês John Milton identificou como pertencentes à Satanás, o anjo da ordem mais elevada de Deus que fracassou espetacularmente. A faculdade da racionalidade inclina-se perigosamente em direção ao orgulho: *tudo o que sei é tudo o que precisa ser sabido*. O orgulho se apaixona pelas próprias criações e tenta torná-las absolutas.

Já vi pessoas definirem suas utopias e depois transformarem suas vidas em um lamaçal de problemas tentando torná-las realidade. Um aluno que seja mais de esquerda adota uma postura antiautoritária da moda e passa os próximos 20 anos trabalhando ressentidamente para derrubar os moinhos de vento de sua imaginação. Uma jovem de 18 anos decide arbitrariamente que quer se aposentar aos 52. Ela trabalha durante três décadas para tornar isso possível sem perceber que havia tomado essa decisão quando era pouco mais que uma criança. O que ela sabia do seu eu de 52 anos quando ainda era uma adolescente? Mesmo agora, muitos anos depois, ela tem apenas uma ideia muito vaga e pouco nítida sobre qual seria seu Éden após tanto trabalho. Ela se recusa a perceber. Qual foi o significado da sua vida se aquele objetivo inicial estava errado? Ela tem medo de abrir a caixa de Pandora, onde vivem todos os problemas do mundo. Mas a esperança também está ali. Porém, ela distorce sua vida para que se encaixe nas fantasias de uma adolescente protegida.

Um objetivo formulado ingenuamente transmuta-se com o tempo na forma sinistra das mentiras da vida. Um cliente de 40 e poucos anos me contou sua visão formulada por seu eu mais novo: "Eu me vejo aposentado, relaxando em uma praia tropical, bebendo margaritas sob o sol." Isso não é um plano. Isso é um pôster de viagens. Após oito margaritas, você está pronto apenas para esperar pela ressaca. Depois de três semanas com dias cheios de margaritas, se você tiver qualquer juízo, estará totalmente entediado e infeliz consigo mesmo. Em um ano, ou menos, você será patético. Simplesmente essa não é uma abordagem sustentável para a vida futura. Esse tipo de supersimplificação e deturpação é particularmente típico dos ideólogos. Eles adotam um axioma único: o governo é ruim, a imigração é ruim, o capitalismo é ruim, o patriarcado é ruim. Depois, filtram e selecionam suas experiências e insistem de forma ainda mais restritiva que tudo pode ser explicado através desse axioma. Eles acreditam, de forma narcisística, que sob a tutela de toda essa teoria ruim o mundo poderia ser arrumado, bastaria que eles assumissem o controle.

Há outro problema fundamental, também, com as mentiras da vida, especialmente quando são baseadas no evitamento. Um pecado de ação acontece quando você faz algo que sabe que é errado. Um pecado de omissão acontece quando você deixa algo de ruim acontecer quando poderia ter feito algo para evitá-lo. O primeiro é considerado, classicamente, como mais grave do que o segundo — do que o evitamento. Não estou tão certo disso.

REGRA 8

Considere aquela pessoa que insiste que tudo está certo em sua vida. Ela evita o conflito, sorri e faz tudo o que lhe pedem para fazer. Ela encontra seu nicho e se esconde ali. Não questiona a autoridade nem apresenta suas ideias e não reclama quando é maltratada. Ela se empenha pela invisibilidade como um peixe bem no meio do cardume. Mas uma secreta inquietação corrói seu coração. Ela ainda está sofrendo, porque a vida é sofrimento. Ela está solitária, isolada e frustrada. Contudo, sua obediência e auto-obliteração eliminam todo o significado de sua vida. Ela não se tornou nada além de uma escrava, uma ferramenta a ser explorada pelos outros. Ela não consegue o que quer, ou precisa, porque isso significaria falar o que pensa. Então, não há nada de valioso em sua existência para contrabalançar os problemas da vida. E isso a deixa doente.

Os encrenqueiros barulhentos podem ser os primeiros a desparecer quando a instituição a que você serve fraqueja ou se omite. Mas são os invisíveis os próximos a serem sacrificados. Alguém que se esconde não é vital. Ser vital requer uma contribuição original. Esconder-se também não poupa o conformista e o convencional de doenças, insanidade, morte e impostos. E se esconder dos outros também significa suprimir e esconder as potencialidades do eu não realizado. E esse é o problema.

Se você não se revela para os outros, não vai conseguir se revelar para si mesmo. Isso não significa apenas que você suprime quem é, embora também signifique isso. Significa que muito do que você poderia ser nunca será forçado, pela necessidade, a ser revelado. Essa é uma verdade tanto biológica quanto conceitual. Ao explorar corajosamente, ao enfrentar o desconhecido voluntariamente, você reúne informações e constrói seu eu renovado a partir dessas informações. Esse é o elemento conceitual. No entanto, os pesquisadores descobriram recentemente que novos genes no sistema nervoso central começam a funcionar quando um organismo é exposto (ou se expõe) a uma nova situação. Esses genes codificam novas proteínas. Essas proteínas são os tijolos para novas estruturas do cérebro. Isso quer dizer que muito de você ainda é nascente, no sentido mais físico possível, e não será colocado em prática pela inércia. Você precisa dizer algo, ir a algum lugar e fazer coisas para apertar seu botão de ligar. E se não fizer isso... você permanece incompleto, e a vida é difícil demais para alguém incompleto.

Se você disser não ao seu chefe, seu cônjuge ou sua mãe quando for necessário dizê-lo, então se transforma em alguém que *consegue* dizer não quando é preciso. Porém, se você disser sim quando é necessário dizer não, você se transforma em alguém que só consegue dizer sim mesmo quando claramente é o momento de dizer não. Se você alguma vez se perguntou como as pessoas perfeitamente normais e decentes foram capazes de fazer coisas terríveis como as que os guardas gulags fizeram, agora você tem a resposta. No momento em que o *não* deveria ter sido dito firmemente, não havia ninguém capaz de o dizer.

Se trair a si mesmo, se disser coisas falsas, se agir de acordo com uma mentira, você enfraquece seu caráter. Se tiver um caráter fraco, a adversidade o derrubará quando surgir, e ela surgirá, inevitavelmente. Vai tentar se esconder, mas não haverá mais nenhum lugar em que se esconder. E então, você se verá fazendo coisas terríveis.

Apenas a filosofia mais cínica e sem esperança insiste que a realidade poderia ser melhorada pela falsificação. Essa filosofia julga o Ser e o tornar-se como iguais, e os considera falhos. Ela denuncia a verdade como insuficiente e o homem honesto como iludido. É uma filosofia que tanto ocasiona quanto justifica a corrupção endêmica do mundo.

Não é a visão em si, e nem um plano desenvolvido para alcançar uma visão, que é falha nessas circunstâncias. Uma visão do futuro, do futuro desejável, é necessária. Essa visão conecta a ação realizada agora com os valores fundacionais importantes em longo prazo. Ela empresta significância e importância às ações do presente. Fornece uma estrutura que limita a incerteza e a ansiedade.

Isso não é visão. Pelo contrário, é uma cegueira proposital. É o pior tipo de mentira. É sutil. Ela se serve de racionalizações fáceis. A cegueira proposital é a recusa em saber algo que poderia ser sabido. É a recusa em admitir que as batidas na porta significam que há alguém ali. É a recusa em reconhecer o enorme elefante na sala, a sujeira debaixo do tapete ou o esqueleto no armário. É a recusa em admitir o erro enquanto busca seu plano. Todo jogo tem suas regras. Algumas das regras mais importantes são implícitas. Você as aceita meramente por decidir jogar. A primeira dessas regras é de que o jogo é importante. Se não fosse, você não o jogaria. Jogar é o que define que ele é importante. A segunda é que as ações que decide realizar durante o jogo são válidas se o ajudarem a vencer. Se ao realizar uma ação ela não o ajudar a vencer, então, por definição, é uma má ação. Você precisa tentar algo diferente. Lembre-se da velha piada: insanidade é fazer a mesma coisa sempre e esperar obter resultados diferentes.

Se você tiver sorte, e fracassar, e tentar fazer algo novo, caminha para frente. Se isso não der certo, você tenta algo diferente mais uma vez. Uma pequena modificação será suficiente em circunstâncias favoráveis. Portanto, é prudente começar com pequenas mudanças e ver se elas ajudam. Às vezes, porém, a hierarquia de valores inteira é falha, e o edifício inteiro deve ser abandonado. O jogo inteiro deve ser mudado. Isso é uma revolução, com todo o caos e o terror de uma revolução. Não é algo em que podemos nos engajar superficialmente, mas por vezes é necessário. É necessário um sacrifício para corrigir o erro, sendo que um erro grave necessita de um grande sacrifício. Aceitar a verdade significa sacrificar — e se você rejeitou a verdade por muito tempo, está com uma dívida de sacrifício perigosamente alta. Os incêndios florestais consomem a madeira morta e devolvem os elementos, até então aprisionados, para o solo. Porém, algumas vezes o fogo é apagado artificialmente. Isso não impede a madeira morta de se acumular. Mais cedo ou mais tarde um incêndio vai começar. E, quando começar, vai arder com tanta força que destruirá tudo — até mesmo o solo em que a floresta cresce.

A mente orgulhosa e racional, confortável com sua certeza, enamorada do próprio brilhantismo, é facilmente tentada a ignorar o erro e varrer a sujeira para debaixo do tapete. Os filósofos existencialistas literários, começando com Søren Kierkegaard, conceberam esse modo de Ser como "inautêntico". Uma pessoa inautêntica continua a perceber e agir de maneiras que a própria experiência demonstrou serem falsas. Ela não fala com a própria voz.

"Aconteceu o que eu queria? Não. Então meu objetivo ou meus métodos estavam errados. Ainda tenho que aprender algo." Essa é a voz da autenticidade.

"Aconteceu o que eu queria? Não. Então o mundo é injusto. As pessoas são invejosas e burras demais para entender. É culpa de alguém ou de alguma coisa." Essa é a voz da inautenticidade. Há uma distância muito curta daqui para "eles devem ser impedidos", "eles devem ser machucados" ou então "eles devem ser destruídos". Sempre que você ouvir sobre um acontecimento incompreensivelmente brutal, essas ideias se manifestaram.

Não há, também, como considerar isso culpa do inconsciente ou da repressão. Quando o indivíduo mente, sabe que está mentindo. Ele pode cegar a si mesmo para as consequências de suas ações. Pode falhar em analisar e articular seu passado de forma que ele não o entenda. Ele pode até esquecer que mentiu e, assim, estar inconsciente desse fato. Porém, ele estava consciente, no presente, durante a comissão de cada erro e a omissão de cada responsabilidade. Naquele momento, ele sabia o que estava fazendo. E os pecados do indivíduo inautêntico agravam e corrompem o Estado.

Alguém faminto por poder cria uma nova regra em seu ambiente de trabalho. Ela é desnecessária. É contraproducente. E irritante. Ela remove um pouco do prazer e do significado do seu trabalho. Mas você diz a si mesmo que está tudo bem. Não vale a pena reclamar. Depois, isso acontece novamente. Você já se treinou para permitir isso ao não conseguir reagir na primeira vez. Fica um pouco menos corajoso. O seu oponente, sem oposição alguma, fica um pouco mais forte. A instituição fica um pouco mais corrupta. O processo de estagnação e opressão burocrática está em andamento, e você contribuiu com ele ao fingir que estava tudo bem. Por que não reclamar? Por que não tomar uma posição? Se você fizer isso, outras pessoas, que também têm medo de se fazerem ouvir, podem ir em sua defesa. E se não forem — talvez seja a hora de uma revolução. Talvez você devesse procurar um trabalho em outro lugar, em que sua alma esteja mais longe do perigo da corrupção.

Pois, que adianta ao homem ganhar o mundo inteiro e perder sua alma? (Marcos 8:36)

Uma das principais contribuições do livro de Alexandre Soljenítsin, *Arquipélago Gulag*, foi sua análise a respeito da relação causal direta entre a patologia do estado soviético dependente das prisões e campos de trabalhos forçados (em que milhões sofreram e morreram) e a tendência quase universal do cidadão soviético de deturpar sua experiência do cotidiano, de negar o sofrimento induzido pelo próprio Estado e, desse modo, apoiar os ditames do sistema comunista dominado pela ideologia. Foi essa má-fé, essa negação, que, na opinião de Soljenítsin, ajudou e incitou o grande assassino em massa Josef Stalin em seus crimes. Soljenítsin escreveu a verdade, a sua verdade, duramente aprendida através das próprias experiências nos campos, expondo as mentiras do estado soviético. Nenhuma pessoa instruída ousaria defender aquela ideologia novamente depois que Soljenítsin publicou *Arquipélago Gulag*. Ninguém jamais poderia dizer novamente: "Aquilo que Stalin fez não era o comunismo verdadeiro."

Viktor Frankl, o psiquiatra e sobrevivente do campo de concentração nazista, que escreveu o clássico *Em busca de Sentido*, chegou a uma conclusão sociopsicológica semelhante: *a existência do indivíduo desonesto e inautêntico é a precursora do totalitarismo social*. Sigmund Freud, de sua parte, acreditava analogamente que a "repressão" contribuía de uma forma nada trivial com o desenvolvimento da doença mental (e a diferença entre a repressão da verdade e uma mentira é uma questão de grau, não de tipo). Alfred Adler sabia que eram as mentiras que alimentavam a doença. C. G. Jung sabia que os problemas sociais atormentavam seus pacientes e que esses problemas eram causados pela inverdade. Todos esses pensadores centralmente preocupados com a patologia tanto individual quanto cultural chegaram à mesma conclusão: as mentiras deformam a estrutura do Ser. A inverdade corrompe tanto a alma quanto o Estado, e uma forma de corrupção alimenta a outra.

Já observei repetidamente a transformação da simples miséria existencial em um total inferno por causa da traição e da falsidade. A crise quase incontrolável causada pela doença terminal de um dos pais, por exemplo, pode se transformar em algo indescritivelmente horrível por causa de brigas mesquinhas e inapropriadas entre os imaturos filhos do enfermo. Obcecados pelo passado mal resolvido, eles se juntam como ghouls* ao redor do leito de morte, forçando a tragédia a um flerte profano com a covardia e o ressentimento.

A inabilidade de um filho para crescer de forma independente é explorada por uma mãe inclinada a se transformar em escudo para protegê-lo contra toda decepção e dor. O filho nunca vai embora e a mãe nunca fica sozinha. É uma conspiração do mal, forjada

---

* N.T.: Monstro folclórico associado a cemitérios que consome carne humana. Na mitologia árabe, sua origem, é um monstro canibal que habita debaixo da terra e outros lugares desabitados.

vagarosamente, enquanto a patologia vai se desenrolando através de milhares de gestos e concessões secretos. Ela age como uma mártir, fadada a amparar seu filho, e sorve como uma vampira a compaixão dos amigos que a apoiam. Ele fica ruminando em seu quarto, imaginando-se o oprimido. Fantasia sobre o prazer que terá com a possível destruição que poderá infligir sobre o mundo que o rejeitou por causa de sua covardia, de sua falta de jeito e de sua inabilidade. E, às vezes, ele inflige exatamente essa destruição. E todos se perguntam: "Por quê?" Eles poderiam saber, mas se recusam.

Mesmo uma vida bem vivida pode, é claro, ser deturpada, machucada e distorcida por doença, debilidade e catástrofe incontrolável. A depressão, o transtorno bipolar e a esquizofrenia, assim como o câncer, envolvem fatores biológicos que estão além do controle imediato do indivíduo. As dificuldades intrínsecas à própria vida são suficientes para enfraquecer e sobrecarregar cada um de nós, levando-nos além dos nossos limites, atingindo-nos em nosso ponto mais fraco. Nem mesmo a melhor das vidas fornece uma defesa absoluta da vulnerabilidade. Mas a família que briga nas ruínas de seu lar destruído pelo terremoto tem muito menos chances de se reconstruir do que aquela que se tornou forte através de confiança mútua e devoção. Qualquer fraqueza natural ou desafio existencial, não importa quão insignificantes, podem ser amplificados ao ponto de virar uma grave crise com suficiente falsidade no indivíduo, família ou cultura.

O espírito do ser humano honesto pode fracassar continuamente em suas tentativas de fazer da Terra um Paraíso. Ele pode conseguir, no entanto, reduzir o sofrimento relacionado à existência a níveis suportáveis. A tragédia do Ser é a consequência de nossas limitações e da vulnerabilidade que define a experiência humana. Pode até mesmo ser o preço que pagamos pelo próprio Ser — uma vez que a existência deve ser limitada para que possa existir.

Já vi um marido adaptar-se sincera e corajosamente enquanto sua esposa descia os degraus em direção à demência terminal. Ele fez os ajustes necessários, passo a passo. Aceitou ajuda quando precisava. Ele se recusou a negar a triste deterioração da esposa e, dessa forma, adaptou-se à situação com dignidade. Vi a família dessa mesma mulher se unir, apoiar e confortar enquanto ela estava no leito de morte e ganhar conexões recém-descobertas entre si — irmãos, irmãs, netos e pai — como uma recompensa parcial, porém genuína, por sua perda. Já vi minha filha adolescente vivenciar a destruição do seu quadril e do seu tornozelo, passando dois anos com uma dor intensa e contínua, e ressurgir com seu espírito intacto. Observei seu irmão mais novo sacrificar, voluntariamente e sem ressentimentos, muitas oportunidades de amizades e interações sociais para ficar ao lado dela e do nosso enquanto ela sofria. Com amor, encorajamento e caráter intacto, um ser humano consegue ser resiliente além da imaginação. No entanto, o que não pode ser suportada é a ruína absoluta produzida pela tragédia e pela falsidade.

A capacidade da mente racional de enganar, manipular, esquematizar, fraudar, falsificar, minimizar, desorientar, trair, prevaricar, negar, omitir, racionalizar, polarizar, exagerar e obscurecer é tão infinita, tão extraordinária, que os séculos de pensamento pré-científico, concentrados em esclarecer a natureza do esforço moral, a consideram nitidamente demoníaca. E não por causa da própria racionalidade como processo. Esse processo pode produzir clareza e progresso. Mas porque a racionalidade está sujeita à pior tentação — elevar o que se sabe agora ao status de um absoluto.

Podemos recorrer mais uma vez ao grande poeta John Milton para um esclarecimento do que isso significa. Ao longo de milhares de anos de história, o mundo ocidental envolveu seu âmago central religioso com uma fantasia a respeito do mal. Essa fantasia tinha um protagonista, um vilão, totalmente dedicado à corrupção do Ser. Milton decidiu assumir a responsabilidade por organizar, dramatizar e articular a essência desse sonho coletivo dando-lhe vida na figura de Satanás — Lúcifer, o "portador da luz". Ele escreve a tentação primordial de Lúcifer e suas consequências imediatas:[150]

> *Aspirando no Empíreo a ter assento,*
> *Destinara ombrear com Deus, se Deus se lhe opusesse,*
> *Do Onipotente contra o Império e trono*
> *Fez audaz e ímpio guerra, deu batalhas.*
> *Mas da altura da abóbada celeste*
> *O arrojou de cabeça ao fundo do Abismo,*
> *Mar lúgubre de ruínas insondável,*

A fim de que atormentado ali vivesse
Com grilhões de diamante e intenso fogo...[*]

Para Milton, Lúcifer — o espírito da razão — era o anjo mais maravilhoso já criado por Deus, a partir do nada. Isso pode ser interpretado psicologicamente. A razão é uma coisa viva. Ela vive em todos nós. É mais velha do que qualquer um de nós. É melhor compreendida como uma personalidade e não como uma faculdade. Ela tem seus objetivos, tentações e fraquezas. Ela voa alto e pode ver muito mais longe do que qualquer outro espírito. Porém, a razão se apaixona por si mesma, e o que é pior: ela se apaixona pelas próprias criações. Ela as eleva e as louva como absolutas. Assim, Lúcifer é o espírito do totalitarismo. Ele é lançado do Céu para o Inferno porque tal elevação, tal rebelião contra o Altíssimo e Incompreensível, inevitavelmente produz o Inferno.

Quero dizer novamente: a grande tentação da faculdade racional é glorificar sua própria capacidade e suas próprias criações, alegando que em face de suas teorias nada que seja transcendente ou fora de seus domínios precisa existir. Isso quer dizer que nada de importante permanece desconhecido. Mas, ainda mais importante, isso significa a negação da necessidade de uma confrontação individual corajosa com o Ser. O que o salvará? O totalitarismo diz, em essência: "Você deve contar com a fé naquilo que já sabe." Mas não é isso o que salva. *O que salva é a disposição de aprender com aquilo que você não sabe.* Essa é a fé na possibilidade da transformação humana. Essa é a fé no sacrifício do eu atual pelo eu que pode vir a ser. O totalitário nega a necessidade do indivíduo de assumir a responsabilidade máxima pelo Ser.

Essa negação é o significado da rebelião contra o "Altíssimo". É isso o que *totalitário* significa: tudo o que precisa ser descoberto já o foi. Tudo vai se desdobrar precisamente como foi planejado. Todos os problemas desaparecerão para sempre uma vez que o sistema perfeito seja aceito. O grande poema de Milton foi uma profecia. Com a ascensão da racionalidade a partir das cinzas do cristianismo, a grande ameaça dos sistemas totalitários a acompanhou. O comunismo, em particular, era atraente não tanto aos trabalhadores oprimidos, hipoteticamente seus beneficiários, mas aos intelectuais — àqueles cujo orgulho arrogante do próprio intelecto lhes garantia que estavam sempre certos. Porém, a utopia

---

[*] N.T.: Milton, John. *Paraíso Perdido*. Edição digital. Rio de Janeiro: 2006, página 13.

prometida nunca surgiu. Em vez disso, a humanidade experimentou o inferno da Rússia stalinista, da China de Mao e do Camboja de Pol Pot, e aos cidadãos desses estados foi exigido trair a própria experiência, voltar-se contra os compatriotas e morrer às dezenas de milhões.

Há uma antiga piada soviética. Um norte-americano morre e vai para o inferno. Satanás em pessoa lhe apresenta o lugar. Eles passam por um grande caldeirão. O norte-americano dá uma espiada ali dentro. O caldeirão está repleto de almas sofredoras ardendo em piche fervente. Quando elas lutam para sair dali, os demônios menos importantes, que ficam sentados na beirada, empurram-nas de volta para dentro com um tridente. O norte-americano fica muito chocado. Satanás lhe diz: "É lá que colocamos os ingleses pecadores." O tour continua. Logo, os dois se aproximam de um segundo caldeirão. Esse é um pouco maior e mais quente. O norte-americano dá outra espiada. Também está cheio de almas sofredoras, todas usando boinas. Os demônios também cutucam os aspirantes à fuga com seus tridentes. "É aí que colocamos os franceses pecadores", comenta Satanás. À distância é possível ver o terceiro caldeirão. Esse é muito maior, incandescente pelo calor. O norte-americano mal pode se aproximar. Mesmo assim, sob a insistência de Satã, ele se aproxima e espia. O caldeirão está lotado de almas, praticamente invisíveis, sob a superfície do líquido fervente. De vez em quando, porém, uma consegue escalar para fora do piche tentando desesperadamente alcançar a beirada. Estranhamente, não há demônios sentados na beirada desse caldeirão, porém os escaladores desaparecem de volta à superfície do piche. O norte-americano indaga: "Por que não há demônios aqui para evitar que eles escapem?" Satanás explica: "É aqui que colocamos os russos. Se um deles tentar escapar, os outros o puxam para dentro de novo."

Milton acreditava que uma recusa teimosa contra a mudança diante do erro não apenas significava uma expulsão do céu e subsequente degeneração em um inferno cada vez mais profundo, mas uma rejeição da própria redenção. Satanás sabe muito bem que mesmo se estivesse disposto a buscar a reconciliação e se Deus estivesse disposto a concedê-la, ele acabaria se rebelando novamente, porque ele não muda. Talvez, isso seja uma teimosia orgulhosa que constitui o pecado imperdoável e misterioso contra o Espírito Santo:

... Adeus, felizes campos, onde mora
nunca interrupta paz, júbilo eterno!
Salve, perene horror! Inferno, salve!
Recebe o novo rei cujo intelecto
Mudar não podem tempos, nem lugares.[*151]

Essa não é uma fantasia da vida no além. Não é um domínio perverso de uma tortura pós-existência para os inimigos políticos. Essa é uma ideia abstrata, e as abstrações são frequentemente mais reais do que aquilo que representam. A ideia de que o inferno existe de alguma maneira metafísica não é apenas antiga e difusa; ela é verdadeira. O Inferno é eterno. Ele sempre existiu. Ele existe agora. É a subdivisão mais infértil, sem esperança e malevolente do submundo do caos, em que as pessoas decepcionadas e ressentidas eternamente habitam.

Nesse intelecto seu, todo ele até pode
Do Inferno Céu fazer, do Céu Inferno.[152]
...
Poderemos aqui reinar seguros.
Reinar é o alvo da ambição mais nobre,
Inda que seja no profundo inferno:
Reinar no Inferno preferir nos cumpre
À vileza de ser no Céu escravos.[**153]

Aqueles que já mentiram o suficiente, tanto em ações quanto em palavras, moram lá no inferno — agora. Faça uma caminhada ao longo de qualquer rua urbana movimentada. Mantenha seus olhos abertos e preste atenção. Você verá pessoas que estão no inferno. Essas são as pessoas das quais instintivamente mantemos distância. São as pessoas que ficam instantaneamente bravas se direcionarmos nosso olhar para elas, embora às vezes se afastem com vergonha. Eu vi um morador de rua embriagado, terrivelmente acabado, fazer exatamente isso na presença da minha filha mais nova. Ele queria, acima de tudo, evitar ver a si mesmo, naquele estado obviamente degradado, refletido nos olhos dela.

É a falsidade que deixa as pessoas miseráveis a um ponto em que não podem suportar. É a falsidade que enche a alma humana com ressentimento e vingança. É a falsidade que produz o terrível sofrimento

---

[*] N.T.: *Ibidem*, página 22.

[**] N.T.: *Ibidem*, páginas 22 e 23.

da humanidade: os campos de extermínio nazistas, as câmaras de tortura e os genocídios de Stalin e daquele monstro ainda pior, Mao. Foi a falsidade que matou centenas de milhões de pessoas no século XX. Foi a falsidade que quase condenou a própria civilização à morte. É a falsidade que nos ameaça, ainda mais profundamente, hoje.

EM VEZ DISSO, A VERDADE

O que acontece se, em vez disso, decidirmos parar de mentir? O que isso pode significar? Afinal, somos limitados em nosso conhecimento. Devemos tomar decisões aqui e agora, mesmo que os melhores meios e os melhores objetivos nunca sejam discernidos com certeza. Um objetivo, uma ambição, oferece a estrutura necessária para a ação. Um objetivo oferece um destino, um ponto de contraste contra o presente e uma estrutura dentro da qual todas as coisas podem ser avaliadas. Um objetivo define o progresso e o torna empolgante. Um objetivo reduz a ansiedade, porque se você não tiver um, todas as coisas podem ter qualquer significado, ou nenhum significado, e nenhuma dessas opções contribui para um espírito tranquilo. Assim, temos que pensar, planejar, limitar e postular se quisermos de fato viver. Como então antever o futuro e estabelecer nossa direção sem sermos vítimas da tentação da certeza totalitária?

Um pouco de confiança nas tradições pode nos ajudar a estabelecer nossos objetivos. É sensato fazer o que outras pessoas sempre fizeram, ao menos que tenhamos uma boa razão contra isso. É sensato estudar, trabalhar, encontrar o amor e ter uma família. É assim que a cultura se mantém. Mas é necessário focar seu alvo, mesmo que ele seja tradicional, com seus olhos bem abertos. Você tem uma direção, mas pode estar errada. Você tem um plano, mas pode ter sido mal formulado. Pode ser que você tenha sido desviado pela própria ignorância — e, ainda pior, por sua corrupção oculta. Você deve se familiarizar, portanto, com o que não conhece, e não com o que conhece. Deve permanecer desperto para se flagrar no ato. Você deve retirar a viga do seu olho antes de se preocupar com o cisco no do seu irmão. E, dessa forma, você fortalece o próprio espírito, para que ele tolere o fardo da existência e para que você possa regenerar o Estado.

Os antigos egípcios já haviam descoberto isso milhares de anos atrás, embora seu conhecimento houvesse permanecido incorporado na forma de drama.[154] Eles adoravam Osíris, o fundador mitológico do Estado e o deus da tradição. No entanto, Osíris estava vulnerável à destituição e ao banimento para o submundo, o que foi realizado por Set, seu irmão ardiloso e cruel. Através da narrativa, os egípcios representaram o fato de que as organizações sociais se fossilizam com o tempo e tendem para a cegueira proposital. Osíris não queria enxergar o verdadeiro caráter de seu irmão, embora o pudesse ter feito. Set espera e, no momento oportuno, ataca. Ele corta Osíris em pedaços e espalha seus restos divinos por todo seu reino. Envia o espírito do seu irmão ao submundo. Faz com que seja extremamente difícil para Osíris reunir forças novamente.

Felizmente, o grande rei não tinha que lidar com Set sozinho. Os egípcios também adoravam Hórus, o filho de Osíris. Hórus tinha duas formas idênticas, a do falcão, a criatura com a visão mais precisa, e a do hieróglifo, famosa até hoje, o olho de Hórus (conforme mencionado na Regra 7). Osíris representa a tradição, arcaica e deliberadamente cega. Por contraste, seu filho Hórus podia enxergar, e fazia uso da sua visão. Hórus era o deus da atenção. O que não é o mesmo que racionalidade. Por prestar atenção, Hórus era capaz de perceber e triunfar sobre as maldades de Set, seu tio, ainda que a grande custo. Quando Hórus confronta Set, eles têm uma batalha terrível. Antes da derrota de Set e do seu banimento do reinado, ele arranca um dos olhos do seu sobrinho. Porém, o vitorioso Hórus consegue pegar o olho de volta. Então, ele faz algo totalmente inesperado: *ele vai voluntariamente até o submundo e presenteia o olho ao seu pai.*

O que isso significa? Primeiro, que o encontro com a malevolência e com o mal é de um terror suficiente para prejudicar mesmo a visão de um deus; segundo, *que um filho atencioso pode restaurar a visão de seu pai.* A cultura está sempre em um estado de quase morte, embora tenha sido estabelecida pelo espírito de grandes pessoas do passado. Mas o presente não é o passado. A sabedoria do passado, portanto, deteriora-se ou fica desatualizada na proporção da genuína diferença entre as condições do presente e do passado. Essa é apenas uma consequência da passagem do tempo e da mudança inevitável que essa passagem traz. Mas é certo que a cultura e sua sabedoria são também vulneráveis à corrupção — à cegueira voluntária e proposital e à intriga ao estilo de

Mefistófeles. Desse modo, o declínio funcional inevitável das instituições que nos foram concedidas pelos nossos ancestrais é acelerado pelo nosso mau comportamento — pelo nosso fracasso — no presente.

É nossa responsabilidade enxergar corajosamente o que está diante dos nossos olhos e aprender com isso, mesmo que aparente ser algo horrível — mesmo que o horror de enxergar isso prejudique nossa consciência e nos deixe meio cegos. O ato de enxergar é particularmente importante quando desafia o que conhecemos e confiamos, perturbando e nos desestabilizando. É ele que informa o indivíduo e renova o Estado. É por esse motivo que Nietzsche disse que o valor de um homem é determinado pela quantidade de verdade que é capaz de tolerar. De forma alguma você é apenas o que já conhece. Você também é tudo o que poderia conhecer, se quisesse. Assim, você nunca deveria sacrificar o que poderia ser pelo que você é. Você nunca deveria abrir mão do melhor que há dentro de você pela segurança do que já tem — e certamente não depois de já ter vislumbrado, de forma inegável, algo além.

Na tradição cristã, Cristo é identificado como o Logos. Logos é a Palavra de Deus. Essa Palavra transformou o caos em ordem no princípio do tempo. Em Sua forma humana, Cristo sacrificou a si mesmo voluntariamente para a verdade, para o bem e para Deus. Como resultado, ele morreu e renasceu. A Palavra que produz ordem a partir do Caos sacrifica tudo, até a si mesma, a Deus. Essa única frase, com uma sabedoria além da nossa compreensão, resume o cristianismo. Cada parte do aprendizado é uma pequena morte. Cada parte de uma nova informação desafia um conceito anterior, forçando-o a se dissolver no caos antes que renasça como algo melhor. Às vezes esses detalhes quase nos destroem. Em situações assim, podemos nunca nos recuperar e, se conseguirmos, mudamos muito. Um grande amigo descobriu que sua mulher estava tendo um caso há décadas. Ele não esperava isso. Ele desceu ao submundo. Em determinado momento, ele me disse: "Sempre achei que as pessoas com depressão deveriam apenas se livrar dela. Não sabia do que estava falando." Tempo depois, ele voltou das profundezas. De muitas formas, ele é um novo homem — e, talvez, um homem mais sábio e melhor. Ele perdeu quase 20 quilos. Correu uma maratona. Viajou para a África e escalou o Monte Kilimanjaro. Ele escolheu o renascimento em lugar da descida ao Inferno.

Estabeleça suas ambições, mesmo que não tenha certeza de quais deveriam ser. As melhores ambições estão relacionadas com o desenvolvimento do caráter e da capacidade, e não com o status e o poder. Você pode perder o status. Mas carrega o caráter aonde quer que vá e ele o permite vencer as adversidades. Sabendo disso, amarre sua corda em uma grande rocha. Escolha a maior delas, lance-a para frente e puxe-se na direção dela. Observe conforme se move adiante. Articule sua experiência para si mesmo e para os outros da forma mais clara e cuidadosa possível. Assim, você aprenderá a proceder de forma mais efetiva e eficiente em direção a seu objetivo. E, ao fazer isso, não minta. Especialmente para si mesmo.

Se prestar atenção ao que faz e diz, aprenderá a sentir um estado de conflito interno e fraqueza quando se comportar ou falar mal. É uma sensação internalizada, não um pensamento. Sinto uma sensação ruim, de conflito, em vez de segurança e força, quando sou imprudente com minhas ações e palavras. Essa sensação parece centrar-se no meu plexo solar, em que há uma grande rede de tecido nervoso. Na verdade, aprendi a reconhecer quando estava mentindo ao perceber essa sensação ruim, esse conflito e, assim, inferir a presença de uma mentira. Geralmente, levava bastante tempo até desmascarar a mentira. Às vezes eu usava palavras apenas pela aparência. Às vezes tentava disfarçar minha ignorância do assunto tratado. Às vezes usava palavras dos outros para evitar a responsabilidade de pensar por mim mesmo.

Se prestar atenção, ao buscar algo, você caminhará em direção ao seu objetivo. Porém, ainda mais importante, obterá a informação que permite que o próprio objetivo se transforme. Um totalitário nunca pergunta: "E se minha ambição atual for um erro?" Pelo contrário, ele a trata como o Absoluto. Ela se torna seu Deus para todos os efeitos. Ela constitui seu valor supremo. Regula suas emoções e seus estados motivacionais, determinando seus pensamentos. Todos servimos a nossas próprias ambições. Nessa questão, não existem ateus. Existem apenas pessoas que sabem e que não sabem a qual Deus servem.

Se você distorcer tudo de forma total, cega e voluntária, para a realização de um objetivo, e apenas dele, nunca conseguirá descobrir se algum outro objetivo serviria melhor a você e ao mundo. É isso que você sacrifica quando não diz a verdade. No entanto, se disser a verdade, seus valores se transformam à medida que você progride. Se você se permitir ser informado pela realidade que se manifesta ao lutar para seguir em frente, suas noções do que é importante mudarão. Você se reorientará, às vezes de forma gradativa e em outras, repentina e radical.

Imagine o seguinte: você vai estudar engenharia porque é isso o que seus pais querem — mas não o que você quer. Desenvolver objetivos contrários aos seus próprios desejos leva à desmotivação e ao fracasso. Você lutará para se concentrar e disciplinar, mas não funcionará. Sua alma rejeitará a tirania da sua vontade. (De que outra maneira isso poderia ser dito?) Por que você está cedendo? Talvez não queira decepcionar seus pais (embora, se fracassar, esse será o resultado). Pode ser que não tenha a coragem para o conflito necessário a fim de libertar a si mesmo. Talvez não queira sacrificar sua crença infantil na onisciência dos pais, desejando devotadamente continuar acreditando que há alguém que o conheça melhor do que você mesmo e que também sabe tudo sobre o mundo. Você quer ser protegido contra a solidão cruel da existência do Ser individual e sua decorrente responsabilidade. Isso é tudo muito comum e compreensível. Mas você sofre porque na verdade não foi feito para ser engenheiro.

Chega um dia que você não aguenta mais. Você abandona a faculdade. Decepciona seus pais. Aprende a conviver com isso. Consulta a si próprio, mesmo que isso signifique confiar nas próprias decisões. Você faz faculdade de filosofia. Aceita o fardo dos próprios erros. Você se transforma em si mesmo. Ao rejeitar a visão do seu pai, você desenvolve a sua. Assim, conforme seus pais envelhecem, você se torna adulto suficiente para estar ao lado deles quando precisarem. Eles também ganham com isso. Porém, ambas as vitórias tiveram de ser adquiridas à custa do conflito gerado pela sua verdade. Como mencionado em Mateus 10:34, citando Cristo — enfatizando o papel da Verdade falada: "Não pensem que vim trazer paz à Terra; não vim trazer paz, mas espada."

Ao continuar vivendo de acordo com a verdade, da maneira como se revela a você, terá de aceitar e lidar com os conflitos que esse modo do Ser gera. Se fizer isso, vai amadurecer e se tornar mais responsável de formas pequenas (não subestime a importância delas) e grandes. Você se aproximará, como nunca, dos seus novos objetivos, formulados com mais sabedoria, e se tornará mais sábio em sua formulação ao descobrir e retificar seus erros inevitáveis. Seu conceito do que é importante se tornará cada vez mais apropriado depois de incorporada a sabedoria da experiência. Você vai parar de oscilar violentamente e caminhará cada vez mais firme em direção a seu objetivo — um bem que você nunca teria compreendido se tivesse insistido que estava certo, absolutamente certo, lá no começo, a despeito de todas as evidências contrárias.

Se a existência é boa, então uma relação mais clara, limpa e correta com ela também o será. Se a existência não for boa, por outro lado, você está perdido. Nada o salvará — certamente não as rebeliões insignificantes, o pensamento lúgubre e a cegueira obscurantista que constituem a falsidade. A existência é boa? Você precisa assumir um risco terrível para descobrir. Viva na verdade, ou viva na falsidade, encare as consequências e tire suas conclusões.

Esse é o "ato de fé" cuja necessidade foi salientada pelo filósofo dinamarquês Kierkegaard. Você não tem como saber com antecedência. Mesmo um bom exemplo é insuficiente como prova, considerando-se as diferenças entre os indivíduos. O sucesso de um bom exemplo sempre pode ser atribuído à sorte. Dessa forma, você tem que arriscar sua vida particular e individual para descobrir. Esse é o risco que os antigos descreveram como o sacrifício da vontade pessoal pela vontade de Deus. Não é um ato de submissão (pelo menos não como é atualmente compreendida). É um ato de coragem. É a fé de que o vento soprará seu navio para um porto novo e melhor. É a fé de que o Ser pode ser corrigido pelo tornar-se. É o próprio espírito de exploração.

Talvez seja melhor conceitualizar da seguinte maneira: todo mundo precisa de um objetivo concreto e específico — uma ambição e um propósito — para limitar o caos e criar um sentido inteligível para sua vida. Porém, todos esses objetivos concretos podem e devem estar subordinados ao que podemos considerar um metaobjetivo, que é uma forma de abordar e formular os próprios objetivos. O metaobjetivo poderia ser "viva em verdade". Isso significa: "Aja diligentemente em direção a um fim bem articulado, definido e temporário. Faça com que seu critério para o fracasso e para o sucesso seja oportuno e claro, ao menos para você (melhor ainda se os outros puderem entender o que você está fazendo e avaliar isso com você). Ao fazer isso, no entanto, permita que seu espírito e o mundo se revelem por si sós enquanto você se expressa e age de acordo com a verdade." Essa é, ao mesmo tempo, a ambição pragmática e a fé mais corajosa.

A vida é sofrimento. Buda declarou isso explicitamente. Os cristãos retratam o mesmo sentimento através do crucifixo divino. A fé judaica está repleta de reminiscências desse conceito. A equivalência da vida e da limitação é o fato primordial e inevitável da existência. A vulnerabilidade do nosso Ser nos torna suscetíveis às dores do julgamento social e do desprezo, assim como à deterioração inevitável do nosso corpo. Porém, todas essas formas de sofrimento, por mais terríveis que sejam, não são suficientes para corromper o mundo, para transformá-lo em um Inferno, do jeito que os nazistas, maoistas e stalinistas o corromperam, transformando-o em um Inferno. Se é isso o que queremos, então, como Hitler declarou tão claramente, precisamos da mentira:[155]

> Na grande mentira sempre há uma certa força de credibilidade; porque as grandes massas de uma nação são sempre corrompidas mais facilmente na camada mais profunda de sua natureza emocional do que consciente ou voluntariamente; assim, na simplicidade primitiva de suas mentes, elas são vítimas mais fáceis da grande mentira do que da pequena, uma vez que elas mesmas geralmente contam pequenas mentiras de pequenas formas, mas ficariam envergonhadas de usarem de falsidades em grande escala. Nunca passaria por suas cabeças inventar inverdades colossais e elas nunca acreditariam que os outros pudessem ter a insolência de distorcer a verdade tão descaradamente. Mesmo que os fatos que provem isso possam ser claramente apresentados para suas mentes, elas ainda duvidariam e hesitariam, continuando a pensar que poderia haver alguma outra explicação.

Para a grande mentira, primeiramente precisamos da pequena. Essa é, metaforicamente falando, a isca usada pelo Pai das Mentiras para fisgar suas presas. A capacidade humana para a imaginação nos torna capazes de sonhar e criar mundos alternativos. Essa é a fonte máxima de criatividade. Com essa capacidade singular, porém, vem seu equivalente, o outro lado da moeda: podemos enganar a nós mesmos e aos outros para que acreditem e ajam como se as coisas fossem diferentes do que sabemos que são.

E por que não mentir? Por que não torcer e distorcer as coisas para obter um pequeno ganho ou suavizá-las, para manter a paz ou evitar sentimentos feridos? A realidade tem seu aspecto terrível: precisamos realmente confrontar sua face de serpente a cada momento de nossa consciência desperta e a cada mudança em nossa vida? Por que não virar o rosto, pelo menos, quando olhar é doloroso demais?

O motivo é simples: *as coisas desmoronam*. O que deu certo ontem não vai necessariamente dar certo hoje. Herdamos dos nossos ancestrais o grande mecanismo do Estado e da cultura, mas eles estão mortos e não podem lidar com as mudanças de hoje. *Os vivos podem*. Podemos abrir nossos olhos e modificar o que for necessário no que temos e manter a máquina funcionando suavemente. Ou podemos fingir que está tudo certo, deixar de realizar os reparos necessários e depois amaldiçoar o destino quando nada for como esperávamos.

As coisas desmoronam: essa é uma das grandes descobertas da humanidade. E aceleramos a deterioração natural das grandes coisas através da cegueira, inação e falsidade. Sem atenção, a cultura se degenera e morre, e o mal prevalece.

O que você enxerga de uma mentira quando a traduz em ações (e a maioria das mentiras são ações, e não palavras) é uma parte bem pequena do que ela realmente é. Uma mentira está conectada com todo o resto. Ela produz o mesmo efeito no mundo que uma gota de esgoto produz mesmo no maior garrafão de champanhe. É melhor que a consideremos como algo vivo e crescente.

Quando as mentiras ficam grandes o suficiente, o mundo inteiro se deteriora. Mas se você olhar perto o bastante, a maior das mentiras é composta por mentiras menores e essas, por outras menores ainda — e a menor das mentiras é onde a grande começa. Não é apenas uma declaração inexata sobre um fato. Pelo contrário, é um ato que tem a dimensão da mais séria conspiração que já possuiu a raça humana. Sua inocuidade aparente, sua maldade trivial, a tênue arrogância que a faz crescer, a aparentemente trivial fuga da responsabilidade que ela objetiva — tudo isso trabalha efetivamente para camuflar sua verdadeira natureza, seu verdadeiro perigo e sua semelhança com os grandes atos de maldade que os seres humanos perpetram e frequentemente apreciam. A mentira corrompe o mundo. E o que é pior, essa é sua intenção.

Primeiro, uma mentirinha; depois, várias mentirinhas para dar suporte. Depois disso, um pensamento distorcido para evitar a vergonha que essas mentiras produzem; então, mais algumas para encobrir as consequências do pensamento distorcido. Então, o que é ainda mais terrível, a transformação através da prática dessas mentiras, agora necessárias, em uma crença e ação automatizadas, especializadas, estruturadas e neurologicamente classificadas como "inconscientes". Em seguida, ocorre o enfraquecimento da própria experiência, pois uma ação baseada em falsidade não consegue produzir os resultados pretendidos. Mesmo que não acredite em paredes de tijolo, você ainda se machucará ao se lançar contra uma. Então, você vai amaldiçoar a própria realidade por ter produzido a parede.

Depois disso, vem a arrogância e o senso de superioridade que inevitavelmente acompanham a criação de mentiras bem-sucedidas (mentiras *hipoteticamente* bem-sucedidas — e aqui reside um dos grandes perigos: aparentemente, todos são enganados, então todos são idiotas, menos eu. Todos são idiotas e enganados *por* mim — então posso me safar do que quiser). Finalmente, há a proposição: "O próprio Ser é suscetível às minhas manipulações. Sendo assim, ele não merece respeito algum."

Aqui as coisas estão desmoronando, assim como Osíris, cortado em pedaços. Essa é a estrutura da pessoa ou do Estado que se desintegra sob a influência de uma força maligna. Esse é o caos do submundo surgindo, como um dilúvio, para dominar o território conhecido. Mas ainda não é o Inferno.

O Inferno vem depois. O Inferno vem quando as mentiras já destruíram o relacionamento entre o indivíduo, ou o Estado, e a própria realidade. As coisas desmoronam. A vida se degenera. Tudo se transforma em frustração e decepção. A esperança trai consistentemente. O indivíduo enganador desesperadamente sinaliza o sacrifício, como Caim, mas não consegue agradar a Deus. Assim, o drama chega ao ato final.

Torturado pelo fracasso constante, o indivíduo se torna amargo. A decepção e o fracasso se juntam e produzem uma fantasia: *o mundo está empenhado em meu sofrimento pessoal, em minha queda particular, em minha destruição*. Eu preciso, mereço, devo ter — minha vingança. Esse é o portal do Inferno. É quando o submundo, um lugar terrível e desconhecido, transforma-se na própria miséria.

No princípio do tempo, de acordo com a grande tradição ocidental, a Palavra de Deus transformou o caos no Ser através do ato da fala. É axiomático, dentro dessa tradição, que tanto o homem quanto a mulher são feitos à imagem de Deus. Também transformamos o caos no Ser, através da fala. Transformamos as muitas possibilidades do futuro nas realidades do passado e do presente.

Dizer a verdade é levar a realidade mais habitável ao Ser. A verdade constrói edifícios que podem durar mil anos. A verdade alimenta e veste os pobres e gera nações ricas e seguras. A verdade reduz a terrível complexidade de um homem à simplicidade de sua palavra para que se torne um parceiro, e não um inimigo. A verdade faz com que o passado seja verdadeiramente o passado e faz o melhor uso das possibilidades futuras. A verdade é o recurso natural máximo e inesgotável. É a luz na escuridão.

Enxergue a verdade. Diga a verdade.

A verdade não virá disfarçada de opiniões compartilhadas pelos outros, assim como a verdade não é uma coleção de slogans nem uma ideologia. Em vez disso, ela será pessoal. A sua verdade é algo que só você pode dizer, pois é baseada nas circunstâncias únicas da sua vida. Compreenda sua verdade pessoal. Comunique-a cuidadosamente, de forma articulada, para si mesmo e para os outros. Isso garantirá sua segurança e tornará sua vida mais abundante agora, enquanto você habita a estrutura das suas crenças atuais. Isso garantirá a benevolência do futuro, divergente como puder ser das certezas do passado.

A verdade floresce sempre renovada das fontes mais profundas do Ser. Evitará que sua alma murche e morra enquanto passa pela inevitável tragédia da vida. Ela o ajudará a evitar o terrível desejo de buscar vingança por essa tragédia — parte do terrível pecado do Ser, que todas as coisas devem suportar graciosamente, apenas para que possa existir.

Se sua vida não é o que poderia ser, experimente dizer a verdade. Se você se prende demais a uma ideologia ou se remói no niilismo, experimente dizer a verdade. Se você se sente fraco e rejeitado, desesperado e confuso, experimente dizer a verdade. No Paraíso, todos dizem a verdade. É isso que o torna o Paraíso.

Diga a verdade. Ou, pelo menos, não minta.

REGRA 9

PRESUMA QUE A PESSOA COM QUEM ESTÁ CONVERSANDO POSSA SABER ALGO QUE VOCÊ NÃO SABE

NÃO É CONSELHO

PSICOTERAPIA NÃO É CONSELHO. Conselho é o que você recebe quando a pessoa com quem está conversando sobre algo terrível e complicado na verdade deseja que você cale a boca e dê o fora. Conselho é o que você recebe quando a pessoa com que está conversando quer se gabar da superioridade de sua própria inteligência. Se você não fosse tão idiota, afinal, não teria seus problemas idiotas.

Psicoterapia é uma conversa autêntica. E uma conversa autêntica requer exploração, articulação e estratégia. Quando se envolve em uma conversa autêntica, você está ouvindo e falando — mas principalmente ouvindo. Ouvir é prestar atenção. É impressionante o que as pessoas lhe dizem quando você está disposto a ouvir. Às vezes, quando realmente ouvimos, as pessoas nos dizem até mesmo o que há de errado com elas.

243

Às vezes nos dizem até como pretendem corrigir isso. E, às vezes, isso o ajuda a corrigir algo de errado consigo mesmo. Certa ocasião, um tanto inesperada (e essa foi apenas uma das muitas ocasiões em que isso me aconteceu), eu ouvia uma pessoa atentamente, e ela me disse em apenas alguns minutos (a) que era uma bruxa e (b) que sua confraria de bruxas dedicava grande parte de seu tempo visualizando a paz mundial junta. Ela era uma funcionária de baixo escalão de longa data em algum trabalho burocrático. Eu nunca teria imaginado que era uma bruxa. Eu também não sabia que confrarias de bruxas dedicavam seu tempo à visualização da paz mundial. Eu não sabia como interpretar aquilo tudo, mas não era entediante, e isso já era alguma coisa.

Em minha prática clínica, falo e escuto. Falo mais com algumas pessoas e escuto mais outras. Muitas das pessoas que escuto não têm mais ninguém com quem conversar. Algumas são verdadeiramente sozinhas no mundo. Existem muito mais pessoas assim do que você possa imaginar. Você não as conhece, porque são solitárias. Outras estão cercadas de tiranos, narcisistas, bêbados, pessoas traumatizadas ou vitimistas crônicas. Algumas não são boas em se expressar. Elas se desviam do assunto. São repetitivas. Dizem coisas vagas e contraditórias. São difíceis de escutar. Outras estão às voltas com situações terríveis. Elas têm pais com Alzheimer ou um filho doente. Não têm tempo para lidar com suas questões pessoais.

Certa vez uma cliente a quem atendia já havia alguns meses chegou ao meu consultório* para sua consulta agendada e, depois de um breve preâmbulo, anunciou: "Eu acho que fui estuprada." Não é fácil saber como reagir a uma declaração como essa, embora geralmente exista uma aura de mistério envolvendo esse tipo de acontecimento. Normalmente, isso envolve álcool, como ocorre na maioria dos casos de abuso sexual. O álcool pode gerar ambiguidade. Esse é um dos motivos pelos quais as pessoas bebem. Ele remove temporariamente o terrível peso do excesso de autoconsciência das pessoas. Pessoas embriagadas estão cientes do futuro, mas não se importam com ele. Isso é estimulante. É revigorante. Pessoas embriagadas são capazes de festejar como se não houvesse amanhã. Mas como o amanhã existe — na maioria das vezes

---

* Aqui, novamente, ocultei muitos detalhes para preservar a privacidade dos envolvidos, ao mesmo tempo em que procurei manter o significado principal do ocorrido.

—, elas se envolvem em problemas. Elas apagam. Vão a lugares perigosos com pessoas imprudentes. Elas se divertem. Mas também são estupradas. Então, imediatamente pensei que algo desse tipo pudesse ser parte da equação. De que outra forma eu poderia entender "Eu acho"? Mas esse não foi o final da história. Ela acrescentou mais um fator: "Cinco vezes." A primeira declaração havia sido terrível o bastante, mas a segunda era algo inimaginável. Cinco vezes? Que diabos isso quer dizer?

Minha cliente me disse que frequentava bares e bebia alguns drinques. Um homem começava a conversar com ela. Ela acabava na casa dele ou na dela com ele. A noite inevitavelmente progredia para seu clímax sexual. No dia seguinte, ela acordava sem saber direito o que havia ocorrido — incerta sobre os motivos dela, incerta sobre os motivos dele e incerta sobre o mundo. A senhorita S, vamos chamá-la assim, era tão indefinida a ponto de deixar de existir. Era um fantasma de uma pessoa. No entanto, ela se vestia como uma profissional. Sabia como se apresentar, pelo menos à primeira vista. Por conta disso, conquistara ardilosamente uma posição em um conselho consultor governamental que analisava a construção de uma enorme infraestrutura de transportes (apesar de não saber nada sobre governo, consultoria ou construção). Ela ainda apresentava um programa na rádio pública local dedicado a pequenas empresas, apesar de nunca ter tido um emprego de verdade e não saber coisa alguma sobre ser empreendedora. Ela vinha recebendo benefícios sociais durante toda sua fase adulta.

Seus pais nunca lhe dedicaram um minuto de atenção. Tinha quatro irmãos e eles estavam muito longe de serem bons para ela. Não tinha amigos na época, nem no passado. Não tinha um companheiro. Não tinha ninguém com quem conversar, e não sabia pensar por si mesma (isso não é raro). Ela não tinha "eu". Ela era uma cacofonia ambulante de experiências desconexas. Eu já havia tentado ajudá-la a conseguir um emprego. Perguntei se tinha um currículo. Ela disse que sim. Pedi que o levasse para mim, ao que ela atendeu na sessão seguinte. Tinha 50 páginas. Estava dentro de uma caixa de arquivo, dividido em seções, com separadores de papel pardo — aqueles com pequenos marcadores de índice coloridos nas laterais. As seções incluíam alguns tópicos como "Meus Sonhos" e "Livros Que Li". Ela havia descrito dezenas de sonhos na seção "Meus Sonhos" e fornecido pequenos resumos e opiniões sobre os livros que leu. Era esse currículo que ela tencionava enviar a seus potenciais empregadores. (Ou talvez já o tivesse enviado antes: quem poderia saber?) É impossível entender o quanto uma pessoa tinha que ser ninguém para habitar um mundo em que uma caixa de arquivo contendo cinquenta páginas indexadas listando sonhos e romances é um currículo. Senhorita S não sabia coisa alguma sobre si mesma. Não sabia coisa alguma sobre os outros indivíduos. Ou sobre o mundo. Ela era um filme fora de foco. E esperava desesperadamente por uma história sobre si mesma que fizesse todo o resto fazer sentido.

Se você acrescentar um pouco de açúcar em água fria e mexer bem, o açúcar se dissolverá. Se aquecer essa água, conseguirá dissolver uma maior quantidade de açúcar. Se aquecer a água até fervê-la, poderá acrescentar muito mais açúcar e ainda dissolvê-lo. Depois, se pegar essa água com açúcar fervente e esfriá-la lentamente, e não a sacudir nem balançar, você consegue enganá-la (não sei de que outra forma dizer isso) para que seja capaz de dissolver muito mais açúcar do que seria possível se não tivesse sido aquecida. Isso se chama solução supersaturada. Se você derramar um único cristal de açúcar nessa solução supersaturada, todo o excesso de açúcar se cristaliza, de repente e de uma vez. É como se ele gritasse em busca de ordem. Assim era minha cliente. Pessoas iguais a ela são o motivo pelo qual todas as muitas formas de psicoterapia atualmente praticadas funcionam. As pessoas podem estar confusas a tal ponto que suas psiques se organizam e suas vidas melhoram pela adoção de qualquer sistema razoavelmente ordenado de interpretação. Isso é a junção dos elementos incoerentes de suas vidas de uma maneira disciplinada — qualquer maneira disciplinada. Assim, se você desmoronou (ou se nunca foi inteiro), você pode reestruturar sua vida com princípios freudianos, junguianos, adlerianos, rogerianos ou comportamentais. Pelo menos assim você passa a se entender. Pelo menos assim você passa a ser coerente. Pelo menos assim você pode ser bom em alguma coisa, ainda que não o seja em tudo. Você não pode consertar um carro com um machado, mas pode derrubar uma árvore. Isso já é alguma coisa.

Aproximadamente na mesma época em que eu estava atendendo a essa cliente, a mídia fervilhava com histórias de memórias recuperadas

— especialmente de abuso sexual. A discussão rapidamente se incendiou: seriam essas memórias relatos autênticos de traumas passados? Ou eram constructos pós-evento, imaginados como uma consequência da pressão intencional ou não intencional aplicada por terapeutas imprudentes, aos quais pacientes clínicos ansiosos demais para encontrar uma causa simples para todos os seus problemas se agarram desesperadamente? Às vezes era a primeira opção, às vezes a segunda. No entanto, entendi de forma muito mais clara e precisa o quanto seria fácil incutir memórias no território mental da minha cliente no momento em que me revelou sua incerteza sobre suas experiências sexuais. O passado parece fixo, mas não é — não em um sentido psicológico importante. Afinal, o passado é imenso e a forma como o organizamos pode estar sujeita a uma revisão drástica.

Imagine, por exemplo, um filme em que só acontecem coisas terríveis. Mas, no final, tudo dá certo. Tudo se resolve. Um final razoavelmente feliz pode alterar o significado de todos os eventos anteriores. Tudo passa a ser encarado como compensador por causa do final. Agora imagine outro filme. Muitas coisas estão acontecendo. Tudo é muito empolgante e interessante. Mas há um excesso delas. Noventa minutos depois você começa a se preocupar. "Esse é um filme excelente", você pensa, "mas tem muita coisa acontecendo. Espero que o diretor consiga conectar tudo". Mas isso não acontece. Em vez disso, a história termina abruptamente sem um desfecho ou acontece algo medíocre e clichê. Você sai do cinema profundamente irritado e insatisfeito — incapaz de perceber que estava totalmente envolvido e gostando do filme quase o tempo todo em que estava no cinema. O presente pode alterar o passado e o futuro, o presente.

Da mesma forma, quando está recordando o passado, você se lembra de algumas partes e esquece outras. Você tem memórias claras de algumas coisas que ocorreram, mas não de outras, de importância potencialmente equivalente — do mesmo modo que no presente você está atento a alguns aspectos ao seu redor e alheio a outros. Você classifica sua experiência agrupando alguns elementos e separando-os do restante. Há uma misteriosa arbitrariedade em tudo isso. Você não cria um registro objetivo e abrangente. Isso não é possível. Não tem conhecimento suficiente. Não consegue perceber tudo. Você também não consegue ser objetivo. Está vivo. Portanto é subjetivo. Tem interesses pessoais — ao menos em si mesmo na maioria das vezes. O que deveria ser incluído na história? Onde está exatamente a fronteira entre um acontecimento e outro?

O abuso sexual de crianças é lamentavelmente comum.[156] Entretanto, não é tão comum quanto os psicoterapeutas mal treinados pensam e nem sempre resulta em adultos terrivelmente perturbados.[157] As pessoas variam em sua resiliência. Um evento que devastará uma pessoa pode ser superado facilmente por outra. Mas terapeutas com um conhecimento enviesado e pobre de Freud geralmente presumem axiomaticamente que um adulto perturbado em seu consultório só pode ter sido vítima de abuso sexual na infância. Que outro motivo teria para ser perturbado? Assim, eles cavam, e inferem, e intimam, e sugerem, e reagem exageradamente, e induzem, e distorcem. Eles exageram a importância de alguns eventos e minimizam a de outros. Ajustam os fatos para que se encaixem na teoria deles.[158] E convencem seus clientes de que foram sexualmente abusados — só precisam se lembrar. E então os clientes começam a se lembrar. E então começam a acusar. E às vezes o que eles lembram nunca aconteceu e as pessoas acusadas são inocentes. A boa notícia? Pelo menos a teoria dos terapeutas permanece intacta. Isso é bom — para o terapeuta. Mas não são poucos os danos colaterais. Entretanto, as pessoas frequentemente estão dispostas a gerar muitos danos colaterais para poder preservar sua teoria.

Eu sabia tudo isso quando a senhorita S veio me falar de suas experiências sexuais. Quando relatou as idas aos bares de solteiros e seus resultados recorrentes, pensei muitas coisas de uma vez. Pensei: "Você é tão indefinida e inexistente. É uma habitante do caos e do submundo. Está indo para dez lugares diferentes ao mesmo tempo. Qualquer um pode pegá-la pela mão e guiá-la pelo caminho que quiser." Afinal, se você não é o protagonista de seu próprio drama, é um figurante no de outra pessoa — e pode muito bem ser escalado para interpretar um papel triste, solitário e trágico. Depois que a senhorita S contou sua história, ficamos ali sentados. Pensei: "Você tem desejos sexuais normais. Você está extremamente solitária. Está sexualmente insatisfeita. Tem medo dos homens, desconhece o mundo e não sabe coisa alguma sobre si mesma. Você perambula por aí como um acidente prestes a acontecer e o acidente acontece, e é essa sua vida."

Pensei: "Parte de você quer ser possuída. Parte de você quer ser uma criança. Foi maltratada pelos seus irmãos e ignorada por seu pai, e, portanto, parte de você quer se vingar dos homens. Parte de você se sente culpada. Parte sente vergonha. Outra está empolgada e excitada. Quem você é? O que você fez? O que aconteceu?" Qual era a verdade objetiva? Não havia como a saber. E nunca haveria. Não havia um observador objetivo e nunca haveria. Não havia história completa e precisa. Isso não existe e não poderia existir. Havia, e há, apenas relatos parciais e pontos de vista fragmentados. Mas alguns ainda são melhores que outros. A memória não é uma descrição do passado objetivo. *A memória é uma ferramenta*. A memória é o guia do passado para o futuro. Se você lembrar que algo ruim aconteceu e puder descobrir por quê, poderá evitar que coisas ruins aconteçam novamente. Essa é a finalidade da memória. Não é "recordar o passado". É impedir que a mesma coisa infeliz aconteça de novo e de novo.

Pensei: "Eu poderia simplificar a vida da senhorita S. Poderia dizer que suas suspeitas de estupro eram plenamente justificadas e que sua dúvida sobre os acontecimentos não passava de mais evidências de sua vitimização plena e duradoura. Eu poderia ressaltar que os parceiros sexuais dela tinham a obrigação legal de se assegurarem de que ela não estivesse tão debilitada pelo álcool para consentir. Eu poderia dizer que ela fora indiscutivelmente vítima de atos violentos e ilícitos, a menos que tivesse consentido cada ato sexual de forma explícita. Poderia dizer que ela era uma vítima inocente." Eu poderia ter dito tudo isso a ela. E seria verdade. E ela teria aceitado como verdade e se lembrado disso pelo resto de sua vida. Seria uma nova pessoa, com uma nova história e um novo destino.

Mas também pensei: "Eu poderia dizer à senhorita S que ela é um desastre ambulante. Poderia dizer que ela perambula pelos bares como uma cortesã em coma, que ela é um perigo para si mesma e para os outros, que precisa acordar, e que se ela vai a bares de solteiros e bebe demais, é levada para casa e tem relações sexuais brutas e violentas (ou mesmo ternas e afetuosas), que diabos esperava?" Em outras palavras, eu poderia ter dito a ela, em termos mais filosóficos, que ela era "o pálido delinquente" de Nietzsche — a pessoa que em um momento ousa violar a lei sagrada e em seguida se recusa a pagar o preço. E isso também seria verdade, ela teria aceitado como tal e se lembrado disso.

Se eu fosse adepto da ideologia de justiça social de esquerda, teria lhe contado a primeira história. Se eu fosse adepto da ideologia conservadora, a segunda. E as repostas dela depois de ouvir a primeira ou a segunda história teriam provado, para minha satisfação e para a dela, que a história que eu contara era a verdade — a irrefutável e inteira verdade. E isso teria sido um conselho.

DESCUBRA POR SI MESMO

Em vez disso, decidi escutar. Aprendi a não roubar os problemas dos meus clientes. Não quero ser o herói libertador ou o *deus ex machina**— não na história de outra pessoa. Eu não quero a vida delas. Então, pedi a ela que me dissesse o que pensava e a escutei. Ela falou bastante. Quando terminamos a sessão, ela ainda não sabia se tinha sido estuprada, e nem eu. A vida é muito complicada.

Às vezes é preciso mudar a forma como você entende tudo para compreender uma única coisa corretamente. "Será que fui estuprada?" pode ser uma pergunta muito complicada. O simples fato de a pergunta se apresentar dessa maneira indica a existência de camadas infinitas de complexidade — isso sem mencionar o fator "cinco vezes". Existe uma miríade de perguntas ocultas dentro de "Será que fui estuprada?": O que é estupro? O que é consentimento? O que constitui cautela sexual adequada? Como uma pessoa deveria se defender? De quem é a culpa? "Será que fui estuprada?" é uma hidra. Se você cortar a cabeça de uma hidra, outras sete crescem. Assim é a vida. A senhorita S teria que falar por 20 anos para descobrir se tinha sido estuprada. E alguém precisaria estar lá para ouvi-la. Iniciei o processo, mas as circunstâncias me impossibilitaram de concluí-lo. Ela abandonou a terapia apenas um pouco menos distorcida e indefinida do que em sua primeira sessão. Mas pelo menos ela não saiu como a personificação da minha maldita ideologia.

---

* N.T.: Expressão de origem latina que significa "Deus surgido da máquina", utilizada para indicar uma solução inesperada, improvável e mirabolante para terminar uma obra ficcional.

As pessoas que escuto precisam falar, pois é assim que as pessoas pensam. E elas precisam pensar. Caso contrário, caminham cegamente para dentro de armadilhas. Quando as pessoas pensam, simulam o mundo e planejam como agir nele. Se fizerem um bom trabalho de simulação, conseguem descobrir quais coisas idiotas não devem fazer. E assim podem evitá-las. E, portanto, não têm que sofrer as consequências. Essa é a finalidade do raciocínio. Mas não podemos fazer isso sozinhos. Simulamos o mundo e planejamos nossas ações nele. Somente os seres humanos são capazes disso. E isso mostra o quão brilhantes somos. Criamos pequenos avatares de nós mesmos. Colocamos esses avatares em nossos mundos ficcionais. Então observamos o que acontece. Se nosso avatar for bem-sucedido, agimos como ele no mundo real. E assim nós seremos bem-sucedidos (esperamos). Se nosso avatar fracassar, não iremos por aquele caminho, se tivermos algum juízo. Deixamos ele morrer no mundo ficcional para que não tenhamos que morrer realmente no presente.

Imagine duas crianças conversando. A mais jovem diz: "Não seria divertido subir no telhado?" Ela acaba de colocar um pequeno avatar de si em um mundo ficcional. Mas sua irmã mais velha desaprova. E declara: "Essa ideia é idiota. E se você cair do telhado? E se papai descobrir?" A mais jovem pode então modificar sua simulação original, chegar à conclusão apropriada e deixar que todo aquele mundo ficcional morra antes mesmo de existir. Ou não. Talvez o risco valha a pena. Mas pelo menos agora ele pode ser considerado na equação. O mundo ficcional é um pouco mais completo e o avatar, um pouco mais esperto.

As pessoas pensam que pensam, mas não é verdade. A maior parte é autocriticismo travestido de pensamento. O verdadeiro pensamento é raro — assim como escutar de verdade. Pensar é escutar a si mesmo. É difícil. Para pensar, você precisa ser pelo menos duas pessoas ao mesmo tempo. E então precisa permitir que essas pessoas discordem. O pensamento é um diálogo interno entre dois ou mais pontos de vista diferentes sobre o mundo. O Ponto de Vista 1 é um avatar em um mundo simulado. Ele tem as próprias representações de passado, presente e futuro e ideias próprias sobre como agir. E o mesmo ocorre com o Ponto de Vista 2, 3 e 4. O pensamento é o processo pelo qual esses avatares internos imaginam e articulam seus mundos uns para os outros. E você também não pode jogar as falácias do espantalho* umas contra as outras quando estiver pensando, pois isso não é pensar. Isso é racionalização pós-fato. Você está confrontando o que você quer contra um oponente fraco para que não tenha que mudar de ideia. Você está fazendo propaganda. Está usando de discurso evasivo. Está usando suas conclusões para justificar suas provas. Está se escondendo da verdade.

Pensar de verdade é complexo e desafiador. Requer que você seja ao mesmo tempo um orador articulado e um ouvinte cuidadoso e ponderado. Envolve conflito. Então, você precisa tolerar o conflito. Conflito envolve negociação e consenso. Assim, você precisa aprender a trocar ideias, modificar suas premissas e ajustar seus pensamentos — até mesmo suas percepções do mundo. Às vezes isso resulta em derrota e eliminação de um ou mais avatares internos. Eles não gostam de ser derrotados ou eliminados, também. São difíceis de serem criados. São valiosos. Estão vivos. Gostam de estar vivos. E lutarão para continuar vivos. É melhor ouvi-los. Caso contrário irão para o subterrâneo e se transformarão em demônios que o torturarão. Em consequência disso, o pensamento é emocionalmente doloroso, assim como fisiologicamente exigente; mais do que qualquer outra coisa — exceto não pensar. Mas você tem que ser muito articulado e sofisticado para ter tudo isso à disposição dentro da própria cabeça. O que fazer, então, se você não é muito bom em pensar, em ser duas pessoas ao mesmo tempo? Fácil. Você fala. Mas precisa de alguém que escute. Uma pessoa que realmente escute é seu colaborador e seu oponente.

Uma pessoa que realmente escute testa suas palavras (e seus pensamentos) sem ter que dizer nada. Ela é uma representante da humanidade comum. Ela representa a multidão. No entanto, a multidão definitivamente não está sempre certa, mas está *comumente* certa. Está *normalmente* certa. Se você diz algo que espanta a todos, portanto, deveria reconsiderar o que disse. Digo isso com total conhecimento de que opiniões controversas às vezes estão corretas — muitas vezes a ponto de a multidão toda perecer caso se recuse a ouvir. É por essa razão, entre outras, que o indivíduo está moralmente obrigado a se pronunciar e dizer a verdade da própria experiência. Mas algo novo e radical ainda está

---

* N.T.: A falácia do espantalho (também conhecida como falácia do homem de palha) é um argumento em que a pessoa ignora a posição do adversário no debate e a substitui por uma versão distorcida, que a representa de forma errada [Fonte: Wikipédia].

quase sempre errado. Você precisa de motivos bons, ou até mesmo excelentes, para ignorar ou desafiar a opinião pública, geral. Essa é nossa cultura. É um poderoso carvalho. Você se apoia em um de seus galhos. Se o galho se quebrar, será uma longa queda — muito maior, talvez, do que você pensa. Se está lendo este livro, há uma forte probabilidade de você ser uma pessoa privilegiada. Sabe ler. Tem tempo para ler. Você está apoiado no alto das nuvens. Foram necessárias incontáveis gerações para que você chegasse aonde está. Um pouco de gratidão seria bom. Se você vai insistir em curvar o mundo para que ele se ajuste às suas concepções, é melhor ter motivos. Se vai defender suas convicções, é melhor ter motivos. É melhor que as tenha analisado muito bem. Ou pode se preparar para uma aterrissagem muito violenta. Você deve fazer o que as outras pessoas fazem, a menos que tenha motivos muito bons para não o fazer. Se você percorre uma trilha demarcada, pelo menos sabe que outras pessoas já passaram por ela.

Andar fora da trilha frequentemente é estar fora da estrada. E no deserto que o espera há malfeitores e monstros.

Assim diz a sabedoria.

UMA PESSOA QUE ESCUTE

Uma pessoa que escute pode refletir a voz da multidão. Ela é capaz de fazer isso sem falar. Ela consegue fazer isso simplesmente deixando que a pessoa que fala escute a si mesma. Era isso que Freud recomendava. Ele pedia que seus pacientes se deitassem no divã, olhassem para o teto, deixassem sua mente vagar e dissessem o que lhes vinha à mente. Esse é seu método de *livre associação*. Essa é a forma pela qual a psicanálise freudiana evita que o psicanalista transfira seus preconceitos e opiniões pessoais para o panorama interno do paciente. Era por esse motivo que Freud não ficava de frente para seus pacientes. Ele não queria que as reflexões espontâneas dos pacientes fossem alteradas pelas próprias expressões emocionais, não importando o quão sutis fossem. Ele se preocupava, justificadamente, com que suas opiniões — ou, pior, seus próprios problemas não resolvidos — se refletissem em suas respostas e reações, conscientes ou inconscientes, sem que pudesse controlá-las. Ele tinha medo de que pudesse afetar danosamente o desenvolvimento de seus pacientes. Assim sendo, era por essas razões que Freud insistia em que os psicanalistas também passassem por psicoterapia. Ele queria que aqueles que praticavam seu método descobrissem e eliminassem alguns dos próprios e piores pontos cegos e preconceitos para que não atuassem corrompidos. Freud tinha razão. Ele, afinal, era um gênio. Você pode inferir isso porque as pessoas ainda o odeiam. Mas existem desvantagens para a abordagem imparcial e de certa forma distante recomendada por Freud. Muitos daqueles que buscam a terapia desejam e precisam de um relacionamento mais pessoal, próximo (embora isso também carregue seus perigos). Esse é em parte o motivo de eu ter optado em minha prática pela conversa em vez do método freudiano — assim como muitos dos psicólogos clínicos.

Pode ser valioso para meus clientes ver minhas reações. Para protegê-los da influência indevida que isso pode gerar, tento definir meu alvo de maneira ideal para que minhas respostas surjam da motivação correta. Faço o que posso para desejar o melhor para eles (não importando o que isso venha a ser). E também faço meu melhor para querer o melhor, ponto-final (pois isso faz parte de querer o melhor para meus clientes). Tento limpar minha mente e deixar minhas próprias preocupações de lado. Dessa forma, estou me concentrando no que é melhor para meus clientes, ao mesmo tempo em que fico alerta para quaisquer dicas que me mostrem que não entendi muito bem o que esse "melhor" significa. Isso é algo que precisa ser negociado, não uma presunção minha. É algo que deve ser gerenciado com muito cuidado para mitigar os riscos de uma interação pessoal e próxima. Meus clientes falam. Eu escuto. Às vezes, respondo. Geralmente a resposta é sutil. Não é nem verbal. Meus clientes e eu nos sentamos de frente um para o outro. Mantemos contato visual. Podemos ver as expressões um do outro. Eles podem observar os efeitos de suas palavras em mim e eu, os efeitos das minhas neles. Eles podem reagir às minhas respostas.

Um cliente pode me dizer: "Eu odeio minha mulher." As palavras estão no mundo exterior depois de ditas. Pairam no ar. Elas emergiram do submundo, materializaram-se a partir do caos e se manifestaram. São perceptíveis e concretas e não podem mais ser ignoradas. Tornaram-se reais. Quem as fala até se espanta. Ele vê a mesma reação estampada em meus olhos. Ele percebe isso e continua na estrada para a sanidade. "Espere", diz ele. "Não é bem assim. Isso é muito cruel. *Às vezes* eu odeio a minha esposa. Eu a odeio quando ela não me diz o que quer. Minha mãe fazia isso o tempo todo, também. Deixou meu pai maluco. Deixou todos nós malucos para dizer a verdade. Até a minha mãe! Ela era uma pessoa boa, mas muito rancorosa. Bem, pelo menos minha esposa não é tão ruim quanto minha mãe. Nem de longe. Espere! Acho até que minha mulher é na verdade muito boa em me dizer o que quer, mas normalmente fico irritado quando ela não diz, pois minha mãe nos torturava até a beira da morte bancando a mártir. Isso realmente me afetou. Talvez eu exagere em minhas reações quando acontece isso, mesmo que sejam poucas vezes. Ei! Estou agindo exatamente como meu pai quando minha mãe o irritava! Esse não sou eu. Isso não tem nada a ver com minha mulher! É melhor eu contar para ela." Com isso tudo, percebo que antes meu cliente não conseguia distinguir adequadamente entre sua mulher e sua mãe. Vejo que ele estava inconscientemente personificando seu pai. Ele consegue enxergar tudo isso também. Agora está um pouco mais diferenciado, é um pouco menos uma pedra bruta, está um pouco menos escondido na neblina. Ele costurou um pequeno rasgo no tecido de sua cultura. Ele diz: "Essa foi uma boa sessão, Dr. Peterson." Concordo com um aceno de cabeça. Você pode ser muito inteligente se conseguir apenas calar a boca.

Sou um colaborador e um oponente mesmo quando não estou falando. Não posso evitar isso. Minhas expressões propagam minhas respostas, ainda que sejam sutis. Assim, estou me comunicando, como Freud com tanta razão enfatizava, mesmo em silêncio. Mas eu também falo em minhas sessões clínicas. Como sei quando dizer alguma coisa? Primeiro, como já disse, eu me coloco na estrutura mental apropriada. Estabeleço minha meta adequadamente. Quero que as coisas melhorem. Minha mente se orienta por esse objetivo. Ela tenta produzir respostas para o diálogo terapêutico que favoreçam minha meta. Observo isso acontecer internamente. Revelo minhas respostas. Essa é a primeira regra. Às vezes, por exemplo, um cliente diz algo e um pensamento me ocorre ou uma fantasia passa rapidamente pela minha mente. Frequentemente sobre algo que foi dito pelo mesmo cliente anteriormente naquele dia ou em outra sessão. Então externalizo aquele pensamento ou fantasia para meu cliente. Desinteressadamente. Digo:

"Você disse isso e percebi aquilo e depois me dei conta disso." Então discutimos. Tentamos determinar a relevância do significado da minha reação. Às vezes pode dizer respeito a mim mesmo. Esse era o ponto de Freud. Mas, às vezes, é apenas a reação de um ser humano afastado da situação, mas positivamente inclinado a uma declaração pessoalmente reveladora feita por outro ser humano. É significativo — às vezes até corretivo. Às vezes, porém, eu é que sou corrigido.

Você tem que conviver bem com outras pessoas. Um terapeuta é uma dessas outras pessoas. Um bom terapeuta lhe dirá a verdade sobre o que pensa. (Isso não é a mesma coisa que dizer que o que você pensa é verdade.) Então ao menos você tem a opinião honesta de pelo menos uma pessoa. Isso não é algo fácil de se conseguir. Não pode ser desprezado. Esse é o segredo do processo psicoterapêutico: duas pessoas dizendo a verdade uma para a outra — e ambas escutando.

COMO VOCÊ DEVE ESCUTAR?

Carl Rogers, um dos grandes psicoterapeutas do século XX, sabia bem o que era escutar. Ele escreveu: "A grande maioria de nós não é capaz de escutar; sentimo-nos obrigados a julgar, pois escutar é muito perigoso. O primeiro requisito é a coragem, e nem sempre a temos."[159] Ele sabia que escutar pode transformar as pessoas. Sobre isso, Rogers disse: "Alguns de vocês podem ter a sensação de que sabem escutar as pessoas, mas nunca obtiveram esses resultados. As probabilidades são muito grandes de que o modo como as escutam não seja do tipo que descrevi." Ele sugeriu que seus leitores conduzissem um pequeno experimento quando se vissem em uma discussão: "Pare a discussão por um momento e institua a seguinte regra: 'Cada pessoa pode falar sua opinião apenas depois de ter repetido com precisão as ideias e os sentimentos da que falou antes e até que a pessoa que falou esteja satisfeita.'" Achei essa técnica muito útil, tanto na minha vida pessoal quanto na minha prática clínica. Passei a resumir rotineiramente o que as pessoas haviam me dito e lhes perguntava se eu havia entendido corretamente. Às vezes elas aceitavam meu resumo. Às vezes faziam uma pequena correção. De vez em quando eu estava completamente errado. Tudo isso é importante saber.

Existem inúmeras vantagens elementares nesse processo de resumo. A primeira é que consigo entender verdadeiramente o que a pessoa está dizendo. Sobre isso, Rogers observa: "Parece simples, não é? Mas se você experimentar descobrirá que é uma das coisas mais difíceis que já tentou fazer. Se realmente entender uma pessoa dessa forma, se estiver disposto a entrar no mundo particular do outro e ver como a vida é para ele, você corre o risco de mudar a si mesmo. Pode ser capaz de ver as coisas à maneira da outra pessoa, pode se ver influenciado por suas atitudes ou personalidade. Esse risco de ser mudado é uma das perspectivas mais assustadoras que podemos enfrentar." Poucas vezes li palavras tão benéficas.

A segunda vantagem do resumo é que ajuda a pessoa na consolidação e utilidade da memória. Considere a seguinte situação: um cliente em meu consultório faz um relato longo, desordenado, carregado de emoção sobre um período difícil em sua vida. Nós resumimos, indo e voltando. O relato se torna mais curto. Agora está condensado na memória do cliente (e na minha) da forma como o discutimos. Agora é uma memória diferente, de muitas maneiras — com sorte, uma memória *melhor*. Agora é menos pesada. Foi destilada, reduzida à sua essência. Extraímos a moral da história. Ela se tornou uma descrição da causa e do resultado do que aconteceu, formulada de modo que a repetição dessa tragédia e dor se torne menos provável de acontecer no futuro. "*Isso* é o que aconteceu. *Esse* é o porquê. *Isso* é o que tenho que fazer para evitar essas coisas daqui para frente": essa é uma memória bem-sucedida. Essa é a finalidade da memória. Você se lembra do passado não para que seja "precisamente registrado", mas, sim, repito, para que você se prepare para o futuro.

A terceira vantagem de aplicar o método rogeriano é a dificuldade que ele impõe para a construção inconsciente das falácias do espantalho. Quando alguém se opõe a você, é muito tentador supersimplificar, parodiar ou distorcer o ponto de vista dessa pessoa. Esse é um jogo contraprodutivo, elaborado tanto para ferir o discordante quanto para elevar injustamente o próprio status pessoal. Em contrapartida, se lhe for pedido para resumir o ponto de vista de alguém, para que a pessoa que falou concorde com seu resumo, você pode ter que declarar o argumento de forma ainda mais clara e sucinta do que ela conseguiu até então. Se conseguir ser imparcial em sua análise, examinar os argumentos da outra pessoa a partir da perspectiva dela, você poderá: (1) encontrar valor nos argumentos e aprender algo no processo ou (2) afiar suas posições contra eles (se você ainda acreditar que estão errados) e fortalecer seus argumentos ainda mais para resistir aos contra-argumentos. Isso o tornará muito mais forte. Então você não terá mais que deturpar a posição de seu oponente (e pode muito bem ter diminuído pelo menos parte da distância entre vocês dois). Você será ainda melhor em questionar as próprias dúvidas.

Às vezes leva muito tempo para entender o que alguém verdadeiramente quer dizer quando está falando. Isso porque normalmente a pessoa está articulando suas ideias pela primeira vez. Ela não consegue fazer isso sem perambular por vias inexploradas ou fazer alegações contraditórias ou até sem nexo. Isso se deve parcialmente ao fato de que falar (e pensar) geralmente tem mais a ver com esquecer do que com recordar. Discutir um acontecimento, especialmente algo emocional, como morte ou doença grave, é escolher lentamente o que deixar para trás. Para começar, porém, muito do que não é necessário precisa ser colocado em palavras. Uma pessoa que fala carregada de emoção precisa relatar toda a experiência em detalhes. Somente então a narrativa central, causa e consequência, ganha foco ou se consolida. Somente então a moral da história pode ser deduzida.

Imagine que alguém tenha uma pilha de notas de cem dólares e que algumas sejam falsificadas. Todas as notas têm que ser espalhadas sobre a mesa para que possam ser vistas e quaisquer diferenças, percebidas antes que as verdadeiras sejam distinguidas das falsas. Esse é o tipo de abordagem metódica que você precisa escolher ao ouvir alguém que está tentando resolver um problema ou comunicar algo importante. Se, ao saber que algumas das notas são falsas, você fortuitamente descartar todas (como faria se estivesse com pressa ou sem disposição para se dar ao trabalho), a pessoa nunca aprenderá a separar o joio do trigo.

No entanto, se escutar sem julgamentos prematuros, as pessoas geralmente lhe dizem tudo em que estão pensando — com pouca falsidade. As pessoas lhe dirão as coisas mais maravilhosas, absurdas e interessantes. Poucas de suas conversas serão tediosas. (Na verdade, você é capaz de saber se está ou não realmente escutando, dessa maneira. Se a conversa está chata, provavelmente você não está.)

TÁTICAS DE HIERARQUIA DE DOMINÂNCIA — E SAGACIDADE — DOS PRIMATAS

Nem sempre falar é pensar. Nem sempre escutar estimula a transformação. Há outros motivos para ambos, alguns dos quais produzem muitos resultados menos valiosos, contraprodutivos e até perigosos. Há conversas, por exemplo, em que um participante está falando simplesmente para estabelecer ou confirmar sua posição na hierarquia de dominância. Uma pessoa começa a contar uma história sobre um acontecimento interessante, recente ou passado, que envolveu algo bom, ruim ou surpreendente o bastante para valer a pena ser ouvido. A outra, agora preocupada com seu potencial status baixo como indivíduo menos interessante, imediatamente pensa em algo melhor, pior ou mais surpreendente para contar. Essa não é uma daquelas situações em que dois participantes de uma conversa estão de fato disputando entre si, rebatendo os mesmos temas para diversão de ambos (e de todos ao redor). É uma disputa por posição, pura e simples. É fácil identificar uma dessas conversas. Elas são acompanhadas por uma sensação de constrangimento entre os participantes e presentes, todos cientes de que algo falso ou exagerado acaba de ser dito.

Existe outra forma muito parecida de conversa, em que nenhum dos participantes escuta o outro. Em vez disso, cada um está aproveitando o tempo usado por quem tem a palavra para imaginar o que dirá em seguida, o que frequentemente será algo fora do assunto, pois a pessoa que está ansiosamente esperando para falar não estava ouvindo. Isso pode e levará todo o trem da conversa a parar. Nesse ponto, é comum que todos que estavam a bordo durante o incidente permaneçam em silêncio e eventualmente se olhem de maneira envergonhada até que um dos dois saia ou alguém pense em algo espirituoso e consiga consertar a situação.

Além disso, existe a conversa em que um participante está tentando obter a vitória para seu ponto de vista. Essa é outra variante da conversa de hierarquia de dominância. Durante esse tipo de conversa, que normalmente tende para o terreno ideológico, quem fala se empenha em: (1) rebaixar ou ridicularizar o ponto de vista de alguém, defendendo uma posição contrária; (2) usar evidências seletivas para reforçar sua posição e, finalmente, (3) impressionar os ouvintes (muitos dos quais já ocupam o mesmo espaço ideológico) com a validade de suas asserções. O objetivo é obter apoio para uma visão de mundo abrangente, unitária e supersimplificada. Assim, a finalidade da conversa é defender a ideia de que *não* pensar é o caminho correto. A pessoa que está falando dessa maneira acredita que vencer o argumento a faz ter razão, e isso necessariamente valida a estrutura presumida da hierarquia de dominância com a qual mais se identifica. Essa é — e isso não é surpreendente — a hierarquia dentro da qual ela alcançou mais sucesso, ou a mais alinhada com seu temperamento. Quase todas as discussões envolvendo política ou economia se desenrolam dessa maneira, com cada participante tentando justificar posições *a priori* fixas, em vez de tentar aprender algo ou adotar uma visão diferente (nem que seja só para tentar algo novo). É por essa razão que conservadores e liberais acreditam que suas posições são óbvias, especialmente quando se tornam mais radicais. Consideradas certas presunções baseadas no temperamento, uma conclusão previsível emerge — mas apenas quando você ignora o fato de que as próprias premissas são mutáveis.

Essas conversas são muito diferentes daquelas quando realmente escutamos. Quando a conversa é autêntica, uma pessoa fala de cada vez e todos estão ouvindo. A pessoa que está falando tem a oportunidade de discutir seriamente um acontecimento, normalmente infeliz ou até mesmo trágico. Todos os demais respondem empaticamente. Essas conversas são importantes porque quem fala está organizando o evento problemático em sua mente enquanto relata a história. Repito, pela sua relevância: as pessoas organizam seus cérebros com a conversa. Se não tiverem alguém para quem contar sua história, perdem o controle. Como um acumulador, não conseguem colocar ordem em si mesmas. A contribuição da comunidade é necessária para a integridade da psique individual. Em outras palavras: é preciso uma aldeia inteira para organizar uma mente.

Muito do que consideramos função mental saudável é o resultado de nossa capacidade de usar as reações de outras pessoas para manter nosso complexo eu funcional. *Terceirizamos o problema de nossa sanidade.* É por isso que é responsabilidade fundamental dos pais criar seus filhos para que sejam socialmente aceitáveis. Se uma pessoa se comporta de tal forma que as outras possam tolerá-la, tudo o que precisa fazer é se inserir em um contexto social. Então as pessoas indicarão — demonstrando interesse ou enfado pelo que a pessoa diz, rindo ou não de suas piadas, provocando ou zombando, ou até levantando uma sobrancelha — se suas ações e declarações são como deveriam ser. Todo mundo sempre alardeia seu desejo de atingir o ideal para todos os demais. Nós nos punimos e recompensamos exatamente no mesmo nível em que cada um de nós se comporta de acordo com esse desejo — exceto, é claro, quando estamos procurando confusão.

As respostas empáticas oferecidas durante uma conversa autêntica indicam que o narrador é valorizado e que a história que está sendo contada é importante, séria, digna de consideração e compreensível. Homens e mulheres frequentemente interpretam mal uns aos outros quando essas conversas focam problemas específicos. Homens são normalmente acusados de querer "consertar as coisas" logo no início de uma discussão. Isso frustra os homens, que gostam de resolver problemas, fazem isso de modo eficiente e são de fato requisitados pelas mulheres exatamente para isso. Porém, será mais fácil para meus leitores homens entenderem por que isso não funciona se eles puderem perceber e depois se lembrar de que antes que um problema possa ser resolvido precisa ser formulado precisamente. As mulheres geralmente tentam formulá-lo quando estão discutindo algo e precisam ser ouvidas — e até questionadas — para garantir a clareza nessa formulação. Então, qualquer problema que ainda reste, se houver, pode ser proveitosamente resolvido. (Também é preciso observar que uma solução muito precoce de um problema pode simplesmente indicar um desejo de evitar o esforço de desenvolver uma conversa para sua formulação.)

Outra variante da conversa é a palestra. Uma palestra é — de modo um pouco surpreendente — uma conversa. O palestrante fala, mas a plateia se comunica com ele de modo não verbal. Uma quantidade espantosa de interações humanas — grande parte da transmissão de informação emocional, por exemplo — ocorre dessa maneira, através de postura corporal e emoção facial (como mencionamos em nossa discussão sobre Freud). Um bom palestrante não apenas transmite fatos (o que talvez seja a parte menos importante da palestra), mas também conta histórias sobre eles e verbaliza-as no nível exato de compreensão da plateia, mensurando isso pelo interesse demonstrado. A história que o palestrante conta transmite aos membros da plateia não apenas os fatos, mas *por que* são relevantes — por que é importante saber certas coisas que atualmente ignoram. Demonstrar a importância de alguns conjuntos de fatos é dizer aos membros daquela plateia como tal conhecimento poderia mudar seu comportamento ou influenciar a forma como interpretam o mundo, para que se tornem capazes de evitar alguns obstáculos e avançar mais rapidamente para alguns objetivos melhores.

Um bom palestrante está, portanto, falando *com* sua plateia e não *a* ou mesmo *para* ela. Para lidar com isso, o palestrante precisa estar atento a cada movimento, gesto e som da plateia. Ironicamente, *isso não pode ser feito ao se observar a plateia como tal*. Um bom palestrante fala diretamente e observa a resposta de uma única pessoa identificável* em vez de fazer algo clichê, como "apresentar uma palestra" para uma plateia. Tudo nessa frase está errado. Você não apresenta. Você fala.

Não existe algo como "uma palestra", a menos que seja padronizada, e não deveria ser. Também não existe "plateia". Existem *indivíduos* que precisam ser incluídos na conversa. Um orador público experiente e competente se dirige a uma única pessoa, identificável, observa aquele indivíduo aquiescer com a cabeça, sacudi-la em negação, franzir a testa ou parecer confuso, e responde adequada e diretamente a esses gestos e expressões. Então após algumas frases finalizando uma ideia, ele escolhe outro membro da plateia e faz o mesmo. Dessa maneira, infere e reage às atitudes de todo o grupo (à medida que tal situação exista).

Existem ainda outras conversas que funcionam principalmente como demonstrações de sagacidade. Elas também contêm um elemento de dominância, mas o objetivo é ser o orador mais divertido (que é um feito que todos que participam da conversa também vão gostar). A finalidade dessas conversas, como um sagaz amigo certa vez observou, é

---

* A estratégia de falar para indivíduos não é apenas vital para a transmissão de qualquer mensagem, é um poderoso antídoto para o pânico de falar em público. Ninguém quer ser encarado por centenas de olhos hostis e julgadores. Entretanto, quase todo mundo é capaz de falar com uma única pessoa atenta. Então, ao fazer um discurso (outra frase terrível), faça isso. Fale com os indivíduos na plateia — e não se esconda: nem atrás do púlpito, nem olhando para baixo, nem falando muito baixo ou murmurando, nem se desculpando pela falta de brilhantismo ou preparação, nem atrás de ideias que não são suas e nem atrás de clichês.

dizer "qualquer coisa que seja verdadeira ou divertida". Como verdade e humor frequentemente são fortes aliados, essa combinação funciona bem. Acho que esse pode ser o tipo de conversa de operários inteligentes. Participei de muitas e boas contendas de sarcasmo, sátira, insultos e outras formas de diálogo exageradamente cômicas entre pessoas com quem cresci no norte de Alberta e entre alguns Navy SEALs que conheci na Califórnia, amigos de um autor imensamente popular que conheço que escreve ficção. Eles adoravam contar qualquer coisa, não importasse o quanto era chocante, desde que fosse engraçada.

Recentemente, fui à festa de aniversário de 40 anos desse escritor, em Los Angeles. Ele tinha convidado os SEALs, que mencionei anteriormente. Alguns meses antes, porém, sua esposa tinha sido diagnosticada com uma grave condição médica, necessitando de uma cirurgia cerebral. Ele ligou para seu amigo SEAL, informou-o das circunstâncias e sugeriu que o evento fosse cancelado. "Você acha que vocês estão com problemas?", questionou seu amigo. "Acabei de comprar passagens aéreas não reembolsáveis para sua festa!" Não tenho dados sobre que porcentagem da população mundial acharia essa resposta engraçada. Contei essa história recentemente para um grupo de novos conhecidos e eles a acharam mais terrível e chocante do que divertida. Tentei defender a piada como uma indicação do respeito do SEAL à capacidade do casal de resistir e superar a tragédia, mas não tive muito sucesso. Todavia, acredito que a intenção da piada tenha sido exatamente essa, e ele achou que estava sendo incrivelmente espirituoso. Sua piada foi ousada, anárquica quase ao ponto do ultraje, que é exatamente o ponto em que algo se torna muito engraçado. Meu amigo e a esposa reconheceram o elogio. Perceberam que o amigo sabia que eles eram fortes o suficiente para suportar aquele nível de... bem, vamos chamar de humor competitivo. Foi um teste de caráter, e eles passaram com louvor.

Descobri que essas conversas ocorriam com cada vez menos frequência conforme eu passava de universidade para universidade, subindo na hierarquia educacional e social. Talvez não seja uma característica de classe, embora eu suspeite que sim. Talvez seja só porque estou mais velho ou porque os amigos que fazemos mais tarde na vida, depois da adolescência, não têm mais a intimidade loucamente competitiva e a zombaria perversa típica desses vínculos tribais da juventude.

REGRA 9

Entretanto, quando voltei para o norte do Canadá, à minha cidade natal, para minha festa de aniversário de 50 anos, meus velhos amigos me fizeram rir tanto que tive que fugir para outro cômodo várias vezes para recuperar o fôlego. Essas conversas são as mais divertidas, sinto falta delas. Você tem que acompanhar o ritmo ou arriscar-se à severa humilhação, mas não há nada mais recompensador do que superar a história, piada, insulto ou xingamento do último comediante. Existe apenas uma regra: não seja chato (embora seja muita falta de educação *verdadeiramente* humilhar alguém, quando você está apenas *fingindo* humilhar a pessoa).

A CONVERSA E O CAMINHO

O último tipo de conversa, equivalente a escutar, é uma forma de exploração mútua. Ele requer verdadeira reciprocidade por parte de quem está falando e ouvindo. Permite a todos os participantes expressarem e organizarem seus pensamentos. Uma conversa de exploração mútua tem um tópico, geralmente complexo, de interesse genuíno dos participantes. Todos os participantes estão tentando resolver um problema em vez de insistir na validade *a priori* das próprias posições. Todos estão agindo de acordo com a premissa de que têm algo a aprender. Esse tipo de conversa constitui filosofia ativa, a forma mais elevada de pensamento e a melhor preparação para viver da maneira adequada.

As pessoas envolvidas nesse tipo de conversa devem estar discutindo ideias que realmente coloquem em prática para estruturar suas percepções e guiar suas ações e palavras. Precisam estar existencialmente envolvidas com sua filosofia: ou seja, precisam viver segundo essa filosofia, não apenas acreditar ou a compreender. Elas também precisam ter invertido, ao menos temporariamente, a típica preferência humana pela ordem em detrimento do caos (e não me refiro ao caos típico da rebelião social irracional). Em outros tipos de conversas — exceto pela autêntica — todos tentam apoiar alguma ordem existente. A conversa de exploração mútua, em contrapartida, requer pessoas que tenham decidido que o desconhecido é um companheiro melhor do que o já conhecido.

Afinal, você já sabe o que sabe — e, a menos que sua vida seja perfeita, o que sabe não é suficiente. Você continua ameaçado por doenças, autoengano, infelicidade, maldade, traição, corrupção, dor e limitações. Você está sujeito a todas essas coisas, em última análise, porque é ignorante demais para se proteger. Se soubesse o suficiente, poderia ser mais saudável e honesto. Sofreria menos. Poderia reconhecer, resistir e até mesmo vencer a inveja e o mal. Não seria traído por um amigo nem lidaria com falsidade e desonestidade nos negócios, na política ou no amor. Entretanto, seu conhecimento atual não o tornou perfeito nem o manteve seguro. Então, é insuficiente por definição — radicalmente, fatalmente insuficiente.

Você precisa aceitar isso antes que seja capaz de conversar filosoficamente em vez de convencer, oprimir, dominar ou mesmo divertir. Você precisa aceitar isso antes que possa tolerar uma conversa em que a Palavra que eternamente intermedeia a ordem e o caos esteja em operação, psicologicamente falando. Para ter esse tipo de conversa, é necessário respeitar a experiência pessoal dos seus parceiros de conversa. Você precisa presumir que eles tenham chegado a conclusões cuidadosas, pensadas e genuínas (talvez realmente tenham feito um trabalho que justifique essa presunção). Precisa acreditar que se eles compartilharam suas conclusões, você poderia ao menos evitar a dor de aprender as mesmas coisas pessoalmente (já que aprender com a experiência dos outros pode ser mais rápido e muito menos perigoso). Você precisa refletir, também, em vez de criar estratégias para sua vitória. Se você fracassar ou se recusar a fazer isso, estará apenas repetindo automaticamente o que já acredita, buscando validação e insistindo em sua correção. Mas se refletir enquanto conversa, poderá escutar a outra pessoa e dizer coisas novas e originais que podem surgir de seu íntimo por vontade própria.

É como se você escutasse a si mesmo durante cada conversa assim como escuta a outra pessoa. Você descreve como responde à nova informação transmitida por quem fala. Você relata o que aquela informação fez por você — que coisas novas podem surgir dentro de você, como mudam suas presunções, como o fazem pensar em novas questões. Você diz essas coisas diretamente à pessoa que falou. E então elas têm o mesmo efeito sobre essa pessoa. Dessa forma, ambos se movem na direção de algo novo, mais amplo e melhor. Ambos mudam, deixando as velhas presunções morrerem — à medida que se despem de suas peles e emergem renovados.

Uma conversa como essa carrega o desejo pela verdade em si mesma — por parte dos dois participantes —, é isso o que significa escutar e falar de verdade. É por isso que é envolvente, vital e significativo. Esse senso de significado é um sinal das partes profundas e ancestrais de seu Ser. Você está onde deveria estar, com um pé na ordem e outro experimentalmente estendido para o caos. Você está imerso no Tao, seguindo o grande Caminho da Vida. Lá, é estável o bastante para você estar seguro, mas flexível o suficiente para se transformar. Lá, você permite que novas informações o *informem* — penetrem em sua estabilidade, preparem e aprimorem sua estrutura e expandam seu domínio. Lá, os elementos constitutivos de seu Ser conseguem encontrar sua formação mais elegante. Uma conversa como essa o leva ao mesmo lugar que escutar uma música maravilhosa o leva, pela mesma razão. Uma conversa como essa o coloca no reino em que as almas se conectam, e esse é um lugar real. Ela o deixa pensando: "Isso realmente é recompensador. Nós realmente nos conhecemos." As máscaras caíram e os exploradores foram revelados.

Portanto, escute aqueles com quem está conversando e a si mesmo. Sua sabedoria consistirá então não no conhecimento que já possui, mas na busca contínua por conhecimento, a forma mais elevada de sabedoria. É por essa razão que a sacerdotisa do Oráculo de Delfos na Grécia antiga falava de Sócrates com muita consideração, pois ele sempre buscou a verdade. Ela o descrevia como o homem mais sábio vivo, pois ele sabia que o que sabia era nada.

Presuma que a pessoa com quem está conversando possa saber algo que você não sabe.

REGRA 10

SEJA PRECISO NO QUE DIZ

POR QUE MEU NOTEBOOK É OBSOLETO?

O QUE VOCÊ VÊ ao olhar para um computador — para seu próprio notebook, mais precisamente? Você vê uma caixa cinza e preta, achatada e fina. De modo menos evidente, vê algo em que pode digitar e visualizar. No entanto, mesmo incluindo a percepção secundária, o que você está vendo não pode ser considerado o computador. Aquela caixa preta e cinza é um computador agora, aqui e agora, e talvez seja até um bem caro. Todavia, logo será algo tão distinto de um computador que será difícil até doá-lo para alguém.

Descartaremos nossos notebooks dentro dos próximos cinco anos, mesmo que ainda estejam funcionando perfeitamente — mesmo que a tela, o teclado, o mouse e as conexões de internet ainda executem suas tarefas impecavelmente. Daqui a 50 anos, os notebooks do século XXI serão excentricidades como as ferramentas científicas de latão do final do século XIX. Ferramentas essas que agora parecem muito mais a misteriosa parafernália de alquimia, projetadas para medir fenômenos cuja existência sequer reconhecemos mais. Como é possível que máquinas high tech, cada uma contendo mais poder computacional do que o programa espacial Apollo inteiro, percam seu valor em um período tão curto? Como se transformam tão rapidamente de máquinas empolgantes, úteis e promotoras de status em complexos pedaços de lixo? Os motivos são a natureza de nossas percepções e as interações normalmente invisíveis entre elas e a complexidade subjacente do mundo.

Seu notebook é uma nota em uma sinfonia atualmente sendo tocada por uma orquestra de tamanho incalculável. É uma parte bem pequena de um todo muito maior. Grande parte de sua capacidade está além da sua capa rígida. Ele mantém sua função somente porque uma ampla série de outras tecnologias atua de forma harmônica e efetiva. Ele é alimentado, por exemplo, por uma rede de transmissão de energia elétrica cuja função é invisivelmente dependente da estabilidade de uma miríade de complexos sistemas físicos, biológicos, econômicos e interpessoais. As fábricas que fazem as peças ainda estão em operação. O sistema operacional que permite seu funcionamento é baseado nessas peças, e não em outras que ainda não foram criadas. Seu hardware de vídeo executa a tecnologia esperada pelas pessoas criativas que postam seu conteúdo na internet. Seu notebook está em comunicação com um ecossistema certo e especificado de outros dispositivos e servidores web.

E, finalmente, tudo isso se torna possível por um elemento ainda menos visível: o contrato social de confiança — os sistemas conectados e fundamentalmente honestos da política e da economia que tornam o confiável sistema de transmissão de energia elétrica uma realidade. Essa interdependência entre as partes e o todo, invisível nos sistemas que funcionam, torna-se nítida nos que não funcionam. Os sistemas adjacentes de ordem superior, que possibilitam a existência de um computador pessoal, são quase inexistentes em países corruptos e de terceiro mundo, de modo que linhas de energia, comutadores elétricos e todos os outros elementos que indicam concretamente a existência de uma rede de transmissão estão ausentes ou comprometidos e, na verdade, pouco contribuem para o fornecimento efetivo de eletricidade para os lares das pessoas e fábricas. Isso torna a percepção dos eletrônicos e de outros dispositivos que a eletricidade teoricamente possibilita como unidades separadas e funcionais decepcionante, na melhor hipótese, e impossível, na pior. Isso se deve parcialmente à insuficiência técnica: os sistemas simplesmente não funcionam. Mas também, em grande parte, à falta de confiança característica das sociedades sistematicamente corruptas.

Colocando de outra forma: o que você percebe como seu computador é como uma única folha em uma árvore em uma floresta — ou, sendo ainda mais exato, como seus dedos roçando brevemente essa folha. Uma única folha pode ser arrancada de um galho. Ela pode ser percebida, ainda que brevemente, como uma entidade única, independente — mas essa percepção ilude mais do que esclarece. Em algumas semanas, a folha vai se esfarelar e dissolver. Ela nem estaria lá se não fosse a árvore. Ela não é capaz de continuar a existir na ausência da árvore. Essa é a posição dos nossos notebooks em relação ao mundo. Grande parte do que são permanece fora de seus limites e, sendo assim, o aparelho com tela que seguramos em nosso colo só é capaz de manter sua fachada de computador por alguns poucos anos.

Quase tudo o que vemos e seguramos nas mãos é assim, embora frequentemente não de forma tão evidente.

FERRAMENTAS, OBSTÁCULOS E EXTENSÕES PARA O MUNDO

Presumimos que vemos objetos ou coisas quando enxergamos o mundo, mas na verdade não é assim. Nossos sistemas perceptivos evoluídos transformam o mundo interconectado, complexo e multinível que habitamos não apenas em coisas *per se* como também em coisas *úteis* (ou suas nêmeses: as coisas que atrapalham nosso caminho). É uma redução necessária e prática do mundo. É a transformação da quase infinita complexidade das coisas através da especificação restrita do nosso propósito. É assim que a precisão faz o mundo se revelar de maneira sensata. Isso não é nem de longe o mesmo que perceber *objetos*.

Não enxergamos entidades inúteis e depois lhes atribuímos significado. Percebemos diretamente seu significado.[160] Vemos pisos para caminhar, portas para atravessar e cadeiras para sentar. É por essa razão que um pufe e uma tora se encaixam na última categoria apesar de terem objetivamente pouco em comum. Vemos pedras porque podemos atirá-las; nuvens, porque podem fazer chover; maçãs, para comermos; e os automóveis de outras pessoas, porque entram na nossa frente e nos irritam. Enxergamos ferramentas e obstáculos, não objetos ou coisas. Além disso, vemos as ferramentas e os obstáculos em um nível de análise "prática" que os tornam mais úteis (ou perigosos) dadas as nossas necessidades, capacidades e limitações perceptivas. O mundo se revela para nós como algo a ser utilizado e explorado — não como algo que simplesmente é.

Vemos os rostos das pessoas com quem falamos porque precisamos nos comunicar e cooperar com elas. Não precisamos enxergar suas subestruturas microcósmicas, suas células ou organelas subcelulares, moléculas e átomos que compõem essas células. Não vemos, também, o macrocosmo que as cerca: os familiares e amigos que formam seus círculos sociais imediatos, as economias em que estão inseridas ou a ecologia que contém tudo isso. Finalmente, e de igual importância, não as vemos ao longo do tempo. Enxergamos essas pessoas no restrito, imediato e sobrepujante agora, e não cercadas de ontens e amanhãs que podem ser a parte mais importante delas, mais do que qualquer coisa que se manifeste no momento e de modo evidente. E temos que ver dessa maneira, ou ficaríamos sobrecarregados.

Quando enxergamos o mundo, percebemos apenas o suficiente para que nossos planos e ações funcionem e para que possamos enfrentar a situação. Assim, o lugar em que nos fazemos presentes é esse "suficiente". Essa é uma simplificação funcional, inconsciente e radical do mundo — e é quase impossível não confundirmos essa visão com o mundo em si. Mas os objetos que vemos não estão simplesmente no mundo, lá, para nossa percepção simples e direta.* Eles existem em uma relação mútua, complexa e multidimensional, e não como objetos independentes, vinculados e nitidamente apartados. Não percebemos

---

* É por isso, por exemplo, que levou muito mais tempo do que originalmente presumimos para fabricarmos robôs capazes de funcionar de modo autônomo no mundo. O problema da percepção é muito mais complexo do que nossa compreensão imediata e fácil nos predispõe a inferir. Na verdade, o problema é tão intricado que paralisou o progresso inicial da inteligência artificial quase fatalmente (a partir da perspectiva daquela época), quando descobrimos que um raciocínio abstrato e sem corpo não poderia resolver sequer um problema simples do mundo real. Pioneiros como Rodney Brooks propuseram, no final da década de 1980 e início da de 1990, que corpos em ação eram precondições essenciais para analisar o mundo em coisas manejáveis, e a revolução da IA recuperou sua confiança e impulso.

os objetos, mas sim sua utilidade e, ao fazer isso, nós os tornamos suficientemente simples para uma compreensão satisfatória. *É por essa razão que devemos ser precisos em nosso propósito.* Sem essa precisão, afogamo-nos na complexidade do mundo.

Isso se aplica inclusive à nossa percepção de nós mesmos, de nossas personalidades individuais. Presumimos que nossas fronteiras sejam a superfície da nossa pele por causa da maneira que as percebemos. Mas, com um pouco de reflexão, podemos entender a natureza temporária dessas fronteiras. Transformamos o que está dentro de nossa pele, por assim dizer, conforme o contexto no qual habitamos muda. Mesmo quando fazemos algo aparentemente simples, como segurar uma chave de fenda, nosso cérebro automaticamente ajusta o que ele considera como corpo para incluí-la.[161] Podemos literalmente sentir as coisas com a ponta da chave de fenda. Quando estendemos a mão, segurando a chave de fenda, automaticamente levamos em conta sua extensão. Podemos sondar toda sorte de detalhes com essa extremidade estendida e compreender o que estamos explorando. Além disso, instantaneamente consideramos a chave de fenda em nossa mão como "nossa", e nos tornamos possessivos. Fazemos o mesmo com ferramentas muito mais complexas, em situações muito mais complexas. Os carros que dirigimos instantânea e automaticamente passam a fazer parte de nós. Por isso, quando alguém desfere um soco no capô de nosso carro em um momento de irritação, levamos para o lado pessoal. Isso nem sempre é racional. Contudo, sem a extensão do nosso eu para as máquinas, seria impossível dirigir.

Nossas fronteiras extensíveis também se expandem para incluir outras pessoas — familiares, parceiros amorosos e amigos. Uma mãe se sacrificará por seu filho. Será que nosso pai, filho, esposa ou marido são uma parte mais ou menos integrante de nós do que um braço ou uma perna? Podemos responder, em parte, perguntando: Qual deles preferimos perder? Qual dessas perdas evitaríamos com um sacrifício maior? Exercitamos essa extensão permanente — esse compromisso permanente — identificando-nos com os personagens ficcionais de livros e filmes. Suas tragédias e triunfos se tornam nossos de forma rápida e convincente. Mesmo sentados inertes no sofá de nossas casas ainda atuamos em uma multiplicidade de realidades alternativas, expandindo-nos de forma experimental, testando múltiplos caminhos

REGRA 10

potenciais antes de especificar aquele que de fato tomaremos. Absortos em um mundo ficcional, podemos até mesmo tornar-nos coisas que não existem "de verdade". Em um piscar de olhos, na magia de uma sala de cinema, nos transformamos em criaturas fantásticas. Sentamo-nos no escuro diante de imagens tremeluzentes e de repente nos tornamos bruxas, super-heróis, aliens, vampiros, leões, elfos ou marionetes de madeira. Sentimos tudo que eles sentem e ficamos estranhamente satisfeitos em pagar por esse privilégio, mesmo quando o que experienciamos é tristeza, medo ou terror.

Algo semelhante, porém mais extremo, acontece quando identificamo-nos não com um personagem em um drama da ficção, mas com todo um grupo em uma competição. Pense no que acontece quando seu time favorito perde ou ganha um jogo importante contra um arquirrival. O gol da vitória faz com que todos os fãs se levantem, de modo inconsciente, em uma sincronia não ensaiada. É como se muitos sistemas nervosos estivessem diretamente conectados ao jogo que se desenrola diante deles. Fãs encaram as vitórias e as derrotas de seus times de modo muito pessoal, usando as camisas de seus heróis, celebrando suas vitórias e derrotas muito mais do que qualquer acontecimento que "realmente" ocorra em suas vidas cotidianas. Essa identificação se manifesta profundamente — até mesmo bioquímica e neurologicamente. Experiências indiretas de vitória e derrota, por exemplo, aumentam e diminuem os níveis de testosterona entre fãs "participantes" da competição.[162] Nossa capacidade de identificação é algo que se manifesta em cada nível do nosso Ser.

Do mesmo modo, quando somos patriotas, nosso país não é apenas *importante* para nós. Nós *somos ele*. Podemos até mesmo sacrificar nossos eus individuais em combate para manter a integridade de nosso país. Ao longo de grande parte da história, essa disposição de morrer tem sido considerada algo admirável e corajoso, como parte do dever humano. Paradoxalmente, é uma consequência direta não da nossa agressividade, mas da nossa extrema sociabilidade e disposição em cooperar. Se é possível não apenas a transformação em nós mesmos, mas em nossas famílias, times e países, a cooperação é algo fácil para nós, pois é baseada nos mesmos mecanismos profundamente arraigados que nos impulsionam (e a outras criaturas) a proteger nossos corpos.

O MUNDO É SIMPLES APENAS QUANDO SE COMPORTA

É muito difícil entender o caos interligado da realidade apenas com o olhar. É uma ação complicada que exige, talvez, metade de nosso cérebro. Tudo está em constante mudança e alteração no mundo real. Cada coisa hipoteticamente separada é composta de coisas ainda menores hipoteticamente separadas. Os limites entre os níveis — e entre as coisas diferentes em determinado nível — não são objetivamente claros nem óbvios. Precisam ser estabelecidos de forma prática e pragmática, e mantêm sua validade apenas sob condições restritas e específicas. A ilusão consciente de uma percepção completa e suficiente só se sustenta, por exemplo — somente se mantém suficiente para nossos propósitos —, quando tudo se desenvolve de acordo com o plano. Nessas circunstâncias, o que vemos é preciso o bastante, de modo que não há necessidade de olhar mais adiante. Para dirigir bem, não precisamos entender, ou mesmo perceber, a complexa maquinaria de nossos automóveis. As complexidades ocultas de nossos carros apenas invadem nossa consciência quando a máquina falha ou quando colidimos inesperadamente com alguma coisa (ou algo conosco). Mesmo no caso de mera falha mecânica (e muito mais em um acidente grave) essa intrusão é sempre sentida, pelo menos inicialmente, como causa de ansiedade. Essa é uma consequência da incerteza emergente.

Um carro, como o percebemos, não é uma coisa ou objeto. É algo que nos leva aonde queremos ir. Na verdade, é apenas quando ele não é mais capaz de se mover e nos transportar que passamos a percebê-lo. Somente quando ele para de repente — ou quando se envolve em um acidente e precisa ser levado para o acostamento — é que somos forçados a entender e analisar a miríade de partes das quais "o carro como uma coisa que se move" depende. Quando nosso carro falha, nossa incompetência em relação a sua complexidade é instantaneamente revelada. Isso tem consequências práticas (não conseguimos ir aonde estávamos indo), assim como psicológicas: nossa paz de espírito desaparece junto com a funcionalidade de nosso veículo. Geralmente, precisamos recorrer aos especialistas presentes nas oficinas mecânicas para restaurar tanto a funcionalidade de nosso veículo quanto a simplicidade de nossas percepções. É um mecânico atuando como psicólogo.

Embora raramente reflitamos profundamente sobre isso, é precisamente nesse momento que podemos compreender a qualidade inacreditavelmente baixa de nossa visão e a inadequação de nossa compreensão sobre ela. Em uma crise, quando nossa coisa não anda mais, recorremos às pessoas cuja expertise transcenda em muito a nossa para restaurar a correspondência entre nossa expectativa e o que de fato acontece. Isso tudo significa que a falha de nosso carro pode também nos forçar a confrontar a incerteza do contexto social mais amplo, normalmente invisível para nós, do qual a máquina (e o mecânico) são meras partes. Traídos por nosso carro, voltamo-nos contra tudo que não conhecemos. É hora de um novo veículo? Errei em minha compra original? O mecânico é competente, honesto e confiável? A oficina em que ele trabalha é confiável? Às vezes, ainda, precisamos contemplar algo pior, mais amplo e profundo: as estradas hoje estão mais perigosas? Eu me tornei (ou sempre fui) inábil demais? Muito disperso e desatento? Muito velho? As limitações de todas nossas percepções das coisas e dos eus se manifestam quando algo no qual usualmente podemos confiar em nosso mundo simplificado quebra. Então o mundo mais complexo que sempre esteve lá, invisível e convenientemente ignorado, faz-se presente. É então que o jardim murado que arquetipicamente habitamos revela suas serpentes escondidas, mas sempre presentes.

VOCÊ E EU SOMOS SIMPLES APENAS QUANDO O MUNDO SE COMPORTA

Quando as coisas quebram, tudo aquilo que foi ignorado emerge. Quando não são mais especificadas com precisão, as paredes ruem e o caos se faz presente. Quando agimos de forma imprudente e deixamos que as coisas degringolem, tudo aquilo que nos recusamos a prestar atenção se acumula, adota a forma de uma serpente e ataca — geralmente no pior momento possível. É então que podemos ver do que a intenção focada, a precisão de meta e a atenção cuidadosa nos protegem.

Imagine uma esposa leal e honesta que de repente se vê confrontada com evidências da infidelidade do marido. Ela vive com ele há anos. Ela o via como presumiu que ele fosse: fiel, trabalhador, amoroso e confiável. Ela se apoia em seu casamento como em uma rocha, ou pelo menos é no que acredita. Mas ele se torna menos atencioso e mais distraído. Ele começa, como dita o clichê, a trabalhar até mais tarde. Pequenas coisas que ela diz o irritam sem justificativa. Um dia ela o vê em um café no centro da cidade com outra mulher, interagindo de uma maneira difícil de racionalizar e ignorar. As limitações e imprecisões de suas percepções anteriores se tornam imediata e dolorosamente óbvias.

Sua teoria sobre seu marido desmorona. O que acontece em seguida? Primeiro, algo — alguém — emerge em seu lugar: um estranho assustador e complexo. Isso por si só já é ruim o bastante. Mas é apenas metade do problema. Sua teoria sobre si mesma também desmorona, como resultado da traição, então o problema é que não há apenas um estranho: são dois. Seu marido não é quem ela imaginava — mas ela também não, agora é a esposa traída. Ela não é mais a "esposa segura e bem-amada e a parceira valorosa". Estranhamente, apesar de nossas crenças na permanente imutabilidade do passado, ela pode jamais ter sido.

O passado não é necessariamente o que era, mesmo que já tenha acontecido. O presente é caótico e indeterminado. O chão continuamente se move sob os pés dela, e sob os nossos. Igualmente, o futuro, que ainda não chegou, passa a ser o que não deveria. Será que a esposa até então razoavelmente satisfeita passa a ser agora uma "inocente enganada"— ou uma "tola ingênua"? Ela deveria se ver como uma vítima ou como coautora de uma ilusão compartilhada? Seu marido é... o quê? Um amante insatisfeito? Uma vítima de sedução? Um mentiroso psicopata? O Diabo em pessoa? *Como ele pode ser tão cruel?* Como alguém é capaz? Que casa é essa na qual ela tem vivido? Como pode ser tão ingênua? Como qualquer um pode ser? Ela se olha no espelho. *Quem é ela? O que está acontecendo?* Algum relacionamento dela é real? Algum já foi um dia? O que aconteceu com o futuro? Tudo ainda está por se definir quando as realidades mais profundas do mundo inesperadamente se manifestam.

Tudo está entrelaçado além do que se pode imaginar. Tudo é afetado por todo o resto. Percebemos uma porção muito estreita de uma rede casualmente interconectada, embora lutemos com todas as nossas forças para evitar sermos confrontados pelo conhecimento dessa limitação. No entanto, o fino verniz da suficiência perceptiva racha quando algo fundamental dá errado. A terrível inadequação de nossos sentidos se revela. Tudo que prezamos vira pó. Ficamos paralisados. Viramos pedra. O que vemos então? Para onde podemos olhar quando o que vemos é exatamente o que tem sido insuficiente?

O QUE VEMOS QUANDO NÃO SABEMOS
O QUE ESTAMOS OLHANDO?

O que é o mundo após as Torres Gêmeas terem se desintegrado? O que, se houver, ficou de pé? Que besta terrível se ergue das ruínas quando os pilares invisíveis que sustentam o sistema financeiro do mundo estremecem e caem? O que vemos quando somos arrebatados pela paixão e dramaticidade de um comício Socialista nacional, ou nos acovardamos, paralisados de medo, no meio de um massacre em Ruanda? O que vemos quando não conseguimos entender o que está acontecendo conosco ou não conseguimos determinar onde estamos, não sabemos mais quem somos e não entendemos mais o que nos cerca? O que *não* vemos é o mundo conhecido e reconfortante de ferramentas — de objetos úteis — de personalidades. Não vemos nem obstáculos familiares — que, embora sejam suficientemente perturbadores em tempos normais, já foram superados — dos quais podemos simplesmente nos desviar.

O que percebemos quando as coisas desmoronam não é mais o cenário e as configurações da ordem habitável. É o eterno e insípido *tohu va bohu*, sem forma e vazio, e o *tehom*, o abismo, biblicamente falando — o caos sempre à espreita sob nossas finas superfícies de segurança. Foi a partir desse caos que a Palavra Sagrada de Deus extraiu a ordem no início dos tempos, de acordo com as opiniões mais antigas expressadas pela humanidade (e foi à imagem dessa mesma Palavra que fomos feitos, homens e mulheres, de acordo com essas mesmas opiniões). É a partir do caos que qualquer estabilidade que tivemos a sorte de experienciar originalmente emergiu — por um tempo limitado —, quando aprendemos a perceber. É o caos que vemos quando as coisas desmoronam (mesmo que não o possamos ver de verdade). O que tudo isso significa?

Emergência — emersão. É a repentina manifestação de um lugar desconhecido, de algum fenômeno previamente desconhecido (originária do grego *phainesthai*, fenomenologia ou "aquilo que se apresenta"). É a reaparição do eterno dragão, de sua eterna caverna, de seu repouso agora perturbado. É o submundo com monstros emergindo de suas profundezas. Como nos preparar para uma emergência quando não sabemos o que emergiu ou de onde? Como nos preparar para a catástrofe quando não sabemos o que esperar ou como agir? Abandonamos nossas mentes, por assim dizer —, e recorremos aos nossos corpos. Eles reagem muito mais rápido do que nossas mentes.

Quando as coisas desmoronam à nossa volta, nossa percepção desaparece, e agimos. Respostas reflexas ancestrais processadas de forma automática e eficiente ao longo de centenas de milhões de anos nos protegem nos momentos terríveis quando não só o raciocínio, mas a própria percepção falha. Nessas circunstâncias, nossos corpos se preparam para todas as eventualidades possíveis.[163] Primeiro, ficamos paralisados. Os reflexos do corpo, então, misturam-se às emoções, o próximo estágio da percepção. Isso é assustador? Útil? Algo que deve ser combatido? Que pode ser ignorado? Como determinaremos isso — e quando? Não sabemos. Agora estamos em um estado de prontidão dispendioso e exigente. Nossos corpos estão inundados de cortisol e adrenalina. Nossos corações batem mais rápido. Nossa respiração se acelera. Percebemos, dolorosamente, que nosso senso de competência e completude se foi; era só um sonho. Exaurimos nossos recursos físicos e psicológicos guardados cuidadosamente só para esse momento (se tivermos sorte o bastante de tê-los). Preparamo-nos para o pior — ou para o melhor. Pisamos furiosamente no acelerador e apertamos o freio ao mesmo tempo. Gritamos, ou rimos. Parecemos aborrecidos, ou apavorados. Choramos. Depois, começamos a destrinchar o caos.

Assim, a esposa enganada, cada vez mais atordoada, sente-se motivada a revelar tudo — para si mesma, para a irmã, para a melhor amiga, para um estranho em um ônibus — ou se refugia no silêncio, e rumina os pensamentos obsessivamente, com a mesma finalidade. *O que saiu errado? O que ela fez que foi tão imperdoável? Quem é a pessoa com quem ela estava vivendo? Que tipo de mundo é esse? Que tipo de Deus criaria um lugar assim?* Que conversa ela poderia iniciar com essa pessoa nova e enfurecedora que agora habita o "casco" de seu antigo marido? Que formas de vingança poderiam satisfazer sua raiva? Quem ela poderia seduzir em resposta a sua ofensa? Ela está alternadamente furiosa, apavorada, abatida pela dor e animada pelas possibilidades de sua recém-descoberta liberdade.

Seu último refúgio de segurança inabalável não era, na verdade, nem estável nem certo — e estava longe de ser inabalável. Sua casa foi construída sobre um alicerce de areia. O gelo sobre o qual ela esquiava era simplesmente fino demais. Ela afundou na água abaixo dele e está se afogando. Ela foi atingida por um golpe tão forte que sua raiva, horror e sofrimento a consomem. Sua sensação de traição se amplia, até que todo o mundo é engolido por ela. Onde ela está? *No submundo, com todos os seus fantasmas.* Como chegou até aqui? Essa experiência, essa jornada até a subestrutura das coisas —, é tudo percepção, também, em sua forma nascente; essa preparação; essa ponderação sobre "o que poderia ter sido e o que ainda pode ser"; essa emoção e fantasia. Tudo isso é a profunda percepção, agora necessária, antes que os objetos familiares que ela outrora conhecia reapareçam, se um dia aparecerem, em sua forma simplificada e confortável. Essa é a percepção antes que o caos de possibilidades seja rearranjado em realidades funcionais de ordem.

"Será que isso tudo foi realmente tão inesperado?", pergunta-se ela — pergunta aos outros —, pensando em retrospecto. Será que ela agora deveria se sentir culpada por ignorar os sinais de alerta, por mais sutis que tenham sido e por mais que ela tenha sido encorajada a evitá-los? Ela se lembra de quando se casou, ansiosamente se unindo ao marido todas as noites para fazer amor. Talvez isso fosse muito a esperar — ou até muito a suportar — uma vez nos últimos seis meses? Uma vez a cada dois ou três meses, durante anos, antes disso? Será que alguém digno de seu respeito — incluindo ela mesma — suportaria essa situação?

Existe uma história infantil chamada *There's No Such Thing as a Dragon* ["Dragão é algo que não existe", em tradução livre], de Jack Kent, de que gosto muito. É uma fábula muito simples, pelo menos à primeira vista. Certa vez, li suas poucas páginas para um grupo de ex-alunos aposentados da Universidade de Toronto e lhes expliquei seu significado simbólico.* Ela trata de um garotinho, Billy Bixbee, que observa, sentado em sua cama certa manhã, um dragão. Ele é do tamanho de um gato e muito amigável. Ele conta para sua mãe, mas ela lhe diz que dragões não existem. Então o dragão começa a crescer. Ele come todas as panquecas de Billy. Logo passa a ocupar a casa toda. A mãe tenta passar o aspirador, mas ela precisa entrar e sair da casa pelas janelas, porque o dragão está por toda parte. Assim, ela demora uma eternidade. Então, o dragão foge arrastando consigo a casa inteira. O pai de Billy chega a casa e só há um espaço vazio, onde ele costumava morar. O carteiro lhe conta para onde foi a casa. Ele vai atrás, escala a cabeça e o pescoço do dragão (que agora se espalha até a rua), e reencontra sua mulher e seu filho. A mãe ainda insiste em que dragões não existem, mas Billy, que agora já está cansado disso, teima: "Tem um dragão, mamãe." Instantaneamente, ele começa a encolher. E logo está do tamanho de um gatinho novamente. Todos concordam que dragões daquele tamanho (1) existiam e (2) são muito melhores do que seus colegas gigantescos. A mãe, de olhos relutantemente abertos nesse momento, pergunta um tanto lastimosa por que ele cresceu tanto. Billy calmamente sugere: "Talvez ele quisesse ser notado."

Talvez! Essa é a moral de muitas e muitas histórias. O caos emerge em uma casa, pouco a pouco. Felicidade e ressentimento mútuo se acumulam. Tudo que está desordenado é varrido para baixo do tapete, onde o dragão se alimenta das migalhas. Mas ninguém diz nada enquanto a sociedade compartilhada e a ordem negociada da casa se revelam inadequadas ou se desintegram diante do inesperado e ameaçador. Em vez disso todos tentam fingir que nada está acontecendo. A comunicação exigiria admitir emoções terríveis: ressentimento, medo, solidão, desespero, ciúmes, inveja, frustração, ódio, tédio. Vivendo de momento em momento é mais fácil manter a calma. Mas nos bastidores, na casa de Billy Bixbee e em todas as outras iguais a ela, o dragão cresce. Um dia ele surge de uma forma que é impossível ignorar. Ele levanta a casa de suas fundações. E então se torna um caso amoroso ou uma disputa de guarda que dura décadas, de proporções econômicas e psicológicas devastadoras. E então ele é a versão concentrada da

---

* Slaying the Dragon Within Us [Derrotando o Dragão Dentro de Nós], Peterson, J.B (2002). A palestra, originalmente transmitida pela TVO, está disponível em https://www.youtube.com/ watch?v=REjUkEj1O_0 [conteúdo em inglês].

amargura que foi se disseminando, problema a problema, de modo tolerável, ao longo dos anos de casamento pseudoparadisíaco. É cada um dos centenas de milhares de problemas não revelados sobre os quais se mentiu, que foram evitados, racionalizados e desprezados, escondidos como um exército de esqueletos em um grande e tenebroso armário, emergindo como o dilúvio de Noé, afogando tudo que encontra. Não há arca, porque ninguém construiu uma, apesar de todos sentirem que uma tempestade se formava.

Nunca subestime o poder destrutivo dos pecados da omissão.

Talvez o casal destruído pudesse ter conversado uma, duas ou duzentas vezes sobre sua vida sexual. Talvez a intimidade física que indubitavelmente compartilharam devesse ter sido acompanhada, como frequentemente não é, *por uma correspondente intimidade psicológica.* Talvez eles devessem ter lutado contra seus papéis. Em muitos lares, nas últimas décadas, a divisão tradicional de trabalho doméstico foi destruída, especialmente em nome da liberação e liberdade. Essa destruição, entretanto, não resultou na maravilhosa ausência de restrições, mas despertou como caos, conflito e indeterminação. A fuga da tirania é frequentemente seguida não pelo Paraíso, mas por uma morada temporária no deserto, sem rumo, confusa e desprovida. Além do mais, na ausência de princípios estabelecidos (e das restrições — normalmente desconfortáveis, muitas vezes até irracionais — que impõem) existem apenas três opções: escravidão, tirania e negociação. O escravo simplesmente faz o que lhe mandam — feliz, talvez, de se livrar da responsabilidade —, e assim resolve o problema da complexidade. Mas é uma solução temporária. O espírito do escravo se rebela. O tirano apenas diz ao escravo o que fazer, e assim resolve o problema da complexidade. Mas é uma solução temporária. O tirano se cansa do escravo. Não há nada nem ninguém ali, exceto a obediência previsível e taciturna. Quem pode viver para sempre assim? Mas a negociação por parte de ambos os participantes, que exige a admissão franca de que o dragão existe, é uma realidade difícil de encarar, mesmo que seja ainda muito pequeno para simplesmente devorar o cavaleiro que ousa confrontá-lo.

Talvez o casal destruído pudesse ter especificado mais sua forma desejada do Ser. Talvez de uma maneira que eles pudessem ter evitado juntos que as águas turbulentas do caos jorrassem descontroladamente e os afogasse. Talvez pudessem ter feito isso em vez de dizer de forma preguiçosa, covarde e cordata: "Tudo bem. Não vale a pena brigar por isso." Não se vale a pena brigar por poucas coisas, por serem pequenas demais, em um casamento. Vocês estão presos em um casamento como bichos encurralados, unidos pelo juramento que perdura, na teoria, até que um ou ambos morram. Ele serve para que você leve a situação a sério. Você realmente quer o mesmo aborrecimento insignificante o atormentando todo santo dia de seu casamento, por décadas?

"Ah, posso suportar isso", você pensa. E talvez devesse suportar. Você não é um paradigma da autêntica tolerância. Talvez se dissesse como o riso eufórico de seu parceiro está começando a soar como uma unha arranhando um quadro-negro, ele lhe diria, muito apropriadamente, para ir para o inferno. Talvez a culpa seja sua, e você devesse crescer, controlar-se e ficar quieto. Mas talvez azurrar como um burro no meio de uma reunião social não fique bem para seu parceiro, e você devesse manter suas convicções. Nessas circunstâncias, não há nada além de uma briga — tendo a paz como objetivo — capaz de revelar a verdade. Mas você permanece calado e se convence de que é porque você é uma pessoa boa, pacífica e paciente (e nada poderia estar mais longe da verdade). E o monstro debaixo do tapete ganha uns quilinhos extras.

Talvez uma conversa franca sobre a insatisfação sexual pudesse ter sido o reparo que evitaria que toda a represa ruísse— não que a conversa teria sido fácil. Talvez a *madame* desejasse a morte da intimidade, furtivamente, porque se sentia profunda e secretamente ambivalente a respeito do sexo. Só Deus sabe que há muitos motivos para isso. Talvez o *monsieur* fosse um amante terrível e egoísta. Talvez ambos fossem. Valeria a pena brigar para descobrir isso, não? É uma parte importante da vida, não é mesmo? Talvez enfrentar e (nunca se sabe) resolver o problema compensasse dois meses de puro sofrimento somente dizendo um ao outro a verdade (sem intenção de destruir ou vencer, porque isso não é a verdade: é simplesmente uma guerra total).

Talvez não fosse só o sexo. Talvez todo o diálogo entre marido e mulher tenha se deteriorado em uma rotina entediante, sem nenhuma aventura compartilhada para entusiasmar o casal. Talvez fosse mais fácil aceitar a deterioração, momento a momento, dia após dia, do que arcar com a responsabilidade de manter a relação viva. Afinal, tudo o que está vivo morre sem a devida atenção. A vida é indissociável do cuidado constante e dedicado. Ninguém encontra um par tão perfeito que a necessidade de atenção e esforço contínuo desapareça (e, além disso, se você encontrou a pessoa perfeita, ela teria fugido do "sempre tão imperfeito" você, com justificado horror). Na verdade, o que você precisa — afinal, o que merece — é de alguém exatamente tão imperfeito quanto você.

Talvez o marido que a traiu fosse terrivelmente egoísta e imaturo. Pode ser que esse egoísmo tenha assumido o controle. Talvez ela não tenha combatido essa tendência do marido com força e vigor suficientes. Talvez não concordasse com ele quanto ao método disciplinar adequado para os filhos e, em consequência, ela o excluiu de suas vidas. Talvez isso tenha permitido que ele se esquivasse do que encarava como uma responsabilidade desagradável. Talvez o ódio tenha nascido nos corações dos filhos por assistirem a essa batalha oculta, castigados pelo ressentimento de sua mãe e alienados, pouco a pouco, do bom e velho pai. Talvez os jantares que ela preparava para ele — ou ele para ela — fossem consumidos com frieza e amargura. Pode ser que todo aquele conflito não enfrentado tenha deixado os dois rancorosos, de uma forma silenciosa, mas colocada em prática com eficiência. Talvez todos aqueles problemas não discutidos tenham começado a minar as redes invisíveis que alicerçavam o casamento. Pode ser que o respeito tenha lentamente se transformado em desprezo e ninguém tenha se dignado a perceber. Talvez o amor gradualmente tenha se transformado em ódio, sem aviso.

Tudo que é esclarecido e articulado se torna visível; talvez nem a esposa nem o marido desejassem ver ou entender. Pode ser que tenham deixado as coisas propositadamente nebulosas. Talvez eles tenham criado a neblina para esconder o que não queriam ver. O que a esposa ganhou quando passou de amante a empregada ou mãe? Foi um alívio quando sua vida sexual deixou de existir? Poderia ela, assim, reclamar com mais razão para os vizinhos e para sua mãe quando seu marido se afastou? Talvez isso seja secretamente mais gratificante do que qualquer coisa de bom que pudesse advir de qualquer casamento, não importa o quão perfeito. O que poderia se comparar aos prazeres do martírio sofisticado e habilidoso? "Ela é uma santa, casada com um homem tão terrível. Ela merece muito mais." Esse é um mito gratificante no qual fundamentar a vida, mesmo quando escolhido de modo inconsciente (a verdade da situação que se dane). Talvez ela nunca tenha realmente gostado do marido. Talvez ela nunca tenha gostado de homens, e ainda não goste. Talvez seja culpa da mãe dela — ou de sua avó. Talvez ela tenha imitado o comportamento delas, exteriorizado o problema delas, transmitido inconsciente e implicitamente ao longo das gerações. Pode ser que ela estivesse se vingando do pai, do irmão ou da sociedade.

O que seu marido ganhou, de sua parte, quando sua vida sexual em casa morreu? Ele concordava voluntariamente, como um mártir, e reclamava com amargura para os amigos? Ele usou isso como a desculpa que queria para procurar uma nova amante? Ele usou isso para justificar o ressentimento que ainda sente em relação às mulheres, em geral, pelas rejeições que enfrentou repetidas vezes antes de se casar? Ele aproveitou a oportunidade para se tornar gordo e preguiçoso já que não era desejado?

Talvez ambos, esposa e marido, tenham usado a oportunidade de arruinar seu casamento para se vingar de Deus (talvez o único Ser que poderia ter resolvido o problema).

A terrível verdade sobre essas questões é: cada uma das razões voluntariamente não considerada, não compreendida e ignorada para o fracasso matrimonial irá se combinar e conspirar, e depois atormentar aquela mulher traída pelo marido e por si mesma pelo resto de sua vida. O mesmo vale para seu marido. Tudo o que ela — ele — eles — ou nós — precisa fazer para garantir esse resultado é *nada: não perceba, não reaja, não discuta, não pondere, não se esforce pela paz, não assuma responsabilidades.* Não confronte o caos e o transforme em ordem — apenas espere, um ato nem um pouco ingênuo e inocente, que o caos emerja e o engula.

Por que evitar, se a evasão necessária e inevitavelmente envenena o futuro? Porque a possibilidade de um monstro está escondida à espreita em todos os desentendimentos e erros. Talvez a briga que você esteja (ou não esteja) travando com sua mulher ou seu marido signifique o início do fim de seu relacionamento. Talvez seu relacionamento esteja terminando *porque você é uma pessoa má.* É provável, pelo menos em parte. Não é? Ter a discussão necessária para resolver um problema real, portanto, requer disposição para confrontar duas possibilidades perigosas e infelizes simultaneamente: o caos (a potencial fragilidade do relacionamento — de todos os relacionamentos — da própria vida) e o Inferno (o fato de que você e seu parceiro poderiam, cada um, ser uma pessoa má o bastante para arruinar tudo com sua preguiça e rancor). Há todos os motivos para evasivas. Mas isso não ajuda.

Por que continuar indefinido quando isso torna a vida estagnada e sombria? Ora, se você não sabe quem é, pode se esconder na dúvida. Talvez você *não* seja uma pessoa má, negligente, desprezível. Quem sabe? Não você. Especialmente quando se recusa a pensar sobre isso — e tem todos os motivos para fazê-lo. Mas não pensar sobre algo que não quer saber não faz com que isso desapareça. Você está apenas trocando um conhecimento específico, particular, intencional da lista provavelmente finita de suas culpas e falhas reais por uma lista muito mais longa de potenciais inadequações e insuficiências indefinidas.

Por que se recusar a investigar quando o conhecimento da realidade permite uma maestria da realidade (se não a maestria, pelo menos a posição de um honesto amador)? Ora, e se realmente existir algo de podre no reino da Dinamarca? E daí? Não é melhor, dadas as condições, viver em cegueira deliberada e desfrutar da benção da ignorância? Bem, não se o monstro for real! Você realmente acha uma boa ideia recuar, abandonar a possibilidade de se armar contra o crescente mar de problemas e com isso se diminuir aos próprios olhos? Você realmente acredita que é sábio deixar que a catástrofe cresça nas sombras enquanto você encolhe, afunda e fica com ainda mais medo? Não é melhor se preparar, afiar sua espada, perscrutar a escuridão e depois agarrar o touro pelos chifres? Talvez você se machuque. *Provavelmente* você sairá machucado. A vida, afinal, é sofrimento. Mas talvez o ferimento não seja fatal.

Se, em vez disso, você esperar que aquilo que está se recusando a investigar venha bater na sua porta, os resultados certamente não serão muito favoráveis para você. O que você menos queria inevitavelmente acontecerá — e quando estiver menos preparado. O que menos deseja encontrar se manifestará quando você estiver mais fraco e ele, mais forte. E você será derrotado.

Gira e gira no vórtice crescente
Não escuta o falcão ao falcoeiro;
As coisas vão abaixo; o centro cede;
Mera anarquia é solta sobre o mundo,
Solta a maré de sangue turva, afoga-se
Por toda parte o rito da inocência;
Falta fé aos melhores, já os piores
Se enchem de intensidade apaixonada.[164]
(William Butler Yeats, "A Segunda Vinda*")

Por que se recusar a especificar, quando especificar o problema possibilitaria sua solução? Porque especificar o problema é admitir que ele existe. Porque especificar o problema é se permitir saber o que você quer, digamos, de um amigo ou de um amante — para assim reconhecer, de forma clara e precisa, quando não o tiver, e isso vai lhe machucar de forma aguda e precisa. Mas você aprenderá algo com isso, e usará o que aprendeu no futuro — e a alternativa para aquela dor única e aguda é o doer contínuo e entorpecedor da desesperança permanente e do fracasso vago, e a sensação de que o tempo, o precioso tempo, está se esvaindo.

Por que se recusar a especificar? Porque enquanto você deixa de definir o sucesso (e, assim, torna-o impossível) você também se recusa a definir o fracasso para si mesmo, para que se e quando fracassar, você sequer note e não doa. Mas isso não vai funcionar! Você não pode se enganar tão facilmente — a menos que já tenha ido muito longe nesse caminho! Em vez disso você carregará uma sensação contínua de frustração em seu próprio Ser, junto com o autodesprezo que ela impõe e o crescente ódio pelo mundo que tudo isso gera (ou degenera).

Por certo, há revelações a vir;
Por certo, há a Segunda Vinda a vir.
Segunda Vinda! Mal saem tais palavras,
E a vasta imagem do Spiritus Mundi
Perturba-me a visão: lá no deserto
Um vulto de leão com rosto de homem,
O olhar vago, impiedoso como o sol,
As lentas coxas move, tendo em torno
Sombras de iradas aves do deserto.

---

* N.E. Tradução de Adriano Scandolara. Eutomia 11 – Revista de Literatura e Linguística. Jan./Jun. 2013. Ano VI – N. 11 – v. 1.

Cai a treva outra vez, mas ora sei
Que o pétreo sono de seus vinte séculos
Vexou-se ao pesadelo por um berço.
Que besta bruta, de hora enfim chegada,
Rasteja até Belém para nascer?

E se ela, que foi traída, agora movida pelo desespero, estiver determinada a encarar toda a incoerência do passado, presente e futuro? E se ela decidiu resolver a confusão, mesmo tendo evitado fazê-lo até agora, e está mais fragilizada e confusa por isso? Pode ser que o esforço quase a mate (mas ela está agora em um caminho pior do que a morte, de qualquer forma). Para reemergir, escapar, renascer, ela precisa articular cuidadosamente a realidade que, de forma confortável, mas perigosa, deixou escondida sob o véu da ignorância e sob o pretexto da paz. Ela precisa distinguir os detalhes particulares de sua catástrofe específica da intolerável condição geral do Ser em um mundo em que tudo desmoronou. Tudo — e tudo é coisa demais para suportar. Foram coisas *específicas* que desmoronaram, não tudo; *crenças identificáveis* fracassaram; *ações particulares* eram falsas e inconsistentes. Quais eram elas? Como podem ser consertadas agora? Como ela pode estar melhor no futuro? Ela nunca voltará à terra firme caso se recuse ou não seja capaz de compreender tudo. Ela consegue reconstruir o mundo com um pouco de precisão no pensamento e na fala, confiança em suas palavras e na Palavra. Mas talvez seja melhor deixar as coisas na neblina. Talvez agora simplesmente não tenha restado muito para ela — talvez muito dela tenha sido deixado por se revelar, por se desenvolver. Talvez ela simplesmente não tenha mais a energia...

Um pouco de cuidado precoce, coragem e honestidade em sua forma de se expressar poderiam tê-la salvado de todos esses problemas. E se ela tivesse comunicado sua infelicidade com o declínio de sua vida amorosa, assim que começou a declinar? Precisamente, exatamente, quando esse declínio a incomodou pela primeira vez? Ou, se isso não a incomodou — e se ela tivesse comunicado o fato de que isso não a perturbou tanto quanto deveria? E se tivesse enfrentado com clareza e cuidado o desprezo de seu marido pelos seus esforços domésticos? E se tivesse descoberto seu ressentimento por seu pai e pela própria sociedade (e a consequente contaminação de seus relacionamentos)? E se tivesse consertado tudo isso? Quanto ela seria mais forte, então? Quanto menos propensa a se esquivar das dificuldades, em consequência? Como poderia ter servido a si mesma, a sua família e ao mundo?

E se ela contínua e honestamente se arriscasse ao conflito no presente em prol da verdade e paz em longo prazo? E se ela tivesse tratado os microdesmoronamentos em seu casamento como evidência de sua instabilidade subjacente, eminentemente digna de atenção, em vez de os ignorar, suportar ou fingir que nada acontecia, de uma maneira gentil e cordata? Talvez ela fosse diferente, e seu marido também. Talvez eles ainda estivessem casados, formalmente e em espírito. Talvez ambos fossem muito mais jovens, física e mentalmente, do que agora. Talvez sua casa repousasse mais na rocha e menos na areia.

Quando as coisas desmoronam, e o caos reemerge, podemos reestruturá-las e restabelecer a ordem através de nossa linguagem. Se falarmos com cuidado e precisão, somos capazes de compreender as coisas, colocá-las em seu devido lugar, estabelecer um novo objetivo e superá-las — normalmente de forma comunal, se negociarmos, se chegarmos a um consenso. Entretanto, se falarmos com descuido e imprecisão, as coisas permanecem vagas. O destino permanece indefinido. A neblina de incerteza não se dispersa e não há negociação com o mundo.

A CONSTRUÇÃO DA ALMA E DO MUNDO

A psique (a alma) e o mundo, nos níveis mais elevados da existência humana, são ambos organizados com a linguagem através da comunicação. As coisas não são como parecem quando o resultado não foi nem intencional nem desejado. O Ser não foi classificado nas categorias apropriadas quando não está se comportando adequadamente. Quando algo sai errado, até a percepção deve ser questionada, assim como a avaliação, o pensamento e a ação. Quando o erro se anuncia, o caos indiferenciado está próximo. Sua forma reptiliana é paralisada e se confunde. Mas os dragões, que são reais (talvez mais do que qualquer outra coisa), também guardam riquezas. Nesse colapso para dentro da terrível desordem do incompreendido Ser espreita a possibilidade da nova e benevolente ordem. A clareza de pensamento — a corajosa clareza de pensamento — é necessária para invocá-la.

O problema em si precisa ser admitido o mais breve possível a partir do momento de seu surgimento. "Estou infeliz" é um bom começo (não "Tenho o direito de ser infeliz", porque isso ainda é questionável no início do processo de solução do problema). Pode ser que sua infelicidade seja justificada nas atuais circunstâncias. Pode ser que qualquer pessoa racional ficasse descontente e infeliz de estar em seu lugar. Ou talvez você seja apenas imaturo e lamurioso? Considere ambos pelo menos como igualmente prováveis, por mais terrível que essa consideração pareça. Exatamente quão imaturo você pode ser? Esse é um abismo potencialmente sem fundo. Mas pelo menos você pode corrigi-lo se conseguir admitir o problema.

Analisamos o complexo e intricado caos e especificamos a natureza das coisas, incluindo nós mesmos. É dessa forma que nossa exploração comunicativa e criativa continuamente gera e regenera o mundo. Somos moldados e informados pelo que voluntariamente encontramos, e moldamos o lugar que habitamos, também, nesse encontro. É difícil, mas a dificuldade não é relevante, pois a alternativa é pior.

Talvez nosso marido errante ignorasse a conversa na hora do jantar com sua esposa porque odiava seu emprego e estava cansado e ressentido. Talvez ele odiasse seu trabalho porque sua carreira tenha lhe sido imposta por seu pai e ele fosse muito fraco ou "leal" para contrariá-lo. Talvez ela tenha suportado sua falta de atenção porque acreditava que uma objeção direta por si só era grosseira e imoral. Talvez ela odiasse a raiva do próprio pai e tenha decidido, ainda muito jovem, que toda agressividade e assertividade eram moralmente erradas. Talvez ela pensasse que o marido não a amaria se ela tivesse opiniões próprias. É muito difícil colocar essas coisas em ordem — mas uma máquina danificada continuará funcionando mal se o problema não for diagnosticado e consertado.

O JOIO E O TRIGO

A precisão especifica. Quando algo terrível acontece, é a precisão que distingue aquela única coisa terrível que realmente aconteceu de todas as outras, igualmente terríveis, que poderiam ter ocorrido — mas não aconteceram. Se você acordar com dor, pode estar morrendo. Pode estar morrendo lenta e terrivelmente de uma de inúmeras doenças dolorosas.

Se você se recusa a contar ao seu médico sobre sua dor, então o que tem é inespecífico: pode ser *qualquer* doença — e certamente (já que você evitou a conversa sobre o diagnóstico — o ato de articular) é algo inexprimível. Mas se você contar ao médico, todas as possíveis doenças vão desaparecer, com sorte, e restará apenas uma terrível doença (ou nem tão terrível), ou até mesmo nada. Então você pode rir de seus medos anteriores e se algo realmente estiver errado, bem, você estará preparado. A precisão pode deixar a tragédia intacta, mas ela afugenta os demônios e monstros.

O que você ouve na floresta, mas não consegue ver, pode ser um tigre. Pode até ser um bando de tigres, um mais faminto e mais cruel do que o outro, liderados por um crocodilo. Mas também pode não ser. Se você se virar e olhar, talvez veja que é só um esquilo. (Conheço uma pessoa que foi de fato perseguida por um esquilo.) Tem alguma coisa na floresta. Você tem certeza disso. Mas geralmente é apenas um esquilo. Se você se recusar a olhar, porém, será um dragão, e você não é um cavaleiro: é um rato confrontando um leão; um coelho paralisado pelo olhar de um lobo. E não estou dizendo que é sempre um esquilo. Muitas vezes é algo realmente terrível. Mas mesmo o que é terrível, na realidade, frequentemente perde significância comparado ao que é terrível na imaginação. E normalmente o que não pode ser confrontado por causa de seu horror imaginário pode de fato ser confrontado quando reduzido a sua realidade "ainda admissivelmente terrível".

Se você se esquivar da responsabilidade de confrontar o inesperado, mesmo quando ele acontece em doses manejáveis, a realidade em si se torna insustentavelmente desorganizada e caótica. Então ficará cada vez maior e engolirá toda a ordem, todo o senso e toda a previsibilidade. A realidade ignorada se transforma (reverte-se) na Grande Deusa do Caos, o grande e reptiliano Monstro do Desconhecido — a grande besta predatória contra a qual a humanidade luta desde o alvorecer dos tempos. Se a fenda entre pretensão e realidade permanecer não declarada, ela aumentará, você cairá dentro dela e as consequências não serão boas. A realidade ignorada se manifesta em um abismo de confusão e sofrimento.

Tenha cuidado com o que diz a si mesmo e aos outros sobre o que fez, o que está fazendo e aonde está indo. Busque as palavras corretas. Organize-as em sentenças corretas e essas sentenças, em parágrafos corretos. O passado pode ser redimido quando reduzido à sua essência através de uma linguagem precisa. O presente pode então fluir sem roubar o futuro se suas realidades forem expressas claramente. Com um pensamento cuidadoso, o destino singular e grandioso que justifica a existência pode ser extraído da multitude de futuros sombrios e desagradáveis que são muito mais prováveis de se manifestarem por vontade própria. É assim que o Olho e a Palavra criam a ordem habitável.

Não esconda filhotes de monstros debaixo do tapete. Eles se desenvolvem. Eles crescem no escuro. Então, quando você menos esperar, saltarão do esconderijo e o devorarão. Você descerá para um inferno confuso e indeterminado em vez de ascender ao céu de virtude e clareza. Palavras corajosas e verdadeiras tornarão sua realidade simples, imaculada, bem definida e habitável.

Se identificar as coisas com atenção e linguagem cuidadosas, você as apresentará como objetos viáveis e disciplinados, distinguindo-as de sua interconectividade oculta quase universal. Você as simplifica. Você as torna específicas e úteis, e reduz sua complexidade. Você torna possível conviver com elas e as usa sem sucumbir a tanta complexidade, junto com a incerteza e a ansiedade que as acompanham. Se deixar as coisas indefinidas, nunca saberá o que é uma coisa ou outra. Tudo se misturará com todo o resto. Isso torna o mundo complexo demais para ser enfrentado.

Você tem que definir conscientemente o assunto de uma conversa, especialmente quando ele é difícil — ou passa a ser tudo, e tudo é coisa demais. É por isso que frequentemente os casais deixam de se comunicar. Toda discussão é desvirtuada para todos os problemas já surgidos no passado, para cada problema que existe hoje e cada coisa terrível que pode acontecer no futuro. Ninguém é capaz de discutir sobre "tudo". Em vez disso, você pode dizer: "É essa coisa exata e precisa... que está me deixando infeliz. É precisa e exatamente isso... que eu quero como alternativa (embora esteja aberto a sugestões, se forem específicas). É essa coisa exata e precisa... o que posso fazer para que pare de tornar sua vida e a minha infelizes." Mas para fazer isso é preciso *pensar*: O que está errado, *exatamente?* O que eu quero, *exatamente?* Você precisa falar de forma clara e objetiva, e resgatar o mundo habitável de dentro do caos. Precisa usar uma linguagem honesta e exata para isso. Se preferir se retrair e esconder, aquilo do que se esconde se transforma em um dragão gigantesco que espreita debaixo de sua cama, na sua floresta e nos recônditos sombrios de sua mente — e ele vai devorá-lo. Você precisa determinar onde estava em sua vida para que possa saber onde está agora. Se não souber exatamente onde está, pode estar em qualquer lugar. Qualquer lugar são lugares demais para se estar, e alguns deles são muito ruins. Você precisa determinar onde estava em sua vida, pois, do contrário, não será capaz de chegar aonde está indo. Não conseguirá ir do ponto A para o ponto B a menos que já esteja no A, e se você estiver "em qualquer lugar" as chances de estar no ponto A são de fato muito pequenas.

Você precisa determinar aonde está indo em sua vida, pois não conseguirá chegar lá a menos que se mova naquela direção. Vagar aleatoriamente não o levará adiante. Apenas o deixará frustrado, decepcionado, ansioso e infeliz, e o tornará uma pessoa difícil de se conviver (e depois, rancoroso e até vingativo, e ainda pior).

Diga o que quer dizer para que possa descobrir o que quer dizer. Aja de acordo com o que diz para que possa descobrir o que acontece. E então preste atenção.

Perceba seus erros. Articule-os. Esforce-se para corrigi-los. É assim que você descobre o significado de sua vida. Isso irá protegê-lo da tragédia de sua vida. Como poderia ser diferente?

Confronte o caos do Ser. Enfrente o mar de problemas. Especifique seu destino e trace seu curso. Admita o que quer. Diga a todos ao seu redor quem você é. Especifique e olhe atentamente, mova-se adiante de forma clara e direta.

Seja preciso no que diz.

REGRA 11

NÃO INCOMODE AS CRIANÇAS QUANDO ESTÃO ANDANDO DE SKATE

PERIGO E MAESTRIA

HOUVE UM TEMPO em que as crianças andavam de skate no lado oeste do Sidney Smith Hall na Universidade de Toronto, onde trabalho. Às vezes eu as observava. Há uma escadaria rústica de concreto com degraus baixos e amplos que vai da rua até a entrada principal, acompanhada de um corrimão de ferro tubular, de cerca de 6cm de diâmetro e 6m de comprimento. A garotada maluca, quase sempre composta de meninos, recuava aproximadamente uns 50 metros do início da escada. Então, eles colocavam um pé sobre o skate e embalavam feito doidos para ganhar velocidade. Um pouco antes de colidir com o corrimão, eles se abaixavam, agarravam o skate com uma das mãos e saltavam sobre o corrimão, deslizando até o final e saltando para aterrissar — às vezes graciosamente, ainda sobre os skates, outras, dolorosamente, no chão. Em ambos os casos, eles logo estavam fazendo tudo de novo.

Alguns podem achar isso uma estupidez. Talvez até seja. Mas também é corajoso. Eu achava aqueles garotos fantásticos. Achava que eles mereciam um tapinha nas costas e sincera admiração. É claro que era perigoso. O perigo era o ponto principal. Eles queriam vencer o perigo. Estariam mais seguros com equipamentos de proteção, mas isso estragaria tudo. Eles não estavam tentando se manter seguros. Tentavam a mestria — e é a mestria que faz com que as pessoas permaneçam o mais seguras possível.

Eu não ousaria fazer o que aqueles garotos faziam. Não apenas isso, eu não seria capaz. Eu certamente não conseguiria escalar um guindaste de construção, como aqueles tipos audaciosos, que se exibem no YouTube (e, é claro, as pessoas que trabalham em guindastes de construção). Não gosto de altura, embora os sete mil metros de altitude em que voam os aviões sejam tão excessivos que já não me incomodam. Já voei diversas vezes em um avião de acrobacias de fibra de carbono e — mesmo fazendo uma manobra *hammerhead* — fiquei bem, embora tenha sido física e mentalmente desafiador. (Para executar uma manobra *hammerhead*, você pilota verticalmente até que a força da gravidade faça o avião parar. Depois, o avião desce de costas, em espiral, até que volta para a posição normal e o nariz se endireita, e você sai do mergulho. Ou essa vai ser sua última manobra.) Mas não sei andar de skate — especialmente em corrimãos — e não consigo escalar guindastes.

O Sidney Smith Hall fica de frente para outra rua no lado leste. Ao longo dessa rua, chamada St. George — ironicamente —, a universidade instalou uma série de caixas de concreto de bordas bem afiadas espalhadas até sua descida. A garotada costumava se divertir por lá, também, e deslizar com a prancha do skate pelas bordas das caixas de concreto, e fazia o mesmo nas bordas da proteção de concreto que circundavam a escultura ao lado do prédio. Mas isso não durou muito. Pequenos grampos de aço, conhecidos como "skatestoppers", logo foram instalados a cada 60 ou 90cm ao longo dessas bordas. Na primeira vez que vi os grampos, lembrei-me de algo que acontecera em Toronto vários anos antes. Duas semanas antes de as aulas da escola fundamental começarem em toda a cidade, todos os aparelhos dos playgrounds desapareceram. A legislação que regulamentava esse tipo de coisa havia mudado, e houve pânico em relação a haver ou não segurança contra acidentes. Os playgrounds foram apressadamente removidos; embora fossem seguros o suficiente, estavam protegidos por cláusula de direito adquirido quanto à possibilidade de serem segurados e, na maior parte das vezes, pagos (recentemente) pelos pais. Ou seja, nada de playgrounds por mais de um ano. Durante esse período, eu costumava ver crianças entediadas, mas admiráveis, correndo sobre o telhado de nossa escola local. Era isso ou brincar na terra com os gatos e as crianças menos aventureiras.

Eu disse "suficientemente seguros" sobre os playgrounds destruídos porque quando eles são seguros demais as crianças deixam de brincar neles ou inventam maneiras inadequadas de brincar. Elas precisam que os playgrounds sejam perigosos o bastante para continuarem desafiadores. As pessoas, incluindo as crianças (que também são pessoas, afinal de contas), não buscam minimizar riscos. Mas sim otimizá-los. Elas dirigem, andam, amam e brincam para que alcancem o que desejam, mas ao mesmo tempo se desafiam um pouco, também, para que continuem se desenvolvendo. Assim, se as coisas são seguras demais, as pessoas (incluindo as crianças) começam a inventar maneiras de torná-las perigosas novamente.[165]

Quando somos livres — e encorajados — preferimos viver no limite. Lá, podemos estar confiantes sobre nossa experiência e confrontar o caos que nos ajuda a nos desenvolvermos. Somos programados, por essa razão, para gostar do risco (algumas pessoas mais do que outras). Quando nos esforçamos para otimizar nosso desempenho futuro nos sentimos revigorados e empolgados, agindo no presente. Caso contrário, arrastamo-nos por aí, como uma preguiça, inconscientes, amorfos e apáticos. Se superprotegidos, fracassamos quando algo perigoso, inesperado e repleto de oportunidades surge de repente, como inevitavelmente acontecerá.

Os skatestoppers são muito feios. As bordas de concreto em torno das esculturas precisariam ser severamente danificadas pelos diligentes skatistas para ficar tão feias quanto estão agora, cercadas de grampos de metal, parecendo uma coleira de pit-bull. Os grandes canteiros de plantas tinham proteções de metal em intervalos irregulares em toda sua borda, e isso, aliado ao desgaste causado pelos skatistas, produz uma impressão deplorável de um design ruim, animosidade e soluções mal-ajambradas. A área, que deveria ser embelezada pelas esculturas e pela vegetação, agora tem uma aparência industrial/de prisão/instituição mental/campo de concentração do tipo que vemos em lugares em que os construtores e administradores não gostam nem confiam nas pessoas que os frequentam.

A feiura dura e devastadora da solução torna os motivos de sua implementação uma mentira.

SUCESSO E RESSENTIMENTO

Se você ler os psicólogos analíticos — Freud e Jung, por exemplo, assim como seu precursor, Friedrich Nietzsche —, aprenderá que há um lado sombrio em tudo. Freud investigou profundamente o conteúdo latente e implícito dos sonhos, que geralmente pretendiam, em sua opinião, exprimir algum desejo inadequado. Jung acreditava que todo ato de adequação social era acompanhado por seu gêmeo mal, sua sombra inconsciente. Nietzsche investigou o papel desempenhado pelo que ele chamou de *ressentimento* na motivação de ações ostensivamente egoístas — e, frequentemente, exibidas publicamente.[166]

> Seja o homem salvo da vingança; é esta para mim a ponte da esperança superior, e um arco-íris anuncia grandes tormentas. As tarântulas, todavia, compreendem doutra forma. "Justamente quando as tempestades de nossa vingança enchem o mundo, é quando nós dizemos que há justiça." Assim falam elas entre si. "Queremos executar nossa vingança e lançar nossos ultrajes sobre todos os que não são semelhantes a nós outras." Isso juram a si mesmas as tarântulas. E acrescentam: "Vontade de igualdade, isto será daqui por diante o nome da virtude, e queremos o grito contra tudo que é poderoso!" Sacerdotes da igualdade: a tirânica loucura da vossa impotência reclama em brados a "igualdade", por detrás das palavras de virtudes esconde-se a vossa mais secreta concupiscência de tiranos!*

---

* N.T.: Trecho extraído do livro *Assim falava Zaratustra. Grandes Obras de Nietzsche.* Nietzsche, Friedrich. Tradução de José Mendes de Souza – 2º Edição – Editora Nova Fronteira.

O incomparável escritor inglês George Orwell conhecia muito o tema. Em 1937, escreveu *O Caminho para Wigan Pier*, que em parte fazia um mordaz ataque aos socialistas de classe alta da Inglaterra (apesar de ele mesmo ser inclinado ao socialismo). Na primeira metade do livro, Orwell retrata as terríveis condições enfrentadas pelos mineradores britânicos na década de 1930:[167]

> Vários dentistas já me disseram que, nas regiões industriais, pessoas com mais de trinta anos que ainda conservam seus dentes estão se tornando uma raridade. Em Wigan várias pessoas me disseram que o melhor é "se livrar" dos dentes o mais cedo possível. "Os *dente* é só sofrimento", me disse uma mulher*.

Um minerador de carvão de Wigan Pier tinha que caminhar — rastejar seria a palavra mais adequada, considerando-se a altura das galerias da mina — até quase 5km debaixo da terra, no escuro, batendo a cabeça e ralando as costas, apenas para chegar ao seu local de trabalho para o turno de sete horas e meia de trabalho extenuante. Depois disso, ele rastejava de volta. "Isso pode ser comparado, talvez, a escalar uma pequena montanha antes e depois de sua jornada de trabalho", declarou Orwell. Esse tempo gasto rastejando não era remunerado.

Orwell escreveu *O Caminho para Wigan Pier* para o Left Book Club, uma editora socialista que lançava um volume escolhido por mês. Depois de ler a primeira metade do livro, que trata diretamente das circunstâncias pessoais dos mineradores, é impossível não sentir compaixão pelos pobres trabalhadores. Somente um monstro seria capaz de não se apiedar depois dos relatos de vida descritos por Orwell:

> Não faz muito tempo, as condições das minas eram piores do que hoje. Ainda estão vivas algumas mulheres muito velhas que na juventude trabalhavam nas galerias subterrâneas com um arreio amarrado na cintura e uma corrente que passava entre as pernas, avançando de joelhos, puxando vagonetes de carvão. E faziam isso até quando estavam grávidas.

---

* N.T.: Trecho extraído do livro *O Caminho para Wigan Pier*. Orwell, George. Tradução de Isa Mara Lando. Editora Companhia das Letras.

Na segunda metade do livro, porém, Orwell muda seu foco para um problema distinto: a relativa impopularidade do socialismo no Reino Unido na época, apesar da clara e dolorosa desigualdade vista por toda parte. Ele concluiu que os tipos de reformistas sociais em suas roupas de tweed, filosofando no sofá, identificando vítimas e distribuindo pena e desprezo, frequentemente não gostavam dos pobres, como alegavam. *Em vez disso, eles apenas odiavam os ricos.* Eles disfarçavam seu ressentimento e inveja com piedade, hipocrisia e falso moralismo. As coisas no inconsciente — ou no âmbito socialista da distribuição da justiça social — não mudaram muito hoje. Por causa de Freud, Jung, Nietzsche — e Orwell — sempre penso: "Contra o que, então, você se opõe?" sempre que ouço alguém dizendo bem alto: "Eu apoio isso!" A pergunta parece especialmente relevante se a mesma pessoa está reclamando, criticando ou tentando mudar o comportamento de outra.

Creio que foi Jung quem elaborou a máxima psicoanalítica mais cirurgicamente ferina: *se você não é capaz de entender por que alguém fez alguma coisa, observe as consequências — e infira a motivação.* Isso é um bisturi psicológico. Nem sempre é um instrumento adequado. Ele pode cortar fundo demais, ou nos lugares errados. Talvez seja uma opção de último recurso. No entanto, há ocasiões em que sua aplicação se prova esclarecedora.

Se as consequências da instalação de skatestoppers nos canteiros de plantas e nas bases das esculturas, por exemplo, são rapazes adolescentes infelizes e uma estética brutalista de desconsideração da beleza, então talvez esse tenha sido o objetivo. Quando alguém alega estar agindo movido pelos princípios mais elevados, pelo bem dos outros, não há razões para presumir que os motivos daquela pessoa sejam genuínos. Pessoas motivadas a tornar as coisas melhores normalmente não estão preocupadas em mudar outras pessoas — ou, se estão, assumem a responsabilidade de fazer as mesmas mudanças em si (e primeiro). Por trás dessa elaboração de regras para impedir que os skatistas pratiquem coisas de altíssima habilidade, corajosas e perigosas, vejo a atuação de um espírito insidioso e profundamente anti-humano.

MAIS SOBRE CHRIS

Meu amigo Chris, sobre quem escrevi anteriormente, estava possuído por esse espírito — em sério detrimento de sua saúde mental. Parte do que o atormentava era a culpa. Ele frequentou o ensino fundamental e o médio em diversas cidades, na gélida região do extremo norte das pradarias de Alberta, antes de chegar a Fairview, conforme relatei anteriormente. Brigas com as crianças nativas eram uma parte muito frequente de sua experiência durante essas mudanças. Não é exagero afirmar que essas crianças eram, em média, muito mais brutas do que as brancas ou muito irritáveis (e elas tinham suas razões para isso). Sei disso muito bem por experiência própria.

Eu tinha uma amizade instável com um garoto mestiço, Rene Heck*, quando estava no ensino fundamental. Era instável porque a situação era complexa. Havia uma grande diferença cultural entre mim e Rene. Suas roupas eram mais sujas. Ele falava e se comportava de modo mais grosseiro. Eu tinha pulado um ano na escola, e era, além disso, pequeno para minha idade. Rene era um garoto grande, esperto e bonito, e ele era durão. Estávamos no sexto ano juntos, em uma matéria lecionada por meu pai. Rene foi pego mascando chicletes. "Rene", disse meu pai, "cuspa esse chiclete. Você parece uma vaca". "Ha, ha", eu ri baixinho. "Rene, a vaca." Rene podia ser uma vaca, mas não havia nada de errado com sua audição. "Peterson", disse ele, "depois da aula... você vai morrer".

Mais cedo naquela manhã, Rene e eu havíamos combinado de assistir a um filme à noite no cinema local, o Gem. Parecia que o encontro estava cancelado. De qualquer forma, o restante do dia passou rápida e desagradavelmente, como é de praxe quando ameaça e dor nos espreitam. Rene era mais do que capaz de me dar uma bela surra. Depois da aula, saí na direção do estacionamento de bicicletas fora da escola o mais rápido que pude, mas Rene me alcançou. Ficamos andando em círculos ao redor das bicicletas; ele, de um lado e eu, do outro. Parecíamos personagens em um curta dos "Guardas Keystone". Contanto que eu continuasse dando voltas, ele não conseguiria me pegar, mas minha estratégia não funcionaria para sempre. Gritei que sentia muito, mas ele não se acalmava. Seu orgulho estava ferido, e ele queria que eu pagasse.

---

* Nomes e outros detalhes foram alterados para fins de privacidade.

Agachei e me escondi atrás de algumas bicicletas, mantendo os olhos fixos em Rene. "Rene", gritei, "me desculpe por ter te chamado de vaca. Vamos acabar com essa briga". Ele começou a se aproximar de mim novamente. Eu disse: "Rene, eu sinto muito por ter dito aquilo. De verdade. E ainda quero ir ao cinema com você." Não era apenas uma tática. Eu estava sendo sincero. Caso contrário o que aconteceu em seguida não teria acontecido. Rene parou de dar voltas. Então olhou para mim. E começou a chorar. Depois saiu correndo. Esse é um resumo das relações entre nativos e brancos em nossa cidadezinha. Não fomos ao cinemas juntos.

Quando meu amigo Chris se metia em uma briga com os garotos nativos, ele não revidava. Ele não achava que sua autodefesa fosse moralmente justificada, então apanhava sem reagir. "Nós tomamos a terra deles", escreveu ele mais tarde. "Isso foi errado. Não é de admirar que eles tenham raiva." Com o tempo, passo a passo, Chris se retraiu do mundo. Parcialmente, por causa da culpa. Ele desenvolveu um profundo ódio pela masculinidade e pelas atividades masculinas. Ele encarava o fato de ir à escola, trabalhar ou encontrar uma namorada como parte do mesmo processo que havia levado à colonização da América do Norte, ao terrível impasse nuclear da Guerra Fria e à devastação do planeta. Ele lera alguns livros sobre o budismo, e sentia que a negação do próprio Ser era eticamente necessária à luz da atual situação do mundo. Ele passou a acreditar que o mesmo se aplicava aos outros.

Quando eu estava na graduação, Chris foi, por um tempo, um dos meus colegas de quarto. Certa noite fomos a um bar na cidade. Na volta, caminhamos até a casa. Ele começou a quebrar os retrovisores dos carros estacionados, um depois do outro. Eu disse: "Pare com isso, Chris. Que bem irá fazer deixar os donos desses carros infelizes?" Ele me disse que eram parte da frenética atividade humana que destruía tudo e que eles mereciam. Eu disse que se vingar de pessoas que estavam apenas vivendo suas vidas normalmente não ajudaria em nada.

Anos mais tarde, quando eu estava na pós-graduação, em Montreal, Chris apareceu para o que deveria ser uma visita. No entanto, ele estava sem rumo, perdido. Perguntou se eu o poderia ajudar. E acabou se mudando para minha casa. Eu já estava casado, morando com minha mulher, Tammy, e nossa filha de um ano, Mikhaila. Chris já era amigo de Tammy desde Fairview (e alimentara esperanças de algo além de amizade). Isso complicou ainda mais a situação — mas não exatamente da maneira que você deve estar imaginando. Chris começou odiando os homens, mas acabou odiando as mulheres, também. Ele as queria, mas havia renunciado aos estudos, à carreira e ao desejo. Ele fumava excessivamente e estava desempregado. Previsivelmente, portanto, não despertava o interesse das mulheres. Isso o deixou amargo. Tentei convencê-lo de que o caminho que havia escolhido só o levaria ainda mais para a ruína. Ele precisava desenvolver um pouco de humildade. Precisava ter uma vida.

Certa noite, era a vez de Chris fazer o jantar. Quando minha mulher chegou a casa, o apartamento estava repleto de fumaça. Hambúrgueres torravam na frigideira. Chris estava de quatro no chão tentando reparar alguma coisa que havia se soltado das bases do fogão. Minha mulher conhecia os truques de Chris. Ela sabia que ele estava queimando o jantar de propósito. Ele detestava ter que o preparar. Ele se ofendia com o papel feminino (mesmo os afazeres domésticos tendo sido divididos de maneira justa e ele sabendo disso muito bem). Ele estava consertando o fogão para oferecer uma desculpa plausível, e até louvável, para queimar a comida. Quando ela o acusou de queimar o jantar de propósito, ele bancou a vítima, mas ficou profunda e perigosamente furioso. Parte dele, e não a parte boa, estava convencida de que ele era mais esperto que todo mundo. Foi um golpe em seu orgulho que ela tivesse descoberto seus truques. A situação não era nada boa.

Tammy e eu fomos caminhar até o parque da cidade no dia seguinte. Precisávamos sair do apartamento, apesar dos 39 graus negativos — um dia cruelmente gélido, úmido e nebuloso. Ventava muito. Um clima hostil à vida. Morar com Chris era difícil demais, Tammy comentou. Entramos no parque. As árvores forquilhavam seus galhos nus em direção ao ar cinzento e úmido. Um esquilo negro, com a cauda despelada pela sarna, agarrou um galho sem folhas, tremendo violentamente, lutando para vencer o vento. O que ele fazia lá no frio? Esquilos são parcialmente hibernantes. Eles somente saem no inverno quando está mais quente. Então, vimos outro e mais outro, e mais outro e mais outro. Havia esquilos por toda parte no parque, todos parcialmente sem pelos, os corpos e as caudas, todos tremendo e congelando no frio mordaz. Não havia mais ninguém por perto. Era impossível. E tudo se encaixava.

Estávamos em um palco de uma peça do teatro do absurdo. Dirigida por Deus. Tammy partiu logo em seguida com nossa filha para alguns dias longe de casa.

Perto do Natal daquele mesmo ano, meu irmão mais novo e sua nova esposa chegaram para uma visita vindos do oeste do Canadá. Meu irmão também conhecia Chris. Todos vestiram suas roupas de neve para um passeio pelo centro de Montreal. Chris vestiu um longo casaco escuro de inverno. Puxou o gorro preto de tricô até cobrir toda a cabeça. O casaco de neve era preto, assim como as calças e as botas. Ele era muito alto e magro, e um tanto recurvado. "Chris", brinquei. "Você está parecendo um serial killer. Ha, ha, ha." Os três voltaram do passeio. Chris estava mal-humorado. Havia estranhos em seu território. Outro casal feliz. Era como sal em suas feridas.

Jantamos em um clima ameno. Conversamos e encerramos a noite. Mas eu não conseguia dormir. Algo não estava certo. Às quatro horas da manhã, estava farto. Levantei da cama. Bati suavemente na porta do quarto de Chris e entrei no quarto sem esperar uma resposta. Ele estava acordado na cama olhando para o teto, como eu sabia que estaria. Sentei ao seu lado. Eu o conhecia muito bem. Conversei e o acalmei de sua fúria assassina. Então, voltei para minha cama e dormi. Na manhã seguinte meu irmão me chamou em um canto. Ele queria conversar comigo. Sentamos. Ele disse: "Que diabos aconteceu ontem à noite? Não consegui pregar os olhos. Alguma coisa estava errada?" Contei ao meu irmão que Chris não estava muito bem. Não lhe disse que ele tinha sorte de ainda estar vivo — na verdade todos nós. O espírito de Caim visitara nossa casa, mas saímos ilesos.

Talvez eu tenha captado alguma mudança no odor daquela noite, como se a morte pairasse no ar. Chris tinha um cheiro muito ocre. Ele tomava banho com frequência, mas as toalhas e os lençóis se impregnavam com aquele odor. Era impossível removê-lo. Era o produto de uma psique e um corpo que não funcionavam harmoniosamente. Uma assistente social que eu conhecia, que também conhecia Chris, contou-me que o odor lhe era familiar. Todos no seu trabalho o conheciam, embora não tratassem do assunto abertamente. Eles o chamavam de cheiro de pessoa não empregável.

Logo depois terminei meus estudos de pós-doutorado. Tammy e eu nos mudamos de Montreal para Boston. Tivemos nosso segundo filho. De vez em quando, Chris e eu conversávamos por telefone. Uma vez ele veio nos visitar. Foi tudo bem. Ele tinha começado a trabalhar em uma loja de autopeças. Estava tentando consertar as coisas. Ele estava bem nessa época. Mas não durou. Não o vi em Boston novamente. Quase dez anos depois — coincidentemente, na véspera do aniversário de 40 anos de Chris —, ele me ligou novamente. Nessa época, eu havia me mudado com minha família para Toronto. Ele tinha novidades. Uma história que escrevera seria publicada em um coleção por uma editora pequena, mas legítima. Queria que eu soubesse. Ele escrevia bons contos. Eu havia lido todos. Discutíamos longamente sobre eles. Chris era um bom fotógrafo, também. Tinha um bom olho, criativo. No dia seguinte, Chris escondeu sua velha picape — a mesma pobre e maltratada de Fairview — atrás de arbustos. Ele conectou uma mangueira do escapamento até a cabine. Posso vê-lo olhando pelo para-brisas rachado, fumando, esperando. Acharam seu corpo algumas semanas depois. Liguei para o pai dele. "Meu lindo garoto", disse o pai choroso.

Recentemente, fui convidado para falar em uma TEDx talk em uma universidade próxima. Outro professor falou primeiro. Ele havia sido convidado para falar por causa de seu trabalho — um trabalho técnico verdadeiramente fascinante — com superfícies computacionais inteligentes (como telas touchscreens de computadores que podem ser instaladas em qualquer lugar). No entanto, ele falou sobre a ameaça que os seres humanos impõem à sobrevivência do planeta. Assim como Chris — e como muitas outras pessoas —, ele havia se tornado um anti-humano radical. Ele não estava no mesmo ponto da estrada que meu amigo, mas o mesmo espírito terrível animava ambos.

Ele estava diante de uma tela que exibia uma panorâmica infinita em câmera lenta de uma fábrica de alta tecnologia chinesa com quarteirões de comprimento. Centenas de trabalhadores vestindo uniformes brancos posicionavam-se como robôs inertes ao longo da linha de montagem, silenciosamente inserindo a peça A no encaixe B. Ele contou ao público — repleto de jovens inteligentes — da decisão que ele e a mulher haviam tomado de limitar sua prole a um filho. Disse que todos deveriam considerar essa hipótese se quisessem se considerar pessoas éticas. Achei a decisão muito apropriada — mas apenas no caso dele em particular (em que menos que um teria sido ainda melhor). Os muitos estudantes chineses na plateia permaneceram impassíveis durante todo seu sermão. Pensavam, quem sabe, na fuga de seus pais dos horrores da Revolução Cultural de Mao e sua política de filho único. Pensavam, talvez, na enorme melhoria no padrão de vida e na liberdade proporcionadas pelas mesmas fábricas. Um casal expressou essa ideia na hora das perguntas, em seguida.

Teria o professor reconsiderado suas opiniões se soubesse aonde essas ideias podem nos levar? Gostaria de dizer que sim, mas não acredito que o faria. Acho que ele poderia saber, mas se recusou. Pior, talvez: sabia, mas não se importava — ou sabia e buscava esse resultado voluntariamente mesmo assim.

AUTOPROCLAMADOS JUÍZES DA RAÇA HUMANA

Não faz muito tempo, a Terra parecia infinitamente maior do que o número de pessoas que a habitava. Somente no final do século XIX que o brilhante biólogo Thomas Huxley (1825–95) — defensor ferrenho de Darwin e avô de Aldous Huxley — disse ao Parlamento Britânico que era literalmente impossível para a raça humana exaurir os oceanos. O poder de regeneração era simplesmente grande demais, pelo que ele podia determinar, capaz de suportar até a mais assídua predação humana. Faz meros 50 anos desde que *Primavera Silenciosa*, de Rachel Carson, inflamou o movimento ambientalista.[168] Cinquenta anos! Não é nada! Praticamente ontem.

Acabamos de desenvolver as ferramentas e tecnologias conceituais que nos permitem compreender a teia da vida, ainda que de modo imperfeito. Em razão disso, merecemos um pouco de compaixão pela hipotética afronta de nosso comportamento destrutivo. Às vezes não sabemos o que estamos fazendo. Outras, sabemos, mas ainda não formulamos alternativas práticas. Afinal, a vida não é fácil para os seres humanos, mesmo hoje — e há apenas algumas décadas a maioria dos seres humanos era analfabeta, doente e faminta.[169] A riqueza de que dispomos (cada vez maior, em todos os lugares) só possui algumas décadas de vida, que podem ser contadas nos dedos. Mesmo hoje, são muito raras e sortudas as famílias que não têm pelo menos um membro com uma doença grave — e todas em algum momento terão que enfrentar esse problema. Fazemos o que podemos para extrair o melhor de tudo, em nossa vulnerabilidade e fragilidade, e o planeta é muito mais impiedoso conosco do que somos com ele. Podemos nos dar um desconto.

Os seres humanos são, afinal, criaturas incrivelmente notáveis. Somos inigualáveis, e não está claro se temos qualquer limite real. As coisas que acontecem hoje pareciam humanamente impossíveis até quando, no mesmo momento do passado recente, começamos a despertar para nossas responsabilidades frente ao tamanho do planeta. Algumas semanas antes de escrever este capítulo, encontrei casualmente dois vídeos lado a lado no YouTube. Um mostrava a vencedora da medalha de ouro no salto da Olimpíada de 1956; o outro, a vencedora da medalha de prata no salto da Olimpíada de 2012. Não parecia sequer o mesmo esporte — ou a mesma espécie. O que a ginasta McKayla Maroney fez em 2012 seria considerado super-humano nos anos 1950. O parkour, um esporte originário do treinamento militar francês em pista de obstáculos, é fantástico, assim como o free running. Assisti a compilações dessas performances com perplexa admiração. Alguns garotos saltavam de prédios de três andares sem se machucar. É perigoso — e sensacional. Escaladores de guindastes são tão corajosos que me deixam abismado. O mesmo se aplica aos praticantes de esportes radicais como mountain bike, snowbord freestyle, surf de ondas gigantes e skate.

Os garotos autores dos disparos no Colégio Columbine, mencionados anteriormente, autoproclamaram-se juízes da raça humana — assim como o professor na TEDx, embora muito mais radicais; como Chris, meu amigo perdido. Para Eric Harris, o mais instruído dos dois assassinos, os seres humanos eram uma espécie fracassada e corrupta. Uma vez que um pressuposto como esse é aceito, sua lógica interna inevitavelmente se manifesta. Se algo é uma praga, como defende David Attenborough[170], ou um câncer, como alega o Clube de Roma[171], a pessoa que o erradica é um herói — um autêntico salvador do planeta, nesse caso. Um verdadeiro messias pode ser capaz de acompanhar essa lógica moral rigorosa e eliminar a si mesmo, também. Isso é o que assassinos em massa, movidos por um ressentimento quase infinito, normalmente fazem. Mesmo seus próprios Seres não justificam a existência da humanidade. Na verdade, eles se matam exatamente para demonstrar a pureza de seu comprometimento com o extermínio. Ninguém no mundo moderno pode, sem oposição, expressar a opinião de que a existência seria melhor na ausência de judeus, negros, muçulmanos ou ingleses. Por que, então, é honrado propor que o planeta estaria melhor se menos pessoas vivessem nele? Não posso evitar ver uma caveira sorridente, feliz com a possibilidade do apocalipse, escondida não muito fundo nessas declarações. E por que, com frequência, parecem ser as mesmas pessoas que se opõem ferrenhamente ao preconceito que também com frequência parecem se sentir obrigadas a denunciar a própria humanidade?

Já presenciei estudantes universitários, especialmente aqueles das áreas de humanas, sofrerem um real declínio em sua saúde mental por serem filosoficamente repreendidos por esses defensores do planeta por sua existência como membros da espécie humana. É pior, acredito, para os jovens do sexo masculino. Como beneficiários privilegiados do patriarcado, suas realizações são consideradas não merecidas. Como possíveis adeptos da cultura do estupro, são sexualmente suspeitos. Suas ambições os transformam em saqueadores do planeta. Não são bem-vindos. No ensino médio e na universidade, eles ficam para trás, educacionalmente. Quando meu filho tinha 14 anos, discutimos suas notas. Ele estava se saindo muito bem para um garoto, disse com naturalidade. Eu o questionei mais. Todo mundo sabe, ele disse, que as garotas se saem muito melhor na escola do que os meninos. Sua entonação indicava surpresa pela minha ignorância de algo tão notório e evidente. Enquanto escrevia este capítulo, recebi a última edição da *The Economist*. A matéria de capa? "O Sexo Frágil"— referindo-se aos homens. Nas universidades modernas hoje as mulheres representam mais de 50% dos alunos em mais de dois terços de todos os cursos.

Os garotos estão sofrendo no mundo moderno. Eles são mais desobedientes — falando negativamente — ou mais independentes — falando positivamente — do que as garotas, e sofrem com isso ao longo de toda a carreira educacional pré-universitária. Eles são menos cordatos (sendo a afabilidade um traço de personalidade associado à compaixão, empatia e evitação de conflito) e menos suscetíveis à ansiedade e depressão[172], pelo menos depois que os dois sexos atingem a puberdade.[173] Os interesses dos garotos tendem para coisas; os das garotas, para pessoas.[174] De modo impressionante, essas diferenças, fortemente influenciadas por fatores biológicos, são mais pronunciadas nas sociedades escandinavas em que a igualdade de gêneros é mais avançada: o oposto do esperado por aqueles que insistem, de forma cada vez mais ruidosa, em que o gênero é um constructo social. Não é. Não há o que discutir. Os dados provam isso.[175]

Garotos gostam de competição, e não gostam de obedecer, especialmente quando estão na adolescência. Durante esse período, eles são impelidos a fugir de suas famílias e a estabelecer a própria existência independente. Há pouca diferença entre fazer isso e desafiar as autoridades. As escolas, que foram criadas no final do século XIX exatamente para incutir a obediência[176], não aceitam de bom grado os comportamentos desafiadores e provocativos, não importa quão determinado e competente seja o garoto (ou a garota). Outros fatores desempenham seus papéis no declínio dos garotos. As garotas, por exemplo, participam de jogos de garotos, mas eles são muito mais relutantes em participar dos delas. Parte disso se deve ao fato de que é admirável para uma garota vencer ao competir com um garoto. Também não há problema algum em perder para um menino. Para um garoto vencer uma garota, porém, geralmente não é legal — e, do mesmo modo, é ainda menos louvável perder para uma. Imagine um garoto e uma garota de 9 anos que comecem a brigar. Somente por se envolver na briga, o garoto já está sob forte suspeita. Se ele vencer, é patético. Se perder — bem, sua vida pode estar arruinada. Apanhou de uma menina.

As garotas têm sucesso ao vencerem na própria hierarquia — sendo boas em coisas que elas valorizam, na condição de garotas. Elas podem então aumentar essa vitória vencendo na hierarquia dos garotos. Os garotos, porém, só podem ter sucesso vencendo na hierarquia masculina. Eles perderão status, entre garotas *e* garotos, por serem bons em coisas que as garotas valorizam. O preço é sua reputação entre os garotos e sua atratividade entre as garotas. As garotas não se sentem atraídas por garotos que são seus amigos, embora gostem deles, seja lá o que isso signifique. Elas são atraídas por garotos que vencem competições com outros garotos. No entanto, se você for homem, não pode golpear uma mulher tão forte quanto faria se fosse um homem. Os garotos não podem (e não irão) participar de jogos realmente competitivos com garotas, pois não ficaria claro como poderiam vencer. Conforme o jogo passa a ser dominado por garotas, portanto, os garotos saem. Será que as universidades — especialmente na área de humanas — estão se tornando um jogo de garotas? É isso que queremos?

A situação nas universidades (e em instituições educacionais em geral) é muito mais problemática do que as estatísticas básicas indicam.[177] Se você eliminar os chamados programas STEM (ciência, tecnologia, engenharia e matemática) (exceto a psicologia), a proporção entre mulheres/homens é ainda mais distorcida.[178] Quase 80% dos alunos que se especializam nos campos de cuidados médicos, administração pública, psicologia e educação, que abrangem um quarto de todos os títulos, é composto por mulheres. A disparidade ainda está em rápido crescimento. Nesse ritmo, haverá pouquíssimos homens na maioria das disciplinas universitárias dentro de quinze anos. Não é uma boa notícia para os homens. Na verdade, pode ser uma notícia catastrófica para os homens. Mas também não é uma boa notícia para as mulheres.

CARREIRA E CASAMENTO

As mulheres que estão em instituições de ensino superior dominadas por mulheres enfrentam uma dificuldade cada vez maior em manter um relacionamento, mesmo de duração moderada. Em consequência, elas precisam se contentar, se estiverem dispostas, com sexo casual ou encontros sexuais contínuos sem compromisso. Talvez isso seja um passo adiante em termos de liberação sexual, mas eu duvido. Acredito que isso seja terrível para as mulheres.[179] Um relacionamento amoroso e estável é altamente desejável tanto para homens quanto para mulheres. Para as mulheres, entretanto, frequentemente é o maior desejo. Entre 1997 e 2012, de acordo com o Pew Research Centre,[180] o número de mulheres com idade entre 18 e 34 que declararam que um casamento feliz era uma das coisas mais importantes na vida subiu de 28 para 37% (um aumento de mais de 30%*). O número de homens jovens que declararam a mesma coisa diminuiu 15% ao longo do mesmo período (de 35 para 29%**). Durante esse período, a proporção de pessoas casadas

---

*   37-28/28 = 9/28 = 32%.
**   35-29/35 = 6/35 = 17%.

há mais de 18 anos continua a cair, de três quartos em 1960 para metade hoje.[181] Finalmente, entre adultos que nunca se casaram, com idade entre 30 e 59, os homens têm três vezes mais probabilidade do que as mulheres de dizer que não querem se casar nunca (27 versus 8%).

Quem decidiu, aliás, que a carreira é mais importante do que o amor e a família? Trabalhar 80 horas por semana em um escritório de advocacia de ponta realmente vale os sacrifícios exigidos para esse tipo de sucesso? E, se vale, por quê? Uma minoria de pessoas (de novo, principalmente homens, que recebem uma baixa pontuação no quesito de afabilidade) é hipercompetitiva e quer vencer a qualquer custo. Uma minoria achará o trabalho intrinsecamente fascinante. Mas a maioria não é assim, e não se disporá ao trabalho, e o dinheiro não parece melhorar as vidas das pessoas a partir do momento que elas têm o suficiente para evitar os cobradores. Além do mais, a maioria das mulheres com alto desempenho e alto salário tem parceiros no mesmo nível — e isso importa mais para as mulheres. Os dados do Pew também indicam que um cônjuge com um emprego desejável é de alta prioridade para quase 80% das mulheres que nunca se casaram, mas que pretendem (e para menos de 50% dos homens).

Quando atinge a faixa dos 30 anos, a maioria das mulheres advogadas mais bem pagas abandona suas carreiras.[182] Apenas 15% dos sócios nas duzentas maiores firmas de advocacia dos Estados Unidos são mulheres.[183] Esses números não mudaram muito nos últimos 15 anos, apesar de o número de advogadas associadas e empregadas ser alto. O motivo também não é que as firmas de advocacia não queiram mulheres em seus quadros ou que elas tenham sucesso. Há uma defasagem crônica de pessoas extraordinárias, independentemente do sexo, e as firmas de advocacia estão desesperadas para mantê-las em seus quadros.

As mulheres que abandonam a carreira querem um emprego — e uma vida — que permita um tempo livre. Depois da faculdade de direito, dos estágios obrigatórios e dos primeiros 15 anos de trabalho, elas desenvolvem outros interesses. Isso é de conhecimento geral entre os grandes escritórios de advocacia (embora não seja algo que as pessoas se sintam à vontade de declarar em público, homens ou mulheres). Recentemente, assisti a uma aula de uma professora da Universidade

McGill, para uma sala repleta de mulheres sócias ou quase sócias de escritórios de advocacia, sobre como a falta de creches e as "definições masculinas de sucesso" impedem a progressão de suas carreiras e provocam o abandono delas. Eu conhecia grande parte das mulheres na sala. Havíamos conversado bastante. Eu sabia que elas sabiam que nada disso era o problema. Elas tinham babás, e podiam bancá-las. Elas já haviam terceirizado obrigações e deveres domésticos. Elas entendiam, também — e muito bem —, que era o mercado que definia o sucesso, não os homens com quem trabalhavam. Se você recebe $650 dólares canadenses por hora em Toronto como advogada de sucesso, e seu cliente no Japão lhe telefona às 4h da manhã de domingo, você atende. Naquele instante. Você atende, agora, mesmo que tenha acabado de pegar no sono depois de amamentar seu bebê. Você atende porque algum advogado hiperambicioso de Nova York ficaria muito feliz em atender em seu lugar — e é por isso que é o mercado que define o trabalho.

O suprimento cada vez menor de homens com ensino superior gera um problema de gravidade crescente para as mulheres que querem se casar, bem como namorar. Primeiro, as mulheres têm uma forte propensão a se casar na mesma hierarquia de dominância econômica ou em uma superior. Elas preferem um parceiro de status igual ou superior. Isso se aplica também a outras culturas.[184] O mesmo não se aplica, aliás, para os homens, que estão perfeitamente dispostos a se casar dentro do mesmo nível social ou inferior (como indicam os dados do Pew), embora demonstrem uma preferência por parceiras um tanto mais jovens. A recente tendência em direção ao esvaziamento da classe média também tem aumentado à medida que mulheres ricas tendem mais e mais[185] a ter parceiros ricos. Por esse motivo, e por causa do declínio de empregos bem-remunerados na indústria para os homens (um sexto de homens em idade produtiva está atualmente sem trabalho nos Estados Unidos), o casamento é agora algo cada vez mais reservado aos ricos. Não posso deixar de notar a ironia com toques de humor negro nisso tudo. A instituição opressora e patriarcal do casamento agora se tornou um luxo. Por que os ricos tiranizariam a si mesmos?

Por que as mulheres querem um parceiro com emprego e, preferencialmente, de status superior? Em grande parte, porque as mulheres se tornam mais vulneráveis quando têm filhos. Elas precisam de alguém capaz de sustentar mãe e filho quando necessário. É um ato compensatório perfeitamente racional, embora também possa ter uma base biológica. Por que as mulheres que decidem assumir a responsabilidade por um ou mais filhos também iriam querer um adulto para cuidar? Assim, o homem desempregado é um espécime indesejado — e ser mãe solteira, uma alternativa preferível. Crianças em lares sem pais têm quatro vezes mais chance de serem pobres. Isso significa que suas mães também são pobres. Crianças sem pais estão em risco muito maior de abuso de álcool e drogas. Crianças vivendo com os pais biológicos casados são menos ansiosas, deprimidas e delinquentes do que as que vivem com um ou mais pais não biológicos. Crianças em famílias com um só genitor têm duas vezes mais probabilidades de cometer suicídio.[186]

A forte guinada na direção do politicamente correto nas universidades exacerbou o problema. As vozes bradando contra a opressão se tornaram mais fortes, parece, em exata proporção a quão igualitárias — proporção essa cada vez mais enviesada contra os homens, mesmo agora — as escolas se tornaram. Existem cursos inteiros nas universidades abertamente hostis aos homens. São áreas de estudo dominadas pelo argumento pós-moderno/neomarxista de que a cultura ocidental, em especial, é uma estrutura opressora, criada por homens brancos para dominar e excluir as mulheres (e outros grupos selecionados); bem-sucedida somente por causa dessa dominação e exclusão.[187]

O PATRIARCADO: AJUDA OU OBSTÁCULO?

Obviamente, a cultura *é* uma estrutura opressora. *Sempre foi assim.* É uma realidade universal e fundamental. O rei tirânico é uma verdade simbólica; um arquétipo constante. O que herdamos do passado é deliberadamente cego e obsoleto. É um fantasma, uma máquina e um monstro. Precisa ser resgatado, reparado e mantido a distância através de atenção e esforço dos viventes. Ele esmaga, conforme nos forja em nossas formas socialmente aceitáveis, e desperdiça um grande potencial. Mas oferece grande vantagem, também. Cada palavra que nós pronunciamos é uma dádiva de nossos ancestrais. Cada pensamento contemplado foi pensado anteriormente por alguém mais inteligente. A infraestrutura altamente funcional que nos cerca, especialmente no

Ocidente, é uma dádiva de nossos ancestrais: os sistemas político e econômico comparativamente não corruptos, a tecnologia, a riqueza, a expectativa de vida, a liberdade, o luxo e a oportunidade. A cultura toma com uma das mãos, mas em lugares afortunados oferece mais com a outra. Pensar na cultura apenas como opressora é ignorância e ingratidão, bem como perigoso. Isso não quer dizer (como espero que o conteúdo deste livro tenha deixado bem claro até aqui) que a cultura não deva ser objeto de críticas.

Considere o seguinte, também, em relação à opressão: *qualquer hierarquia gera vencedores e perdedores*. Os vencedores são, é claro, mais propensos a justificar a hierarquia e os perdedores, a criticá-la. Mas (1) a busca coletiva de qualquer objetivo valioso cria uma hierarquia (já que alguns serão melhores e outros, piores nessa busca, não importa qual seja) e (2) é a busca de objetivos que em grande parte concede à vida o significado que a sustenta. Experienciamos quase todas as emoções que tornam a vida profunda e envolvente como consequência do avanço bem-sucedido na direção de algo profundamente desejado e valorizado. O preço que pagamos por esse envolvimento é a inevitável criação de hierarquias de sucesso, ao mesmo tempo que a consequência inevitável é a diferença no resultado. A igualdade absoluta, portanto, exigiria o sacrifício do valor em si — e assim não haveria nada por que valesse a pena viver. Devemos, então, perceber com gratidão que uma cultura complexa e sofisticada possibilita muitos jogos e muitos jogadores de sucesso, e que essa cultura bem estruturada permite que os indivíduos que a compõem joguem e ganhem de muitas maneiras diferentes.

É também *distorcido* considerar a cultura uma criação dos homens. A cultura é simbólica, arquetípica e miticamente masculina. Isso é parte do motivo por que a ideia de "patriarcado" é tão facilmente aceita. Mas, certamente, ela é criação da humanidade, não dos homens (menos ainda dos homens brancos, que, apesar de tudo, contribuíram com a parte que lhes cabia). A cultura europeia só tem sido dominante, se é que pode ser considerada dominante, há aproximadamente 400 anos. Na escala de tempo da evolução cultural — que deve ser medida, no mínimo, em milhares de anos —, esse intervalo de tempo mal se nota. Além do mais, mesmo se as mulheres não tivessem contribuído com nada substancial na arte, literatura e ciência antes da década de 1960 e da revolução feminista (o que não acredito), o papel que desempenharam na criação dos filhos e no trabalho nas fazendas ainda foi instrumental na libertação de homens — embora bem poucos — para que a humanidade pudesse se propagar e avançar.

Eis uma teoria alternativa: ao longo da história, homens e mulheres lutaram ferozmente para se libertar dos horrores devastadores da privação e da necessidade. As mulheres frequentemente estavam em desvantagem durante essa luta, pois possuíam todas as vulnerabilidades dos homens, mas carregavam o fardo reprodutivo e tinham menos força física. Além da sujeira, miséria, doença, fome, barbárie e ignorância que caracterizavam as vidas de ambos os sexos muito antes do século XX (quando mesmo as pessoas no mundo ocidental normalmente sobreviviam com menos de um dólar em dinheiro de hoje), as mulheres também tinham que suportar as sérias inconveniências práticas da menstruação, a alta probabilidade de uma gravidez indesejada, a probabilidade de morte ou graves danos durante o parto e o fardo de criar muitos filhos pequenos. Talvez essa seja razão suficiente para a diferença no tratamento legal e prático de homens e mulheres que caracterizou a maioria das sociedades antes das recentes revoluções tecnológicas, incluindo a invenção da pílula anticoncepcional. Pelo menos esses fatores devem ser levados em conta antes que a presunção de que homens tiranizaram as mulheres possa ser aceita como truísmo.

Para mim parece que a chamada opressão do patriarcado foi, na verdade, uma tentativa coletiva imperfeita de homens e mulheres se libertarem de privação, doença e trabalho penoso, que se estendem ao longo de milênios. O caso recente de Arunachalam Muruganantham oferece um exemplo valioso. Esse homem, o "rei dos absorventes" da Índia, ficava insatisfeito com o fato de que sua esposa tinha que usar panos sujos durante o período menstrual. Ela lhe disse para escolher entre comprar absorventes higiênicos caros ou leite para a família. Ele passou os 14 anos seguintes em estado de insanidade, de acordo com os vizinhos, tentando sanar o problema. A esposa e a mãe chegaram a abandoná-lo brevemente, apavoradas com sua obsessão. Quando ficou sem voluntárias para testar seu produto, ele teve que usar uma bolsa de sangue de porco como substituto. Não consigo imaginar como esse comportamento melhorou sua popularidade ou status. Agora seus absorventes de baixo custo fabricados localmente são distribuídos por toda a Índia, manufaturados por grupos de autoajuda administrados por mulheres. Suas usuárias experimentaram uma liberdade que nunca vivenciaram antes. Em 2014, Arunachalam, que abandonou os estudos no ensino médio, foi nomeado uma das 100 pessoas mais influentes do mundo pela revista *Time*. Eu me recuso a aceitar que a principal motivação desse indiano tenha sido o ganho pessoal. Ele é parte do patriarcado?

Em 1847, James Young Simpson usou éter para ajudar uma mulher que possuía uma deformação na pelve dar à luz. Posteriormente, ele o substituiu pelo clorofórmio, mais eficiente. A primeira bebê nascida com a utilização dessa técnica foi chamada de "Anaesthesia". Em 1853, o clorofórmio era tão conceituado que foi usado pela Rainha Victoria ao dar à luz o sétimo filho. Logo depois, notavelmente, a opção de parto sem dor estava disponível em toda parte. Algumas pessoas alertaram sobre o perigo de se opor à punição de Deus para as mulheres, em Gênesis 3:16: "Multiplicarei grandemente o seu sofrimento na gravidez; com sofrimento você dará à luz filhos..." Houve quem se opusesse à sua utilização também em homens: homens jovens, saudáveis e corajosos simplesmente não precisavam de anestesia. Essa oposição foi inútil. O uso da anestesia se disseminou com extrema velocidade (e muito mais rápido do que seria possível hoje). Até mesmo prominentes membros da igreja apoiavam sua utilização.

O primeiro absorvente interno prático, o Tampax, só chegou na década de 1930. Ele foi inventado pelo Dr. Earle Cleveland Haas. Ele o fabricou com algodão comprimido e criou um aplicador de tubos de papel. Isso ajudou a atenuar a resistência aos produtos pelas pessoas que desaprovavam ter que tocar o próprio corpo, o que ocorreria sem o aplicador. No início da década de 1940, 25% das mulheres usavam Tampax. Trinta anos mais tarde, eram 70%. Agora, são quatro a cada cinco, e as que não utilizam preferem os absorventes externos, que hoje são hiperabsorventes, e se fixam no lugar com adesivos eficientes (bem diferentes dos absorventes dos anos 1970, parecidos com fraldas que eram espessos, desconfortáveis e que precisavam de faixas para se fixar). Muruganantham, Simpson e Haas oprimiram as mulheres ou as libertaram? E quanto a Gregory Goodwin Pincus, que inventou a pílula anticoncepcional? De que maneira esses homens pragmáticos, esclarecidos e persistentes fizeram parte do patriarcado opressor?

Por que ensinamos aos nossos jovens que nossa cultura incrível é o resultado da opressão masculina? Cegas por essa suposição central, disciplinas tão diversas quanto educação, trabalho social, história da arte, estudos de gênero, literatura, sociologia e, cada vez mais, direito tratam homens ativamente como opressores e as atividades dos homens como inerentemente destrutivas. Em geral, elas também promovem diretamente uma ação política radical — radical de acordo com as normas das sociedades em que se situam — que eles não distinguem da educação. O Pauline Jewett Institute of Women's and Gender Studies [Instituto de Estudos sobre Mulheres e Gênero Pauline Jewett], da Universidade Carleton em Ottawa, por exemplo, estimula o ativismo como parte de suas diretrizes. O Gender Studies Department [Departamento de Estudos de Gênero], da Universidade de Queen em Kingston, Ontário, "ensina teorias e métodos feministas, antirracistas e queers centrados no ativismo para a mudança social" — indicando seu apoio à suposição de que a educação universitária deve, acima de tudo, fomentar o engajamento político de um tipo específico.

PÓS-MODERNIDADE E O LONGO BRAÇO DE MARX

Essas disciplinas extraem sua filosofia de múltiplas fontes. Todas fortemente influenciadas pelos humanistas marxistas. Dentre eles, Max Horkheimer, que desenvolveu uma teoria crítica na década de 1930. Qualquer resumo breve de suas ideias está fadado a ser simplista demais, mas Horkheimer se considerava um marxista. Acreditava que os princípios ocidentais de liberdade individual ou do livre mercado eram meramente máscaras que serviam para disfarçar as verdadeiras condições do Ocidente: desigualdade, dominação e exploração. Ele defendia que a atividade intelectual deveria se dedicar à mudança social em vez de mera compreensão, e esperava emancipar a humanidade de sua escravidão. Horkheimer e sua Escola de Frankfurt de pensadores associados — primeiro na Alemanha e, mais tarde, nos Estados Unidos — visavam uma crítica e transformação completas da civilização ocidental.

Nos últimos anos, o trabalho mais importante foi do filósofo francês Jacques Derrida, líder dos pós-modernistas, em voga no final da década de 1970. Ele descreveu as próprias ideias como uma forma radical de marxismo. Marx tentou reduzir a história e a sociedade à economia, considerando a cultura como a opressão dos pobres pelos ricos. Quando o marxismo foi posto em prática na União Soviética, China, Vietnã, Camboja e em outros lugares, os recursos econômicos foram brutalmente distribuídos. A propriedade privada foi eliminada e a população rural, forçadamente coletivizada. O resultado? Dezenas de milhões de pessoas morreram. Outras centenas de milhões foram submetidas à opressão semelhante à ainda praticada na Coreia do Norte, o último baluarte do comunismo clássico. Os sistemas econômicos resultantes eram corruptos e insustentáveis. O mundo entrou em uma guerra fria prolongada e extremamente perigosa. Os cidadãos dessas sociedades viviam uma vida de mentiras, traindo suas famílias, delatando seus vizinhos — sobrevivendo na miséria sem reclamar (senão...).

As ideias marxistas eram muito atraentes para intelectuais utópicos. Um dos principais arquitetos dos horrores do Khmer Vermelho, Khieu Samphan, recebeu o título de doutor pela Sorbonne antes de se tornar o líder do Camboja, em meados da década de 1970. Em sua tese de doutorado, escrita em 1959, ele defende que o trabalho feito por não fazendeiros nas cidades do Camboja era improdutivo: banqueiros, burocratas e executivos não acrescentavam coisa alguma à sociedade. Na verdade, parasitavam o genuíno valor produzido através de agricultura, pequenas indústrias e trabalhos artesanais. As ideias de Samphan eram vistas com bons olhos pelos intelectuais franceses que lhe outorgaram o título de doutor. De volta ao Camboja, recebeu a oportunidade de colocar suas teorias em prática. O Khmer Vermelho evacuou as cidades do Camboja, conduziu toda a população para o campo, fechou bancos, baniu o uso da moeda corrente e destruiu todos os mercados. Um quarto da população cambojana foi submetida ao trabalho forçado até a morte na área rural, em campos de extermínio.

NÃO ESQUEÇAMOS: IDEIAS TÊM CONSEQUÊNCIAS

Quando os comunistas estabeleceram a União Soviética depois da Primeira Guerra Mundial, era compreensível que as pessoas ansiassem que os sonhos coletivistas utópicos que seus líderes ofereciam fossem possíveis. A ordem social decadente do final do século XIX produziu as trincheiras e os assassinatos em massa da Grande Guerra. A distância entre os ricos e os pobres era extrema, e a maioria das pessoas trabalhava como escravos em condições piores do que aquelas mais tarde descritas por Orwell. Embora o Ocidente tenha tomado conhecimento dos horrores perpetrados por Lenin após a Revolução Russa, continuou difícil avaliar suas ações a distância. A Rússia estava mergulhada em um caos pós-monárquico, e as notícias de amplo desenvolvimento industrial e redistribuição de propriedades para aqueles que até recentemente eram servos ofereciam motivos para esperança. Para complicar ainda mais, a URSS (e o México) apoiaram os republicanos democratas quando a Guerra Civil Espanhola irrompeu, em 1936. Eles lutavam contra os nacionalistas, essencialmente fascistas, que haviam deposto a frágil democracia estabelecida apenas cinco anos antes, e que contavam com o apoio dos nazistas e dos fascistas italianos.

A *intelligentsia* nos Estados Unidos, no Reino Unido e em outros lugares estava fortemente decepcionada pela neutralidade de seu países de origem. Milhares de estrangeiros se dirigiram para a Espanha para lutar pelos republicanos, servindo nas Brigadas Internacionais. George Orwell foi um deles. Ernest Hemingway atuou como jornalista e foi um apoiador dos republicanos. Jovens norte-americanos, canadenses e britânicos politicamente engajados sentiram a obrigação moral de parar de falar e começar a lutar.

Tudo isso desviou a atenção dos acontecimentos na União Soviética naquele momento. Na década de 1930, durante a Grande Depressão, os soviéticos stalinistas enviaram dois milhões de kulaks, seus camponeses mais ricos, para a Sibéria (levando apenas algumas vacas, alguns empregados ou um pouco mais de terras do que era típico). Do ponto de vista comunista, esses kulaks haviam acumulado sua riqueza pilhando aqueles a sua volta e mereciam seu destino. Riqueza era sinônimo de opressão e a propriedade privada, de roubo. Era hora de alguma igualdade. Mais de trinta mil kulaks foram mortos na hora. Muitos mais encontraram seu destino nas mãos de seus vizinhos invejosos, rancorosos e improdutivos, que usaram os altos ideais da coletivização comunista para mascarar seu propósito homicida.

Os kulaks eram "inimigos das pessoas", escória, animais daninhos, porcos imundos. "Faremos sabão dos kulaks", bradava um núcleo de moradores das cidades particularmente violento, recrutados pelo partido e pelos comitês executivos soviéticos e enviados para o campo. Os

REGRA 11

kulaks foram conduzidos nus pelas ruas, surrados e forçados a cavar as próprias covas. As mulheres foram estupradas. Seus pertences foram "expropriados", o que, na prática, significava que suas casas eram saqueadas, sobrando apenas as vigas e o telhado, e tudo mais era roubado. Em muitos lugares, os camponeses não kulaks resistiram, especialmente as mulheres, que costumavam proteger as famílias perseguidas com seus corpos. Essa resistência se mostrou inútil. Os kulaks que não morreram foram exilados para a Sibéria, geralmente no meio da noite. Os trens começaram a partir em fevereiro, no meio do severo inverno russo. Alojamentos dos mais precários aguardavam por eles na taiga desértica. Muitos morreram, especialmente crianças, de febre tifoide, sarampo e escarlatina.

Os kulaks "parasitas" eram, em geral, os fazendeiros mais habilidosos e trabalhadores. Uma pequena minoria de pessoas é responsável por grande parte da produção em qualquer setor, e na agricultura não era diferente. A produção agrícola despencou. O pouco que restou foi tomado à força do campo e levado para as cidades. Os moradores do campo que saíam pelos campos depois da colheita para catar grãos de trigo para suas famílias famintas se arriscavam à execução. Seis milhões de pessoas morreram de fome na Ucrânia, considerada a reserva de alimentos da União Soviética na década de 1930. "Comer os próprios filhos é um ato de barbárie", declaravam pôsteres do regime soviético.

Apesar de haver mais do que meros rumores dessas atrocidades, a atitude em relação ao comunismo permaneceu positiva entre muitos intelectuais ocidentais. Havia outras coisas com que se preocupar, e a Segunda Guerra Mundial criou uma aliança entre a União Soviética e os países ocidentais em oposição a Hitler, Mussolini e Hirohito. Todavia, certos olhos atentos permaneceram abertos. Malcolm Muggeridge publicou uma série de artigos descrevendo a aniquilação soviética da classe camponesa já em 1933, para o *Manchester Guardian*. George Orwell sabia o que acontecia sob o domínio de Stalin, e divulgou aos quatro cantos. Ele publicou *A Revolução dos Bichos*, uma fábula satirizando a União Soviética, em 1945, apesar de enfrentar forte resistência à publicação do livro. Muitos que supostamente deveriam saber o que acontecia permaneceram cegos ainda por muito tempo. Isso era mais latente na França e, entre os franceses, mais evidente entre os intelectuais.

O filósofo francês mais famoso em meados do século, Jean-Paul Sartre, era um notório comunista, embora não fosse um "comunista de carteirinha", até que denunciou a incursão soviética na Hungria em 1956. Todavia, ele continuou sendo um defensor do marxismo e não rompeu definitivamente com a União Soviética até 1968, quando os soviéticos reprimiram violentamente os tchecoslovacos durante a Primavera de Praga.

Não muito tempo depois, Alexandre Soljenítsin publicou *Arquipélago Gulag*, que discutimos extensivamente nos capítulos anteriores. Como observado (vale repetir), esse livro destrói completamente a credibilidade moral do comunismo — primeiro no Ocidente e depois no próprio Sistema Soviético. O livro circulou clandestinamente pelo sistema *samizdat*. Os russos tinham 24 horas para ler as raras cópias antes de as entregarem para a próxima mente ansiosa. Leitura de textos em russo eram transmitidos para a União Soviética pela Rádio Liberty.

Soljenítsin defendia que o sistema soviético jamais teria sobrevivido sem tirania e trabalho escravo; que as sementes para seus piores excessos foram definitivamente semeadas no período de Lenin (para quem os comunistas ocidentais ainda serviam como apologistas); e foram sustentadas por mentiras intermináveis, tanto públicas quanto individuais. Seus pecados não poderiam ser atribuídos a um simples culto de personalidade, como seus apoiadores continuavam alegando. Soljenítsin documentou os maus-tratos sistemáticos da União Soviética aos presos políticos, seu sistema legal corrupto e o assassinato em massa demonstrando nos mínimos detalhes que essas ocorrências não eram aberrações, mas expressões diretas da filosofia comunista elementar. Ninguém podia apoiar o comunismo depois de *Arquipélago Gulag* — nem mesmo os próprios comunistas.

Isso não significou que o fascínio que as ideias marxistas exerciam nos intelectuais — especialmente nos intelectuais franceses — desapareceu. Ele apenas se transformou. Alguns se recusaram terminantemente a aprender. Sartre denunciou Soljenítsin como um "elemento perigoso". Derrida, de forma mais sutil, substituiu a noção de dinheiro pela de poder e seguiu seu caminho como se nada houvesse ocorrido. Esse truque linguístico proporcionou aos marxistas quase arrependidos, que ainda habitavam o apogeu intelectual do Ocidente, os meios para manterem suas visões de mundo. A sociedade não era mais a repressão dos pobres pelos ricos. Era a opressão de todos pelos poderosos.

De acordo com Derrida, as estruturas hierárquicas surgiram apenas para incluir (os beneficiários daquela estrutura) e excluir (todos os demais que eram, portanto, oprimidos). Mesmo essa alegação não foi radical o suficiente. Derrida alegava que essa tendência à divisão e opressão era embutida na linguagem em si — encravada nas mesmas categorias que usamos para simplificar pragmaticamente e superar o mundo. Existem "mulheres" apenas porque os homens se beneficiam por sua exclusão. Há "masculino e feminino" apenas porque os membros do grupo mais heterogêneo se beneficiam pela exclusão da pequena minoria de pessoas cuja sexualidade biológica é amorfa. A ciência só beneficia os cientistas. A política somente beneficia os políticos. Do ponto de vista de Derrida, as hierarquias existem porque se beneficiam da opressão daqueles que são omissos. É esse benefício obtido de modo vil que permite que elas prosperem.

Em uma declaração famosa (embora ele a tenha negado mais tarde), Derrida afirmou: "Il n'y a pas de hors-texte"— geralmente traduzida como "não há nada fora do texto". Seus apoiadores dizem que é uma tradução equivocada, e que a correta seria "não existe o texto de fora". De qualquer maneira, continua difícil entender a afirmação como significando qualquer coisa senão "tudo é interpretação", e é assim que o trabalho de Derrida tem sido normalmente interpretado.

É quase impossível enfatizar o bastante a natureza niilista e destrutiva dessa filosofia. Ela coloca em dúvida o ato da categorização em si. Nega a ideia de que seja possível fazer distinções entre as coisas por razões senão o puro poder. Distinções biológicas entre homens e mulheres? Apesar da existência de publicações científicas multidisciplinares irrefutáveis indicando que as diferenças entre os sexos são fortemente influenciadas por fatores biológicos, a ciência nada mais é do que outro jogo de poder, para Derrida e seus seguidores marxistas pós-modernos, fazendo alegações para beneficiar aqueles no topo do mundo científico. Não existem fatos. Posição hierárquica e reputação como consequência de habilidade e competência? Todas as definições de habilidade e de competência são meras invenções daqueles que se beneficiam delas para excluir os outros e para benefício pessoal e egoísta.

Existe verdade suficiente nas alegações de Derrida para explicar, em parte, sua natureza insidiosa. O poder é uma força motivacional elementar ("uma", não "a"). As pessoas competem para subir ao topo e se importam com o lugar que ocupam nas hierarquias de dominância. Mas (e esse é o ponto em que você metaforicamente separa os meninos dos homens, filosoficamente) *o fato de o poder desempenhar um papel na motivação humana não significa que ele desempenhe o único papel ou mesmo o principal.* Do mesmo modo, o fato de nunca podermos saber tudo não torna nossas observações e formulações dependentes da consideração de certas coisas e da negligência de outras (como discutimos extensamente na Regra 10). Isso não justifica a alegação de que tudo é interpretação ou que a categorização é apenas exclusão. Cuidado com interpretações de causa única — e cuidado com as pessoas que as propõem.

Embora os fatos não possam falar por si mesmos (assim como uma extensão de terra diante de um viajante não lhe diz como a percorrer) e embora exista uma miríade de maneiras de interagir — e até perceber — mesmo um pequeno número de objetos, isso não significa que todas as interpretações sejam igualmente válidas. Algumas ferem — os outros e a si mesmo. Outras o colocam em curso de colisão com a sociedade. Algumas não se sustentam ao longo do tempo. Outras não o levam aonde quer chegar. Muitas dessas limitações são inerentes a nós como consequência de bilhões de anos de processos evolutivos. Outras emergem na medida em que somos socializados de modo a cooperar e competir pacífica e produtivamente com os outros. Ainda mais interpretações surgem à medida que descartamos estratégias contraprodutivas através do aprendizado. Um número infinito de interpretações, certamente: o que não é diferente de dizer um número infinito de problemas. *Mas um número extremamente limitado de soluções viáveis.* Caso contrário a vida seria fácil. E não é.

Veja bem, tenho algumas crenças que podem ser consideradas como tendo uma inclinação à esquerda. Acredito, por exemplo, que a tendência de distribuição de bens valiosos com desigualdade pronunciada constitui uma ameaça sempre presente à estabilidade da sociedade. E penso que há boas evidências. Isso não significa que a solução para o problema seja óbvia. Não sabemos como redistribuir a riqueza sem acrescentar uma nova gama de outros problemas. Sociedades ocidentais diferentes tentaram abordagens diversas. Os suecos, por exemplo, forçaram a igualdade ao seu limite. Os Estados Unidos tomaram um curso oposto, presumindo que a criação da riqueza líquida de um capitalismo mais livre para todos constitui a maré alta que levanta todos os barcos. Os resultados desses experimentos ainda não foram concluídos, e os países divergem muito de formas significativas. Diferenças em história, área geográfica, tamanho da população e diversidade étnica tornam a comparação direta muito difícil. Mas certamente o caso é que a redistribuição forçada em nome da igualdade utópica é uma cura pior do que a doença.

Acredito, também (o que pode ser considerado de esquerda), que a reorganização incremental das administrações universitárias de forma análoga às empresas privadas é um erro. Acredito que a ciência da administração é uma pseudodisciplina. Acredito que o governo pode, às vezes, ser uma força para o bem, assim como o árbitro necessário de um conjunto de regras necessárias. Todavia, não compreendo por que nossa sociedade oferece financiamento público para instituições e educadores cujo objetivo declarado, consciente e explícito é a destruição da cultura que os sustenta. Essas pessoas têm pleno direito a suas opiniões e ações se permanecerem dentro da lei. Mas não há uma justificativa plausível para o financiamento público. Se radicais de direita recebessem financiamento público para operações políticas disfarçadas de cursos universitários, como os esquerdistas radicais fazem, o alvoroço dos progressistas em toda a América do Norte seria ensurdecedor.

Existem outros sérios problemas à espreita nas disciplinas radicais, além da falácia de suas teorias e métodos, e sua insistência de que o ativismo político coletivo é moralmente obrigatório. Não existe sequer um fiapo de evidência que apoie qualquer uma de suas alegações centrais: que a sociedade ocidental é patologicamente patriarcal; que a lição mais importante da história é que os homens, e não a natureza, eram a principal fonte de opressão das mulheres (ao invés de serem seus parceiros e apoiadores, como a maioria dos casos); que todas as hierarquias são baseadas no poder e visam a exclusão. As hierarquias existem por muitas razões — algumas potencialmente válidas, outras não — e são incrivelmente antigas em termos evolutivos. Os crustáceos machos oprimem os crustáceos fêmeas? Suas hierarquias deveriam ser destruídas?

Nas sociedades que funcionam bem — não em comparação à utopia hipotética, mas contrastadas com outras culturas existentes ou históricas —, a *competência*, e não o poder, é o principal determinante de status. Competência. Capacidade. Habilidade. Não o *poder*. Isso é óbvio tanto do ponto de vista baseado em fatos quanto da observação geral. Ninguém com câncer cerebral tem uma mentalidade de igualdade suficiente para recusar o serviço de um cirurgião com a melhor formação, a melhor reputação e, talvez, o salário mais alto. Além do mais, os traços de personalidade mais válidos como preditores de sucesso em longo prazo nos países ocidentais são: inteligência (medida por capacidade cognitiva ou testes de QI) e conscienciosidade (um traço caracterizado por perseverança e disciplina).[188] Existem exceções. Empreendedores e artistas têm uma pontuação mais alta em abertura para experiências[189], outro traço de personalidade cardinal, em vez de em conscienciosidade. Mas a abertura é associada com inteligência verbal e criatividade; assim, essa exceção é adequada e compreensível. O poder preditivo desses traços, matemática e economicamente falando, é excepcionalmente alto — estando, em termos de poder, entre os mais altos quando comparados com qualquer outra coisa que tenha sido realmente mensurada nas áreas mais rigorosas das ciências sociais. Uma boa bateria de testes de personalidade/cognitivos pode aumentar a probabilidade de empregar alguém mais competente do que a média, de 50:50 para 85:15. Esses são os fatos, tão sustentados quanto qualquer coisa em ciências sociais (e isso significa mais do que você pode imaginar, pois as ciências sociais são disciplinas mais efetivas do que seus críticos cínicos gostariam). Assim, o estado não somente apoia o radicalismo unilateral, mas a doutrinação. Não ensinamos a nossos filhos que o mundo é plano. Também não deveríamos lhes ensinar teorias sobre a natureza de homens e mulheres baseados em ideologias sem suporte algum — ou sobre a natureza da hierarquia.

Não é irracional observar (se os desconstrutivistas se limitassem a isso) que a ciência pode ser influenciada pelos interesses do poder, e alertar contra isso — ou salientar que a evidência é, com muita frequência, o que algumas pessoas poderosas, incluindo os cientistas, decidem que é. Afinal, cientistas são pessoas também, e pessoas gostam de poder — assim como os desconstrutivistas gostam de ser conhecidos por suas ideias e lutam justificadamente para chegar ao topo de suas hierarquias acadêmicas. Mas isso não significa que a ciência — ou mesmo o desconstrutivismo — só tenha a ver com poder. Por que acreditar nisso? Por que insistir nisso? Talvez seja porque: *se só existe poder, então usá-lo para obter o que se quer se torna plenamente justificável.* Esse uso não é restringido por evidência, método, lógica ou mesmo necessidade de coerência. Não há restrição alguma por qualquer coisa "fora do texto". Isso deixa a opinião sob essas circunstâncias — e a força —, sendo que o uso da força é muito atraente, na mesma medida que é certo seu emprego a serviço dessa opinião. A insistência pós-moderna insana e incompreensível em que todas as diferenças de gênero são construções sociais, por exemplo, torna-se compreensível quando seu imperativo moral é entendido — quando sua justificativa para a força é de uma vez por todas compreendida: *a sociedade precisa ser modificada ou suas distorções, eliminadas até que todos os resultados sejam igualitários.* Mas o fundamento da posição de construtivismo social é o desejo pelos resultados igualitários, e não a crença na justiça da eliminação das distorções. Uma vez que todas as desigualdades de resultados precisam ser eliminadas (desigualdade sendo a origem de todo o mal), então todas as diferenças de gênero precisam ser consideradas construções sociais. Caso contrário, a pressão por igualdade seria radical demais e a doutrina, flagrantemente propagandista demais. Assim, a ordem da lógica é invertida para que a ideologia possa ser camuflada. O fato de que essas declarações levam imediatamente a inconsistências internas dentro da ideologia nunca é enfrentado. O gênero é construído, mas um indivíduo que deseja uma cirurgia de redesignação de gênero deve ser indiscutivelmente considerado um homem preso em um corpo de uma mulher (ou vice-versa). *O fato de que ambos não podem ser logicamente verdadeiros, simultaneamente, é simplesmente ignorado* (ou racionalizado com outra alegação chocante pós-moderna: que a lógica em si — juntamente com as técnicas da ciência — é apenas parte do sistema patriarcal opressivo).

Ocorre também, é claro, que todos os resultados não podem ser equalizados. Primeiro, os resultados precisam ser medidos. Comparar os salários de pessoas que ocupam a mesma posição é relativamente óbvio (embora complicado de forma significativa por fatores como data de contratação, considerando que há diferença na demanda de trabalhadores, por exemplo, em diferentes períodos). Mas existem outras dimensões de comparação que são possivelmente de igual relevância, como estabilidade, taxa de promoção e influência social. A introdução do argumento "pagamento igual para trabalho igual" imediatamente complica a comparação de salários equivalentes além da viabilidade, por uma razão simples: quem decide o que é trabalho igual? É impossível. É por isso que existe o mercado de trabalho. Pior ainda é o problema de comparação de grupos: mulheres deveriam ganhar tanto quanto homens. Ok. Mulheres negras deveriam ganhar o mesmo que mulheres brancas. Ok. O salário deveria ser ajustado para todos os parâmetros de raça? Em que nível de separação? Quais categorias raciais são "reais"?

O Instituto Nacional de Saúde dos Estados Unidos, para usar um único exemplo burocrático, reconhece: índio norte-americano ou nativo do Alaska, asiático, negro, hispânico, havaiano nativo ou outros insulanos do Pacífico e branco. Mas existem mais de quinhentas tribos indígenas norte-americanas distintas. Então, qual é a lógica para que "índio norte-americano" represente uma categoria geral? Membros da tribo Osage têm uma média de rendimentos anuais de US$30 mil enquanto que da Tohono O'odham, de US$11 mil. Eles são igualmente oprimidos? E quanto às deficiências? Pessoas com deficiências deveriam ganhar o mesmo que pessoas sem deficiência. Ok. Superficialmente, essa é uma reivindicação nobre, compassiva e justa. Mas quem tem deficiência? Alguém que vive com um dos pais com Alzheimer tem deficiência? Se a resposta é não, por que não? E quanto a uma pessoa com um QI baixo? Alguém menos atraente? Alguém com sobrepeso? Algumas pessoas claramente passam a vida notoriamente sobrecarregadas com problemas que estão além de seu controle, mas são realmente raras as pessoas que não estejam sofrendo pelo menos uma séria catástrofe em determinado momento — especialmente se incluirmos suas famílias na equação. E por que não as deveríamos incluir? Eis o problema fundamental: *a identidade de grupo pode ser fracionada até o nível individual.* Essa frase deveria ser escrita em letras maiúsculas. Cada pessoa é única — e não apenas de maneira trivial: única de forma relevante, importante e significativa. A afiliação a um grupo não consegue capturar essa variabilidade. Ponto-final.

Nada dessa complexidade é jamais discutido pelos pensadores marxistas/pós-modernos. Em vez disso, sua abordagem ideológica fixa um ponto de verdade, como a Estrela Polar, e força todo o resto a girar em

REGRA 11

torno dele. A alegação de que todas as diferenças de gênero são uma consequência da socialização não pode ser provada, nem refutada, em um certo sentido, porque a cultura pode ser imposta com tanta força a grupos ou indivíduos que praticamente qualquer resultado é atingível se estivermos dispostos a arcar com os custos. Sabemos, por exemplo, a partir de estudos de gêmeos idênticos adotados por famílias diferentes[190], que a cultura pode produzir um aumento de 15 pontos (um desvio padrão) no QI (aproximadamente a diferença entre o estudante mediano de ensino médio e o mediano de uma universidade de segunda linha) à custa de três desvios padrão na riqueza.[191] Isso significa, aproximadamente, que dois gêmeos idênticos separados no nascimento terão uma diferença de QI de 15 pontos se o primeiro for criado em uma família mais pobre do que 85% das famílias e o segundo, em uma mais rica do que 95% delas. Algo semelhante recentemente foi demonstrado na educação, ao invés de na riqueza.[192] Não sabemos qual seria o custo em riqueza ou em educação diferencial para produzir uma transformação mais extrema.

O que esses estudos sugerem é que seria possível minimizar as diferenças entre meninos e meninas se estivéssemos dispostos a exercer pressão suficiente. De modo algum isso garantiria que estaríamos libertando as pessoas de ambos os gêneros para fazerem as próprias escolhas. Mas a escolha não tem lugar no cenário ideológico: se homens e mulheres agissem voluntariamente para gerar resultados desiguais para cada gênero, essas mesmas escolhas precisariam ter sido determinadas por influência cultural. Em consequência, todos seriam vítimas de lavagem cerebral, onde quer que existam diferenças de gênero, e o teórico crítico inflexível é moralmente obrigado a corrigi-las. Isso significa que aqueles homens escandinavos de mentalidade já igualitária, não muito adeptos de cuidar dos filhos, requerem ainda mais retreinamento. O mesmo se aplica, a princípio, às mulheres escandinavas que não se interessam por engenharia.[193] Como seria esse retreinamento? Quais seriam seus limites? Essas coisas são normalmente impostas além de qualquer limite razoável antes de serem descontinuadas. A Revolução Cultural assassina de Mao deveria ter nos ensinado isso.

MENINOS IGUAIS ÀS MENINAS

O fato de que o mundo seria muito melhor se os meninos fossem socializados como as meninas se tornou uma doutrina de um certo tipo de teoria construtivista social. Aqueles que defendem essas teorias presumem, primeiro, que a agressividade é um comportamento aprendido, e assim poderia simplesmente não ser ensinado, e segundo (usando um exemplo específico) que "meninos deveriam ser socializados da forma que as meninas têm sido e deveriam ser estimulados a desenvolverem qualidades socialmente positivas, como delicadeza, sensibilidade emocional, cuidado e atenção, apreço pela estética e cooperação". Na opinião desses pensadores, a agressão somente será reduzida quando os adolescentes e jovens do sexo masculino "adotarem os mesmos padrões de comportamento tradicionalmente incentivados para as mulheres".[194]

Há tantas coisas erradas nessa ideia que é difícil saber por onde começar. Primeiro, não é verdade que a agressividade é simplesmente aprendida. A agressividade existe desde sempre. Existem circuitos biológicos ancestrais, por assim dizer, que sustentam a agressividade defensiva e predatória.[195] Eles são tão elementares que ainda estão ativos naqueles que chamamos de gatos descorticados, animais que têm as maiores partes cerebrais e que são mais recentemente evoluídas — um gigantesco percentual da estrutura total — completamente removidas. Isso sugere não apenas que a agressividade é inata, mas que é uma consequência da atividade em áreas cerebrais básicas e extremamente fundamentais. Se o cérebro fosse uma árvore, a agressividade (junto com fome, sede e desejo sexual) estaria presente em seu tronco.

E, acompanhando essa lógica, parece que um subconjunto de meninos de dois anos (cerca de 5%) é bastante agressivo por temperamento. Eles tomam os brinquedos de outras crianças, chutam, mordem e batem. Contudo, a maioria está efetivamente socializada aos quatro anos.[196] Isso, porém, não se deve ao fato de terem sido encorajados a agir como garotinhas. Em vez disso, eles são ensinados ou aprendem na primeira infância a integrar suas tendências agressivas em rotinas comportamentais mais sofisticadas. A agressividade sustenta o impulso de ser extraordinário, incontrolável, de competir, vencer — de ser ativamente virtuoso pelo menos em uma dimensão. A determinação é sua faceta pró-social e admirável. Crianças agressivas que não conseguem apresentar um comportamento sofisticado no final da infância estão condenadas à impopularidade, já que seu antagonismo primordial não as atende mais socialmente em idades mais avançadas. Rejeitadas por seus pares, elas são privadas de mais oportunidades de socialização e tendem a uma condição de exílio. São esses indivíduos que permanecem mais propensos a um comportamento antissocial e criminoso quando adolescentes e adultos. Mas isso não significa, de forma alguma, que o impulso agressivo careça de utilidade ou valor. No mínimo, ele é necessário para a autodefesa.

A COMPAIXÃO COMO UM VÍCIO

Muitas das clientes do sexo feminino a que atendo (talvez até a maioria) em minha clínica têm problemas na vida profissional e familiar não porque sejam agressivas demais, mas porque não são o bastante. Terapeutas cognitivo-comportamentais chamam o tratamento dessas pessoas, geralmente caracterizadas por traços mais femininos de afabilidade (polidez e compaixão) e neuroticismo (ansiedade e dor emocional), de "treinamento de assertividade".[197] Mulheres insuficientemente agressivas — e homens, embora sejam mais raros — fazem demais pelos outros. Tendem a tratar as pessoas à sua volta como se fossem crianças desamparadas. Tendem a ser ingênuas. Presumem que a cooperação deveria ser a base de todas as transações sociais e evitam o conflito (o que significa que evitam confrontar os problemas em seus relacionamentos e no trabalho). Elas reiteradamente se sacrificam pelos outros. Pode parecer uma virtude — e definitivamente é uma atitude que confere algumas vantagens sociais —, mas pode se tornar, e frequentemente se torna, contraproducente e unilateral. Uma vez que pessoas muito cordatas se esforçam para atender a outras, não lutam adequadamente por si mesmas. Presumindo que os outros pensem como elas, esperam — em vez de garantir que aconteçam — reciprocidade por sua ações zelosas. Quando não acontecem, elas se calam. Não exigem ou não conseguem exigir reconhecimento de forma clara. O lado obscuro de suas personalidades emerge, decorrente de sua submissão, e elas se tornam rancorosas.

Ensino as pessoas excessivamente cordatas a prestarem atenção no surgimento desse ressentimento, que é uma emoção muito importante, mas muito nociva. Há duas razões principais para o ressentimento: ter sido explorado (ou ter permitido que o explorassem) ou a recusa birrenta de assumir a responsabilidade e crescer. Se você está ressentido, procure os motivos. Tente discutir o problema com alguém em quem confie. Você está se sentindo injustiçado, de uma maneira imatura? Se, depois de uma ponderação franca, ainda achar que sim, talvez alguém esteja se aproveitando de você. Significa que agora tem obrigação moral de se impor. Significa confrontar seu chefe, marido, esposa, filho ou pais. Pode significar coletar evidências estrategicamente para que, ao confrontar a pessoa, possa oferecer vários exemplos do comportamento inadequado (pelo menos três), para que ela não possa se esquivar facilmente de suas acusações. Pode significar deixar de ceder quando elas lhe oferecem seus contra-argumentos. As pessoas raramente têm mais de quatro na manga. Se você permanecer inabalável, elas ficam irritadas, choram ou fogem. É muito útil recorrer às lágrimas em situações como essa. Elas podem ser usadas para incitar culpa por parte do acusador por, teoricamente, ter ferido os sentimentos ou provocado um sofrimento emocional. Mas as lágrimas são geralmente derramadas na raiva. Um rosto vermelho é uma boa pista. Se você conseguir defender seu argumento ao longo das quatro primeiras respostas e resistir às emoções decorrentes, conquistará a atenção de seu alvo — e talvez seu respeito. Entretanto, isso é um conflito autêntico, e não é agradável nem fácil.

Você também precisa saber claramente o que pretende obter da situação e estar preparado para articular claramente seu desejo. É uma boa ideia dizer à pessoa que está confrontando exatamente o que gostaria que ela fizesse ao invés do que ela fez ou está fazendo. Você pode pensar "se elas me amassem, saberiam o que fazer". Essa é a voz do ressentimento. Presuma a ignorância antes da maldade. Ninguém tem uma linha direta para suas vontades e necessidades — nem mesmo você. Se tentar determinar exatamente o que quer, pode descobrir que é mais difícil do que pensava. A pessoa que o oprime provavelmente não é mais sábia, especialmente no que diz respeito a você. Diga a ela diretamente o que seria preferível depois que identificar o que é. Faça um pedido, o menor e mais razoável possível —, mas assegure que o cumprimento dessa exigência será satisfatório. Assim, você enfrenta a discussão também com uma solução em vez de levar apenas um problema.

Pessoas cordatas, compassivas, empáticas e avessas ao conflito (todas essas características podem ser agrupadas) deixam que outras pisem nelas, e depois se ressentem. Elas se sacrificam pelos outros, às vezes excessivamente, e não conseguem compreender por que não há reciprocidade. Pessoas cordatas são submissas, e isso lhes rouba a independência. O perigo associado a isso pode ser amplificado pelo traço de ordem superior do neuroticismo. Pessoas cordatas concordam com qualquer um que faça uma sugestão em vez de insistir, pelo menos às vezes, nas próprias ideias. Assim, elas se perdem, tornam-se indecisas e facilmente manipuláveis. Se, além disso, sentirem medo e se magoarem com facilidade, têm menos motivos para buscar o próprio caminho de modo independente, pois fazer isso as expõe a ameaças e perigos (pelo menos em curto prazo). Esse é o caminho para o transtorno de personalidade dependente, tecnicamente falando.[198] Ele pode ser considerado o extremo oposto do transtorno de personalidade antissocial, o conjunto de traços de personalidade característicos de delinquência na infância e na adolescência e de criminalidade na fase adulta. Seria maravilhoso se o oposto de um criminoso fosse um santo — mas não é assim. O oposto de um criminoso é uma mãe edipiana, um tipo diferente de criminoso.

A mãe edipiana (e pais podem desempenhar esse papel também, mas é mais raro) diz para seu filho: "Eu vivo só para você." Ela faz tudo por seus filhos. Ela amarra seus sapatos, corta a comida, deixa que durmam em sua cama com muita frequência. Esse é um método eficiente e sem conflitos para evitar atenção sexual indesejada, também.

A mãe edipiana faz um pacto consigo mesma, com seus filhos e com o Diabo em pessoa. O trato é o seguinte: "Acima de tudo, nunca me abandone. Em contrapartida, farei tudo por você. À medida que envelhecer sem amadurecer, você se tornará inútil e amargo, mas nunca terá que assumir qualquer responsabilidade, e tudo que fizer de errado sempre será culpa de outra pessoa." Os filhos podem aceitar ou rejeitar o pacto — e têm certo poder de escolha.

A mãe edipiana é a bruxa da história de João e Maria. As duas crianças na fábula têm uma nova madrasta. Ela ordena ao marido que abandone as crianças na floresta, já que passam um período de fome e ela acha que as crianças comem demais. Ele obedece à esposa, leva os filhos para o meio da floresta e os abandona à própria sorte. Vagando famintos e solitários, eles se deparam com um milagre. Uma casa. E não é qualquer casa. É uma casa de doces. Uma casa feita de biscoito. Uma pessoa que não tenha recebido muito afeto, empatia, simpatia e cooperação pode ser cética e se perguntar: "Isso é muito bom para ser verdade?" Mas as crianças são novas e estão desesperadas demais.

Dentro da casa há uma gentil senhora disposta a salvar, dar carinho e cuidar de crianças desamparadas, toda maternal, pronta para se sacrificar para realizar todos os desejos delas imediatamente. Ela oferece às crianças tudo que querem a qualquer hora, e elas nunca precisam fazer nada. Mas toda essa atenção e cuidado a deixam faminta. Ela coloca João em uma jaula para que engorde ainda mais rápido. Mas João engana a bruxa, fazendo-a pensar que ele ainda está muito magro, oferecendo um osso velho toda vez que ela verifica se sua perna já está suculenta o bastante. Em determinado momento a bruxa, desesperada com a demora, acende o forno, preparando-se para cozinhar e devorar o objeto de sua devoção. Maria, que aparentemente não foi ludibriada a aceitar a submissão, espera um momento de descuido e empurra a gentil senhora para dentro do forno. As crianças fogem e reencontram o pai, que está totalmente arrependido de suas ações odiosas.

Em um lar assim, a parte mais suculenta da criança é o espírito, e ele é sempre o primeiro a ser consumido. Proteção demais destrói a alma em desenvolvimento.

A bruxa na fábula de João e Maria é a Mãe Terrível, a metade obscura do feminino simbólico. Profundamente sociais como somos na essência, temos a tendência de ver o mundo como uma história, os personagens sendo a mãe, o pai e o filho. O feminino, como um todo, é a natureza desconhecida fora dos limites da cultura, criação e destruição: é o lado protetor da mãe e o elemento destrutivo do tempo, a bela mãe virgem e a bruxa do pântano. Essa entidade arquetípica foi confundida com uma realidade histórica objetiva no final do século XIX por um antropólogo suíço chamado Johann Jakob Bachofen. Bachofen propunha que a humanidade atravessara uma série de estágios de desenvolvimento em sua história.

O primeiro, em termos gerais (depois de um início um tanto anárquico e caótico), foi Das Mutterrecht[199] ["a matriarcal", em tradução livre] — uma sociedade em que as mulheres detinham posições dominantes de poder, respeito e honra, em que a poligamia e a promiscuidade reinavam e qualquer certeza de paternidade simplesmente não existia. A segunda, a Dionisíaca, era uma fase de transição durante a qual essas bases originalmente matriarcais foram derrubadas e o poder, tomado pelos homens. A terceira fase, a Apolínea, reina até hoje. O patriarcado governa, e cada mulher pertence exclusivamente a um homem. As ideias de Bachofen se tornaram profundamente influentes em determinados círculos, apesar da ausência de qualquer evidência para endossá-las. Marija Gimbutas — arqueóloga —, por exemplo, defendia, nas décadas de 1980 e 1990, que uma cultura pacífica centrada na mulher e na deusa já foi característica da Europa no período Neolítico.[200] Ela alegava que essa cultura havia sido suplantada e destruída por uma cultura guerreira hierárquica invasora que lançou a base para a sociedade moderna. Merlin Stone, historiadora da arte, defendeu o mesmo argumento em seu livro *When God Was a Woman* ["Quando Deus Era Mulher", em tradução livre].[201] Toda essa série de ideias essencialmente arquetípicas/mitológicas se tornaram os critérios da teologia do movimento feminino e dos estudos matriarcais do feminismo na década de 1970 (Cynthia Eller, que escreveu um livro criticando essas ideias — *The Myth of Matriarchal Prehistory* ["Mito da Pré-história Matriarcal", em tradução livre] — chamava essa teologia de "uma mentira enobrecedora").[202]

Carl Jung se deparou com as ideias de Bachofen do matriarcado primitivo décadas antes. Jung logo percebeu, porém, que a progressão desenvolvente descrita pelo antigo pensador suíço representava uma realidade psicológica em vez de histórica. Ele via no pensamento de Bachofen o mesmo processo de projeção da fantasia imaginativa no mundo externo que nos levou a popular o cosmos com constelações e deuses. Em *História da Origem da Consciência*[203] e *A Grande Mãe*[204], o colaborador de Jung, Erich Neumann, ampliou a análise do seu colega. Neumann rastreou o surgimento da consciência, simbolicamente masculina, e a comparou com suas origens materiais (mãe, matriz), simbolicamente feminina, incluindo a teoria de Freud de maternidade edipiana em um modelo arquetípico mais amplo. Para Neumann e Jung, a consciência — sempre simbolicamente masculina, mesmo nas mulheres — luta para alcançar a luz. Seu desenvolvimento é doloroso e provoca ansiedade, pois carrega com ele a percepção da vulnerabilidade e da morte. É constantemente tentada a afundar de volta na dependência e inconsciência, e a abandonar seu fardo existencial. É auxiliada nesse desejo patológico por tudo que se contraponha à iluminação, articulação, racionalidade, autodeterminação, força e competência — por qualquer coisa que proteja demais, e, portanto, sufoque e devore. Essa superproteção é o pesadelo familiar edipiano de Freud, que estamos rapidamente transformando em política social.

A Mãe Terrível é um símbolo antigo. Ela se manifesta, por exemplo, na forma de Tiamat, na mais antiga história mesopotâmica recuperada, *Enuma Elish*. Tiamat é a mãe de todas as coisas, deuses e homens. São o desconhecido, o caos e a natureza que dão origem a todas as formas. Mas ela também é uma divindade dragão-fêmea que age para destruir os próprios filhos depois que eles despreocupadamente matam o pai e tentam viver no corpo que restou. A Terrível Mãe é o espírito da inconsciência despreocupada seduzindo o espírito indômito da consciência e da iluminação para o abraço protetor, quase uterino, do submundo. É o terror que os jovens homens sentem diante de mulheres atraentes, que são a própria natureza, sempre pronta para rejeitá-los intimamente, no nível mais profundo possível. Nada inspira a insegurança, mina a coragem e incita sentimentos de niilismo e ódio mais do que isso — exceto, talvez, o abraço demasiadamente apertado da mãe excessivamente protetora.

A Mãe Terrível aparece em muitos contos de fadas e em muitas histórias de adultos. Em *A Bela Adormecida*, ela é a Rainha Má, a natureza obscura em pessoa — Malévola, na versão da Disney. Os pais da Princesa Aurora não convidam essa força das trevas para o batizado de sua filha. Assim, eles a protegem demais do lado destrutivo e perigoso da realidade, preferindo que cresça despreocupada. A recompensa deles? Na puberdade, ela ainda é inconsciente. O espírito masculino, seu príncipe, é tanto o homem que pode salvá-la, arrancando-a dos pais, quanto sua própria consciência, aprisionada em uma masmorra por causa das maquinações do lado obscuro da feminilidade. Quando esse príncipe escapa e ataca implacavelmente a Bruxa Má, ela se transforma no Dragão do Caos. O masculino simbólico a derrota com a verdade e a fé, e encontra a princesa, que o príncipe desperta com um beijo.

Pode-se argumentar (como ocorre mais recentemente em *Frozen*, da Disney, e muito propagandístico da causa) que uma mulher não precisa de um homem para a salvar. Isso pode ou não ser verdade. Pode ser apenas que a mulher que queira (ou tenha) um filho precise de um homem para salvá-la — ou pelo menos que a apoie e ajude. Em todo caso, é certo que uma mulher precisa que a consciência seja resgatada, e, como mencionado anteriormente, a consciência é simbolicamente masculina e é assim desde o início dos tempos (disfarçada de ordem e Logos, o princípio mediador). O Príncipe pode ser um amante, mas também pode ser a vigília atenta, a clareza de visão e a independência obstinada da própria mulher. Esses são traços de personalidade masculinos — tanto realística quanto simbolicamente, pois os homens são de fato menos compassivos e cordatos do que as mulheres, em média, e menos suscetíveis à ansiedade e dor emocional. E, repetindo: (1) isso é ainda mais verdade nos países escandinavos em que a igualdade de gênero é mais avançada — e (2) as diferenças não são pequenas pelos padrões pelos quais essas coisas são mensuradas.

A relação entre o masculino e a consciência também é retratada, simbolicamente, no filme da Disney *A Pequena Sereia*. Ariel, a heroína, é bastante feminina, mas também tem um forte espírito de independência. Por esse motivo, ela é a favorita do pai, embora seja ela quem crie mais problemas. Seu pai, Tritão, é o rei, representando o conhecido, a cultura e a ordem (com uma pitada de ditador e tirano opressor). Como a ordem é sempre contraposta pelo caos, Tritão tem uma adversária, Úrsula, um polvo com seus tentáculos — uma serpente, uma górgona, uma hidra. Assim, Úrsula está na mesma categoria arquetípica que o dragão/Malévola em *A Bela Adormecida* (ou a rainha invejosa em *Branca de Neve*, Lady Tremaine em *Cinderella*, a Rainha Vermelha em *Alice no País das Maravilhas*, Cruella de Vil em *101 Dálmatas*, Madame Medusa em *Bernardo e Bianca* e Mamãe Gothel em *Enrolados*).

Ariel quer iniciar um romance com Príncipe Eric, a quem resgatou anteriormente em um naufrágio. Úrsula engana Ariel para que ela lhe dê sua voz em troca de ter três dias como humana. Úrsula sabe muito bem, porém, que Ariel sem sua voz não conseguirá se relacionar com o Príncipe. Sem sua capacidade de falar — sem o Logos; sem a Palavra Divina — ela permanecerá embaixo da água, inconsciente, para sempre.

Quando Ariel não consegue se casar com Príncipe Eric, Úrsula rouba sua alma e a coloca em sua grande coleção de semisseres encolhidos e deformados, bem protegidos por suas graças femininas. Quando o Rei

Tritão aparece para exigir que ela devolva sua filha, Úrsula faz uma terrível oferta: ele pode tomar o lugar de Ariel. Obviamente, a eliminação do Rei Sábio (que representa o lado benevolente do patriarcado) era o plano inicial de Úrsula. Ariel é libertada, mas Tritão agora está reduzido a uma patética sombra de si mesmo. Mas, o principal, Úrsula agora tem o tridente mágico de Tritão, a fonte de seu poder divino.

Felizmente para todos os envolvidos (exceto Úrsula), o Príncipe Eric retorna, distraindo a rainha má do submundo com um golpe de arpão. Isso cria o oportunidade para que Ariel ataque Úrsula, que cresce, em resposta, assumindo proporções monstruosas — da mesma forma que Malévola, a rainha má de *A Bela Adormecida*. Úrsula cria uma enorme tempestade e dá vida a uma frota de navios naufragados no fundo do oceano. Enquanto ela se prepara para matar Ariel, Eric comanda um navio naufragado e a golpeia com o mastro quebrado. Tritão e as outras almas capturadas são libertadas. O revitalizado Tritão então transforma sua filha em ser humano para que possa ficar com Eric. Para uma mulher ser completa, como sugere a fábula, precisa criar um relacionamento com a consciência masculina e enfrentar o mundo terrível (que às vezes se manifesta, principalmente, na forma de sua mãe superpresente). Um homem de verdade pode ajudá-la a fazer isso até certo ponto, mas é melhor para todos os envolvidos quando ninguém é dependente demais.

Certo dia, quando eu era criança, estava jogando softball com alguns amigos. Os times eram mistos, de meninos e meninas. Já tínhamos idade suficiente para que meninos e meninas começassem a demonstrar interesse uns pelos outros de uma forma não familiar. O status estava se tornando mais relevante e importante. Meu amigo Jake e eu estávamos prestes a nos socar, empurrando um ao outro perto da área de lançamento, quando minha mãe passava ao longe. Ela ainda estava relativamente distante, aproximadamente 30 metros, mas pude perceber imediatamente pela mudança em sua linguagem corporal que ela sabia o que estava acontecendo. Obviamente, as outras crianças a viram também. Ela passou direto. Eu sabia que fazer aquilo foi doloroso para ela. Parte dela estava preocupada com que eu voltasse para casa com o nariz sangrando e o olho roxo. Seria fácil para ela simplesmente gritar: "Ei, meninos, parem com isso!" ou mesmo se aproximar e intervir. Mas não o fez. Alguns anos mais tarde, quando eu enfrentava alguns problemas de adolescente com meu pai, minha mãe disse: "Se fosse muito bom aqui em casa, você nunca sairia."

Minha mãe é uma pessoa compassiva. Ela é empática, cooperativa e cordata. Às vezes ela permitia que as pessoas mandassem nela. Quando ela voltou a trabalhar depois de cuidar dos filhos pequenos, ela teve dificuldade de se impor aos homens. Às vezes isso a deixava ressentida — algo que ela também vivenciava, por vezes, no relacionamento com meu pai, que é fortemente inclinado a fazer o que ele quer, quando quer. Apesar de tudo isso, ela não é a mãe edipiana. Ela incentivou a independência dos filhos, mesmo que isso fosse difícil para ela. Ela fez o que era certo, mesmo lhe causando sofrimento emocional.

SEJA DURÃO, SEU PAMONHA

Passei um verão da minha juventude na província de Saskatchewan na região central das pradarias trabalhando em uma linha ferroviária. Todos os homens naquele grupo exclusivamente masculino foram testados pelos outros durante as duas primeiras semanas de trabalho. Muitos dos outros trabalhadores eram índios Cree norte-americanos, caras quietos na maior parte do tempo, fáceis de conviver, até beberem demais e todo seu ressentimento vir à tona. Eles haviam entrado e saído da prisão, assim como a maioria de seus parentes. Não se envergonhavam disso, consideravam só mais uma das facetas do sistema do homem branco. Havia aquecimento na cadeia durante o inverno e eles tinham comida suficiente e regular. Certo dia, emprestei a um dos Cree cinquenta dólares canadenses. Em vez de me pagar, ele me ofereceu um par de apoios de livro, que ainda guardo, feito do trilho original da ferrovia do oeste do Canadá. Foi melhor do que os cinquenta dólares.

Quando um novato chegava, os outros trabalhadores inevitavelmente arrumavam um apelido ofensivo. Eles me chamavam de Howdy Doody* depois que fui aceito como membro da equipe (algo que ainda tenho uma certa vergonha em admitir). Quando perguntei ao criador do apelido porque havia escolhido aquele, ele disse, de maneira ao mesmo tempo espirituosa e ilógica: "Porque você não se parece nem um pouco com ele." Operários geralmente são extremamente divertidos de uma

---

* N.T.: Nome de um programa infantil da TV norte-americana, criado em 1947, protagonizado pela marionete Howdy Doody.

forma cáustica, mordaz e ofensiva (como discutimos na Regra 9). Eles estão sempre provocando uns aos outros, em parte pela diversão, em parte para acumular pontos na eterna batalha de dominância entre eles, mas também, em parte, para ver o que outro fará se submetido ao estresse social. Faz parte do processo de avaliação de caráter, assim como de camaradagem. Quando funciona bem (quando todos conseguem satisfação mútua), é parte importante do que possibilita que os homens que trabalham para viver tolerem ou até mesmo gostem de instalar encanamentos, trabalhar em plataformas de petróleo, derrubar árvores e trabalhar em cozinhas de restaurante e todas as outras atividades que são quentes, sujas, fisicamente exigentes e perigosas, que ainda são executadas quase que integralmente por homens.

Pouco tempo depois que comecei a trabalhar na linha ferroviária, meu nome passou a ser Howdy. Foi um grande progresso, pois tinha uma boa conotação do velho oeste e não estava obviamente relacionado àquele boneco idiota. O próximo homem a ser contratado não teve a mesma sorte. Ele carregava uma sofisticada marmiteira, o que foi um erro, pois sacos de papel pardo eram a convenção despretensiosa e apropriada. Era moderna e nova demais. Parecia que a mãe tinha comprado (e preparado) para ele. Portanto, esse passou a ser seu apelido. O Marmita não era um cara bem-humorado. Ele reclamava de tudo e tinha um péssimo hábito. Tudo era culpa de outra pessoa. Ele era irritável e um tanto lento.

O Marmita não conseguia aceitar seu apelido ou se adaptar ao trabalho. Ele adotou uma atitude de irritação condescendente quando lhe falavam, e reagia ao trabalho da mesma maneira. Ele não era divertido, não aceitava piadas. Isso é fatal em uma equipe de trabalho. Depois de aproximadamente três dias de mau humor e daquele ar de superioridade de quem foi injustiçado, O Marmita passou a enfrentar um assédio muito além de seu apelido. Ele trabalhava com toda sua impertinência ao longo da linha cercado por cerca de 70 homens espalhados por 400 metros. De repente surgia uma pedra do nada, voando pelo ar, direto para seu capacete. Se acertasse diretamente o capacete, a pedra faria um som surdo, para a satisfação geral de todos os observadores. Mesmo isso não conseguia melhorar o seu humor. Assim, as pedras ficaram maiores. O Marmita se concentrava em outra coisa e se esquecia de prestar atenção. E, aí, "tuc!" — uma pedra bem mirada o acertava bem no meio da cabeça, gerando uma onda de irritação e fúria inúteis.

REGRA 11

Um divertimento silencioso se espalhava pela linha. Depois de alguns dias disso, sem aprender nada e com alguns machucados, O Marmita desapareceu.

Os homens impõem um código de conduta entre si quando trabalham juntos. Faça seu trabalho. Carregue seu fardo. Fique esperto e preste atenção. Não resmungue nem seja melindroso. Defenda seus amigos. Não bajule nem entregue ninguém. Não seja escravo de regras idiotas. Nas palavras imortais de Arnold Schwarzenegger: "Não seja um mariquinha." Não seja dependente. De jeito nenhum. Nunca. Ponto-final. O assédio, parte da aceitação na equipe de trabalho, é um teste: será que você é durão, divertido, competente e confiável? Se não for, vá embora. Simples assim. Não precisamos sentir pena de você. Não queremos aguentar seu narcisismo nem fazer seu trabalho.

Havia uma famosa propaganda em forma de tirinha cômica lançada há algumas décadas pelo fisioculturista Charles Atlas. Era intitulada "The Insult that Made a Man out of Mac" ["O Insulto Que Fez Mac Se Tornar Homem", em tradução livre] e aparecia em quase todas as revistas em quadrinhos, a maioria delas lida por meninos. Mac, o protagonista, está sentado em uma toalha de praia com uma mulher jovem e atraente. Um valentão passa por eles e chuta areia em seus rostos. Mac reage. O homem muito maior que Mac o agarra pelo braço e diz: "Ouça. Eu esmagaria sua cara... Só que você é tão magrelo que poderia se esfarelar e sumir." O valentão vai embora. Mac diz para a garota: "Esse valentão! Eu me vingarei algum dia." Ela adota uma postura provocadora e diz: "Ah, não deixe que ele te incomode, rapazinho." Mac vai para casa, reflete sobre sua psique patética e compra o programa Atlas. Logo ele adquire um corpo novo. Na próxima vez que vai à praia, dá um soco no nariz do valentão. A garota, agora admirada, pendura-se em seus braços. "Ah, Mac!", diz ela. "Você é um homem de verdade, afinal."

Esse anúncio é famoso por uma razão. Ele resume a psicologia sexual humana em sete quadrinhos bem claros. O jovem rapaz fracote fica envergonhado e constrangido com o próprio corpo, como deveria ser. O que há de bom nele? Ele é humilhado por outros homens e, pior, pelas mulheres atraentes. Em vez de se afogar em ressentimento e se amargurar no porão jogando videogames de cuecas coberto de farelo de Cheetos, ele se apresenta com o que Alfred Adler, o colega mais prático

340 12 REGRAS PARA A VIDA

de Freud, chamava de "fantasia compensatória."[205] O objetivo dessa fantasia não é tanto a satisfação de um desejo, mas o esclarecimento de um genuíno caminho a seguir. Mac observa bem seu corpo franzino de espantalho e decide que deveria desenvolver um corpo mais forte. O mais importante, coloca seu plano em ação. Ele se identifica com a parte de si mesmo que poderia transcender seu estado atual e se torna o herói da própria aventura. Ele retorna à praia e dá um soco no nariz do valentão. Mac vence. Assim como sua futura namorada. Assim como todo mundo.

É para o benefício das mulheres que os homens não aceitam facilmente a dependência entre eles. Parte dos motivos pelos quais tantas mulheres que trabalham não se casam, hoje, como mencionamos, é porque não querem ter que cuidar de um homem, com dificuldade de emprego, e dos filhos. E com razão. Uma mulher deve cuidar dos filhos — embora isso não seja tudo o que deva fazer. E um homem deve cuidar da mulher e dos filhos — embora não seja tudo o que deva fazer. Mas uma mulher não deve ter que cuidar do homem, pois precisa cuidar dos filhos, e um homem não deve ser mais um filho. Isso significa que ele precisa não ser dependente. Essa é uma das razões pelas quais os homens têm pouca paciência com outros homens dependentes. E não devemos esquecer: mulheres perversas podem criar filhos dependentes, podem sustentar e até se casar com homens dependentes, mas mulheres despertas e conscientes querem um parceiro desperto e consciente.

É por essa razão que Nelson Muntz, de *Os Simpsons*, é tão necessário para o pequeno grupo social que cerca o filho anti-herói de Homer, Bart. Sem Nelson, o Rei dos Valentões, a escola seria dominada por rancorosos e melindrosos Milhouses, narcisistas e intelectuais Martin Princes, o garoto alemão molenga e devorador de chocolate, e o infantil Ralph Wiggums. Muntz é uma criança durona, corretiva e autossuficiente que usa sua capacidade de desprezo para decidir até que ponto o comportamento imaturo e patético será tolerado. Parte da genialidade de *Os Simpsons* é a recusa de seus autores a simplesmente tachar Nelson como um valentão irrecuperável. Abandonado pelo pai inútil, negligenciado, felizmente, por sua mãe insensível e promíscua, Nelson se sai muito bem, considerando-se a situação. Ele chega até a atrair o interesse romântico da progressista Lisa, para espanto e perplexidade da própria Lisa (pelas mesmas razões que tornaram *Cinquenta Tons de Cinza* um fenômeno mundial).

Quando a docilidade e a inofensividade se tornam as únicas virtudes aceitáveis, então a severidade e a dominância começarão a exercer um fascínio inconsciente. Em parte o que isso significa para o futuro é que se os homens forem obrigados a se feminilizar se interessarão cada vez mais por ideologias políticas severas e fascistas. *Clube da Luta*, talvez o filme fascista mais popular dos últimos anos em Hollywood, com a possível exceção da série Homem de Ferro, oferece um exemplo perfeito dessa inevitável atração. O crescimento do apoio populista a Donald Trump nos Estados Unidos é parte do mesmo processo, assim como (de uma forma muito mais sinistra) o recente aumento dos partidos de extrema direita mesmo em países liberais como Holanda, Suécia e Noruega.

Os homens precisam ser durões. Os homens exigem isso e as mulheres querem, mesmo que possam não aprovar as atitudes severas e insolentes que são parte integrante do processo socialmente exigente que incentiva e reforça essa tenacidade. Algumas mulheres não gostam de perder seus bebês, então os mantêm para sempre. Algumas mulheres não gostam de homens e preferem ter um parceiro submisso, mesmo que seja um inútil. Isso também as oferece muito pelo que sentir pena de si mesmas. Os prazeres dessa autopiedade não devem ser subestimados.

Homens se tornam durões pressionando a si mesmos e uns aos outros. Quando eu era adolescente, os garotos eram muito mais propensos a se envolverem em acidentes de carro do que as garotas (como ainda são hoje). Isso porque à noite saíam para dar cavalo de pau em estacionamentos cobertos de gelo. Eles se envolviam em rachas e dirigiam seus carros em colinas sem estradas, que se estendiam do rio nas proximidades até os platôs centenas de metros morro acima. Tinham maior probabilidade de se envolverem em brigas físicas, matarem aula, insultarem os professores e abandonarem os estudos porque estavam fartos de ter que levantar a mão para pedir autorização para ir ao banheiro quando já eram grandes e fortes o bastante para trabalhar em plataformas de petróleo. Eles tinham maior probabilidade de correr de motocicletas sobre lagos congelados no inverno. Assim como os skatistas, os escaladores de guindastes e os praticantes de free run, eles faziam coisas perigosas tentando fazer algo útil. Quando esse processo vai longe demais, os garotos (e os homens) passam a exibir um comportamento antissocial que é muito mais prevalente em homens do que em mulheres.[206] Isso não significa que toda manifestação de ousadia e coragem seja criminosa.

Quando os garotos davam cavalos de pau, estavam também testando os limites de seus carros, suas habilidades como motoristas e sua capacidade de controle em uma situação fora de controle. Quando insultavam os professores, estavam enfrentando a autoridade, para ver se havia de fato autoridade ali — do tipo com que poderiam contar, em princípio, em uma crise. Quando abandonavam a escola, iam trabalhar como operários nas plataformas em uma temperatura de 40 graus abaixo de zero. Não era fraqueza que atraía tantos deles para fora da sala de aula, era a possibilidade de um futuro melhor à espera. Era força.

Se forem saudáveis, as mulheres não querem garotos. Elas querem homens. Querem alguém para disputar; alguém para lutar. Se elas forem duronas, querem alguém ainda mais forte. Se forem inteligentes, querem alguém mais inteligente. Elas desejam alguém que ofereça algo que elas mesmas não podem oferecer. Geralmente, isso dificulta que mulheres fortes, inteligentes e atraentes encontrem parceiros: simplesmente não existem tantos homens por aí que as possam superar o bastante para serem considerados desejáveis (que sejam superiores, conforme uma pesquisa mencionou, em "renda, educação, autoconfiança, dominância e posição social").[207] O espírito que interfere quando os meninos estão tentando se tornar homens, portanto, não é benéfico nem para as mulheres nem para os homens. Ele se oporá, do mesmo modo vociferante e prepotente ("você não pode fazer isso, é muito perigoso"), quando garotinhas tentarem andar com as próprias pernas. Ele nega a consciência. É anti-humano, deseja o fracasso, é invejoso, rancoroso e destrutivo. Ninguém realmente defensor da humanidade poderia se aliar com algo assim. Ninguém que almejasse progredir se permitiria ser possuído por algo assim. E se você pensa que homens fortes são perigosos, espere até ver do que os fracos são capazes.

Não incomode as crianças quando estão andando de skate.

REGRA 11

REGRA 12

ACARICIE UM GATO AO ENCONTRAR UM NA RUA

OS CÃES TAMBÉM, OK?

VOU COMEÇAR ESTE CAPÍTULO declarando abertamente que tenho um cão da raça esquimó americano, que é uma das muitas variações da família dos spitz. Eles eram conhecidos como spitzes alemães, até que a Primeira Guerra Mundial inviabilizou a admissão de que qualquer coisa boa pudesse vir da Alemanha. Os esquimós americanos estão entre os cães mais bonitos, com um focinho pontudo típico de lobos, orelhas erguidas, um pelo longo e espesso e uma cauda enrolada. Eles também são muito inteligentes. Nosso cão, Sikko (que significa "gelo" em uma língua inuíte, de acordo com a minha filha, que escolheu o nome), aprende comandos muito rapidamente e consegue fazer isso até hoje, mesmo já estando velhinho. Ensinei um truque novo para ele recentemente, quando fez 13 anos. Ele já sabia dar a pata e equilibrar um biscoito no nariz. Eu o ensinei a fazer os dois ao mesmo tempo. No entanto, não ficou muito claro se ele gosta disso.

Compramos o Sikko para minha filha, Mikhaila, quando ela estava com uns 10 anos. Ele era lindinho demais. Nariz e orelhas pequeninos, carinha redonda, olhos grandes, movimentos atrapalhados — essas características criam um comportamento protetor automático por parte dos seres humanos, tanto do sexo masculino quanto do feminino.[208] Certamente foi o caso com Mikhaila, que já tinha sob seus cuidados dragões-barbudos, gekkos, píton-reais, camaleões, iguanas e um coelho gigante de Flanders, de 9kg e cerca de 80cm de comprimento, que roía quase tudo em casa e fugia com frequência (para a grande consternação daqueles que observavam aquele coelho imenso passando pelo meio dos seus jardins). Ela possuía todos esses animais porque era alérgica aos pets mais tradicionais — com exceção de Sikko, que tem a vantagem de ser hipoalergênico.

Sikko acumulou 50 apelidos (nós contamos), que variavam muito na carga emocional e refletiam tanto nossa afeição quanto nossa frustração ocasional por causa de seus hábitos desagradáveis. Scum-dog* provavelmente era meu favorito, mas também gostava muito de Rathound, Furball e Suck-dog. As crianças usavam bastante Sneak e Squeak (às vezes adicionando um "o" ao final), mas também o chamavam de Snooky, Ugdog e Snorfalopogus. Snorb é o apelido que a Mikhaila usa no momento. Ela o chama assim para o cumprimentar após uma longa ausência. Para um efeito completo, deve ser pronunciado com uma tonalidade alta e voz de surpresa.

O Sikko também tem a própria hashtag no Instagram:

#JudgementalSikko.

Estou descrevendo meu cão em vez de escrever diretamente sobre gatos porque não quero entrar em conflito com um fenômeno conhecido como "identidade social", descoberto pelo psicólogo social Henri Tajfel.[209] Tajfel reuniu os participantes de sua pesquisa em seu laboratório e os posicionou diante de uma tela que piscava a imagem de vários pontos. Pediu aos participantes que adivinhassem quantos pontos havia. Então, classificou-os como subestimadores versus superestimadores e

---

* N.T.: Os apelidos partem do nome "cão" e criam jogos de palavras que indicam características físicas ou comportamentais. Assim, respectivamente, as traduções podem ser algo como: Cão-Espuma, Ratocão, Bola de Pelo, Bajula-Cão, Larápio, Gritão, Traquina, Feio-cão, Fofuropogus (que o autor considera um tanto embaraçoso) e Mele-cão.

precisos versus imprecisos, e colocou-os em grupos de acordo com seus desempenhos. Em seguida, pediu que dividissem dinheiro entre os membros de todos os grupos.

Tajfel descobriu que os participantes demonstravam uma preferência significativa pelos participantes do próprio grupo, rejeitavam uma estratégia de distribuição igualitária e recompensavam desproporcionalmente aqueles com quem passavam a se identificar. Outras pesquisas classificaram as pessoas em grupos diferentes usando estratégias ainda mais arbitrárias, como cara ou coroa. Não fez diferença, mesmo quando os participantes eram informados sobre a maneira como os grupos eram formados ainda favoreciam os membros de seus grupos pessoais.

Os estudos de Tajfel demonstraram duas coisas: a primeira, *que as pessoas são sociais*; a segunda, *que as pessoas são antissociais*. As pessoas são sociais porque gostam dos membros do próprio grupo. E são antissociais porque não gostam dos de outros. O porquê exatamente tem sido objeto de um debate contínuo. Penso que pode ser uma solução para um problema complexo de otimização. Problemas assim surgem, por exemplo, quando dois ou mais fatores são importantes, mas não podem ser maximizados sem diminuir os outros. Um problema desse tipo surge, por exemplo, por causa da antipatia entre a cooperação e a competição, ambas social e psicologicamente desejáveis. A cooperação serve para segurança, proteção e companheirismo. A competição serve para o crescimento pessoal e para o status. No entanto, se determinado grupo é pequeno demais, não tem poder ou prestígio e não consegue se defender de outros. Como consequência, ser um membro desse grupo não terá muita utilidade. Porém, se o grupo for grande demais, a probabilidade de ascender ao topo, ou quase, diminui. Então, fica muito difícil prosperar. Talvez as pessoas se identifiquem com os grupos determinados pelo acaso do cara ou coroa porque querem, em um nível profundo, organizar e proteger a si mesmas e ainda ter alguma probabilidade razoável de subir na hierarquia de dominância. Assim, elas favorecem o próprio grupo porque, ao fazê-lo, ajudam-no a prosperar — e ascender em algo que fracassa não é uma boa estratégia.

De qualquer forma, é por causa da descoberta de Tajfel sobre a identidade social que comecei este capítulo sobre gatos fazendo uma descrição sobre meu cão. De outro modo, a simples menção de um

REGRA 12

gato no título seria suficiente para que muitas pessoas que preferem cães se voltassem contra mim só porque não os incluí no grupo de criaturas que devem ser acariciadas. Uma vez que também gosto de cães, não há motivos para sofrer tal destino. Então, se você gosta de acariciar cães quando encontra um na rua, não se sinta na obrigação de me odiar. Fique tranquilo, com certeza é uma ação que aprovo. Também quero me desculpar com todas as pessoas que preferem os gatos, que podem ter se sentido desprezadas agora, porque esperavam uma história de gatos, mas tiveram que ler todo esse texto a respeito de cães. Talvez elas fiquem satisfeitas por uma certa garantia de que os gatos ilustram melhor a ideia que quero passar, e de que ainda vou falar sobre eles. Porém, vamos falar de outras coisas primeiro.

OS SOFRIMENTOS E AS LIMITAÇÕES DO SER

A ideia de que a vida é sofrimento é um princípio, de uma forma ou de outra, em todas as doutrinas religiosas predominantes, como já debatemos. Os budistas declaram isso abertamente. Os cristãos o representam com a cruz. Os judeus homenageiam o sofrimento suportado ao longo dos séculos. Esse tipo de pensamento caracteriza os grandes credos de forma universal, porque os seres humanos são intrinsecamente frágeis. Podemos nos machucar, e até quebrar, tanto física quanto emocionalmente, e estamos todos sujeitos à degradação do envelhecimento e da perda. Esse é um conjunto de fatos deprimente, e faz sentido imaginar como podemos ter alguma esperança de prosperarmos e sermos felizes (ou até mesmo querermos existir, às vezes) em tais condições.

Conversei recentemente com uma cliente cujo marido havia se engajado em uma batalha bem-sucedida contra o câncer por um período agonizante de 5 anos. Os dois resistiram de forma notável e corajosa todo esse tempo. No entanto, ele acabou sendo vítima da pavorosa metástase e, como consequência, recebeu a notícia de que teria pouco tempo de vida. Talvez seja ainda pior ouvir notícias terríveis assim quando ainda estamos no delicado estado de pós-recuperação depois de superar uma má notícia. A tragédia em um momento assim parece ser particularmente injusta. É o tipo de coisa que pode tirar sua fé até mesmo na esperança em si. Em geral é suficiente para causar um verdadeiro trauma. Minha cliente e eu havíamos discutido várias questões, algumas filosóficas e abstratas e outras mais concretas. Compartilhei com ela alguns dos meus pensamentos sobre os porquês da vulnerabilidade humana.

Quando meu filho, Julian, tinha cerca de três anos, era muito bonitinho. Hoje, vinte anos depois, ele ainda é bonitinho (um elogio que tenho certeza que ele vai gostar de ler). Por causa dele, pensei muito sobre a fragilidade das crianças pequenas. Uma criança de três anos pode ser ferida com muita facilidade. Os cães podem mordê-la. Os carros podem atropelá-la. Outras crianças malvadas podem empurrá-la. Ela pode ficar doente (o que eventualmente aconteceu). Julian tinha uma tendência a ter febres altas e sofrer com os delírios que elas provocam. Em diversas ocasiões tive que levá-lo ao chuveiro comigo para abaixar sua temperatura enquanto alucinava, ou até mesmo lutava comigo, em seu estado febril. Há poucas coisas que tornam mais difícil aceitar as limitações fundamentais da existência humana do que um filho doente.

Mikhaila, um ano e alguns meses mais velha do que Julian, também teve seus problemas. Quando ela estava com dois anos, eu a erguia e colocava sobre meus ombros para carregá-la por aí. As crianças gostam disso. Só que depois, quando a punha no chão novamente, ela se sentava e começava a chorar. Então, parei de fazer isso. Pareceu ser o fim do problema — com uma pequena exceção. Minha esposa, Tammy, disse-me que havia algo de errado com o modo como Mikhaila andava. Eu não conseguia perceber. Tammy achou que talvez pudesse estar relacionado com a reação dela ao ser carregada nos meus ombros.

Mikhaila era uma criança radiante e muito fácil de lidar. Um dia, quando tinha cerca de 14 meses, levei-a junto com seus avós e Tammy para o Cabo Cod, quando morávamos em Boston. Quando chegamos lá, Tammy e os pais dela foram caminhando na frente, e fiquei com Mikhaila no carro. Estávamos nos bancos da frente. Ela estava deitada ao sol, balbuciando algumas palavras. Eu me aproximei para ouvir o que ela dizia:

"Feliz, feliz, feliz, feliz."

Ela era assim.

Contudo, quando fez seis anos, ela começou a ficar desanimada. Era difícil fazer com que se levantasse da cama pela manhã. Ela se vestia muito devagar. Quando caminhávamos para algum lugar, ficava para trás. E reclamava que seus pés doíam e que seus sapatos estavam apertados. Compramos dez pares diferentes para ela, mas não adiantou. Ela ia para a escola e mantinha a cabeça erguida, comportando-se como deveria. Mas quando chegava a casa, e via sua mãe, começava a chorar.

Havíamos nos mudado recentemente de Boston para Toronto e atribuímos essas alterações de comportamento ao estresse da mudança. Porém, não melhorava. Mikhaila começou a subir e descer as escadas, vagarosamente, degrau a degrau. Ela começou a se movimentar como se fosse muito mais velha. Reclamava quando alguém segurava sua mão. (Um dia, muito depois, ela me perguntou: "Pai, quando brincávamos de "este porquinho foi ao mercado" com os dedinhos, quando eu era pequena, aquilo devia doer?" Aprendemos algumas coisas tarde demais...)

Um médico da nossa clínica local nos disse: "Às vezes as crianças têm dores de crescimento. Isso é normal. Mas você poderia considerar levá-la a um fisioterapeuta." Foi o que fizemos. O fisioterapeuta tentou mexer no calcanhar de Mikhaila. Ele não se moveu. Não era nada bom. Ele nos disse: "Sua filha tem artrite reumatoide juvenil." Não era o que queríamos ouvir. Não gostamos dele. Voltamos à clínica. E outro médico nos disse para levarmos Mikhaila ao hospital infantil. Ele adicionou: "Leve-a ao atendimento de emergência. Assim conseguirão que um reumatologista a veja rapidamente." Mikhaila tinha artrite, de fato. Aquele fisioterapeuta, o portador das más notícias, estava certo. Eram 37 articulações afetadas. Artrite poliarticular idiopática juvenil severa (AIJ). A causa? Desconhecida. O prognóstico? Substituição precoce de múltiplas articulações.

Que tipo de Deus faria um mundo em que coisas assim acontecem, ainda mais com uma garotinha inocente e feliz? É uma questão de importância absolutamente fundamental, tanto para os crentes quanto para os não crentes. É uma questão que foi tratada (assim como tantos outros assuntos difíceis) em *Irmãos Karamázov*, o grande romance de Dostoiévski que começamos a discutir na Regra 7. Dostoiévski exprime suas dúvidas sobre a propriedade do Ser através do personagem do Ivan, que, se você lembra, é o irmão articulado, bonito e sofisticado (e o maior adversário) de Aliócha, o noviço do monastério. "Não é Deus que não aceito. Entenda isso", diz Ivan. "Não aceito o mundo que Ele criou, este mundo de Deus, e não posso concordar com ele."

Ivan conta uma história a Alióchka sobre uma garotinha castigada pelos pais trancada em um banheiro externo durante uma noite congelante (uma história que Dostoiévski havia pegado de um jornal da época). Ivan questiona: "Você consegue ver aqueles dois tirando um cochilo enquanto sua filha chora a noite toda? Pense naquela garotinha, sem conseguir entender o que estava acontecendo, abatida, derramando pequeninas e dóceis lágrimas, suplicando ao "bom Jesus" que a tirasse daquele lugar horrível!... Alióchka, se, de alguma forma, tivessem lhe prometido que o mundo poderia finalmente ter paz absoluta — com a única condição de que você torturasse uma criancinha até a morte —, digamos, aquela garotinha que estava congelando no banheiro externo... você faria isso?" Alióchka hesita por um minuto: "Não, não faria", diz suavemente.[210] Ele não faria o que Deus parece permitir livremente.

Eu havia percebido algo de relevante nisso, anos antes, sobre Julian aos três anos (lembra-se dele? :)). Pensei: "Amo meu filho. Ele tem três anos, é bonitinho, pequenino e engraçadinho. Mas também tenho medo por ele, pois ele pode se machucar. Se tivesse o poder de mudar isso, o que eu faria?" E continuei: "Ele podia ter seis metros de altura em vez de um. Assim, ninguém o conseguiria empurrar. Ele poderia ser feito de titânio, e não de carne e osso. Dessa forma, se um pestinha batesse com um brinquedo em sua cabeça, ele nem ligaria. Ele poderia ter um cérebro computadorizado. Mesmo se sofresse algum dano, suas partes poderiam ser imediatamente substituídas. Problema resolvido!" Mas, não — nenhum problema resolvido —, e não apenas porque isso tudo é impossível atualmente. Fortalecer Julian artificialmente seria o mesmo que o destruir. Ele não teria mais o eu de um garotinho de três anos, mas o de um frio robô de aço. Isso não seria o Julian. Seria um monstro. Pude perceber através desses pensamentos que o que pode ser verdadeiramente amado em uma pessoa não pode ser separado de suas limitações. Julian não seria pequenino, bonitinho e adorável se não fosse também suscetível a doenças, perda, dor e ansiedade. Uma vez que o amava muito, decidi que ele estava bom do jeito que estava, apesar de sua fragilidade.

Com a minha filha foi mais difícil. À medida que sua doença progredia, comecei a levá-la de cavalinho (não nos meus ombros) quando saíamos para passear. Ela começou a tomar naproxeno e metotrexato via oral, sendo o segundo um agente poderoso de quimioterapia. Ela

REGRA 12

também tomou várias injeções de cortisol (nos pulsos, ombros, tornozelos, cotovelos, joelhos, quadris, dedos das mãos e dos pés e nos tendões), todas com anestesia geral. Isso a ajudava temporariamente, mas sua piora ainda continuava. Um dia, Tammy levou Mikhaila ao zoológico e teve que a colocar em uma cadeira de rodas.

Esse não foi um bom dia.

A reumatologista dela sugeriu a prednisona, um corticosteroide usado há muito tempo para combater inflamações. Mas há muitos efeitos colaterais, e um dos mais brandos é um inchaço severo da face. Não ficava claro se isso era melhor do que a própria artrite, pelo menos para uma garotinha. Felizmente, se é que é possível usar essa palavra, a reumatologista comentou sobre um remédio novo. Já havia sido usado, mas apenas em adultos. Dessa forma, Mikhaila se tornou a primeira criança canadense a receber etanercepte, um medicamento "biológico" desenvolvido especificamente para doenças autoimunes. Acidentalmente, Tammy administrou dez vezes mais do que a dose recomendada nas primeiras injeções. Puf! Mikhaila ficou boa. Algumas semanas após o passeio ao zoológico, ela estava a todo o vapor, até jogando futebol. E Tammy passou o verão todo só lhe assistindo correr.

Queríamos que Mikhaila tivesse o maior controle possível de sua vida. Ela sempre foi muito motivada por dinheiro. Um dia a encontramos do lado de fora da casa, cercada por seus livros de infância, vendendo-os aos que passavam. Uma noite sentei com ela e lhe disse que daria 50 dólares canadenses se conseguisse aplicar a injeção em si mesma. Ela estava com oito anos. Durante 30 minutos, ela hesitou, segurando a agulha pertinho de sua coxa. Então a aplicou. Na vez seguinte, paguei 20 dólares, mas lhe dei apenas dez minutos. E, depois, 10 dólares para cinco minutos. Ficamos nos 10 dólares por um bom tempo. Foi um ótimo negócio.

Depois de alguns anos, Mikhaila não teve mais nenhum sintoma da doença. A reumatologista sugeriu que começássemos a tirar sua medicação aos poucos. Algumas crianças deixam de sofrer de AIJ quando atingem a puberdade. Ninguém sabe o porquê. Ela passou a tomar o metotrexato via comprimidos em vez de injetá-lo. As coisas ficaram boas durante quatro anos. Porém, um dia, o cotovelo dela começou a doer. Levamos ela de volta ao hospital. "Você tem apenas uma articulação com artrite ativa", disse o reumatologista assistente. Não era "apenas". Duas não são muito mais do que uma, mas uma é muito mais do que zero. Uma significava que ela não havia se curado da artrite, apesar do hiato. Aquela notícia acabou com ela durante um mês, porém, ela ainda continuou com as aulas de dança e seguiu jogando bola com os amigos na rua em frente de casa.

Em setembro daquele ano, quando Mikhaila começava o segundo ano do ensino médio, a reumatologista tinha mais notícias desagradáveis. Uma ressonância magnética havia revelado a deterioração da articulação do quadril. Ela disse à Mikhaila: "Seu quadril terá de ser substituído antes de você fazer 30 anos." Será que o estrago já havia sido feito antes que o etanercepte houvesse operado seu milagre? Não sabíamos. Eram notícias trágicas. Um dia, algumas semanas depois, Mikhaila estava jogando hóquei na escola. O quadril travou. Ela teve que se arrastar para fora da quadra. E começou a doer cada vez mais. A reumatologista disse: "Parece que parte do seu fêmur está morta. Você não vai precisar substituir o quadril quando fizer 30. Tem que ser agora."

Enquanto estava com minha cliente — e ela falava sobre a doença do marido, que avançava —, discutimos sobre a fragilidade da vida, a catástrofe da existência e o senso de niilismo provocado pelo espectro da morte. Comecei a expor meus pensamentos sobre meu filho. Ela questionava, como qualquer um em sua situação: "Por que meu marido? Por que eu? Por que isso tudo?" A minha percepção sobre a forte conexão entre a vulnerabilidade e o Ser foi a melhor resposta que pude dar. Contei uma antiga história judaica, que acredito ser parte dos comentários da Torá. Ela começa com uma pergunta, estruturada ao estilo de um koan budista. *Imagine um Ser que é onisciente, onipresente e onipotente. O que falta para um Ser assim?*[211] A resposta? *Limitação*.

Se você já é tudo e está em todos os lugares o tempo todo, não há mais aonde ir nem nada mais a ser. Tudo o que poderia ser, já é, e tudo o que poderia acontecer, já aconteceu. E é por isso, continua a história, que Deus criou o homem. Sem limitações, não há história. Se não houver história, não há o Ser. Essa ideia tem me ajudado a lidar com a terrível fragilidade do Ser. E ajudou minha cliente também. Não quero exagerar a importância disso. Não quero dizer que, de alguma forma, fica tudo certo. Ela ainda tinha que lidar com o marido que sofria de câncer, assim como eu ainda tinha que lidar com a terrível doença da minha filha. Porém, há algo a ser dito no sentido de reconhecer que a existência e a limitação estão inerentemente ligadas.

Trinta raios convergentes no centro,
Tem uma roda,
Mas somente os vácuos entre os raios
É que facultam seu movimento.
O oleiro faz um vaso, manipulando a argila,
Mas é o oco do vaso que lhe dá utilidade.
Paredes são massa com portas e janelas,
mas somente o vácuo entre as massas
Lhes dá utilidade.[*212]

Uma percepção como essa surgiu mais recentemente na cultura pop mundial durante a evolução do ícone cultural da DC Comics, Super-Homem. Ele foi criado em 1938 por Jerry Siegel e Joe Shuster. No início, ele podia mover carros, trens e até navios. Podia correr mais rápido do que uma locomotiva. Conseguia "saltar sobre altos prédios com um único impulso". No entanto, ao se desenvolverem nas quatro décadas seguintes, os poderes do Super-Homem começaram a se expandir. No fim dos anos 1960, ele podia voar mais rápido do que a luz. Ele tinha uma superaudição e visão de raio X. Soltava raios fulminantes pelos olhos. Podia congelar objetos e criar furacões com seu hálito. Movia planetas inteiros. As explosões nucleares não o perturbavam. E, se de alguma forma se machucasse, ele se regenerava instantaneamente. O Super-Homem se tornou invulnerável.

Então, algo estranho aconteceu. Ele ficou entediante. Quanto mais espetaculares suas habilidades ficavam, mais difícil era inventar coisas novas e interessantes para fazer. A DC deu um jeito nesse problema nos anos 1940. O Super-Homem passou a ser vulnerável à radiação produzida pela kriptonita, um resquício de seu planeta natal. Mais tarde, mais de duas dezenas de variantes surgiram. A kriptonita verde enfraquecia o Super-Homem. Se fosse em dose suficiente, poderia até matá-lo. A vermelha fazia com que se comportasse de maneira estranha. A verde-vermelha fazia ele sofrer mutação (uma vez nasceu um terceiro olho em sua nuca).

---

* N.T.: Lao-Tsé. *Tao Te Chig — O livro que revela Deus*. São Paulo: Martin Clarinet, 2009. Página 47.

Outras técnicas foram necessárias para manter a história do Super-
-Homem cativante. Em 1976, fizeram com que ele lutasse contra o Homem-Aranha. Foi o primeiro crossover de super-heróis; tendo de um
lado a iniciante Marvel Comics, de Stan Lee, com seus personagens
menos idealizados; e do outro a DC, dona do Super-Homem e do Batman. Mas a Marvel teve que aumentar os poderes do Homem-Aranha
para tornar o embate possível. E isso quebrou as regras do jogo. O Homem-Aranha é o que é porque tem os poderes de uma aranha. Se, de
repente, ganha qualquer outro poder, ele deixa de ser o Homem-Aranha. O enredo cai por terra.

Por volta dos anos 1980, o Super-Homem estava sofrendo de *deus
ex machina* terminal — um termo em latim que significa "deus surgido
da máquina". Na antiga dramaturgia greco-romana, o termo descrevia
o resgate de um herói em perigo por um deus todo-poderoso em uma
aparição repentina e miraculosa. Até hoje, nas histórias mal escritas,
qualquer personagem que esteja em problemas pode ser salvo, ou mesmo um enredo deficiente pode ser recuperado, através de um toque de
magia duvidosa ou qualquer outro truque em desconformidade com a
expectativa lógica do leitor. Às vezes a Marvel Comics, por exemplo,
salva uma história deficiente exatamente dessa maneira. A Salva-vidas,
por exemplo, é uma personagem dos X-Men que consegue desenvolver
qualquer tipo de poder necessário para salvar uma vida. É muito bom
tê-la por perto. Não faltam outros exemplos na cultura popular. Por
exemplo, no fim do livro *A Dança da Morte*, de Stephen King (alerta
de spoiler), é Deus quem destrói os vilões na ficção. A nona temporada
inteira (1985–86) da série de televisão norte-americana *Dallas* revelou-
-se mais tarde ser apenas um sonho. Os fãs não gostam dessas coisas, e
com razão. Eles foram enganados. As pessoas que estão acompanhando
uma história se dispõem a deixar de lado a descrença desde que as limitações que tornam a história possível sejam coerentes e consistentes. Os
escritores, de sua parte, concordam em se sujeitar às escolhas iniciais
da trama. Quando eles trapaceiam, os fãs se irritam. Eles ficam com
vontade de atirar o livro no fogo e de lançar um tijolo na TV.

E foi esse o problema com o Super-Homem: ele desenvolveu poderes tão extremos que poderia agir como "deus" para se livrar de
qualquer coisa, a qualquer momento. Como consequência, nos anos

1980, a franquia quase acabou. O artista-escritor John Byrne conseguiu reformulá-la com sucesso ao reescrever o Super-Homem mantendo sua biografia, mas tirando vários dos seus novos poderes. Ele já não era capaz de erguer planetas nem ignorar uma bomba H. Também passou a depender do sol para garantir seus poderes, como um vampiro às avessas. Ele ganhou algumas limitações sensatas. Um super-herói capaz de qualquer coisa não é super-herói coisa alguma. Ele não é nada em específico, ou seja, é um nada. Não terá nada com o que lutar, então não pode ser admirável. *O Ser plausível parece necessitar da limitação.* Talvez porque o Ser necessite do Tornar-se, além da mera existência estática — e tornar-se significa transformar-se em algo a mais, ou pelo menos em algo diferente. E isso só é possível para algo limitado.

Bastante justo.

Mas e o sofrimento causado por esses limites? Pode ser que os limites exigidos pelo Ser sejam tão extremos que o projeto todo deva ser descartado. Dostoiévski expressa essa ideia muito claramente na voz do personagem protagonista de *Notas do Submundo*: "Veja, portanto, você pode dizer o que for sobre a história mundial — qualquer coisa que a imaginação mais mórbida possa criar. Isto é, com exceção de uma coisa. Não pode dizer que a história mundial é sensata. A palavra fica entalada na garganta."[213] Mefistófeles, o personagem de Goethe adversário do Ser, anuncia explicitamente sua oposição à criação de Deus, em *Fausto*, como já vimos. Anos depois, Goethe escreveu *Fausto, Parte II*. Ele fez com que o Diabo repetisse seu credo de uma forma levemente diferente, apenas para reforçar sua ideia:[214]

> *Foi-se ao puro Nada, o passado e o vazio feitos um!*
> *De que servem nossos intermináveis e criativos labores,*
> *Quando, num piscar de olhos, o esquecimento encerra o labor?*
> *"Passado é" — Como continuará esse enigma?*
> *Tão bom quanto se as coisas nunca tivessem se iniciado,*
> *Contudo, voltam novamente, a existência possuir:*
> *Prefiro o Vazio Eterno.*

Qualquer um consegue entender essas palavras quando um sonho se desfaz, um casamento acaba ou algum familiar é atingido por uma doença devastadora. Como pode a realidade estar estruturada de forma tão insuportável? Como isso pode acontecer?

Talvez, como os garotos de Columbine sugeriram (veja a Regra 6), fosse melhor nem mesmo existir. Talvez fosse ainda melhor se nem o Ser existisse. Porém, as pessoas que chegam à primeira conclusão estão flertando com o suicídio, enquanto as que chegam à segunda flertam com algo ainda pior, algo verdadeiramente monstruoso. Elas estão se associando com a ideia da destruição total. Estão brincando com o genocídio — e ainda pior. Mesmo as regiões mais sombrias possuem cantos ainda mais escuros. E o mais terrível é que essas conclusões são compreensíveis, talvez até inevitáveis — embora não seja inevitável as colocar em prática. O que uma pessoa sensata deve pensar, por exemplo, quando se depara com o sofrimento de uma criança? Não seria essa mesma pessoa sensata e compassiva que ocuparia sua mente com esses pensamentos? Como pode um Deus bom permitir que um mundo assim exista?

Por mais lógicas. Por mais compreensíveis que sejam. Há um problema nessas conclusões. As ações tomadas com base nelas (talvez até os próprios pensamentos) inevitavelmente transformam uma situação ruim em ainda pior. Odiar a vida, desprezá-la — mesmo por causa da dor genuína que ela inflige — serve apenas para tornar a própria vida pior, insuportavelmente pior. Não há qualquer protesto genuíno nisso. Nem bem algum nisso, mas apenas o desejo de produzir o sofrimento pelo sofrimento. Essa é a própria essência do mal. As pessoas que chegam a ter esse tipo de pensamento estão a um passo da desordem total. Às vezes só lhes faltam as ferramentas. Às vezes, assim como Stalin, elas estão com o dedo sobre o botão nuclear.

Haveria, porém, alguma outra alternativa coerente, considerando-se os horrores óbvios da existência? Será que o próprio Ser, com seus mosquitos que transmitem a malária, crianças-soldados e doenças neurológicas degenerativas, pode ser verdadeiramente justificado? Não sei se poderia ter formulado uma resposta adequada para essa pergunta no século XIX, antes que os horrores totalitários do século XX tivessem sido monstruosamente perpetrados em milhões de pessoas. Não sei se é possível entender por que tais dúvidas seriam moralmente proibidas sem a existência do Holocausto, da expurgação stalinista e do catastrófico Grande Salto Adiante de Mao.[215] E também não acho que seja possível responder à questão pelo *pensamento*. Pensar nos leva, inexoravelmente, ao abismo. Não funcionou com Tolstói. Pode até não ter funcionado com

Nietzsche, que, pode-se dizer, pensava mais claramente do que qualquer outro na história. No entanto, se nas situações mais extremas não podemos depender do pensamento, o que nos resta? O pensamento, afinal, é a mais alta realização das realizações humanas, não é?

Talvez não.

Há algo que prevalece sobre o pensamento, apesar do seu poder verdadeiramente impressionante. Quando a existência se revela como existencialmente intolerável, o pensamento desmorona por si só. Nessas situações — nas profundezas —, é a *percepção*, e não o pensamento, que resolve. Talvez você possa começar percebendo o seguinte: quando ama alguém, *não é apesar da limitação do outro. É por causa das limitações do outro.* Claro, é complicado. Você não precisa morrer de amores por cada falha, mas simplesmente aceitar. Não deve interromper sua tentativa de tornar a vida melhor ou apenas deixar que o sofrimento exista. Porém, parece haver limites no caminho do aprimoramento, os quais talvez não queiramos ultrapassar, sob pena de sacrificarmos nossa própria humanidade. É claro, uma coisa é dizer: "O Ser requer limites", e continuar a vida feliz, quando o sol está brilhando e seu pai não tem Alzheimer, seus filhos estão felizes e seu casamento, feliz. Mas e quando as coisas dão errado?

DESINTEGRAÇÃO E DOR

Mikhaila passou muitas noites em claro sofrendo com a dor. Quando seu avô veio nos visitar, deu para ela alguns comprimidos do seu Tylenol 3s, que contém codeína. Assim, ela conseguia dormir. Mas não por muito tempo. Nossa reumatologista, muito prestativa na remissão de Mikhaila, chegou ao limite de sua coragem ao lidar com a dor da nossa filha. Ela já havia prescrito opiáceos a uma jovem, que acabou ficando viciada. Ela jurou que nunca mais faria isso. E disse: "Já tentaram ibuprofeno?" Foi naquele momento que Mikhaila aprendeu que os médicos não sabem de tudo. Para ela, o ibuprofeno era uma migalha de pão para alguém faminto.

Conversamos com outro médico. Ele ouviu atentamente. E, depois, ajudou Mikhaila. Primeiro, prescreveu Tylenol 3s, a mesma medicação que o avô havia compartilhado por um tempo. Isso foi corajoso. Os médicos enfrentam muita pressão para que evitem prescrever opiáceos — ainda mais para crianças. Mas eles *funcionam*. Porém, pouco tempo depois, o Tylenol já não era suficiente. Ela começou a tomar oxicodona, um opiáceo vulgarmente conhecido como a heroína caipira. Controlou a dor dela, mas gerou outros problemas. Tammy levou Mikhaila para almoçar uma semana após ela começar a tomar esse remédio. Parecia que estava bêbada. A fala estava enrolada. A cabeça dela balançava. Isso não era bom.

Minha cunhada é enfermeira de cuidados paliativos. Ela achava que poderíamos adicionar Ritalina à oxicodona, uma anfetamina que é geralmente usada para crianças hiperativas. A Ritalina deixou a Mikhaila alerta novamente e tinha uma certa função de aliviar a dor (é muito bom saber disso ao cuidar de alguém que enfrenta um terrível sofrimento). Porém a dor dela se tornou cada vez mais excruciante. Ela começou a cair. Depois, seu quadril travou de novo, dessa vez no metrô, em um dia em que as escadas rolantes não estavam funcionando. O namorado dela a carregou pelas escadas e tomaram um táxi para casa. O metrô já não era mais um meio de transporte confiável. Em março daquele ano, compramos uma scooter de 50 cilindradas para Mikhaila. Era perigoso deixá-la pilotar. Mas também era perigoso para ela perder toda a sua liberdade. Escolhemos o primeiro perigo. Ela passou no teste de habilitação, o que a concedeu o direito de pilotar o veículo durante o dia. Em alguns meses, ela poderia ter sua habilitação definitiva.

Em maio, seu quadril foi substituído. O cirurgião também pôde ajustar uma diferença de comprimento preexistente em sua perna. O osso também não havia necrosado. Havia apenas uma sombra no raio-X. Sua tia e seus avós vieram para vê-la. Tivemos alguns dias melhores. Porém, imediatamente após a cirurgia, Mikhaila foi colocada em um centro de reabilitação para adultos. Ela era a pessoa mais jovem ali, com cerca de 60 anos de diferença em relação aos outros. Sua companheira de quarto, uma senhora muito neurótica, não deixava ninguém apagar as luzes, nem mesmo à noite. Não conseguia ir ao banheiro sozinha e tinha de usar um urinol. Ela não suportava que a porta do quarto fosse fechada. E era bem ao lado da central dos enfermeiros, com alarmes tocando sem parar e conversas em voz alta. Ninguém dormia ali, exatamente onde era necessário dormir. Visitantes não eram permitidos após as 19h. O fisioterapeuta — por causa dele que ela estava ali — estava de férias. A única pessoa que a ajudou foi a zeladora, que se voluntariou para levá-la a um quarto com várias camas quando ela reclamou para a enfermeira de plantão que não conseguia dormir. Foi essa mesma enfermeira que riu ao descobrir em que quarto Mikhaila havia sido colocada.

Ela deveria ficar lá por seis semanas. E estava só há três dias. Quando o fisioterapeuta voltou das férias, Mikhaila conseguia subir as escadas para o centro de reabilitação e executar os outros exercícios necessários muito bem. Enquanto isso, adaptamos nossa casa com os corrimãos necessários. Então a levamos para casa. A cirurgia e toda aquela dor — ela lidou com isso muito bem. Aquele centro de reabilitação deplorável? Isso produziu sintomas de transtorno de estresse pós-traumático.

Em junho, Mikhaila começou a fazer aulas de moto na autoescola para poder continuar a usar sua scooter legalmente. Ficamos todos aterrorizados por essa necessidade. E se ela caísse? E se sofresse um acidente? No primeiro dia, ela treinou em uma moto mesmo. Era pesada. Ela a deixou cair várias vezes. Ela viu outro iniciante cair e sair rolando pelo chão do estacionamento onde o curso ocorria. Na manhã do seu segundo dia de aula, ela estava com medo de voltar. Não queria sair da cama. Conversamos durante um bom tempo e decidimos em conjunto que ela deveria pelo menos ir de carro com Tammy até o lugar onde as aulas aconteciam. Se ela não conseguisse lidar com isso, poderia ficar no carro até que o curso terminasse. No caminho, sua coragem retornou. Quando ela recebeu o certificado, todas as outras pessoas do curso se levantaram e a aplaudiram.

Mas então seu tornozelo direito se quebrou em várias partes. Os médicos dela queriam unir os ossos maiores que foram afetados em uma peça só. Mas isso faria com que os outros ossos menores em seu pé — que agora sofriam uma pressão maior — se deteriorassem. Talvez isso seja tolerável quando você está com 80 anos (embora não seja nada fácil também). Mas não é uma boa solução quando se é adolescente. Insistimos para fazerem uma substituição artificial, embora a tecnologia fosse nova. Havia uma lista de espera de três anos. Não era possível esperar. Seu tornozelo precário provocava muito mais dores do que seu quadril frágil. Certa noite, ela ficou instável e ilógica. Eu não a conseguia acalmar. Sabia que ela estava no limite. Dizer que isso é estressante é o mesmo que não dizer quase nada.

Passamos semanas, e depois meses, investigando desesperadamente todos os recursos disponíveis para substituição, tentando avaliar qual seria o mais adequado. Procuramos a possibilidade de uma cirurgia mais rápida em todos os lugares: Índia, China, Espanha, Reino Unido, Costa Rica e Flórida. Entramos em contato com a Secretaria de Saúde da província de Ontário. Eles foram muito prestativos. Localizaram um especialista do outro lado do país, em Vancouver. O tornozelo de Mikhaila foi substituído em novembro. Após a cirurgia, ela estava em um estado absoluto de agonia. O pé dela havia sido mal posicionado. O gesso comprimia a pele contra o osso. Na clínica, recusavam-se a dar a oxicodona em doses suficientes para controlar a dor. Ela já havia desenvolvido uma alta tolerância devido ao uso anterior.

Quando retornou para casa, com menos dores, Mikhaila começou a diminuir o uso dos opiáceos. Ela odiava tomar oxicodona, apesar da sua evidente utilidade. Ela dizia que o medicamento deixava sua vida cinza. Talvez isso fosse bom, considerando as circunstâncias. Ela parou de tomá-lo o mais rápido possível. Ela sofreu de abstinência por meses, com sudorese noturna e formigamentos (a sensação de formigas subindo e descendo por sua pele). Ela não conseguia sentir qualquer prazer. Esse foi outro efeito da abstinência do opiáceo.

Durante uma boa parte desse período, ficamos esgotados. As exigências do dia a dia não param só porque você foi atingido por uma catástrofe. Tudo o que faz no cotidiano ainda tem de ser feito. Então, como lidar com isso? Aqui estão algumas coisas que aprendemos:

Reserve um tempo para conversar e pensar sobre a doença ou qualquer outra crise, e como deveria lidar com ela a cada dia. *Não* fale ou pense sobre ela de qualquer outra forma. Se não limitar seu efeito, você ficará exausto e tudo começará a desmoronar. E isso não ajuda em nada. Você está em uma guerra, não em uma batalha, e uma guerra é composta por várias batalhas. Você deve estar bem em todas elas. Quando surgirem preocupações relacionadas com a crise, em outros momentos, lembre-se de que você pensará nelas durante o período reservado para tal. E isso geralmente funciona. As partes do nosso cérebro que geram a ansiedade estão mais interessadas no fato de haver um plano do que em seus detalhes. Esse momento reservado não deve ocorrer no fim da tarde ou à noite, porque senão você não conseguirá dormir. E se não conseguir dormir tudo vai desmoronar ainda mais rápido.

Mude a unidade de tempo que você usa para marcar sua vida. Quando o sol estiver brilhando, os tempos forem bons e as colheitas, abundantes, você pode fazer planos para o mês seguinte, ano seguinte e para os próximos cinco anos. Você pode até sonhar com uma década de antecedência. Mas não pode fazer isso quando sua perna estiver presa na boca de um jacaré. "Basta a cada dia seu próprio mal", é o que diz Mateus 6:34. Esse verso geralmente é interpretado como "viva o presente sem se importar com o amanhã". Mas não é o que ele significa. Essa orientação deve ser interpretada no contexto do Sermão da Montanha, do qual o verso faz parte. Esse sermão destila os dez "Não farás" dos Mandamentos de Moisés em um único "Farás". Cristo ordena Seus seguidores a depositarem sua fé no Reino Celestial de Deus e na verdade. E isso é um ato de coragem. Aspire alto, como Geppetto, criador do Pinóquio. Faça um desejo para uma estrela e depois aja corretamente, de acordo com essa aspiração. Uma vez que esteja alinhado com os céus, poderá se concentrar no dia. Tenha cuidado. Coloque as coisas que pode controlar em ordem. Arrume o que está desorganizado e deixe o que já está bom melhor. Se você for cuidadoso, conseguirá lidar com isso. As pessoas são muito fortes. Podem sobreviver a muita dor e perdas. Porém, para perseverar, elas devem ver o bem no Ser. Se não conseguirem isso, estarão verdadeiramente perdidas.

OS CÃES, DE NOVO — MAS FINALMENTE OS GATOS

Os cães são como as pessoas. Eles são amigos e aliados dos seres humanos. São sociais, hierárquicos e domesticáveis. Estão felizes na base da pirâmide familiar. Retribuem a atenção que recebem através de lealdade, admiração e amor. Os cães são tudo de bom.

No entanto, os gatos são independentes. Não são sociáveis ou hierárquicos (apenas casualmente). São apenas semidomesticáveis. Eles não aprendem truques como os cães. São amigáveis nos próprios termos. Os cães foram domados, mas os gatos tomaram uma decisão. Parecem dispostos a interagir com as pessoas, por algum motivo estranho que só eles sabem. Para mim, os gatos são uma manifestação da natureza, do Ser, de uma forma quase pura. Além disso, eles são uma forma do Ser que olha o ser humano com aprovação.

Quando você encontra um gato na rua, muitas coisas podem acontecer. Se vejo um a distância, por exemplo, meu lado mau fica com vontade de fazer um som pfffffff bem alto — com os dentes de cima mordendo o lábio inferior. Isso fará com que um gato nervoso fique com o pelo todo eriçado e se posicione de lado, para que aparente ser maior. Talvez eu não devesse me divertir à custa dos gatos, mas é difícil resistir. O simples fato de que podemos os assustar é uma das melhores coisas sobre eles (assim como o fato de que ficam instantaneamente decepcionados e envergonhados pelo exagero da própria reação). Porém, quando estou devidamente sob controle, abaixo-me e chamo o gatinho, para que possa acariciá-lo. Às vezes ele foge. Em outras, ele me ignora completamente, já que é um gato. Porém, algumas vezes o gato vem até mim, esfrega sua cabeça na minha mão e fica feliz com o carinho. Às vezes ele até fica de barriga para cima, arqueando suas costas no chão de concreto sujo (apesar de os gatos geralmente morderem e arranharem até uma mão amiga quando estão nessa posição).

Na casa em frente à minha tem uma gata chamada Ginger. É uma gata siamesa, muito bonita, calma e segura de si. Ela tem uma baixa pontuação no índice Big Five no traço do neuroticismo, que é um indicador de ansiedade, medo e dor emocional. Ela não fica incomodada com os cães. Nosso cão, Sikko, é amigo dela. Às vezes, quando a chamamos — e às vezes por vontade própria —, Ginger cruza a rua correndo, com a cauda para cima, apenas a pontinha enrolada. Ela rola no chão, virando de barriga diante de Sikko, que fica balançando o rabo todo feliz. Na sequência, se ela tiver vontade, pode ser que venha nos fazer uma visita de meio minuto. É uma pausa muito boa. É uma pequena luz a mais em um dia bom, e um pequeno alívio em um dia ruim.

Se você prestar bastante atenção, mesmo em um dia ruim, pode ter a felicidade de se deparar com pequenas oportunidades exatamente como essa. Pode ser que você veja uma garotinha dançando na rua porque está vestida de bailarina. Talvez tome um bom café em um estabelecimento que realmente se importa com os clientes. Ou, ainda, você pode reservar dez ou vinte minutinhos para fazer alguma coisa boba que o distraia ou lhe recorde de que você pode rir do absurdo da existência. Pessoalmente, gosto de assistir a um episódio de *Os Simpsons* em velocidade 1,5 vez mais rápida do que o normal: o mesmo número de risadas em dois terços do tempo.

E talvez quando estiver caminhando de cabeça cheia apareça um gatinho e, se prestar atenção nele, terá então um lembrete durante apenas quinze segundos de que a maravilha do Ser pode compensar o sofrimento que o acompanha de forma inseparável.

Acaricie um gato ao encontrar um na rua.

P.S.: Logo após ter escrito este capítulo, o cirurgião de Mikhaila disse que seu calcanhar artificial teria de ser removido e seu calcanhar, unificado. As coisas caminhavam para a amputação. Ela enfrentava dores havia oito anos, desde a cirurgia de substituição, e sua mobilidade ainda era bastante prejudicada, embora um pouco melhor agora. Quatro dias depois, ela começou com um novo fisioterapeuta. Ele era um cara grande, forte e atencioso. Havia se especializado em tornozelos no Reino Unido, em Londres. Ele comprimiu o tornozelo dela com as mãos durante 40 segundos, enquanto ela mexia o pé para trás e para frente. Ela nunca chora na frente da equipe médica, mas naquele dia ela explodiu em prantos. O joelho se alinhou. Agora, ela consegue caminhar longas distâncias e andar devagarinho descalça. O músculo da panturrilha da perna afetada está crescendo novamente. Ela está com muito mais flexão na articulação artificial. Este ano, ela se casou e teve uma filha, Elizabeth, batizada em homenagem à falecida mãe da minha esposa.

As coisas estão bem.

Por ora.

ENCERRAMENTO

O QUE FAREI COM MINHA RECÉM-ADQUIRIDA CANETA DE LUZ?

NO FIM DE 2016 viajei para o norte da Califórnia para me encontrar com um amigo e parceiro de negócios. Passamos a noite pensando e conversando. A certa altura ele tirou uma caneta do seu paletó e fez algumas anotações. Ela era equipada com um LED e emitia uma luz na ponta, para escrever no escuro. "Outra bugiganga", pensei. Porém, mais tarde, em um estado mental mais metafórico, fiquei impressionado com a ideia de uma caneta de luz. Havia algo simbólico sobre ela, algo metafísico. Estamos todos na escuridão, afinal, a maior parte do tempo. Poderíamos todos aproveitar algo escrito com luz para guiar nosso caminho. Eu lhe disse que queria escrever algumas coisas; enquanto estávamos sentados conversando, perguntei se me daria a caneta de presente. Quando ele a entregou para mim, senti-me exageradamente feliz. Agora eu poderia escrever palavras iluminadas na escuridão! Obviamente, era importante fazer isso de forma apropriada. Então, disse a mim mesmo, com toda a seriedade possível: "O que farei com minha recém-adquirida caneta de luz?" Há dois versos no Novo Testamento que dizem respeito a essas coisas. Tenho pensado muito neles:

> *Peçam, e lhes será dado; busquem, e encontrarão; batam, e*
> *a porta lhes será aberta. Pois todo o que pede, recebe; o que*
> *busca, encontra; e àquele que bate, a porta será aberta.*
> *(Mateus 7:7–7:8 NIV)*

À primeira vista isso não parece nada além de uma demonstração da magia da oração, no sentido de rogar a Deus para conseguirmos favores. Mas Deus, independentemente do que ou quem possa ser, não é apenas um concessor de desejos. Quando tentado pelo próprio Diabo no deserto — como vimos na Regra 7 (Busque o que é significativo, não o que é conveniente) — mesmo o próprio Cristo não estava disposto a chamar seu Pai para obter um favor; além disso, todos os dias, preces de pessoas desesperadas ficam sem respostas. Talvez isso ocorra porque os questionamentos que elas contêm não tenham sido construídos da forma adequada. Talvez não seja sensato pedir que Deus quebre as leis da física sempre que cairmos pelo caminho ou cometermos algum erro grave. Talvez, nessas ocasiões, não possamos simplesmente colocar a carroça na frente dos bois desejando que o problema seja resolvido de alguma maneira mágica. Em vez disso, poderíamos perguntar o que podemos fazer no momento para aumentar nossa determinação e força de caráter e encontrar a força para seguir em frente. Talvez pudéssemos pedir para ver a verdade.

Durante muitas ocasiões em nossos quase 30 anos de casamento, minha esposa e eu tivemos desentendimentos — às vezes bem sérios. Nossa unidade parecia estar quebrada a um nível profundo e desconhecido, e não conseguíamos resolver essa ruptura facilmente através do diálogo. Pelo contrário, ficávamos presos em brigas emocionais, cheias de raiva e ansiedade. Fizemos um acordo de que sempre que essas circunstâncias aparecessem nos afastaríamos por um momento: ela iria para um quarto e eu, para outro. Isso geralmente era difícil porque é duro sair no calor de uma briga, quando a raiva cria o desejo de derrotar e vencer. Porém, parecia ser o melhor a se fazer sob pena de sofrer as consequências de uma disputa que ameaçava sair do nosso controle.

Sozinhos, tentando nos acalmar, nos fazíamos a mesma pergunta: *O que cada um de nós fez para contribuir com a situação que criou nossa briga? Mesmo que pequeno, mesmo que distante... cada um de nós cometeu algum tipo de erro.* Depois nos reuníamos e compartilhávamos os resultados da nossa pergunta: *Meu erro foi...*

O problema de se fazer essa pergunta é que você deve realmente querer a resposta. E o problema com isso é que *você não vai gostar da resposta.* Quando estamos discutindo com alguém, queremos estar certos e que a outra pessoa esteja errada. Assim, é o outro que tem que sacrificar algo e mudar, não você, o que é mais desejável. Se você estiver errado e tiver que mudar, será preciso reconsiderar a si mesmo — as memórias do passado, a maneira de estar no presente e os planos para o futuro. Então, deve decidir melhorar e descobrir como fazê-lo. Depois, deve colocar tudo em prática de verdade. Isso é exaustivo. Demanda uma repetição de hábitos para testar as novas percepções e transformar as novas ações em rotina. É muito mais fácil simplesmente não reconhecer, não admitir ou não se engajar. É muito mais fácil desviar sua atenção da verdade e permanecer deliberadamente cego.

No entanto, é nessa altura que você deve decidir se quer estar certo ou se quer ter paz.[216] Você deve decidir se quer insistir sobre a exatidão absoluta do seu ponto de vista ou se vai ouvir e negociar. Não se ganha a paz por estar certo. Seu único ganho é estar certo enquanto seu parceiro, errado — derrotado e errado. Faça isso 10 mil vezes e seu casamento acaba (ou você vai preferir que acabe). Escolher a alternativa — buscar a paz — significa ter que decidir que quer a resposta mais do que estar certo. Essa é a porta de saída da prisão das suas preconcepções teimosas. Isso significa verdadeiramente seguir o princípio da Regra 2 (Cuide de si mesmo como cuidaria de alguém sob sua responsabilidade).

Minha esposa e eu aprendemos que se fizermos essa pergunta e genuinamente desejarmos a resposta (não importa o quão infame, terrível e vergonhosa possa ser) surgirá, das profundezas de nossa mente, alguma lembrança de algo idiota e errado que fizemos em algum ponto de um passado geralmente não tão distante. Então, pode voltar ao seu parceiro e revelar por que você é um idiota, pedir desculpas (sinceras), a outra pessoa pode fazer o mesmo e pedir desculpas (sinceras) e assim os dois idiotas poderão conversar novamente. Talvez isso seja a verdadeira oração, a pergunta: "O que fiz de errado e o que posso fazer agora para deixar as coisas pelo menos um pouquinho melhores?" Mas seu coração deve estar aberto à terrível verdade. Você deve estar receptivo àquilo que não quer ouvir. Quando decide aprender com seus erros, para que sejam retificados, você abre uma linha de comunicação com a fonte de todos os pensamentos reveladores. Talvez seja a mesma coisa que consultar sua consciência. Talvez seja a mesma coisa, de alguma forma, que argumentar com Deus.

Foi com esse espírito e com alguns papéis à minha frente que me fiz a pergunta: *O que farei com minha recém-adquirida caneta de luz?* Perguntei com o desejo de realmente saber a resposta. Esperei por uma. Estava tendo uma conversa com dois elementos diferentes de mim mesmo.

Estava verdadeiramente pensando — ou escutando, no sentido descrito na Regra 9 (Presuma que a pessoa com quem está conversando possa saber algo que você não sabe). Essa regra pode ser aplicada para os outros assim como para si mesmo. Fui eu, é claro, que fiz a pergunta — e fui eu, é claro, que a respondi. Mas esses dois eus não eram o mesmo. Não sabia qual seria a resposta. Estava esperando que ela aparecesse no teatro da minha imaginação. Estava esperando as palavras surgirem do nada. Como pode uma pessoa elaborar algo e se surpreender com o resultado? Como pode não saber o que pensa? De onde vêm os novos pensamentos? Quem ou o que os pensa?

Uma vez que havia ganhado há pouco uma Caneta de Luz capaz de escrever Palavras Iluminadas na escuridão, queria fazer o melhor que pudesse com ela. Então, fiz a pergunta certa — e, quase imediatamente, a resposta se revelou: *Escreva as palavras que você quer que sejam inscritas em sua alma.* Escrevi isso. Parecia muito bom — um pouco romântico demais, concordo —, mas estava no espírito do jogo. Então, subi a aposta. Decidi fazer a mim mesmo as perguntas mais difíceis que poderia imaginar e esperar as respostas. Se você tem uma Caneta de Luz, afinal, deveria usá-la para responder a Perguntas Difíceis. Esta foi a primeira: *O que farei amanhã?* A resposta veio: *O maior bem possível no menor período de tempo.* Isso foi satisfatório, também — combinar um objetivo ambicioso com as demandas da eficiência máxima. Um desafio digno. A segunda pergunta foi na mesma linha: *O que farei no ano que vem? Tentar garantir que o bem que fizer naquele momento seja excedido apenas pelo que farei no ano posterior.* Uma resposta sólida, também — uma bela extensão das ambições detalhadas na anterior. Contei ao meu amigo que estava testando um experimento sério com a caneta que havia me dado. Perguntei se poderia ler o que havia escrito até então em voz alta. As perguntas — e as respostas — tocaram fundo nele também. Isso foi bom. Foi o estímulo para continuar.

A próxima pergunta encerrou a primeira rodada: *O que farei da minha vida? Mirar no Paraíso e concentrar-me no hoje.* Rá! Sabia o que isso significava. É o que Geppetto faz no filme *Pinóquio*, da Disney, quando faz um pedido a uma estrela. O escultor ancião ergue seus olhos para aquele diamante reluzente bem acima do mundo ordinário das preocupações humanas diárias e articula seu desejo mais profundo: que a marionete que havia criado perdesse as cordas através das quais é manipulada e se transformasse em um garoto de verdade. Essa também é a mensagem central do Sermão da Montanha, como vimos na Regra 4 (Compare a si mesmo com quem você foi ontem...), mas que vale a pena repetir aqui:

> *Por que vocês se preocupam com roupas? Vejam como crescem os lírios do campo. Eles não trabalham nem tecem. Contudo, eu lhes digo que nem Salomão, em todo o seu esplendor, vestiu-se como um deles. Se Deus veste assim a erva do campo, que hoje existe e amanhã é lançada ao fogo, não vestirá muito mais a vocês, homens de pequena fé? Portanto, não se preocupem, dizendo: "Que vamos comer?" ou "Que vamos beber?" ou "Que vamos vestir?" Pois os pagãos é que correm atrás dessas coisas; mas o Pai celestial sabe que vocês precisam delas. Busquem, pois, em primeiro lugar o Reino de Deus e a sua justiça, e todas essas coisas lhes serão acrescentadas.*

> *(Mateus 6:28–34 NVI)*

O que tudo isso quer dizer? Oriente-se corretamente. Depois — e apenas depois — concentre-se no dia. Direcione sua visão para o Bem, o Bonito e a Verdade, depois foque-a cuidadosamente nas preocupações de cada momento. Foque continuamente o Paraíso enquanto trabalha diligentemente na Terra. Assim, cuide atentamente do futuro enquanto cuida atentamente do presente. E terá a melhor chance de aperfeiçoar os dois.

Passei, então, a aplicar o uso do tempo em meus relacionamentos com as pessoas; escrevi e li as perguntas e respostas para meu amigo: *O que farei para a minha esposa? Trate-a como se fosse a Santa Mãe de Deus, para que possa dar à luz o herói redentor do mundo. O que farei para a minha filha? Dê suporte, escute, proteja-a, treine sua mente e diga lhe que está tudo bem se quiser ser mãe. O que farei para meus pais? Aja de tal modo que suas ações justifiquem todo o sofrimento que suportaram. O que farei para meu filho? Encoraje-o a ser um verdadeiro Filho de Deus.*

Honrar sua esposa como a Mãe de Deus é reconhecer e apoiar o elemento sagrado do papel dela como mãe (não apenas dos seus filhos, mas como tal). Uma sociedade que se esquece disso não consegue sobreviver. A mãe de Hitler deu Hitler à luz, e a mãe de Stalin deu Stalin à luz. Será que faltou algo em seus relacionamentos essenciais? É provável que sim, dada a importância do papel materno na formação da confiança[217] — para citar apenas um único exemplo crucial. Talvez a importância de seus deveres maternos e relacionamentos com seus filhos não tenha sido adequadamente enfatizada; talvez o que essas mulheres faziam em seus contextos maternos não fosse adequadamente reconhecido pelo marido, pelo pai e pela sociedade. Quem, então, uma mulher poderia criar se tivesse sido tratada corretamente, com honra e cuidado? Afinal de contas, o destino do mundo repousa em cada novo infante — pequeno, frágil e ameaçado, mas, em tempo, capaz de pronunciar as palavras e realizar os feitos que mantêm o equilíbrio delicado e eterno entre o caos e a ordem.

Dar suporte à minha filha? Isso significa encorajá-la em tudo o que quiser fazer corajosamente, mas incluir nisso uma apreciação genuína por sua feminilidade: reconhecer a importância de ter uma família e filhos e resistir à tentação de menosprezar ou desvalorizar esse aspecto em relação à realização das ambições pessoais ou da carreira. Não é à toa que a representação da Santa Mãe e seu Filho é uma imagem divina — como falamos há pouco. As sociedades que deixam de honrar essa imagem — que param de ver a importância fundamental e transcendental dessa relação — também deixam de existir.

Agir para justificar o sofrimento dos seus pais é recordar todos os sacrifícios que todos os outros que viveram antes de você (não apenas seus pais) fizeram por você durante todo o decorrer do terrível passado, agradecer todo o progresso que foi feito até aqui e agir de acordo com essa memória e gratidão. As pessoas se sacrificaram imensamente para trazerem o que temos agora à existência. Em muitos casos, elas literalmente morreram por isso — e devemos agir com respeito por esse fato.

Encorajar meu filho a ser um verdadeiro Filho de Deus? Isso significa querer que ele *faça o que é certo*, acima de tudo, e se esforçar para apoiá-lo enquanto ele o faz. Isso é, penso, parte da mensagem sacrifical: valorizar e apoiar o comprometimento do seu filho com o bem transcendente acima de todas as coisas (incluindo seu progresso mundano, digamos, e sua segurança — e, talvez, até sua vida).

Continuei a fazer perguntas. As respostas vinham em segundos. *O que farei para o estranho? Convidá-lo para minha casa e tratá-lo como um irmão, para que ele se torne um.* Isso quer dizer estender a mão da confiança para alguém de modo que a melhor parte dele possa emergir e fazer o mesmo. Isso significa manifestar a hospitalidade sagrada que faz com que a vida entre aqueles que ainda não se conhecem seja possível. *O que farei para uma alma caída? Ofereça a mão genuína e cautelosamente, mas não se junte a ela em seu atoleiro.* É um bom resumo do que vimos na Regra 3 (Seja amigo de pessoas que queiram o melhor para você). Isso é uma ordem para se abster tanto de lançar pérolas aos porcos quanto de camuflar seu vício com a virtude. *O que farei para o mundo? Conduzir a mim mesmo de maneira que o Ser seja mais valioso do que o Não Ser.* Aja de modo que você não fique mais amargo e corrupto pela tragédia da existência. Essa é a essência da Regra 1 (Costas eretas, ombros para trás): confronte a incerteza do mundo voluntariamente, com fé e coragem.

Como vou ensinar às pessoas? Compartilhando com elas as coisas que considero verdadeiramente importantes. Essa é a Regra 8 (Diga a verdade. Ou, pelo menos, não minta). É buscar a sabedoria, destilar essa sabedoria em palavras e dizê-las de modo significativo com preocupação e cuidado genuínos. Isso tudo é relevante, também, para a próxima questão (e resposta): *O que farei para uma nação destroçada? Una-a novamente com as cuidadosas palavras da verdade.* A importância desse conselho tornou-se mais clara ao longo dos últimos anos: estamos nos dividindo, polarizando e caminhando em direção ao caos. Sob tais condições é necessário, se quisermos evitar a catástrofe, que cada um de nós coloque a verdade à frente, como a vemos: não os argumentos que justificam nossas ideologias, não as maquinações que promovem nossas ambições, mas a verdade nua e crua de nossa existência, revelada para que os outros vejam e contemplem, para que encontremos um consenso e continuemos juntos.

O que farei para Deus, meu Pai? Sacrificar tudo que valorizo para uma perfeição ainda maior. Deixe a lenha morta queimar de modo que o novo crescimento prevaleça. Essa é a terrível lição de Caim e Abel, que foi detalhada no debate sobre o significado, presente na Regra 7. *O que farei para um mentiroso? Deixe-o falar para que revele a si mesmo.* A Regra 9 (Escutar...) novamente é relevante aqui, assim como outra seção do Novo Testamento:

Vocês os reconhecerão por seus frutos. Pode alguém colher uvas de um espinheiro ou figos de ervas daninhas? Da mesma forma, toda árvore boa dá frutos bons, mas a árvore ruim dá frutos ruins. A árvore boa não pode dar frutos ruins, nem a árvore ruim pode dar frutos bons. Toda árvore que não produz bons frutos é cortada e lançada ao fogo. Assim, pelos seus frutos vocês os reconhecerão!

(Mateus 7:16–7:20 NVI).

A podridão deve ser revelada antes que algo são possa ser posto em seu lugar, como também foi indicado na elaboração da Regra 7 — e tudo isso é pertinente para compreendermos a próxima questão e sua resposta: *Como lidarei com o iluminado? Substituindo-o pelo verdadeiro buscador da iluminação.* O iluminado não existe. Existe apenas aquele que está buscando mais iluminação. O Ser apropriado é um processo, não um estado; uma jornada, e não um destino. É a transformação contínua do que você sabe, através do encontro com o que não sabe, em vez de agarrar-se desesperadamente à certeza, que em qualquer caso é eternamente insuficiente. Isso considera a importância da Regra 4 (Compare a si mesmo...). Sempre coloque aquilo no que está se tornando acima do seu ser atual. Isso quer dizer que é necessário reconhecer e aceitar sua insuficiência para que ela possa ser continuamente retificada. Isso é certamente doloroso — mas é um bom negócio.

As próximas perguntas criaram mais um grupo coerente, dessa vez com o foco na ingratidão: *O que farei quando menosprezar o que tenho? Lembre-se daqueles que não têm nada e esforce-se para ser agradecido.* Faça um balanço do que está bem à sua frente. Considere a Regra 12 (Acaricie um gato quando encontrar um na rua) — que não é exatamente sobre gatos. Considere, também, que você pode estar travado em seu progresso não porque lhe faltem oportunidades, mas porque você tem sido arrogante demais para empregar o que já está à sua frente. É a Regra 6 (Deixe sua casa em perfeita ordem antes de criticar o mundo).

Conversei recentemente com um jovem a respeito dessas coisas. Ele raramente viajava sem sua família e nunca havia saído do seu estado — mas viajou para Toronto para assistir a uma das minhas palestras e depois vir à minha casa. Ele havia se isolado severamente no curto prazo de sua vida até o momento e estava muito atormentado pela ansiedade. Quando nos encontramos pela primeira vez, ele mal podia falar. No entanto, no ano anterior ele havia se determinado a fazer alguma coisa a respeito disso. Começou por aceitar o humilde trabalho de lavador de pratos. Decidiu fazer esse trabalho bem, quando poderia ter decidido fazê-lo de qualquer maneira. Com inteligência suficiente para ficar amargurado por um mundo que não reconhecia seus talentos, ele decidiu então aceitar, com a humildade genuína que é a verdadeira precursora da sabedoria, qualquer oportunidade que pudesse encontrar. Agora, já tinha um pouco de dinheiro. Não muito. Porém, mais do que nada. E ele lutou por isso. Agora, estava confrontando o mundo social e beneficiando-se do conflito decorrente:

O conhecimento frequentemente resulta
de conhecer os outros,

mas o homem que está desperto
viu a pedra bruta.
Outros podem ser dominados pela força,
mas dominar a si mesmo

exige o Tao.

Aquele que possui muitos bens materiais
pode ser descrito como rico,

porém aquele que sabe que tem o suficiente,
e está em unidade com o Tao,
pode ter o suficiente dos bens materiais
assim como ter seu próprio ser.[218]

Enquanto meu visitante, ainda ansioso, mas autotransformador e determinado, continuar nesse caminho atual, ele se tornará muito mais competente e realizado, e não vai demorar muito. Mas isso só é possível porque ele aceitou seu estado humilde e foi agradecido o suficiente para tomar o primeiro passo para sair dessa condição de forma igualmente humilde. Isso é muito melhor que esperar, continuamente, pela chegada mágica de Godot[*]. Isso é muito melhor do que uma existência imutável, estática e arrogante, enquanto os demônios de raiva, ressentimento e uma vida não vivida se aglomeram ao redor.

---

[*] N.T.: O autor repete a referência a *Esperando Godot*, originalmente uma peça de Samuel Becket que retrata dois "vagabundos" em uma longa espera pela chegada do sr. Godot, que nunca aparece. Becket foi considerado um dos fundadores do "teatro do absurdo".

O que farei quando a cobiça me consumir? Lembrarei que é realmente melhor dar do que receber. O mundo é um fórum para compartilharmos e negociarmos (é a Regra 7, novamente), e não uma Casa do Tesouro para ser saqueada. Dar é fazer o que puder para deixar as coisas melhores. O bem nas pessoas reagirá a isso e o apoiará, imitará, multiplicará, retornará e promoverá para que tudo melhore e caminhe para frente.

O que farei quando destruir meus rios? Busque pela água viva e deixe-a purificar a Terra. Achei que essa pergunta, bem como sua resposta, foi especialmente inesperada. Parece estar mais associada com a Regra 6 (Deixe sua casa...). Talvez nossos problemas ambientais não sejam mais bem considerados de forma técnica. Pode ser que o sejam psicologicamente. Quanto mais as pessoas resolverem os próprios problemas, mais responsabilidades assumirão pelo mundo ao seu redor e mais problemas serão resolvidos por elas.[219] É melhor governar o próprio espírito do que uma cidade, diz o ditado. É mais fácil subjugar um inimigo de fora do que um de dentro. Talvez o problema ambiental seja, essencialmente, espiritual. Se nos colocarmos em ordem, pode ser que façamos o mesmo com o mundo. É claro, o que mais um psicólogo pensaria?

A próxima sequência está associada com a reação correta para a crise e a exaustão:

O que farei quando meu inimigo for bem-sucedido? Mire um pouco mais alto e seja agradecido pela lição. Voltando a Mateus: "Vocês ouviram o que foi dito: 'Amem o seu próximo e odeiem o seu inimigo', mas eu lhes digo: Amem os seus inimigos e orem por aqueles que os perseguem, para que vocês venham a ser filhos de seu Pai, que está nos céus. Porque Ele faz raiar o Seu sol sobre maus e bons e derrama chuva sobre justos e injustos.'" (5:43–45). O que isso quer dizer? Aprenda com o sucesso dos seus inimigos; ouça (Regra 9) as críticas deles para colher quaisquer fragmentos de sabedoria da oposição deles que puder incorporar para sua melhoria; adote como sua ambição a criação de um mundo em que aqueles que trabalham contra você vejam a luz, despertem e sejam bem-sucedidos, de forma que o bem que você mira os inclua, também.

O que farei quando estiver cansado e impaciente? Aceitar agradecidamente a mão que se estende para me ajudar. Isso tem dois significados. É uma ordem para, em primeiro lugar, perceber a realidade das limitações do ser individual e, em segundo, aceitar e ser agradecido pelo apoio dos outros

— família, amigos, conhecidos e dos estranhos, também. A exaustão e a impaciência são inevitáveis. Há muito para ser feito e pouco tempo para tanto. Porém, não precisamos lutar sozinhos, e bons resultados são colhidos quando distribuímos responsabilidades, unimos esforços e compartilhamos os créditos de um trabalho produtivo e significativo.

O que farei com a realidade do envelhecimento? Substituir o potencial da minha juventude com as realizações da minha maturidade. Isso ecoa novamente a discussão sobre a amizade que permeia a Regra 3, e a história do julgamento e da morte de Sócrates — que podem ser resumidas da seguinte forma: *Uma vida vivida em sua totalidade justifica as próprias limitações.* O jovem sem conquistas tem suas possibilidades para comparar às realizações dos anciãos. Não fica claro se isso é necessariamente um mau negócio, para qualquer um dos dois. "Um homem velho é apenas uma ninharia", escreveu William Butler Yeats, "trapos numa bengala à espera do final, a menos/que a alma aplauda, cante e ainda ria/sobre os farrapos do seu hábito mortal..."[*][220]

O que farei perante a morte de um filho meu? Abraçar meus outros entes queridos e curar sua dor. É necessário ser forte em face da morte porque ela é inerente à vida. É por esse motivo que digo aos meus alunos: busquem ser aquela pessoa no funeral do seu pai a quem todos os outros buscarão para se confortar em sua dor e tristeza. Essa é uma ambição nobre e digna: força diante da adversidade. Isso é bem diferente do desejo por uma vida sem problemas.

O que farei quando chegar ao próximo momento extremo? Concentrar minha atenção no próximo passo correto que devo dar. O dilúvio está chegando. O dilúvio está sempre chegando. O apocalipse está sempre pairando sobre nossas cabeças. É por isso que a história de Noé é arquetípica. As coisas desmoronam e o centro cede[**] — reforçamos isso na discussão da Regra 10 (Seja preciso no que diz). Quando tudo se tornar caótico e incerto, tudo o que resta para o guiar pode ser o caráter que você construiu previamente ao aspirar mais e se concentrar no momento presente. Se fracassou na construção do seu caráter, fracassará no momento da crise e, então, que Deus o proteja.

---

[*] N.T.: Disponível em http://marocidental.blogspot.com.br/2012/01/william-butler--yeats-velejando-para.html.

[**] N.T.: Alusão ao poema *A Segunda Vinda*, de William B. Yeats, reproduzido no Capítulo 10.

Essa última sequência, na minha opinião, contém as perguntas mais difíceis de todas que fiz naquela noite. A morte de um filho é possivelmente a pior das catástrofes. Muitos relacionamentos não sobrevivem a essa tragédia. Porém, a dissolução em face de um horror assim não é inevitável, embora seja compreensível. Já vi pessoas fortalecerem imensamente os laços de família restantes quando alguém próximo morre. Vi como eles se voltaram àqueles que permaneceram e redobraram seus esforços para se conectarem com eles e os apoiarem. Por causa disso, todos reconquistaram pelo menos um pouco daquilo que foi destroçado pela morte. Sendo assim, precisamos nos comiserar em nosso sofrimento. Precisamos nos unir em face da tragédia da existência. Nossas famílias podem ser a sala de estar com a lareira aconchegante, acolhedora e calorosa enquanto as tempestades do inverno assolam lá fora.

A percepção aumentada da fragilidade e da mortalidade produzida pela morte pode aterrorizar, amargurar e separar. Mas pode também despertar. Ela pode relembrar aqueles que estão de luto que não deixem que as pessoas que os amam passem despercebidas. Uma vez fiz uns cálculos assustadores sobre meus pais, que estão na casa dos 80 anos. Foi um exemplo da odiada aritmética que encontramos na discussão da Regra 5 (Não deixe que seus filhos façam algo que faça você deixar de gostar deles) — e olhei atentamente as equações para que ficasse apropriadamente ciente. Vejo minha mãe e meu pai cerca de duas vezes por ano. Geralmente passamos várias semanas juntos. No intervalo entre nossas visitas, conversamos por telefone. Mas a expectativa de vida das pessoas na casa dos 80 é menor do que 10 anos. Isso quer dizer que verei meus pais, se tiver sorte, menos do que vinte e poucas vezes. Isso é algo terrível de perceber. Porém, saber disso me impede de não dar o devido valor para essas oportunidades.

A próxima sequência de perguntas — e respostas — lida com o desenvolvimento do caráter. *O que direi para um irmão sem fé? O Rei dos Condenados é um péssimo juiz do Ser.* Creio firmemente que a melhor forma de consertar o mundo — o sonho de um faz-tudo, se houver algum — é consertar a si mesmo, como discutimos na Regra 6. Qualquer coisa diferente disso é presunção. Qualquer outra coisa incorre no risco de danos, como consequência da sua ignorância e falta de habilidade. Mas tudo bem. Há muito o que fazer exatamente onde você está. Afinal, suas falhas pessoais específicas afetam o mundo negativamente. Seus pecados (porque nenhuma outra palavra serviria aqui) voluntários e conscientes tornam as coisas piores do que têm que ser. Sua inação, inércia e cinismo removem do mundo aquela parte de você que poderia aprender a aliviar o sofrimento e criar a paz. Isso não é bom. Há infinitas razões para nos desesperarmos com o mundo e nos tornarmos furiosos, ressentidos e buscarmos vingança.

Deixar de fazer os sacrifícios adequados, de revelar a si mesmo, de viver e dizer a verdade — tudo isso o enfraquece. E nesse estado enfraquecido você não conseguirá prosperar no mundo, e isso não será benefício algum para si mesmo e para os outros. Você fracassará e sofrerá de forma estúpida. Isso corromperá sua alma. Como poderia ser diferente? A vida já é difícil o suficiente quando tudo está indo bem. E quando começa a ir mal? Aprendi através de dolorosa experiência que não há nada que esteja indo tão mal que não possa ser piorado. É por isso que o Inferno é um poço sem fundo. É por isso que o Inferno está associado ao pecado que acabei de mencionar. No pior dos casos, o sofrimento terrível das almas desafortunadas torna-se atribuível, por seu próprio julgamento, aos erros que cometeram conscientemente no passado: atos de traição, falsidade, crueldade, negligência, covardia e, o mais comum de todos, a cegueira proposital. Sofrer terrivelmente e saber que você mesmo é a causa: isso é o Inferno. E, uma vez lá, é muito fácil amaldiçoar o próprio Ser. E não é de surpreender. Porém, isso não se justifica. *E é por isso que o Rei dos Condenados é um péssimo juiz do Ser.*

Como podemos construir a nós mesmos como pessoas com quem podemos contar nos melhores e piores momentos — na paz e na guerra? Como podemos construir em nós mesmos o tipo de caráter que não vai se juntar, durante seu sofrimento e miséria, com todos aqueles que habitam o Inferno? As perguntas e respostas continuaram, todas pertinentes, de uma forma ou de outra, as regras que eu descrevi neste livro:

O que farei para fortalecer meu espírito? Não diga mentiras nem faça o que despreza.

O que farei para enobrecer meu corpo? Usá-lo apenas a serviço da minha alma.

ENCERRAMENTO

O que farei com as perguntas mais difíceis? Considere-as como o portal para o caminho da vida.

O que farei com a situação do homem pobre? Batalhar através do bom exemplo para erguer seu coração abatido.

O que farei quando a grande multidão tentar me seduzir? Permanecerei firme e pronunciarei minhas verdades.

É isso. Ainda tenho minha Caneta de Luz. Nunca mais escrevi com ela. Talvez o faça novamente quando me sentir no clima e quando algo surgir das profundezas do meu ser. Porém, mesmo que não escreva, ela me ajudou a encontrar as palavras para encerrar este livro da maneira como deveria.

Espero que tudo o que escrevi tenha sido válido para você. Espero que este livro tenha revelado coisas que você sabia que não sabia que sabia. Espero que a sabedoria ancestral que debati tenha lhe dado forças. Espero que tenha iluminado sua centelha interior. Espero que possa se fortalecer, consertar sua família e levar paz e prosperidade para sua comunidade. Espero, de acordo com a Regra 11 (Não incomode as crianças quando estão andando de skate), que você fortaleça e encoraje aqueles que estão sob seus cuidados em vez de os proteger ao ponto de enfraquecê-los.

Desejo o melhor para você, e espero que possa desejar o melhor aos outros.

O que você escreverá com sua caneta de luz?

AGRADECIMENTOS

VIVI MOMENTOS TUMULTUOSOS durante o período em que escrevi este livro, para dizer o mínimo. Porém, tive mais pessoas que ficaram ao meu lado do que esperava, pessoas confiáveis, competentes e honestas, e agradeço a Deus por isso. Quero agradecer especialmente a minha esposa, Tammy, minha grande companheira há quase 50 anos. Ela foi um pilar absoluto de honestidade, estabilidade, apoio, ajuda prática, organização e paciência durante os anos de escrita, que ocorreram durante todas as outras coisas da nossa vida, por mais importantes ou tumultuadas que fossem. Agradeço a minha filha, Mikhaila, e a meu filho, Julian, assim como a meus pais, Walter e Beverley, que também estiveram ao meu lado com uma atenção cuidadosa, debatendo assuntos complicados comigo e me ajudando na organização dos meus pensamentos, palavras e ações. Digo o mesmo ao meu cunhado, Jim Keller, um extraordinário arquiteto de chips de computador, e a minha irmã, Bonnie, sempre confiável e aventureira. Minha amizade com Wodek Szemberg e Estera Bekier se provou inestimável para mim de várias maneiras por muitos anos, assim como o pronto apoio nos bastidores que recebi do Professor William Cunningham. O dr. Norman Doidge fez muito mais do que deveria ao escrever e revisar o prefácio deste livro, o que levou a um esforço maior do que eu havia estimado, e a amizade e o carinho que ele e sua esposa, Karen, continuamente me oferecem têm sido grandemente apreciados por toda a minha família. Foi um prazer trabalhar com Craig Pyette, meu editor na Random House Canada. Sua atenção cuidadosa aos detalhes e sua habilidade em diplomaticamente manter o controle durante as explosões de paixão (e às vezes de irritação) que tive ao escrever os rascunhos tornaram o livro muito mais comedido e equilibrado.

Gregg Hurwitz, romancista, roteirista e amigo, usou várias das minhas regras para a vida em seu best-seller *Orphan X* muito antes de o meu livro ter sido escrito, o que foi uma grande lisonja e um indicador do valor potencial e do apelo público que elas carregavam. Gregg, de forma dedicada, meticulosa, fortemente incisiva e comicamente cínica, também se voluntariou para editar e comentar enquanto eu escrevia e editava. Ele me ajudou a cortar a verbosidade desnecessária (parte dela, pelo menos) e a me manter na linha narrativa. Ele também me recomendou Ethan van Scriver, que realizou as belas ilustrações no início de cada capítulo, e gostaria de lhe agradecer por isso, tiro meu chapéu para Ethan, cujos desenhos adicionaram um toque de leveza, capricho e ternura ao que poderia ser, de outro modo, um livro dramático e sombrio demais.

Finalmente, gostaria de agradecer a Sally Harding, minha agente, e a sua fantástica equipe da CookeMcDermid. Sem Sally, este livro nunca teria sido escrito.

NOTAS

1. Solzhenitsyn, A.I. (1975). *The Gulag Archipelago 1918–1956: An experiment in literary investigation* (Vol. 2). (T.P. Whitney, Trans.). New York: Harper & Row, p. 626. (Obra publicada no Brasil com o título *Arquipélago Gulag II.*)

2. Se quiser se aprofundar no estudo sobre as lagostas, este é um bom começo: Corson, T. (2005). *The secret life of lobsters: How fishermen and scientists are unraveling the mysteries of our favorite crustacean.* New York: Harper Perennial.

3. Schjelderup-Ebbe, & T. (1935). *Social behavior of birds.* Clark University Press. Retirado de http://psycnet.apa.org/psycinfo/1935-19907-007; veja também Price, J. S., & Sloman, L. (1987). "Depression as yielding behavior: An animal model based on Schjelderup-Ebbe's pecking order." *Ethology and Sociobiology*, 8, 85–98.

4. Sapolsky, R. M. (2004). "Social status and health in humans and other animals." *Annual Review of Anthropology, 33*, 393–418.

5. Rutishauser, R. L., Basu, A. C., Cromarty, S. I., & Kravitz, E. A. (2004). "Long-term consequences of agonistic interactions between socially naive juvenile American lobsters (Homarus americanus)." *The Biological Bulletin, 207*, 183–7.

6. Kravitz, E.A. (2000). "Serotonin and aggression: Insights gained from a lobster model system and speculations on the role of amine neurons in a complex behavior." *Journal of Comparative Physiology, 186*, 221–238.

7. Huber, R., & Kravitz, E. A. (1995). "A quantitative analysis of agonistic behavior in juvenile American lobsters (*Homarus americanus L.*)". *Brain, Behavior and Evolution, 46*, 72–83.

8. Yeh S-R, Fricke RA, Edwards DH (1996) "The effect of social experience on serotonergic modulation of the escape circuit of crayfish." *Science, 271*, 366–369.

9. Huber, R., Smith, K., Delago, A., Isaksson, K., & Kravitz, E. A. (1997). "Serotonin and aggressive motivation in crustaceans: Altering the decision to retreat." *Proceedings of the National Academy of Sciences of the United States of America, 94*, 5939–42.

10. Antonsen, B. L., & Paul, D. H. (1997). "Serotonin and octopamine elicit stereotypical agonistic behaviors in the squat lobster *Munida quadrispina (Anomura, Galatheidae)*." *Journal of Comparative Physiology A: Sensory, Neural, and Behavioral Physiology, 181*, 501–510.

11. Credit Suisse (2015, Oct). *Global Wealth Report 2015*, p. 11. Retirado de https://publications.credit-suisse.com/tasks/render/file/?fileID=F2425415DCA7-80B8-EAD989AF9341D47E.

12. Fenner, T., Levene, M., & Loizou, G. (2010). "Predicting the long tail of book sales: Unearthing the power-law exponent." *Physica A: Statistical Mechanics and Its Applications, 389*, 2416–2421.

13. de Solla Price, D. J. (1963). *Little science, big science*. New York: Columbia University Press.

14. Conforme teorizado por Wolff, J.O. & Peterson, J.A. (1998). "An offspring-defense hypothesis for territoriality in female mammals." *Ethology, Ecology & Evolution, 10*, 227–239; Generalized to crustaceans by Figler, M.H., Blank, G.S. & Peek, H.V.S (2001). "Maternal territoriality as an offspring defense strategy in red swamp crayfish *(Procambarus clarkii, Girard)*." *Aggressive Behavior, 27*, 391–403.

15. Waal, F. B. M. de (2007). *Chimpanzee politics: Power and sex among apes*. Baltimore, MD: Johns Hopkins University Press; Waal, F. B. M. de (1996). *Good natured: The origins of right and wrong in humans and other animals*. Cambridge, MA: Harvard University Press.

16. Bracken-Grissom, H. D., Ahyong, S. T., Wilkinson, R. D., Feldmann, R. M., Schweitzer, C. E., Breinholt, J. W., Crandall, K. A. (2014). "The emergence of lobsters: Phylogenetic

relationships, morphological evolution and divergence time comparisons of an ancient group." *Systematic Biology, 63,* 457–479.

17. Um breve resumo: Ziomkiewicz-Wichary, A. (2016). "Serotonin and dominance." In T.K. Shackelford & V.A. Weekes-Shackelford (Eds.). *Encyclopedia of evolutionary psychological science,* DOI 10.1007/978-3-31916999-6_1440-1. Retirado de https://www.researchgate.net/publication/310586509_Serotonin_and_Dominance.

18. Janicke, T., Häderer, I. K., Lajeunesse, M. J., & Anthes, N. (2016). "Darwinian sex roles confirmed across the animal kingdom." *Science Advances, 2,* e1500983. Retirado de http://advances.sciencemag.org/content/2/2/ e1500983.

19. Steenland, K., Hu, S., & Walker, J. (2004). "All-cause and cause-specific mortality by socioeconomic status among employed persons in 27 US states, 1984–1997." *American Journal of Public Health, 94,* 1037–1042.

20. Crockett, M. J., Clark, L., Tabibnia, G., Lieberman, M. D., & Robbins, T. W. (2008). "Serotonin modulates behavioral reactions to unfairness." *Science, 320,* 1739.

21. McEwen, B. (2000). "Allostasis and allostatic load implications for neuropsychopharmacology." *Neuropsychopharmacology, 22,* 108–124.

22. Salzer, H. M. (1966). "Relative hypoglycemia as a cause of neuropsychiatric illness." *Journal of the National Medical Association, 58,* 12–17.

23. Peterson J.B., Pihl, R.O., Gianoulakis, C., Conrod, P., Finn, P.R., Stewart, S.H., LeMarquand, D.G. Bruce, K.R. (1996). "Ethanol-induced change in cardiac and endogenous opiate function and risk for alcoholism." *Alcoholism: Clinical & Experimental Research, 20,* 1542–1552.

24. Pynoos, R. S., Steinberg, A. M., & Piacentini, J. C. (1999). "A developmental psychopathology model of childhood traumatic stress and intersection with anxiety disorders." *Biological Psychiatry, 46,* 1542–1554.

25. Olweus, D. (1993). *Bullying at school: What we know and what we can do.* New York: Wiley-Blackwell.

26. *Ibid.*

27. Janoff-Bulman, R. (1992). *Shattered assumptions: Towards a new psychology of trauma.* New York: The Free Press.

28. Weisfeld, G. E., & Beresford, J. M. (1982). "Erectness of posture as an indicator of dominance or success in humans." *Motivation and Emotion, 6,* 113–131.

29. Kleinke, C. L., Peterson, T. R., & Rutledge, T. R. (1998). "Effects of selfgenerated facial expressions on mood." *Journal of Personality and Social Psychology, 74,* 272–279.

30. Tamblyn, R., Tewodros, E., Huang, A., Winslade, N. & Doran, P. (2014). "The incidence and determinants of primary nonadherence with prescribed medication in primary care: a cohort study." *Annals of Internal Medicine, 160,* 441–450.

31. Esbocei isso em detalhes em Peterson, J.B. (1999). *Maps of meaning: The architecture of belief.* New York: Routledge.

32. Van Strien, J.W., Franken, I.H.A. & Huijding, J. (2014). "Testing the snakedetection hypothesis: Larger early posterior negativity in humans to pictures of snakes than to pictures of other reptiles, spiders and slugs." *Frontiers in Human Neuroscience, 8,* 691–697. Para um debate mais geral, veja Ledoux, J. (1998). *The emotional brain: The mysterious underpinnings of emotional life.* New York: Simon & Schuster.

33. Para o tratado clássico sobre essa questão, veja Gibson, J.J. (1986). *An ecological approach to visual perception.* New York: Psychology Press. Veja também Floel, A., Ellger, T., Breitenstein, C. & Knecht, S. (2003). "Language perception activates the hand motor cortex: implications for motor theories of speech perception." *European Journal of Neuroscience, 18,* 704–708, para um debate sobre a relação entre a fala e a ação. Para uma crítica mais genérica sobre a relação entre fala e percepção, veja Pulvermüller, F., Moseley, R.L., Egorova, N., Shebani, Z. & Boulenger, V. (2014). "Motor cognition–motor semantics: Action perception theory of cognition and communication." *Neuropsychologia, 55,* 71–84.

34. Flöel, A., Ellger, T., Breitenstein, C. & Knecht, S. (2003). "Language perception activates the hand motor cortex: Implications for motor theories of speech perception." *European Journal of Neuroscience, 18*, 704–708; Fadiga, L., Craighero, L. & Olivier, E (2005). "Human motor cortex excitability during the perception of others' action." *Current Opinions in Neurobiology, 15*, 213–218; Palmer, C.E., Bunday, K.L., Davare, M. & Kilner, J.M. (2016). "A causal role for primary motor cortex in perception of observed actions." *Journal of Cognitive Neuroscience, 28*, 2021–2029.

35. Barrett, J.L. (2004). *Why would anyone believe in God?* Lanham, MD: Altamira Press.

36. Para uma boa crítica, veja Barrett, J.L. & Johnson, A.H. (2003). "The role of control in attributing intentional agency to inanimate objects." *Journal of Cognition and Culture, 3*, 208–217.

37. Também recomendo muito, sobre esse assunto, o livro do aluno/ colega de trabalho mais brilhante de C.G., Jung's, Neumann, E. (1955). *The Great Mother: An analysis of the archetype.* Princeton, NJ: Princeton University Press. (Obra publicada no Brasil com o título *A Grande Mãe.*)

38. https://www.dol.gov/wb/stats/occ_gender_share_em_1020_txt.htm.

39. Muller, M.N., Kalhenberg, S.M., Thompson, M.E. & Wrangham, R.W. (2007). "Male coercion and the costs of promiscuous mating for female chimpanzees." *Proceedings of the Royal Society (B), 274*, 1009–1014.

40. Para um grande número de estatísticas derivadas da análise do seu site de namoros, OkCupid, veja Rudder, C. (2015). *Dataclysm: Love, sex, race & identity.* New York: Broadway Books. Nesses sites, o que também acontece é que uma pequena minoria de pessoas recebe a vasta maioria das consultas de interesse (outro exemplo do princípio de Pareto).

41. Wilder, J.A., Mobasher, Z. & Hammer, M.F. (2004). "Genetic evidence for unequal effective population sizes of human females and males." *Molecular Biology and Evolution, 21*, 2047–2057.

42. Miller, G. (2001). *The mating mind: How sexual choice shaped the evolution of human nature.* New York: Anchor.

NOTAS

43. Pettis, J. B. (2010). "Androgyny BT." In D. A. Leeming, K. Madden, & S. Marlan (Eds.). *Encyclopedia of psychology and religion* (pp. 35–36). Boston, MA: Springer US.

44. Goldberg, E. (2003). *The executive brain: Frontal lobes and the civilized mind.* New York: Oxford University Press.

45. Para as obras clássicas, veja Campbell, D.T. & Fiske, D.W. (1959). "Convergent and discriminant validation by the multitrait-multimethod matrix." *Psy chological Bulletin*, 56, 81–105. Uma ideia similar foi desenvolvida em Wilson, E.O. (1998). *Consilience: The unity of knowledge.* New York: Knopf. É por isso, também, que temos cinco sentidos, então podemos "pentangular" nosso caminho no mundo com modos de percepção qualitativos e separados, operando e fazendo acessos cruzados simultaneamente.

46. Headland, T. N., & Greene, H. W. (2011). "Hunter-gatherers and other primates as prey, predators, and competitors of snakes." *Proceedings of the National Academy of Sciences USA, 108*, 1470–1474.

47. Keeley, L. H. (1996). *War before civilization: The myth of the peaceful savage.* New York: Oxford University Press.

48. "Gradualmente foi-me revelado que a linha que separa o bem e o mal não passa por estados, nem por classes ou partidos políticos — porém, bem pelo meio do coração humano — e por todos os corações humanos. Essa linha se move. Dentro de nós, ela oscila com os anos. E mesmo dentro do coração daqueles esgotados pelo medo, ali permanece... um pedacinho do mal que não foi arrancado pela raiz. Desde então, pude compreender a verdade de todas as religiões do mundo: elas lutam com o mal dentro do ser humano (dentro de cada ser humano). É impossível expulsar o mal do mundo em sua totalidade, mas é possível constringi-lo dentro de cada pessoa." Solzhenitsyn, A.I. (1975). *The Gulag Archipelago 1918–1956: An experiment in literary investigation* (Vol. 2). (T.P. Whitney, Trans.). New York: Harper & Row, p. 615. (Obra publicada no Brasil com o título *Arquipélago Gulag II.*)

49. O melhor estudo sobre isso que já vi pode ser encontrado no brilhante documentário sobre o cartunista contracultural Robert

Crumb, com o título *Crumb*, dirigido por Terry Zwigoff (1995), lançado pela Sony Pictures Classic. Esse documentário contará mais do que você gostaria de saber sobre o ressentimento, a falsidade, a arrogância, o ódio pela humanidade, a vergonha sexual, a mãe devoradora e o pai tirano.

50. Bill, V.T. (1986). *Chekhov: The silent voice of freedom*. Allied Books, Ltd.

51. Costa, P.T., Teracciano, A. & McCrae, R.R. (2001). "Gender differences in personality traits across cultures: robust and surprising findings." *Journal of Personality and Social Psychology, 81*, 322–331.

52. Isbell, L. (2011). *The fruit, the tree and the serpent: Why we see so well*. Cambridge, MA: Harvard University Press; veja também Hayakawa, S., Kawai, N., Masataka, N., Luebker, A., Tomaiuolo, F., & Caramazza, A. (2011). "The influence of color on snake detection in visual search in human children." *Scientific Reports, 1*, 1–4.

53. Virgin and Child (c. 1480) by Geertgen tot Sint Jans (c. 1465c. 1495) oferece um exemplo excepcional disso, com Maria, o Cristo criança e a serpente superimpostos adicionalmente em um fundo de instrumentos musicais medievais (e o infante Cristo fazendo o papel do maestro).

54. Osorio, D., Smith, A.C., Vorobyev, M. & Buchanan-Smieth, H.M. (2004). "Detection of fruit and the selection of primate visual pigments for color vision." *The American Naturalist, 164*, 696–708.

55. Macrae, N. (1992). *John von Neumann : The scientific genius who pioneered the modern computer, game theory, nuclear deterrence, and much more*. New York: Pantheon Books.

56. Wittman, A. B., & Wall, L. L. (2007). "The evolutionary origins of obstructed labor: bipedalism, encephalization, and the human obstetric dilemma." *Obstetrical & Gynecological Survey, 62*, 739–748.

57. Há outras explicações: Dunsworth, H. M., Warrener, A. G., Deacon, T., Ellison, P. T., & Pontzer, H. (2012). "Metabolic hypothesis for human altriciality." *Proceedings of the National Academy of Sciences of the United States of America, 109*, 15212–15216.

58. Heidel, A. (1963). *The Babylonian Genesis: The story of the creation.* Chicago: University of Chicago Press.

59. Salisbury, J. E. (1997). *Perpetua's passion: The death and memory of a young Roman woman.* New York: Routledge.

60. Pinker, S. (2011). *The better angels of our nature: Why violence has declined.* New York: Viking Books.

61. Nietzsche, F.W. & Kaufmann, W.A. (1982). *The portable Nietzsche.* New York: Penguin Classics (Maxims and Arrows 12).

62. Peterson, J.B. (1999). *Maps of meaning: The architecture of belief.* New York: Routledge, p. 264.

63. Miller, G. (2016, November 3). Could pot help solve the U.S. opioid epidemic? *Science.* Retirado de http://www.sciencemag. org/news/2016/11/ could-pot-help-solve-us-opioid-epidemic.

64. Barrick, M. R., Stewart, G. L., Neubert, M. J., and Mount, M. K. (1998). "Relating member ability and personality to work-team processes and team effectiveness." *Journal of Applied Psychology, 83,* 377–391; para um efeito similar em crianças, veja Dishion, T. J., McCord, J., & Poulin, F. (1999). "When interventions harm: Peer groups and problem behavior." *American Psychologist, 54,* 755–764.

65. McCord, J. & McCord, W. (1959). "A follow-up report on the Cambridge Somerville youth study." *Annals of the American Academy of Political and Social Science, 32,* 89–96.

66. Veja https://www.youtube.com/watch?v=jQvvmT3ab80 (de *MoneyBART*: Episódio 3, Temporada 23 de *Os Simpsons*).

67. Rogers delineou seis condições para que a mudança construtiva de caráter ocorresse. A segunda delas é o "estágio de congruência" do cliente, que significa, de modo geral, o conhecimento de que algo está errado e tem de ser mudado. Veja Rogers, C. R. (1957). "The necessary and sufficient conditions of therapeutic personality change." *Journal of Consulting Psychology, 21,* 95–103.

68. Poffenberger, A.T. (1930). "The development of men of science." *Journal of Social Psychology, 1,* 31–47.

69. Taylor, S.E. & Brown, J. (1988). "Illusion and well-being: A social psychological perspective on mental health." *Psychological Bulletin, 103*, 193–210.

70. A palavra *pecado* é derivada do grego μαρτνειν (*hamartánein*), que significa *errar o alvo*. Conotações: erro de julgamento; falha fatal. Veja http://biblehub.com/greek/264.htm.

71. Veja Gibson, J. J. (1979). *The ecological approach to visual perception*. Boston: Houghton Mifflin.

72. Simons, D. J., & Chabris, C. F. (1999). "Gorillas in our midst: Sustained inattentional blindness for dynamic events." *Perception, 28*, 1059–1074.

73. http://www.dansimons.com/videos.html.

74. Azzopardi, P. & Cowey, A. (1993). "Preferential representation of the fovea in the primary visual cortex." *Nature, 361*, 719–721.

75. Veja http://www.earlychristianwritings.com/thomas/gospelthomas113.html.

76. Nietzsche, F. (2003). *Beyond good and evil*. Fairfield, IN: 1st World Library/ Literary Society, p. 67. (Obra publicada no Brasil com o título *Além do Bem e do Mal*.)

77. http://www.nytimes.com/2010/02/21/nyregion/21yitta.html.

78. Balaresque, P., Poulet, N., Cussat-Blanc, S., Gerard, P., Quintana-Murci, L., Heyer, E., & Jobling, M. A. (2015). "Y-chromosome descent clusters and male differential reproductive success: young lineage expansions dominate Asian pastoral nomadic populations." *European Journal of Human Genetics, 23*, 1413–1422.

79. Moore, L. T., McEvoy, B., Cape, E., Simms, K., & Bradley, D. G. (2006). "A Y-chromosome signature of hegemony in Gaelic Ireland." *American Journal of Human Genetics, 78*, 334–338.

80. Zerjal, T., Xue, Y., Bertorelle, G., Wells et al. (2003). "The genetic legacy of the Mongols." *American Journal of Human Genetics, 72*, 717–21.

81. Jones, E. (1953). *The life and work of Sigmund Freud* (Vol. I). New York: Basic Books. p. 5.

82. Um breve sumário de boa qualidade sobre essas ideias é encontrado aqui: https://www. britannica.com/art/noble-savage.

83. Com uma boa crítica em Roberts B. W., & Mroczek, D. (2008). "Personality trait change in adulthood." *Current Directions in Psychological Science, 17,* 31–35.

84. Para uma discussão confiável, minuciosa e com bases empíricas, veja Olweus, D. (1993). *Bullying at school: What we know and what we can do.* Malden, MA: Blackwell Publishing.

85. Goodall, J. (1990). *Through a window: My thirty years with the chimpanzees of Gombe.* Boston: Houghton Mifflin Harcourt.

86. Finch, G. (1943). "The bodily strength of chimpanzees." *Journal of Mam malogy, 24,* 224–228.

87. Goodall, J. (1972). *In the shadow of man.* New York: Dell.

88. Wilson, M.L. et al. (2014). "Lethal aggression in Pan is better explained by adaptive strategies than human impacts." *Nature, 513,* 414–417.

89. Goodall, J. (1990). *Through a window: My thirty years with the chimpanzees of Gombe.* Houghton Mifflin Harcourt, pp. 128–129.

90. Chang, I. (1990). *The rape of Nanking.* New York: Basic Books.

91. United Nations Office on Drugs and Crime (2013). *Global study on homicide.* Retirado de https://www.unodc.org/documents/gsh/pdfs/2014_ GLOBAL_HOMICIDE_BOOK_web.pdf.

92. Thomas, E.M. (1959). *The harmless people.* New York: Knopf.

93. Roser, M. (2016). *Ethnographic and archaeological evidence on violent deaths.* Retirado de https://ourworldindata.org/ethnographic-and-archaeologicalevidence-on-violent-deaths/.

94. *Ibid;* também Brown, A. (2000). *The Darwin wars: The scientific battle for the soul of man.* New York: Pocket Books.

95. Keeley, L.H. (1997). *War before civilization: The myth of the peaceful savage.* Oxford University Press, USA.

96. Carson, S.H., Peterson, J.B. & Higgins, D.M. (2005). "Reliability, validity and factor structure of the Creative Achievement Questionnaire." *Creativity Research Journal, 17,* 37–50.

97. Stokes, P.D. (2005). *Creativity from constraints: The psychology of breakthrough*. New York: Springer.

98. Wrangham, R. W., & Peterson, D. (1996). *Demonic males: Apes and the origins of human violence*. New York: Houghton Mifflin.

99. Peterson, J.B. & Flanders, J. (2005). Play and the regulation of aggression. In Tremblay, R.E., Hartup, W.H. & Archer, J. (Eds.). *Developmental origins of aggression*. (pp. 133–157). New York: Guilford Press; Nagin, D., & Tremblay, R. E. (1999). "Trajectories of boys' physical aggression, opposition, and hyperactivity on the path to physically violent and non-violent juvenile delinquency." *Child Development, 70,* 1181–1196.

100. Sullivan, M.W. (2003). "Emotional expression of young infants and children." *Infants and Young Children, 16,* 120–142.

101. Veja BF Skinner Foundation: https://www.youtube.com/ watch?v= vGazyH6fQQ4.

102. Glines, C.B. (2005). "Top secret World War II bat and bird bomber program." *Aviation History, 15,* 38–44.

103. Flasher, J. (1978). "Adultism." *Adolescence, 13,* 517–523; Fletcher, A. (2013). *Ending discrimination against young people*. Olympia, WA: CommonAction Publishing.

104. de Waal, F. (1998). *Chimpanzee politics: Power and sex among apes*. Baltimore: Johns Hopkins University Press.

105. Panksepp, J. (1998). *Affective neuroscience: The foundations of human and animal emotions*. New York: Oxford University Press.

106. Tremblay, R. E., Nagin, D. S., Séguin, J. R., Zoccolillo, M., Zelazo, P. D., Boivin, M., ... Japel, C. (2004). "Physical aggression during early childhood: trajectories and predictors." *Pediatrics, 114,* 43–50.

107. Krein, S. F., & Beller, A. H. (1988). "Educational attainment of children from single-parent families: Differences by exposure, gender, and race." *Demography, 25,* 221; McLoyd, V. C. (1998). "Socioeconomic disadvantage and child development." *The American Psychologist, 53,* 185–204; Lin, Y.-C., & Seo, D.-C. (2017). "Cumulative family risks across income levels predict

deterioration of children's general health during childhood and adolescence." *PLOS ONE, 12(5)*, e0177531. https://doi.org/10.1371/journal.pone.0177531; Amato, P. R., & Keith, B. (1991). "Parental divorce and the well-being of children: A meta-analysis." *Psychological Bulletin, 110*, 26–46.

108. O diário de Eric Harris: http://melikamp.com/features/eric.shtml.

109. Goethe, J.W. (1979). *Faust, part one* (P. Wayne, Trans.). London: Penguin Books. p. 75. (Obra publicada no Brasil com o título *Fausto.*)

110. Goethe, J.W. (1979). *Faust, part two* (P. Wayne, Trans.). London: Penguin Books. p. 270. (Obra publicada no Brasil com o título *Fausto II.*)

111. Tolstoy, L. (1887–1983). *Confessions* (D. Patterson, Trans.). New York: W.W. Norton, pp. 57–58. (Obra publicada no Brasil com o título *Uma confissão.*)

112. The Guardian (2016, June 14). *1000 mass shootings in 1260 days: this is what America's gun crisis looks like.* Retirado de https://www.theguardian.com/us-news/ng-interactive/2015/oct/02/mass-shootings-america-gun-violence.

113. As palavras de Eric Harris: https://schoolshooters.info/sites/default/files/ harris_journal_1.3.pdf.

114. Citado em Kaufmann, W. (1975). *Existentialism from Dostoevsky to Sartre.* New York: Meridian, pp. 130–131.

115. Veja Solzhenitsyn, A.I. (1975). *The Gulag Archipelago 19181956: An experiment in literary investigation* (Vol. 2). (T.P. Whitney, Trans.) New York: Harper & Row. (Obra publicada no Brasil com o título *Arquipélago Gulag.*)

116. Piaget, J. (1932). *The moral judgement of the child.* London: Kegan Paul, Trench, Trubner and Company (Obra publicada no Brasil com o título *O Juizo Moral na Criança*); veja também Piaget, J. (1962). *Play, dreams and imitation in childhood.* New York: W.W. Norton and Company. (Obra publicada no Brasil com o título *A formação do símbolo na criança: imitação, jogo e sonho, imagem e representação.*)

117. Franklin, B. (1916). *Autobiography of Benjamin Franklin.* (Obra publicada no Brasil com o título *Autobiografia — Benjamin Franklin.*) Rahway, New Jersey: The Quinn & Boden

Company Press. Retirado de https://www. gutenberg.org/
files/20203/20203-h/20203-h.htm.

118. Veja Xenofonte, a Apologia de Sócrates, seção 23,
Retirado de http://www.perseus.tufts.edu/hopper/
text?doc=Perseus%3Atext%3A1999.01.0212%3At
ext%3DApol.%3Asection%3D23.

119. *Ibid.*, seção 2.

120. *Ibid.*, seção 3.

121. *Ibid.*, seção 8.

122. Ibid., seção 4.

123. *Ibid.*, seção 12.

124. *Ibid.*, seção 13.

125. *Ibid.*, seção 14.

126. *Ibid.*, seção 7.

127. *Ibid.*

128. *Ibid.*, seção 8.

129. *Ibid.*

130. *Ibid.*, seção 33.

131. Goethe, J.W. (1979b). *Faust, part two* (P. Wayne, Trans.)
London: Penguin Books. p. 270. (Obra publicada no Brasil com
o título *Fausto II.*)

132. Há comentários muito úteis sobre cada versículo bíblico em
http://sbiblehub.com/commentaries e especialmente sobre esse
verso em http://biblehub.com/commentaries/genesis/4-7.htm.

133. "De onde/Senão do autor de todo o mal poderia nascer/Uma
malícia tão profunda, para confundir a Raça/Da Humanidade
em uma Raiz, e a Terra com o Inferno/para misturar e envolver,
tudo feito para despeitar/O Grande Criador?" Milton, J. (1667).
Paradise Lost, Book 2, 381–385. Retirado de
https://www.dartmouth.edu/~milton/reading_room/pl/book_2/
text.shtml (Obra publicada no Brasil com o título *Paraíso Perdido.*)

134. Jung, C.G. (1969). *Aion: Researches into the phenomenology of the self* (Vol. 9: Part II, Collected Works of C. G. Jung): Princeton, N.J.: Princeton University Press. (Capítulo 5.) (Obra publicada no Brasil com o título *Aion — Estudos sobre o simbolismo do si mesmo*.)

135. http://www.acolumbinesite.com/dylan/writing.php.

136. Schapiro, J.A., Glynn, S.M., Foy, D.W. & Yavorsky, M.A. (2002). "Participation in war-zone atrocities and trait dissociation among Vietnam veterans with combat-related PTSD." *Journal of Trauma and Dissociation, 3*, 107–114; Yehuda, R., Southwick, S.M. & Giller, E.L. (1992). "Exposure to atrocities and severity of chronic PTSD in Vietnam combat veterans." *American Journal of Psychiatry, 149*, 333–336.

137. Veja Harpur, T. (2004). *The pagan Christ: recovering the lost light.* Thomas Allen Publishers. Também há uma discussão sobre isso em Peterson, J.B. (1999). *Maps of meaning: The architecture of belief.* New York: Routledge.

138. Lao-Tse (1984). *The tao te ching.* (1984) (S. Rosenthal, Trans.) Verse 64: Staying with the mystery. Retirado de https://terebess. hu/english/tao/ rosenthal.html#Kap64. (Obra publicada no Brasil com o título *Tao Te Ching — O Livro que Revela Deus*.)

139. Jung, C.G. (1969). *Aion: Researches into the phenomenology of the self* (Vol. 9: Part II, Collected Works of C. G. Jung): Princeton, N.J.: Princeton University Press. (Obra publicada no Brasil com o título *Aion — Estudos sobre o simbolismo do si mesmo*.)

140. Dobbs, B.J.T. (2008). *The foundations of Newton's alchemy.* New York: Cambridge University Press.

141. Lemos em Efésios 2:8–2:9, por exemplo (na versão Almeida Corrigida Fiel): "Porque pela graça sois salvos, por meio da fé; e isto não vem de vós, é dom de Deus." Um sentimento similar tem eco em Romanos 9:15–9:16: "Compadecer-me-ei de quem me compadecer, e terei misericórdia de quem eu tiver misericórdia Assim, pois, isto não depende do que quer, nem do que corre, mas de Deus, que se compadece." A Nova Versão Internacional reformula 9:16 desta forma: "Portanto, isso não depende do desejo ou do esforço humano, mas da misericórdia de Deus."

142. Nietzsche, F.W. & Kaufmann, W.A. (1982). *The portable Nietzsche.* New York: Penguin Classics. Contém, entre outros, os livros *Twilight of the idols and the antiChrist: or how to philosophize with a hammer.*

143. Nietzsche, F. (1974). *The gay science* (Kaufmann, W., Trans.). New York: Vintage, pp. 181–182. (Obra publicada no Brasil com o título *A Gaia Ciência.*)

144. Nietzsche, F. (1968). *The will to power* (Kaufmann, W., Trans.). New York: Vintage, p. 343. (Obra publicada no Brasil com o título *A vontade de poder.*)

145. Dostoevsky, F.M. (2009). *The grand inquisitor.* Merchant Books.

146. Nietzsche, F. (1954). Beyond good and evil (Zimmern, H., Trans.). In W.H. Wright (Ed.), *The Philosophy of Nietzsche* (pp. 369–616). New York: Modern Library, p. 477. (Obra publicada no Brasil com o título *Além do Bem e do Mal.*)

147. "Deixemos nossas conjeturas e nossas teorias morrerem em nosso lugar! Ainda podemos aprender a matar nossas teorias ao invés de matarmos uns aos outros... talvez seja mais do que um sonho utópico o fato de que um dia possamos ver a vitória da atitude (é a atitude racional ou científica) de eliminar nossas teorias e nossas opiniões através da crítica racional, ao invés de eliminarmos uns aos outros." De Popper, K. (1977). "Natural selection and the emergence of mind." Palestra proferida em Darwin College, Cambridge, UK. Veja http://www.informationphilosopher.com/solutions/philosophers/popper/natural_selection_and_the_emergence_of_mind.html.

148. Isso está detalhado na introdução de Peterson, J.B. (1999). *Maps of meaning: the architecture of belief.* New York: Routledge.

149. Adler, A. (1973). "Life-lie and responsibility in neurosis and psychosis: a contribution to melancholia." In P. Radin (Trans.). *The practice and theory of Individual Psychology.* Totawa, N.J.: Littlefield, Adams & Company.

150. Milton, J. (1667). *Paradise Lost.* Book 1: 40–48. Retirado de https://www.dartmouth.edu/~milton/reading_room/pl/book_1/text.shtml (Obra publicada no Brasil com o título *Paraíso Perdido.*)

151. Milton, J. (1667). *Paradise Lost*. Book 1: 249–253. Retirado de https://www.dartmouth.edu/~milton/reading_room/pl/book_1/ text.shtml (Obra publicada no Brasil com o título *Paraíso Perdido*.)

152. Milton, J. (1667). *Paradise Lost*. Book 1: 254–255. Retirado de https://www.dartmouth.edu/~milton/reading_room/pl/book_1/ text.shtml (Obra publicada no Brasil com o título *Paraíso Perdido*.)

153. Milton, J. (1667). *Paradise Lost*. Book 1: 261–263.Retirado de https://www.dartmouth.edu/~milton/reading_room/pl/book_1/ text.shtml (Obra publicada no Brasil com o título *Paraíso Perdido*.)

154. Isso está detalhado em Peterson, J.B. (1999). *Maps of meaning: The architecture of belief*. New York: Routledge.

155. Hitler, A. (1925/2017). *Mein kampf* (M. Roberto, Trans.). Independently Published, pp. 172–173.

156. Finkelhor, D., Hotaling, G., Lewis, I.A. & Smith, C. (1990). "Sexual abuse in a national survey of adult men and women: prevalence, characteristics, and risk factors." *Child Abuse & Neglect, 14*, 19–28.

157. Rind, B., Tromovitch, P. & Bauserman, R. (1998). "A meta-analytic examination of assumed properties of child sexual abuse using college samples." *Psychological Bulletin, 124*, 22–53.

158. Loftus, E.F. (1997). "Creating false memories." *Scientific American, 277*, 70–75.

159. Extraído de Rogers, C. R. (1952). "Communication: its blocking and its facilitation." *ETC: A Review of General Semantics, 9*, 83–88.

160. Veja Gibson, J.J. (1986). *An ecological approach to visual perception*, New York: Psychology Press, para o tratado clássico nessa questão. Veja também Floel, A., Ellger, T., Breitenstein, C. & Knecht, S. (2003). "Language perception activates the hand motor cortex: implications for motor theories of speech perception." *European Journal of Neuroscience, 18*, 704–708 para uma discussão sobre a relação entre a fala e a ação. Para uma crítica mais geral sobre a relação entre a ação e a fala, veja Pulvermüller, F., Moseley, R.L., Egorova, N., Shebani, Z. & Boulenger, V. (2014). "Motor cognition–motor semantics:

Action perception theory of cognition and communication." *Neuropsychologia, 55*, 71–84.

161. Cardinali, L., Frassinetti, F., Brozzoli, C., Urquizar, C., Roy, A.C. & Farnè,(2009). "Tool-use induces morphological updating of the body schema." *Current Biology, 12*, 478–479.

162. Bernhardt, P.C., Dabbs, J.M. Jr., Fielden, J.A. & Lutter, C.D. (1998). "Testosterone changes during vicarious experiences of winning and losing among fans at sporting events." *Physiology & Behavior, 65*, 59–62.

163. Uma parte disso está detalhada em Gray, J. & McNaughton, N. (2003). *The neuropsychology of anxiety: An enquiry into the functions of the septal hippocampal system*. Oxford: Oxford University Press. Veja também Peterson, J.B. (2013). "Three forms of meaning and the management of complexity." In T. Proulx, K.D. Markman & M.J. Lindberg (Eds.). *The psychology of meaning* (pp. 17–48). Washington, D.C.: American Psychological Association; Peterson, J.B. & Flanders, J.L. (2002). "Complexity management theory: Motivation for ideological rigidity and social conflict." *Cortex, 38*, 429–458.

164. Yeats, W.B. (1933) The Second Coming. In R.J. Finneran (Ed.). *The poems of W.B. Yeats: A new edition*. New York: MacMillan, p. 158.

165. Conforme revisado em Vrolix, K. (2006). "Behavioral adaptation, risk compensation, risk homeostasis and moral hazard in traffic safety." *Steunpunt Verkeersveiligheid,* RA–2006–95. Retirado de https://doclib.uhasselt.be/dspace/bitstream/1942/4002/1/behavioraladaptation.pdf.

166. Nietzsche, F.W. & Kaufmann, W.A. (1982). *The portable Nietzsche*. New York: Penguin Classics, pp. 211–212.

167. Orwell, G. (1958). *The road to Wigan Pier*. New York: Harcourt, pp. 96–97. (Obra publicada no Brasil com o título *O caminho para Wigan Pier*.)

168. Carson, R. (1962). *Silent spring*. Boston: Houghton Mifflin.

169. Veja http://reason.com/archives/2016/12/13/themostimportantgraph-inthe-world.

170. http://www.telegraph.co.uk/news/earth/earthnews/9815862/Humans-areplague-on-Earth-Attenborough.html.

171. "The Earth has cancer, and the cancer is man." Mesarović, M.D. & Pestel,E. (1974). *Mankind at the turning point*. New York: Dutton, p. 1. A ideia foi inicialmente proposta (e de onde a citação foi extraída) por Gregg, A. (1955). "A medical aspect of the population problem." *Science, 121*, 681–682, p. 681 e um aprofundamento por Hern, W.M. (1993). "Has the human species become a cancer on the planet? A theoretical view of population growth as a sign of pathology." *Current World Leaders, 36*, 1089–1124. De Club of Rome's King, A. & Schneider, B. (1991). *The first global revolution*. New York: Pantheon Books, p. 75: "O inimigo comum da humanidade é o homem. Ao buscarmos um novo inimigo para nos unir, criamos a ideia de que a poluição, a ameaça do aquecimento global, a falta de água, a fome, e assim por diante, serviriam. Todos esses perigos são causados pela intervenção humana e apenas pela mudança de atitudes e de comportamento poderão ser superados. O inimigo real, então, é a própria humanidade."

172. Costa, P. T., Terracciano, A., & McCrae, R. R. (2001). "Gender differences in personality traits across cultures: robust and surprising findings." *Journal of Personality and Social Psychology, 81*, 322–31; Weisberg, Y. J., DeYoung, C. G., & Hirsh, J. B. (2011). "Gender differences in personality across the ten aspects of the Big Five." *Frontiers in Psychology, 2*, 178; Schmitt, D. P., Realo, A., Voracek, M., & Allik, J. (2008). "Why can't a man be more like a woman? Sex differences in Big Five personality traits across 55 cultures." *Journal of Personality and Social Psychology, 94*, 168–182.

173. De Bolle, M., De Fruyt, F., McCrae, R. R., et al. (2015). "The emergence of sex differences in personality traits in early adolescence: A cross-sectional, cross-cultural study." *Journal of Personality and Social Psychology, 108*, 171–85.

174. Su, R., Rounds, J., & Armstrong, P. I. (2009). "Men and things, women and people: A meta-analysis of sex differences in interests." *Psychological Bulle tin, 135*, 859–884. Para uma visão sob as lentes do

neurodesenvolvimento a respeito dessas diferenças, veja Beltz, A. M., Swanson, J. L., & Berenbaum, S. A. (2011). "Gendered occupational interests: prenatal androgen effects on psychological orientation to things versus people." *Hormones and Behavior, 60,* 313–7.

175. Bihagen, E. & Katz-Gerro, T. (2000). "Culture consumption in Sweden: the stability of gender differences." *Poetics, 27,* 327–3409; Costa, P., Terracciano, & McCrae, R.R. (2001). "Gender differences in personality traits across cultures: robust and surprising findings." *Journal of Personality and Social Psychology, 8,* 322–331; Schmitt, D., Realo. A., Voracek, M. & Alli, J. (2008). "Why can't a man be more like a woman? Sex differences in Big Five personality traits across 55 cultures." *Journal of Personality and Social Psychology, 94,* 168–182; Lippa, R.A. (2010). "Sex differences in personality traits and genderrelated occupational preferences across 53 nations: Testing evolutionary and social-environmental theories." *Archives of Sexual Behavior, 39,* 619–636.

176. Gatto, J. N. (2000). *The underground history of American education: A school teacher's intimate investigation of the problem of modern schooling.* New York: Odysseus Group.

177. Veja *Why are the majority of university students women?* Statistics Canada: Retirado de http://www.statcan.gc.ca/pub/ 81-004-x/2008001/article/10561-eng.htm.

178. Veja, por exemplo, Hango. D. (2015). "Gender differences in science, technology, engineering, mathematics and computer science (STEM) programs at university." *Statistics Canada,* 75–006–X: Retirado de http://www.statcan.gc.ca/access_acces/ alternative_alternatif.action?l=eng&loc=/pub/ 75-006-x/2013001/article/11874-eng.pdf.

179. Não estou sozinho ao pensar assim. Veja, por exemplo, Hymowitz, K.S. (2012). *Manning up: How the rise of women has turned men into boys.* New York: Basic Books.

180. Veja http://www.pewresearch.org/fact-tank/2012/04/26/ young-men-andwomen-differ-on-the-importance-of-a-successful-marriage/.

181. Veja http://www.pewresearch.org/data-trend/ society-and-demographics/ marriage/.

182. Isso foi debatido extensivamente nos principais meios de comunicação: veja https://www.thestar.com/life/2011/02/25/ women_lawyers_leaving_in_droves.html; http://www.cbc. ca/news/canada/women-criminal-law-1.3476637; http:// www.huffingtonpost.ca/andrea-lekushoff/female-lawyers-canada_b_5000415.html.

183. Jaffe, A., Chediak, G., Douglas, E., Tudor, M., Gordon, R.W., Ricca, L. & Robinson, S. (2016) "Retaining and advancing women in national law firms." *Stanford Law and Policy Lab, White Paper*: Retirado de https:// www-cdn.law.stanford.edu/ wp-content/uploads/2016/05/Women-in-LawWhite-Paper-FINAL-May-31-2016.pdf.

184. Conroy-Beam, D., Buss, D. M., Pham, M. N., & Shackelford, T. K. (2015). "How sexually dimorphic are human mate preferences?" *Personality and Social Psychology Bulletin, 41,* 1082–1093. Para uma discussão sobre como as preferências das fêmeas mudam em consequência de fatores puramente biológicos (ovulatórios), veja Gildersleeve, K., Haselton, M. G., & Fales, M. R. (2014). "Do women's mate preferences change across the ovulatory cycle? A metaanalytic review." *Psychological Bulletin, 140,* 1205–1259.

185. Veja Greenwood, J., Nezih, G., Kocharov, G & Santos, C. (2014)." Marry your like: Assortative mating and income inequality." *IZA discussion paper No. 7895.* Retirado de http://hdl.handle.net/10419/93282.

186. Uma boa crítica sobre assuntos tão deprimentes pode ser encontrada em Suh, G.W., Fabricious, W.V., Parke, R.D., Cookston, J.T., Braver, S.L. & Saenz, D.S. "Effects of the interparental relationship on adolescents' emotional security and adjustment: The important role of fathers." *Developmental Psychology, 52,* 1666–1678.

187. Hicks, S. R. C. (2011). *Explaining postmodernism: Skepticism and socialism from Rousseau to Foucault.* Santa Barbara, CA: Ockham' Razor Multimedia Publishing. O pdf está disponível em http://www. stephenhicks.org/wp-content/uploads/2009/10/hicks-ep-full.pdf.

188. Higgins, D.M., Peterson, J.B. & Pihl, R.O. "Prefrontal cognitive ability, intelligence, Big Five personality, and the prediction of advanced academic and workplace performance." *Journal of Personality and Social Psychology, 93,* 298–319.

189. Carson, S.H., Peterson, J.B. & Higgins, D.M. (2005). "Reliability, validity and factor structure of the Creative Achievement Questionnaire." *Creativity Research Journal, 17,* 37–50.

190. Bouchard, T.J. & McGue, M. (1981). "Familial studies of intelligence: a review." *Science, 212,* 1055–1059; Brody, N. (1992). *Intelligence.* New York: Gulf Professional Publishing; Plomin R. & Petrill S.A. (1997). "Genetics and intelligence. What's new?" *Intelligence, 24,* 41–65.

191. Schiff, M., Duyme, M., Dumaret, A., Stewart, J., Tomkiewicz, S. & Feingold, J. (1978). "Intellectual status of working-class children adopted early into upper-middle-class families." *Science, 200,* 1503–1504; Capron, C. & Duyme, M. (1989). "Assessment of effects of socio-economic status on IQ in a full cross-fostering study." *Nature, 340,* 552–554.

192. Kendler, K.S., Turkheimer, E., Ohlsson, H., Sundquist, J. & Sundquist, K. (2015). "Family environment and the malleability of cognitive ability: a Swedish national home-reared and adopted-away cosibling control study." *Proceedings of the National Academy of Science USA, 112,* 4612–4617.

193. A opinião da OECD's está em *Closing the gender gap: Sweden,* que começa com a crítica sobre as estatísticas indicadoras de que as meninas têm vantagem sobre os meninos em relação à educação e de que as mulheres são desproporcionalmente representadas nos serviços de saúde; então, vitupera a vantagem ainda existente dos homens na computação. Retirado de https://www.oecd.org/sweden/Closing%20the%20Gender%20 Gap%20-%20Sweden%20FINAL.pdf.

194. Eron, L. D. (1980). "Prescription for reduction of aggression." *The American Psychologist, 35,* 244–252 (p. 251).

195. Analisado em Peterson, J.B. & Shane, M. (2004). "The functional neuroanatomy and psychopharmacology of predatory and

defensive aggression." In J. McCord (Ed.). *Beyond empiricism: Institutions and intentions in the study of crime.* (Advances in Criminological Theory, Vol. 13) (pp. 107–146). Piscataway, NJ: Transaction Books; veja também Peterson, J.B. & Flanders, J. (2005). "Play and the regulation of aggression." In Tremblay, R.E., Hartup, W.H. & Archer, J. (Eds.). *Developmental origins of aggression.* (Chapter 12; pp. 133–157). New York: Guilford Press.

196. Como analisado em Tremblay, R. E., Nagin, D. S., Séguin, J. R., et al. (2004). "Physical aggression during early childhood: trajectories and predictors." *Pediatrics, 114,* 43–50.

197. Heimberg, R. G., Montgomery, D., Madsen, C. H., & Heimberg, J. S. (1977). "Assertion training: A review of the literature." *Behavior Therapy, 8,* 953–971; Boisvert, J.-M., Beaudry, M., & Bittar, J. (1985). "Assertiveness training and human communication processes." *Journal of Contemporary Psycho therapy, 15,* 58–73.

198. Trull, T. J., & Widiger, T. A. (2013). "Dimensional models of personality: The five-factor model and the DSM-5." *Dialogues in Clinical Neuroscience, 15,* 135–46; Vickers, K.E., Peterson, J.B., Hornig, C.D., Pihl, R.O., Séguin, J. & Tremblay, R.E. (1996). "Fighting as a function of personality and neuropsychological measures." *Annals of the New York Academy of Sciences. 794,* 411–412.

199. Bachofen, J.J. (1861). *Das Mutterrecht: Eine untersuchung über die gynaikokra tie der alten welt nach ihrer religiösen und rechtlichen natur.* Stuttgart: Verlag von Krais und Hoffmann.

200. Gimbutas, M. (1991). *The civilization of the goddess.* San Francisco: Harper.

201. Stone, M. (1978). *When God was a woman.* New York: Harcourt Brace Jovanovich.

202. Eller, C. (2000). *The myth of matriarchal prehistory: Why an invented past won't give women a future.* Beacon Press.

203. Neumann, E. (1954). *The origins and history of consciousness.* Princeton, NJ: Princeton University Press. (Obra publicada no Brasil com o título *História da origem da consciência.*)

204. Neumann, E. (1955). *The Great Mother: An analysis of the archetype*. New York: Routledge & Kegan Paul. (Obra publicada no Brasil com o título *A Grande Mãe*.)

205. Veja, por exemplo, Adler, A. (2002). Theoretical part I-III: The accentuated fiction as guiding idea in the neurosis. In H.T. Stein (Ed.). *The collected works of Alfred Adler volume 1: The neurotic character: Fundamentals of individual psychology and psychotherary (pp. 4185)*. Bellingham, WA: Alfred Adler Institute of Northern Washington, p. 71.

206. Moffitt, T.E., Caspi,A., Rutter, M. & Silva, P.A. (2001). *Sex differences in antisocial behavior: Conduct disorder, delinquency, and violence in the Dunedin Longitudinal Study*. London: Cambridge University Press.

207. Buunk, B.P., Dijkstra, P., Fetchenhauer, D. & Kenrick, D.T. (2002). "Age and gender differences in mate selection criteria for various involvement levels." *Personal Relationships, 9*, 271–278.

208. Lorenz, K. (1943). "Die angeborenen Formen moeglicher Erfahrung." *Ethology, 5*, 235–409.

209. Tajfel, H. (1970). "Experiments in intergroup discrimination." *Nature, 223*, 96–102.

210. Extraído de Dostoevsky, F. (1995). *The brothers Karamazov* (dramatized by David Fishelson). Dramatists Play Service, Inc., pp. 54–55. Retirado de http://bit.ly/2ifSkMn (Obra publicada no Brasil com o título *Os irmãos Karamázov*.)

211. E não é a habilidade de deixar um burrito tão quente no micro-ondas que nem Ele mesmo poderia comê-lo (como Homer pergunta em *Weekend at Burnsie's* [episódio 16, temporada 13, *Os Simpsons*]).

212. Lao-Tse (1984). *The tao te ching*. (1984) (S. Rosenthal, Trans.) Verse 11: The Utility of Non-Existence. Retirado de https://terebess.hu/english/ tao/rosenthal.html#Kap11 (Obra publicada no Brasil com o título *Tao Te Ching — O Livro que Revela Deus*.)

213. Dostoevsky, F. (1994*). Notes from underground/White nights/The dream of a ridiculous man/The house of the dead* (A.R. MacAndrew, Trans.). New York: New American Library, p. 114.

214. Goethe, J.W. (1979). *Faust, part two* (P. Wayne, Trans.). London: Penguin Books. p. 270. (Obra publicada no Brasil com o título *Fausto II*.)

215. Dikotter, F. *Mao's great famine*. London: Bloomsbury.

216. Veja Peterson, J.B. (2006). Peacemaking among higher-order primates. In Fitzduff, M. & Stout, C.E. (Eds.). *The psychology of resolving global conflicts: From war to peace. In Volume III, Interventions (pp. 33–40)*. New York: Praeger. Retirado de https://www.researchgate.net/publication/235336060_Peacemaking_among_higher-order_primates.

217. Veja Allen, L. (2011). Trust versus mistrust (Erikson's infant stages). In S. Goldstein & J. A. Naglieri (Eds.). *Encyclopedia of child behavior and development* (pp. 1509–1510). Boston, MA: Springer US.

218. Lao-Tse (1984). *The tao te ching*. (1984) (S. Rosenthal, Trans.). Verse 33: Without force: without perishing. Retirado de https://terebess.hu/english/tao/rosenthal.html#Kap33 (Obra publicada no Brasil com o título *Tao Te Ching — O Livro que Revela Deus*. São Paulo: Martin Clarinet, 2003.)

219. Considere, por exemplo, o grande e corajoso Boyan Slaat. Com cerca de vinte anos esse jovem holandês desenvolveu uma tecnologia que poderia fazer exatamente isso, de forma lucrativa, e ser utilizada em todos os oceanos do mundo. Eis um verdadeiro ambientalista. Veja https://www.theoceancleanup.com/.

220. Yeats, W.B. (1933). Sailing to Byzantium. In R.J. Finneran (Ed.). *The poems of W.B. Yeats: A new edition*. New York: MacMillan, p. 163.

ÍNDICE REMISSIVO

Símbolos

101 Dálmatas 336

!Kung 126–151

A

abuso 127–151

aculturamento 128–151

Adão e Eva 34–65, 162–167, 169

Adler, Alfred 220–241

    mentiras da vida 220–241

Adorno, Theodor 188–211

adultismo 139–151

agente hiperativo 39–65

agorafobia 21–29

agressividade 329

álcool 17–29, 244

    abstinência de álcool 20–29

Alfred Adler 226, 341

Alice no País das Maravilhas 336

Alióchia 199, 350

ambiente 12–29, 40–65

androgenia 42–65

ansiedade 136–151

apocalipse 375–412

Apolínea 334

Arbus, Diane 214–241

Ariel 336

Aristóteles xviii–xxxv

Arnold Schwarzenegger 340

árvore da vida 46–65

ateísmo 105–115

Auschwitz xiii–xxxv, 108–115, 188–211

autenticidade 224–241

autoconsciência 55–65, 185–211

autoengano xi–xxxv

autonomia infantil 118–151

avaliação de caráter 339

avatar 204

B

Babel, Torre de 34–65

Bach 9–29

Bacon, Francis 34–65

Bear Canyon 73–85

Beatty, Warren 119–151

Beethoven 9–29, 210–211

behaviorista x–xxxv

Bela Adormecida, A 43–65, 137–151

    Malévola 138–151

Bela e a Fera, A 10, 43–65

Belluci, Monica 51–65

Bíblia 104–115

    Antigo Testamento 107–115

    Novo Testamento 108–115

Bosch, Hieronymus 214–241

Branca de Neve 88–115, 336

Brasil 126–151

Buchenwald 203–211

Buda xv–xxxv, 237–241, 210–211

bullying 23–29, 124–151

Bush, George W. 174–211

Byrne, John 356–364

C

Caim e Abel 172–211, 171–211, 84–85

cambaxirra 2–29

Campbell, Joseph xvi

caos xii–xxxv, 13–29, 35–65, 98–115, 118, 118–151, 224–241, 278, 370–412

capacidade de identificação 274

capitalismo 15–29, 165–167

Carl Rogers 256

carreira 310

Cartago 59–65

casamento 310

castigo 144–151

cegueira 89–115
  por desatenção 99
  proposital 163–167, 223–241, 377–412

Chamberlain, Wilt 119–151

Chang, Iris 125–151
  O Massacre de Nanquim 125–151
  Unidade 731 125–151

Charles Atlas 340

Chekhov, Anton 48–65

chimpanzé 11–29, 40–65, 171–211

Cinderella 336

Cinquenta Tons de Cinza 10–29, 342

circuitos biológicos ancestrais 329

Columbine 153–167, 189–211, 307, 357–364

compaixão 330

comportamentos de defesa 6–29

compulsão à repetição 76–85

comunismo 15–29, 162–167, 229–241

consciência 35–65

constructo social 309-326

contrato social de confiança 270

conversa autêntica 243

cooperação 330

corrida evolutiva 52

corrupção 122–151

criminalidade 332

Cristo 9–29, 58–65, 79–85, 105–115, 157–167, 180–211, 234–241, 366–412

crítico interno 86-87

culpa 56–65

culto de personalidade 321

D

Dachau 203–211

daemon 181–211

Dante xxix–xxxv
  Inferno xxix–xxxv

Darwin 40–65, 205–211

Das Mutterrecht
  estágio de desenvolvimento 334

Dawkins, Richard xv, 120–151

DC Comics 354–364

delinquência 332

demência 227–241

depressão 227–241

Descartes, René 34–65, 202–211

desconstrutivismo 326

desenvolvimento natural 73

Deus vi–xxxv

Dez Mandamentos 112–115

Diabo 187–211, 356–364, 365–412

Dionísica 333

Disney 137–151

divórcio 123–151

dogma 105–115

dominância 218–241, 262, 339

Donald Trump 342

dor 136–151

Dostoiévski xii–xxxv, 105–115,

198–211, 350–364
  Crime e Castigo 105–115
  Irmãos Karamázovi 350
  Ivan 198–211
  Notas do Subsolo 77-85
  Os Irmãos Karamazov 198–211
  Raskolikov 105–115
drogas 17–29

E
Éden 45–65, 221–241
Édipo xvi–xxxv, 48–65
Edmonton 74–85
Ekberg, Anita 51–65
Eliade xii–xxxv
Eliot, T. S. 58, 160–167
  The Cocktail Party 160–167
Enrolados 336
entropia 62–65
envelhecer 375–412
Eric Harris 307
Escola de Frankfurt 317
escravidão 195–211
espaço ideológico 260
esperança 96–115
esquizofrenia 227
Estera Bekier vii–xxxv
estresse 8–29
  transtorno de estresse pós-
  traumático 26
estrutura hierárquica primária 40
estrutura social 126–151
estudos matriarcais 334
ethos adolescente 123–151
ética 104–115
evitamento 221–241
evolução 12–29

F
Fairview 67–85
falácia do espantalho 199, 252
fantasia compensatória 341

Faraó 188–211
Fascismo 202–211
fé 110–115
felicidade 96–115
Feuer, Lewis xiii
Filhos de Israel v–xxxv
filosofia ativa 264
força mínima necessária 142
fóvea 100–115
fracasso 90–115
França vii–xxxv
Franklin, Benjamim 177–211
Frankl, Viktor 226–241
  Em busca de Sentido 226–241
Freud, Sigmund xii–xxxv, 76–85,
  204–211, 226, 220–241, 253
Frye xii–xxxv
Fuxi 42–65

G
Gandhi, Mahatma 162–167
gene egoísta 120–151
gênero 309
Gênesis 33–65, 162–167, 185–211
Gilgamesh xv–xxxv
Giocangga 119–151
Godot 72–85, 373–412
Goethe xxix–xxxv, 154–167, 183–
  211, 356–364
  Fausto xxix, 154–167
  Mefistófeles 154–167
Goldber, Elkonon 43–65
Golding, William 124–151
Goodall, Jane 124–151
Grande Depressão 319
Grien, Hans Baldung 50–65
Guerra Civil Espanhola 319
Guerra Fria 205–211
gulag 161, 223–241

H
Harris, Eric 189–211

Harvard ix–xxxv
Havel, Václav 162–167
Heidegger, Martin xxxi–xxxv
Henson, Jim 132–151
Hermógenes 181–211
herói xvi–xxxv, 79–85
hidra 111–115
hierarquia 4–29, 192–211, 220,
    259, 347–364, 312, 314
    de dominância 4–29, 364
    de realização 87–115
    de valor xxx–xxxv
hinduísmo 42–65, 101–115
Hitler 108–115, 161–167, 238–
    241, 370–412
Hobbes, Thomas 186–211
Hollywood 88–115, 342
Holocausto xiii–xxxv, 119–151
Homem-Aranha 355–364
Homem de Ferro 342
Homer 341
Honduras 126–151
Honoré de Balzac vii–xxxv
Hórus 189–211, 233–241
humanistas marxistas 317
Hurwitz, Gregg xxix

I
ideologia xiii–xxxv, 205–211
Iluminismo 197–211
ilusão 101–115
inautenticidade 224–241
inconsciente 225–241
Índia 118–151
inferno xxviii–xxxv, 59–65,
    108–115, 177–211, 229–241,
    377–412
injustiça do mundo. 77
intelligentsia 319
interpretação 322
Irlanda 119–151

Isbell, Lynn 49
Ísis 42–65

J
Jacques Derrida 317
Jardim do Éden 172–211
Javé 45–65, 162–167
    YHWH 45–65
Javista 34–65
Jean-Paul Sartre 321
jogo 89–115
    de soma zero 89–115
Johann Jakob Bachofen 333
Jung, Carl Gustav xii–xxxv, 60–65,
    188–211
justiça 158–167

K
Kato 126–151
Kelly, Grace 51–65
kenótica 61–65
Khan, Genghis 119
Khieu Samphan 318
Khmer Vermelho 318
Kierkegaard, Søren 224–241
Kilimanjaro, Monte 234–241
King, Stephen 355–364
Kingu 56–65
kulaks 319

L
Lady Tremaine 336
lagostas 1–29
Lameque 184–211
Lee, Stan 355–364
Lenin xi–xxxv, 319
livre-arbítrio vi–xxxv, 57–65
livre associação 253
Logos 201–211, 234–241
Lúcifer 228–241
Luria, Alexander 43–65
Lutero 198–211

M

macaco 179–211
maconha 70–85
Madame Medusa 336
mãe edipiana 332, 338
Mãe Terrível 333
mal 54–65
Mamãe Gothel 336
Mao 108–115
maoistas 238–241
Maps of Meaning xi–xxxv
Marduque 203–211
Maria (mãe de Jesus) 42–65,
180–211
Marija Gimbutas 334
Martin Princes 341
Marvel Comics 355–364
   Salva-Vidas 355
   X-Man 355–364
Marx 198–211
Max Horkheimer 317
McGill, Universidade 213–241
medo aumentado 8–29
Mefistófeles 233–241, 356–364
Mengele, Josef xiii
Merlin Stone 334
Mesopotâmicos 56–65
metarrealidade 44–65
método rogeriano 257
Michelangelo 180–211, 84–85
   Davi (escultura) 84–85
   Pietà 180–211
Milhouses 341
Millenials xviii
Milton, John xi–xxxv, 47–65, 187–
211, 220–241
   Paraíso Perdido xi–xxxv
moralidade 104–115
morte 172–211
Moscas, O Senhor das 124–151

Mozart 9–29
My Lai 189–211

N

Nagas 42–65
narcisismo 77–85
nazistas xiii–xxxv, 154–167,
238–241
Nelson Muntz 341
Neumann, John von xii–xxxv,
51–65
neurociência x–xxxv
neuroticismo 332
Newton, Isaac 34–65, 194–211
Nietzsche, Friedrich xii–xxxv,
108–115, 196–211, 234–241,
358–364
   Além do Bem e do Mal 108–115,
200–211
niilismo xix–xxxv, xxxi–xxxv, 89–
115, 187–211, 353–364
Noé 34–65, 162–167, 375–412
nudez 50–65
Nuremberg 206–211
Nuwa 42–65

O

obediência 105–115
obrigação moral 93–115
Occam, navalha de 141–151
Ocidente 60–65, 105–115
octopamina 7–29
Oráculo de Delfos 181–211
ordem xii–xxxv, 13–29, 35–65,
118–151, 234–241, 370–412
Oriente Médio 33–65
Orwell, George 205–211
Osíris 42–65, 190–211, 232–241
Os Simpsons 341

P

padrões de comportamento 329
Page, Jimmy 88–115

Palavra Sagrada 278
Pandora, caixa de 221–241
Panzram, Carl 158–167
Paraíso 46–65, 169–211, 227–241
  pairidaeza (avéstico) 46–65
paranoico 215–241
Pareto, Vilfredo 9–29
  princípio de distribuição 27
patriarcado 308, 313
paz 130–151
pecado 95–115, 159–167, 184–211, 377–412
Pequena Sereia, A 43–65
percepção 271
pesadelo 46–65
Peter Pan 145–151, 201–211
Pew Research Centre 310
  dados 310
Piaget xii–xxxv
Pinóquio 37–65, 362–364, 368–412
pintarroxo 2–29
Platão 105–115
política 260
Popper, Karl 203–211
prazer 170–211
Price, Derek J. de Solla 9–29
  lei de Price 27–29
programabilidade do cérebro 52
Prozac 8–29
psicoterapia 243
psique xii–xxxv, 20–29, 103–115
punição 134–151

Q

QI 328
Qing, dinastia 119–151
Quora (site) xxiv–xxxv

R

Ralph Wiggums 341
Rank, Otto xvi–xxxv
recompensa 97–115, 134–151
Rei Leão, O 43–65
Renascimento 194–211
respostas empáticas 261
ressentimento 93–115, 122
Revolução Russa 319
ritual 171–211
Rogers, Carl 83–85
Rousseau, Jean-Jacques 124–151
  bom selvagem 124–151

S

sacrifício 59–65, 172–211, 224–241
  autossacrifício 60–65
Sandy Hook 153–167
Satanás 47–65, 186–211, 220–241
Schjelderup-Ebbe, Thorlief 3–29
Schwartz, Yitta 119–151
seleção natural 12–29
Self-Authoring Program x–xxxv
Ser 34–65, 89–115, 154–167, 172–211, 350–364
serotonina 7–29
serpente 38–65, 98–115, 186–211
Set (irmão de Osíris) 190–211, 232–241
Shakti 42–65
Shiva 42–65
Shuster, Joe 354–364
Siegel, Jerry 354–364
Simons, Daniel 99–115
sistema cultural compartilhado xxx–xxxv
sistema de valores 105–115
sistema imunológico 18–29

sistemas perceptivos 271
Skinner, B. F. 134–151
  Projeto Pigeon 134–151
socialização 328
Sócrates xx–xxxv, 181–211,
  375–412
sofrimento 169–211, 222–241,
  348–364
Soljenítsin, Alexandre 161–167,
  225–241
Stalin, Josef 225–241
suicídio 61–65, 156–167, 217–241

T
Tajfel, Henri 346–364
  identidade social 346
Tao te Ching 106–115, 193–211,
  373–412
Tchaikovsky 9–29
teoria crítica 317
terapia cognitivo-comportamental
  330
Terence, Romano 188–211
Thomas, Elizabeth Marshall
  126–151
Tiamat 335
tirano 92–115
Tolstói, Leo 155–167, 358–364
Torá 353–364
Torres Gêmeas 37–65
totalitarismo xi–xxxv
transtorno bipolar 227–241
transtorno de personalidade 217–
  241, 332
treinamento de assertividade 330
Tubalcaim 184–211
Twain, Mark 12–29

U
Uí Néill, dinastia 119–151
União Soviética xi–xxxv
utopia xi–xxxv

V
vaidade 77
Vedas 101–115
  maya 101–115
vilão 79–85
vingança 93–115, 128–151,
  157–167
violência 130–151
virtude 77–85

W
Wall, Frans de 11–29
White, Jack 88–115
Wikipédia 118–151
Wodek Szemberg vii–xxxv

Y
Yanomami 126–151
yin e yang xxvii–xxxv, 13–29

ÍNDICE REMISSIVO

JORDAN B. PETERSON cresceu e se fortaleceu nas gélidas terras desérticas do norte de Alberta, já fez acrobacias em um avião, pilotou um veleiro de competições ao redor da Ilha de Alcatraz, explorou uma cratera criada por um meteorito no Arizona juntamente com um grupo de astronautas e construiu um templo cerimonial dos Kwagul no andar superior de sua casa em Toronto após ser convidado para integrar a Canadian First Nation. Já foi lavador de pratos, frentista, bartender, cozinheiro, apicultor, trabalhou na extração de petróleo, em uma fábrica de madeira compensada e na construção de linhas férreas. Ele leciona mitologia para advogados, médicos e empresários, foi consultor do secretário-geral da ONU no alto comitê de Desenvolvimento Sustentável, ajudou seus clientes a lidarem com depressão, transtorno obsessivo-compulsivo, ansiedade e esquizofrenia, foi conselheiro de sócios majoritários de escritórios jurídicos do Canadá, identificou milhares de empreendedores promissores em 60 países diferentes e palestrou extensivamente na América do Norte e na Europa. O dr. Peterson publicou mais de uma centena de artigos científicos, fazendo com que a compreensão moderna da psicologia avançasse, e transformou a psicologia da religião com seu livro, agora clássico, *Maps of Meaning: The Architecture of Belief*. Quando foi professor de Harvard, foi indicado ao prestigioso Levenson Teaching Prize, e é considerado por seus alunos da Universidade de Toronto um dos três professores que mudaram suas vidas. Ele é o "Escritor com Mais Visualizações" do Quora para os temas *Values and Principles* e *Parenting and Education*, e suas aulas sobre mitologia foram transformadas em uma série popular de 13 episódios na TV aberta. Seu programa online de saúde mental, www.selfauthoring.com* (destacado pela *O: The Oprah Magazine* e pelo site nacional do NPR), tem ajudado milhares de pessoas a lidarem com os problemas do passado e a melhorarem seus futuros, enquanto a informação oferecida em seu novo teste de personalidade (www. understandmyself.com) ajuda seus participantes em sua busca para conhecerem a si mesmos e aos outros.

Siga @jordanbpeterson no Twitter, Dr Jordan B Peterson no Facebook e JordanPetersonVideos no YouTube.

---

* N.T.: Todos os sites e vídeos mencionados têm conteúdo em inglês.